HASLINGER · HÖFISCHER BAROCKROMAN

FÜR TRAUDL

ADOLF HASLINGER

EPISCHE FORMEN IM HÖFISCHEN BAROCKROMAN

ANTON ULRICHS ROMANE ALS MODELL

1970

WILHELM FINK VERLAG MÜNCHEN

© 1970 Wilhelm Fink Verlag, München
Satz und Druck: Alpha Druck GmbH, München
Buchbindearbeiten: Großbuchbinderei Monheim, Monheim

INHALTSVERZEICHNIS

A. EINFÜHRUNG

1. Gegenstand — Terminologie — Methode — Ziel

> „Die historischen Romane des 17. Jahr-
> hunderts, von denen mein Buch handelt,
> gehören zu den Dichtungen, welche in
> den kleinsten Compendien unserer Lite-
> raturgeschichte aufgezählt werden und
> von welchen dennoch die bedeutendsten
> Literatoren keine genauere Kenntniß
> haben sollen." (Leo Cholevius, 1866.)

> „... die Vorstellungen von so monu-
> mentalen Gefügen wie der ‚Octavia'
> oder der ‚Aramena' [sind] auch heute
> noch sehr verschwommen..." (Wolf-
> gang Bender, 1964.)

Den Gegenstand dieser Untersuchung bilden die höfischen Romane des
deutschen Barock.

Unter dem Terminus *höfischer Barockroman*[1] begreifen wir folgende
Werke: Anton Ulrich von Braunschweig, ‚Die Durchleuchtige Syrerinn
Aramena' (Nürnberg 1669—1673) und ‚Octavia. Roemische Geschichte'

---

[1] Die Fußnote zur verwirrenden Terminologie des *höfischen Barockromans*
läßt sich leider nicht ersparen. Neben diesem Terminus, den übrigens Günther
Müller schon 1929 verwendet (G. *Müller*, Barockromane S. 17), kennt die
Literaturforschung eine Fülle anderer. Der prominenteste davon ist der sonst
bei G. *Müller* übliche des *höfisch-historischen Romans*, den u. a. auch
H. *Singer* übernimmt. Daneben gebraucht man noch *Idealroman des Barock*
(G. *Weydt*, Aufriß), *höfisch-historischer Staats- und Liebesroman* (D. *Kimpel*, S. 19 ff.), *heroisch-galanter Roman* (W. *Flemming*, Heroisch-galanter
Roman; Cl. *Lugowski*, Deutsche Barockforschung), *politisch historischer
Heldenroman* (R. *Newald*), *höfisch-heroischer Roman* (E. D. *Becker*),
heroischer Roman (u. a. R. *Alewyn*, Roman des Barock), *politischer Heldenroman* (Geschichte der deutschen Literatur. Von J. G. *Boeckh* u. a.). Am
sorglosesten gebraucht u. W. W. *Rehm* die terminologische Möglichkeit gewissermaßen als stilistische Variation für ein und dasselbe Genre (innerhalb
des Kapitels ‚Der höfisch-heroische, historische und galante Roman' seiner

9

(Nürnberg 1677—1707)[2]; Daniel Casper von Lohenstein, ‚Arminius und Thußnelda' (Leipzig 1689—1690).[3] Ausgangspunkt und Zentrum unserer Arbeit sind die Romane Anton Ulrichs, die Günther Müller schon 1929 als die „geistigsten Gesamtkunstwerke des deutschen Barockzeitalters" (Barockromane S. 28) bezeichnet hat, während Lohensteins Werk seiner Meinung nach „nicht eigentlich ein Roman ist" (S. 23). Das Kriterium dieser zweifellos übersteigerten antithetischen Wertung bildet die Eigenart dieser Schöpfungen als „Wortkunstwerke." Es liegt uns natürlich fern, Günther Müllers Urteil unbesehen übernehmen zu wollen. Für eine Formbeschreibung empfehlen sich aber diese Romane durch ihren Strukturreichtum als besonders ergiebige Beispiele einer *konstruktiven Großform.*[4]

Im weiteren Sinne beziehen wir noch folgende Romane in unsere Untersuchung mit ein: John Barclay, ‚Argenis' (Rom 1621) in der deutschen Übersetzung von Martin Opitz (Breslau 1626); Andreas Heinrich Bucholtz, ‚Herkules und Valiska' (Braunschweig 1659) und ‚Herkuliskus und Herkuladisla' (Braunschweig 1665); Heinrich Anselm von Zigler und Kliphausen, ‚Die Asiatische Banise' (Leipzig 1689). Die Romane Philipp von

---

abrißartigen Romangeschichte: „Auch der neu erstehende heroisch-historische, idealische Hofroman" (40), „neue Gattung des heroischen Hofromans" (40), „den heroisch-historischen, höfischen Barockroman" (42), „Gegen Ende des Jahrhunderts ging die Blütezeit des Heldenromans zu Ende..." (51). Daß die Bezeichnungen als sachlich-charakterisierende Aussagen über diese Werke aufgefaßt werden, beweist eine Feststellung R. *Alewyns:* „Der heroischgalante Roman ist zwar, wie schon sein Name besagt, zur Hälfte Liebesroman" (Johann Beer, S. 171). Damit bringen wir schon etwas Ordnung in das Spiel terminologischer Mannigfaltigkeit. Verschiedene, wichtig erscheinende Aspekte dieser Dichtungen werden vom gewählten Terminus betont: das Inhaltliche oder die Tendenz (Staats- und Liebesroman, historischer Roman, politischer Heldenroman), die gesellschaftlich-geistige Atmosphäre (höfischer Barockroman), das Verhalten der Personen (heroisch-galant), das Verhältnis zur Wirklichkeit (Idealroman des Barock) usw. Die Variationen ergeben sich also von selbst. Mit einer treffendsten Bezeichnung läßt sich hier nicht mehr argumentieren, alle Termini sind partiell treffend. Wir setzen für alle frucht- und unfruchtbaren Variationen einer identischen Sache den Terminus *höfischer Barockroman.* Die Begründung sehen wir natürlich nicht in der erneuten Betonung eines speziellen Aspektes, sondern vielmehr einer allgemeinen Grundhaltung. Man erkennt jetzt immer mehr die Literatur des 17. Jahrhunderts entweder als höfisch oder als gegenhöfisch (vgl. auch schon früher Erika *Vogt).* Die Bezeichnung hat zudem den Vorzug der Einfachheit.

2 Vgl. zur Quellenlage die bibliographische Übersicht bei W. *Bender* Diss. S. 122—127 und seine Zusammenstellung in: Philobiblon 8 (1964), S. 166—187; sowie B. L. *Spahr,* Aramena.

3 Zu den vollen Titeln aller in diesem Kapitel angeführten Romane s. u. S. 384—6.

4 „Die konstruktive Großform läßt sich besser im Barock selbst und wohl am besten bei Anton Ulrich von Braunschweig selbst studieren." (F. *Sengle,* Der Umfang als ein Problem der Dichtungswissenschaft, in: Gestaltprobleme der

Zesens und die pseudohöfischen Werke Hans Jakob Christoffel von Grimmelshausens betrachten wir als besondere Spielarten des höfischen Barockromans, sie finden in diesem Rahmen ebenso wie Werke des nichthöfischen Bereichs nur fallweise Erwähnung.

Die höfischen Barockromane gehören als epische Großdichtungen zu den umfangreichsten Werken der deutschen Literatur. Die ‚Octavia' umfaßt in ihrer ersten vollständigen Ausgabe sechs Duodezbände von insgesamt 6922 Seiten, die ‚Aramena' fünf Duodezbände von genau 3882 Textseiten (ohne Sigmund von Birkens ‚Vorrede'), der ‚Arminius' zwei Octavbände von zusammen 3082 zweispaltig bedruckten Seiten[5] (ohne Widmungsgedichte, Vorrede, Anmerkungen und Register). Diese riesigen Werke liegen, historisch gesehen, zwischen zwei schmaleren Bänden des Genres, nämlich der ‚Argenis' (1047 Seiten) und der ‚Asiatischen Banise' (696 Seiten: Ausgabe 1738).[6] Der knappere Umfang[7] der Werke zu Beginn und Ende dieser Epoche der höfischen Romanproduktion, dem Zesens Romane entsprechen, weist auf einen allmählichen Geschmackswechsel des Lesepublikums hin. Die Romane wurden damals nicht nur in aristokratischen Kreisen *verschlungen*, wie die Klagen des streitbaren Züricher Pastors Gotthard Heidegger in seiner ‚Mythoscopia Romantica' (Zürich 1698) bestätigen, sondern auch in bürgerlichen Familien. Die Literatursoziologie des Barock ist noch zu schreiben; wir begnügen uns mit dieser einleitenden Feststellung. Der Unterschied des äußeren Umfangs weist natürlich auch auf eine Änderung des künstlerischen Wollens hin, er schließt aber andererseits formale Strukturverwandschaft nicht aus. Zwischen der ‚Argenis' etwa und den Romanen Anton Ulrichs besteht eigentlich kein wesentlicher formaler Unterschied, Anton Ulrich hat diese Form lediglich mit ihren Konsequenzen ins Monumentale gesteigert, allerdings nicht nur quantitativ.[8] Die höfischen Barockromane sind also Erzählwerke von beträchtlichem Umfang; sie repräsentieren eine „konstruktive epische Großform." Ihre Personen entstammen durchwegs den höchsten Schichten der Aristokratie. Das Grundschema der Handlung mit seinen strukturellen Auswirkungen ist ein

---

Dichtung. Günther *Müller* zu seinem 65. Geburtstag am 15. Dezember 1955, hrsg. von Richard *Alewyn*, Hans-Egon *Hass* und Clemens *Heselhaus*. Bonn 1957, S. 303).

[5] Das entspricht schätzungsweise dem Umfang der ‚Octavia' Anton Ulrichs.

[6] Das Original konnten wir nicht einsehen. Wir benutzten die leicht erreichbare Ausgabe von 1738, die Zitate beziehen sich aber auf die Ausgabe von W. *Pfeiffer-Belli* (1965).

[7] F. *Sengle* hat in dem zitierten Aufsatz (Anm. 4) den Umfang literarischer Werke mit Recht zum „Problem der Dichtungswissenschaft" erhoben.

[8] Auf diese strukturelle Verwandtschaft hat G. *Müller*, Barockromane erstmals verwiesen.

Erbteil des spätgriechischen Liebesromans und ist mehrmals charakterisiert worden.[9] Die Handlung setzt medias-in-res ein, die fiktive Vorzeit wird durch Erzählungen der Romanpersonen nachgeholt. Daraus versteht sich bereits ein fundamentaler Unterschied zwischen Haupthandlung (= fiktive Gegenwart) und Lebensgeschichte[10] (= fiktive Vorzeit).

Diese Untersuchung zielt „auf die Darstellung als Darstellung" und möchte „die besonderen Möglichkeiten der dichterischen Gestaltung erhellen."[11] Ihre Methode ist eine gestaltanalytische Beschreibung von Form und Funktion der erzählerischen Strukturphänomene solcher epischer Großdichtungen.

Im Anfang steht die prinzipielle Frage nach Erzähler (Erzählhaltung), Romanperson und Leser. Die einheitliche künstlerische Wirkung eines solchen Werkes gemäß der voluntas autoris beruht auf den fundamentalen Beziehungen dieses Spannungsdreieckes. Vor allem die Position und Funktion des (immanenten) Lesers soll hier die ihr zukommende Beachtung erfahren. Diese Erkenntnisse führen uns bereits in die besonderen Strukturen der Erzählspannung, der Mehrsträngigkeit, der Personenkonstellation und der Handlung, die wir besonders bei Anton Ulrich beschreiben.

Im Sinne einer intensiveren Wirkung des Darzustellenden wählen wir in diesem grundsätzlichen Kapitel (B) vorzugsweise Strukturen aus der ‚Aramena.' Das bringt den Gewinn, daß die beschriebenen Strukturen im Laufe der Darbietung im Leser den Eindruck einer solchen künstlerischen Komplexität verstärken. Die Beispiele verlieren zunehmend das Isolierte und schieben sich ergänzend ineinander.

Kapitel C bringt als deskriptive Bestandsaufnahme den Katalog der epischen Bauformen und die Deutung ihrer Funktionen. Hier weitet sich der Blick auf die besonderen Formen der epischen Integration bei mehreren Vertretern des höfischen Barockromans. Die Intensität der szenischen Fiktionalisierung liefert Unterschiede in den Gestaltungsweisen verschiedener Autoren. Kapitel D beschreibt die Formen der Lebensgeschichten bei Anton Ulrich und bestimmt deren Funktion. In besonderem Maße gilt dafür die fruchtbare Spannung zwischen erzählerischer Tradition und persönlicher Gestaltung. Kapitel E charakterisiert die epischen Gestaltungsprinzipien, welche die fiktive Romanwelt als besondere Erscheinungsformen erzählerischer Sprachkunst bei Anton Ulrich aufbauen. Hinweise auf grundsätzliche Forschungsaufgaben und editorische Desiderata des höfischen Barockromans schließen die Untersuchung ab (Kapitel G). Die schlechte Quellenlage dieser vernachlässigten Werke verlangt das ausführliche Zitieren mancher Textstelle in dieser Arbeit. Die Zitate beziehen sich auf die S. 384—386 genannten Originalausgaben.

---

[9]   Vgl. u. a. R. *Alewyn*, Der Roman des Barock u. W. *Kayser*, Entstehung und Krise S. 6 f.
[10] Zu diesem Terminus s. u. S. 248—250.
[11] P. *Böckmann*, Formgeschichte I, S. 22.

2. Die Forschung zum Thema

Der Weg der Wissenschaft zu den epischen Großdichtungen des deutschen Barock ist lang und dornenvoll gewesen, und heute scheint erst eine gute Strecke davon zurückgelegt. Mit dem Zeitalter der Entstehung dieser Romane verrauschte auch der Klang ihres Ruhmes, wenn sich auch manche vereinzelte Huldigung bis ins 18. Jahrhundert hören ließ.[12] Die auf der Erlebnisdichtung aufbauende literarische Wertung[13] verurteilte im Rahmen der Barockdichtung insbesondere den höfischen Roman. Erst zu Beginn der zwanziger Jahre unseres Jahrhunderts setzte mit der Revision dieses Barockbegriffes eine allmähliche Umwertung der dichterischen Zeugnisse dieser Epoche[14] ein. Die bekannte Übertragung kunsthistorischer Begriffe[15] bildete den verheißungsvollen Auftakt dazu. Die Keimzelle des Berliner Seminars von Julius Petersen vom Wintersemester 1927/28 brachte fruchtbare Werke zu speziellen Problemen hervor.[16] Die Arbeiten von Karl Viëtor[17], Willi Flemming[18], Gerhard Fricke[19], Günther Müller[20] und Herbert Cysarz[21] unterstreichen das Interesse der geistesgeschichtlichen Richtung unseres Faches für das Barock. Allerdings beschäftigen sich die meisten Arbeiten mit der Lyrik und dem Drama dieses Jahrhunderts. Der

---

[12] Vgl. etwa *Goethes* ,Wilhelm Meisters Lehrjahre', 6. Buch, s. u. Anm. 377.

[13] „Nicht als Vorstufe der Goethezeit kann das Reich der höfischen Idee im 17. Jahrhundert verstanden werden, wenn nach dessen eigener geschichtlicher Wirklichkeit gefragt wird, sondern als ein im tiefsten unvereinbares Reich unter anderen Sternen, auf anderem Stern — vom 20. Jahrhundert wäre ihm trotz der zentralen Verschiedenheiten immer noch manches eher strukturell vergleichbar als von der Wirklichkeit um 1800 —." (G. *Müller*, Höfische Kultur S. 153).

[14] Allen voran ist hier F. *Strichs* Aufsatz: ,Der lyrische Stil des 17. Jahrhunderts'. In: Abhandlungen zur deutschen Literaturgeschichte. Festschrift für Franz *Muncker* (1916) zu nennen. Vgl. dazu: F. *Strich*, Die Übertragung des Barockbegriffs von der bildenden Kunst auf die Dichtung. In: Die Kunstformen des Barockzeitalters. Vierzehn Vorträge. Hrsg. von R. *Stamm*, Bern 1956, S. 243—265 (= Sammlung Dalp Band 82).

[15] H. *Wölfflin*, Kunsthistorische Grundbegriffe. München 1915.

[16] W. *Kayser*, Die Klangmalerei bei Harsdörffer. — H. *Pyritz*, Paul Flemings Liebeslyrik.

[17] K. *Vietor*, Probleme der Barockliteratur 1928 —. K. *Vietor*, Deutsche Barockliteratur. In: Zeitschrift für Deutschkunde (1928) und in: K. V., Geist und Form. Aufsätze zur deutschen Literaturgeschichte. Bern 1952, S. 13—34.

[18] W. *Flemming* siehe Literatur u. S. 389.

[19] G. *Fricke*, Die Bildlichkeit in der Dichtung des Andreas Gryphius. Berlin 1933 widmet sich mit der Sprachform dieser Dichtung, wenn auch unter einem besonderen Aspekt.

[20] G. *Müller* siehe Literatur u. S. 392 f.

[21] H. *Cysarz*, Deutsche Barockdichtung. Renaissance. Barock. Rokoko. Leipzig 1924 u. a.

Roman bleibt mit Ausnahme Grimmelshausens ein Stiefkind der Forschung. Erst die breiteren literarhistorischen Unternehmen von Günther Müller[22] und Paul Hankamer[23] bringen auch wertvolle Anregungen für den höfischen Barockroman, die teils heute noch prinzipielle Gültigkeit haben.

Für unsere Fragestellung sind aus dem Kreise der geistesgeschichtlichen Forscher vor allem jene von Belang, die sich mit Stil- und Formproblemen befassen. Hier gebührt Günther Müller der Vorrang, der durch seine morphologische Methode[24] einen ersten — gewissermaßen systematischen — Zugang zu den komplizierten Strukturen dieser Prosamonumente erschloß. Historisch gesehen erscheint dieser Ansatz als der fruchtbringendste, denn gerade die Strukturmerkmale hatten bis dort die meisten Forscher zu ihren Verdammungsurteilen bewogen. Die Komposition dieser höfischen Romane galt als wirr, unorganisch, bedeutungs- und zusammenhangslos. Müllers Grundthese gemäß bilden vor allem die Zeitstrukturen den Ansatzpunkt, von dem aus seine und die Arbeiten seiner Schüler die ersten formalen Ergebnisse über den höfischen Barockroman einbrachten. Er stellt die beiden Romane des Braunschweiger Herzogs Anton Ulrich in den Mittelpunkt seiner Forschungen; sie bilden für ihn den künstlerischen Höhepunkt dieser Gattung[25], obwohl ihn seine Vergleiche mit anderen Werken als gediegenen Kenner der Romanliteratur dieser Epoche ausweisen. Beachtung verdient vor allem seine Bemerkung über die künstlerische Affinität zwischen Barclays ‚Argenis‘ und den Romanen des Herzogs. Er hat auch eine hervorragende Analyse der ‚Argenis‘ geschrieben.[26] Seine grundsätzlichen Bemerkungen über Gestaltungsformen und -elemente bei Anton Ulrich sind an den entsprechenden Stellen dieser Untersuchung verarbeitet und ausgewiesen.

Günther Weydt[27] und seine Schüler[28] scheinen diese Richtung weiterzuverfolgen, und zwar mit besonderer Beachtung der barocken Erzählkunst um Grimmelshausen[29] und Harsdörffer. Dabei taucht auch die soziologisch

---

[22] G. *Müller*, Deutsche Dichtung von der Renaissance bis zum Ausgang des Barock. 1. Auflage Potsdam 1927, 2. Auflage Darmstadt 1957.

[23] P. *Hankamer*, Deutsche Gegenreformation und deutsches Barock. Die deutsche Literatur im Zeitraum des 17. Jahrhunderts. Stuttgart 1. Auflage 1935, 2. unveränderte Auflage 1947, 3. unveränderte Auflage 1964. — Bedauerlicherweise fehlt der 2. und 3. Auflage die wichtige Bibliographie von H. *Pyritz*.

[24] G. *Müllers* Aufsätze erschienen jüngst unter dem Titel ‚Morphologische Poetik‘ (Tübingen 1968) gesammelt.

[25] G. *Müller*, Barockromane S. 28.

[26] Vgl. G. *Müller*, Höfische Kultur der Barockzeit, S. 145—154.

[27] G. *Weydts* knapper Abriß der Romanstrukturen Anton Ulrichs ermöglicht einen richtigen und dabei unkomplizierten Überblick (Aufriß II, Sp. 1265—1269).

[28] K. *Hofter* etwa.

[29] G. *Weydt*, Nachahmung und Schöpfung im Barock. Studien um Grimmelshausen. Bern 1968.

interessante Frage der künstlerischen Anverwandlung der europäischen Erzählstoffe durch deutsche Barockdichter auf. Dieser Vorgang wird aber nicht nur motivisch, sondern auch formal durchleuchtet und begriffen. Nachdem wir die großen Linien der Forschung zum höfischen Roman aufgezeigt haben, wenden wir uns der speziellen Anton-Ulrich-Forschung zu. Die erste Frage gilt der Möglichkeit eines erreichbaren und verläßlichen Textes seiner Werke. Die positivistische Forschung, die viel auf diesem Gebiet geleistet hat, vernachlässigte alle höfischen Romane. Leo Cholevius' Untersuchung und Textabdrucke bilden eine Ausnahme in dieser Zeit, die trotz ihrer effektiven Wirkungslosigkeit[30] nicht hoch genug veranschlagt werden können. Auch in der geistesgeschichtlichen Zeit las man nur die wenigen Exemplare[31] der Originaldrucke, ohne sich um anderes Material zu kümmern. Obwohl man von umfänglichen Handschriften etwa zu Anton Ulrichs Romanen wußte, wurden sie nur manchmal als pikantes Zitat herangezogen. So baute die geistesgeschichtliche Forschung ihre hochgeschwungenen Deutungen auf keiner umfassenden Textgrundlage. Die ernste Frage nach einer textlichen Genese dieser Werke wurde nirgends gestellt. Das führte auf lange Sicht zu der verqueren Lage, daß sich die heutige Barockforschung überhaupt noch dieser Probleme annehmen muß. Blake Lee Spahr hat so erst 1966 diesem Mangel abgeholfen und die Genese des Aramena-Romanes von Anton Ulrich aufgrund aus- und ergiebiger Handschriften- und Dokumentenstudien geschrieben.[32] Maria Munding leistet in ihrer im Entstehen begriffenen Münchner Dissertation die gleiche dringend notwendige Geburtshilfe für die ,Octavia' des Herzogs. Die Zeit schien demnach reif für das Wagnis einer Arbeit, die sich den prinzipiellen epischen Problemen dieser Werke beschreibend nähert. Diese Untersuchung will gerade durch die deskriptive Erfassung epischer Strukturen einen Beitrag zu Anton Ulrichs Erzählkunst liefern. Wohl hat sich die Anton-Ulrich-Forschung mit erzähltechnischen Einzelproblemen schon befaßt, denn diese Romane sind zum beliebten Dissertationsgebiet geworden. Wir werfen einen Blick auf die Forschung im Bereich unseres speziellen Themas:

Außer den genannten großen Anregungen wirft die geistesgeschichtliche Richtung in dieser Beziehung wenig ab; die Themen waren vor allem: Fortunaproblem[33], Frauengestalten[34], Menschenbild und Menschendarstel-

---

[30] Die Wirkungslosigkeit für ihre Zeit hebt der photomechanische Nachdruck dieses Werkes (Darmstadt 1965) nicht auf.
[31] Vgl. die Anzahl der vorhandenen Originalexemplare der Romane Anton Ulrichs bei *Faber du Faur* und bei W. *Bender* Diss., die allerdings um die österreichischen Exemplare zu ergänzen sind (vgl. Literaturverzeichnis S. 384 ff.).
[32] B. L. *Spahr*, Aramena. Alle weiteren Aufsätze *Spahrs* bauen auf seiner gediegenen Kenntnis der ,Aramena' auf.
[33] L. *Farwick*.
[34] E. *Erbeling*.

lung[35], Staatsauffassung[36] und Staatsräson.[37] Clemens Heselhaus, dem Schüler Günther Müllers, gelang hier eine frühe Synthese durch das Einbeziehen formaler Elemente. Fritz Mahlerweins voluminöse und stoffreiche Dissertation bleibt trotz ihrer Fehler und Unzulänglichkeiten doch ein Unikum in jener Zeit, dem man auch heute noch manchen wichtigen Hinweis verdanken kann.

Clemens Lugowski[38] beschreibt erstmals konkret Strukturformen dieser komplexen Prosagebilde Anton Ulrichs. Seine Studie ist nicht nur vom Resultat[39], sondern vor allem auch von ihrer Methode her von großer Wichtigkeit für alle ähnlichen Verfahren.[40]

Immer wieder dringen auch mehr geistesgeschichtliche Deutungen zu interessanten Formbeachtungen dieser Werke vor.[41] Solche Arbeiten bauen ihre Thesen aufgrund einer phänomenalen Kenntnis der Romane, enthüllen aber deren Sprach- und Strukturformen nur in der Überschau.

Bedeutsame Einzelergebnisse bieten Aufsätze und Dissertationen der letzten Jahre, die von deutschen[42], österreichischen[43] und amerikanischen[44] Forschern stammen; sie konzentrieren sich auf besondere und oft isolierte Aspekte formaler und struktureller Betrachtung.

Karin Hofters Dissertation ‚Vereinzelung und Verflechtung in Anton Ulrichs ‚Octavia. Roemische Geschichte'[45] rollt von einem der fundamentalen Prinzipien her (notwendig einseitig) das künstlerische Gebilde eines

---

[35] A. Cl. *Jungkunz.*
[36] A. M. *Schnelle.*
[37] O. *Woodtli.*
[38] Cl. *Lugowski,* Wirklichkeit und Dichtung S. 1—25. Wiederabgedruckt in: Deutsche Barockforschung S. 372—391.
[39] Vgl. neuerlich D. *Kimpel* S. 21 f.
[40] Cl. *Lugowski* greift aus dem komplexen Strukturgefüge der ‚Aramena' überschaubare Teilstrukturen beschreibend heraus. Dieses Verfahren verwenden auch wir im deskriptiven Teil unserer Untersuchung. Wir wählen dabei zusätzlich benachbarte oder sich überschneidende Strukturen, damit dem Leser die Komplexität eines solchen epischen Verweisungs- und Strukturgebildes vermittelt werde.
[41] E. *Thurnher,* Das Formgesetz des barocken Romans. — E. *Thurnher,* Die Romane des Laurentius von Schnifis. — M. *Wehrli,* Der historische Roman. — M. *Wehrli,* Das barocke Geschichtsbild in Lohensteins Arminius.
[42] R. *Fink* in: Zeitschrift für Deutsche Geisteswissenschaft 4 (1941), S. 44—61. — K. *Reichert* in: Euphorion 59 (1965), S. 135—149. — W. E. *Schäfer* in: GRM N. F. 15 (1965), S. 366—384. — U. *Maché* in: ZfdPh 85 (1966), S. 542—559.
[43] K. *Adel* in: ZfdPh 78 (1959), S. 349—369. — A. *Haslinger* in: Literaturwissenschaftliches Jahrbuch N. F. 9 (1968), S. 83—140.
[44] H. G. *Haile* in: JEGP 57 (1958), S. 611—632. — C. v. *Faber du Faur* in: The Germanic Review 24 (1949), S. 249—264. — B. L. *Spahr* in: The Germanic Review 40 (1965), S. 253—260. — B. L. *Spahr* in: Colloquia Germanica 1 (1967), S. 78—100.
[45] Diss. Bonn 1954.

(notwendig vielseitigen) höfischen Barockromans auf. Günther Weydt legt diese Untersuchung seiner knappen, aber treffenden formalen Skizze im Aufriß zugrunde.[46]

Auch Wolfgang Benders Dissertation ‚Verwirrung und Entwirrung in Anton Ulrichs ‚Octavia'[47] ist ein Beitrag zur Strukturanalyse des höfischen Romans. Vom bekannten Leibnizzitat über des Romanmachers schönste Kunst ausgehend, charakterisiert er in beschreibender Methode *konstitutive Formelemente* dieses Romans. Leider unterläßt er es, übrigens wie Hofter und alle anderen, Position und Funktion des Lesers konsequent zu beachten.

Die Bedeutung der Dissertation von Carola Paulsen[48] für unser Thema erhellen schon einige ihrer Kapitelüberschriften: Die Erzählhaltung (2); Die Struktur der Vorgeschichten (5); Die Technik des medias-in-res (8); Die äußere Welt (Landschaft, Architektur) (27); Zeitgestaltung (52 ff.); Einzelheiten der Erzählweise (87); Analyse von Vorgeschichten (94—129) mit einer Typologie usw. Daß Paulsen in Richtung unserer engeren Fragestellung doch vielfach auf halbem Wege stehen bleibt, bedingt die besondere Form des Vergleichs eines deutschen mit einem französischen Roman. So treten Unterschiede unwesentlicher Art (von uns aus gesehen), weil sie im Sinne von Paulsens Ziel wesentlich sind, überscharf heraus, andere Ausführungen, die für uns wesentlich wären, bleiben notwendig nur stückhaft. Ihre vergleichenden Ergebnisse dienen aber der Anton-Ulrich-Forschung in vielen Belangen.

Die Auseinandersetzung mit diesen Werken findet in unserer Untersuchung an den entsprechenden Stellen des Textes statt, denn dabei lassen sich die konkreten Ergebnisse anschaulicher vergleichen und eventuell ergänzen. Die Quellen- und Forschungslage läßt den Zeitpunkt als richtig erscheinen, eine Beschreibung der epischen Formen dieser Romane vorzulegen. Wir befassen uns im besonderen mit den erzähltechnischen Auswirkungen des alten Spannungsdreieckes (Autor-Leser-Romanperson), den in diesen Romanen verwendeten epischen Bauformen und den interpretatorisch zu gewinnenden Darstellungsprinzipien.[49] Im Mittelpunkt unserer Arbeit steht das Romanwerk Anton Ulrichs.[50]

[46] Siehe Aufriß II, Sp. 1265—1269.
[47] Diss. Köln 1964. — Seine Beiträge zur ‚Aramena' und ‚Octavia' in G. von *Wilperts* ‚Lexikon der Weltliteratur', Werke. Stuttgart 1968 können in so knappem Rahmen diese komplexen Werke nur andeuten.
[48] Diss. Bonn 1956.
[49] Als Ergänzung dieser Übersicht beachte das Kapitel G ‚Forschungsaufgaben der Germanistik auf dem Gebiete des höfischen Barockromans' u. S. 376—379.
[50] Leider erreichte mich B. L. *Spahrs* jüngste Arbeit zum Barockroman erst bei Satzbeginn, so daß sich diese interessanten Beobachtungen nicht mehr in meine Untersuchung einbauen ließen: B. L. *Spahr*, Der Barockroman als Wirklichkeit und Illusion. In: Deutsche Romantheorien. Beiträge zu einer historischen Poetik des Romans in Deutschland. Hrsg. und eingeleitet von R. *Grimm*. Frankfurt am Main — Bonn 1968, S. 17—28.

B. DIE EIGENART DER EPISCHEN GRUNDPHÄNOMENE IM ROMANWERK ANTON ULRICHS — DAS SPANNUNGSFELD VON AUTOR, LESER UND ROMANPERSON

1. Erzähler, Erzählhaltung und *Erzählperson*

Die Frage nach dem Erzähler ist eine der wesentlichen in bezug auf die Strukturbedingungen eines epischen Werkes. Nicht zufällig baut etwa Franz Karl Stanzel auf der Erzählsituation eine Typologie des Romans auf.[51] Eine Überprüfung der einschlägigen Literatur führt zum erstaunlichen Ergebnis, daß der Erzähler der höfischen Romane entweder totgeschwiegen[52] oder als blasse Etikette von Arbeit zu Arbeit weitergeschleppt wird.[53] Die kaum in Frage gestellten Merkmale dieses Pauschalurteils sind vorwiegend drei: Objektivität[54], sachlicher Berichtston[55] und die Er-Form. Die eigentliche Beschreibung der Erzähl*situation* findet sich in der Literatur u. W. nur bei Wolfgang Kayser (in bezug auf Lohenstein), während schon seit Günther Müllers verdienstvollen Arbeiten und den von ihm angeregten Dissertationen laufend von den Erzähl*formen* der Haupthandlung und der Vorgeschichte gesprochen wird. Kayser liefert die (besonders auf Lohenstein) zutreffenden Charakteristika dieses epischen Grundphänomens:

> Diese Feststellungen begründen nun zugleich den Eindruck, den das Erzählen macht; es wirkt durchaus unpersönlich. Der Erzähler spricht gleichsam als ein Anonymus, der keinen eigenen Standpunkt als Person hat. Er sucht keinen Kontakt mit dem Leser, er tritt nicht mit eigenen Meinungen hervor, und er begleitet ebensowenig das Geschehen und die Figuren mit seiner persönlichen Anteilnahme. Die Stimme des Erzählers kommt aus weitem Abstand und hat etwas von dem metallenen Klang des Epos: der Sprechende selber bleibt unfaßbar ... (S. 9) ... Die Worte des Erzählers und die Worte und Taten der Figuren sind kongruent ... [Der Erzähler] spricht in der kalten Anonymität des bloßen Wissens und Wertens." (Entstehung und Krise, S. 11.)

[51] F. K. *Stanzel*, Die typischen Erzählsituationen; F. K. *Stanzel*, Typische Formen des Romans.
[52] W. *Flemming*, Heroisch-galanter Roman; G. *Müller*, Deutsche Dichtung; G. *Müller*, Barockromane; P. *Hankamer*, Gegenreformation und Barock; H. *Singer*, Der galante Roman; G. *Weydt* in: Aufriß II, u. a.
[53] Cl. *Lugowski*, Wirklichkeit und Dichtung u. ö.
[54] W. *Lockemann*, u. a.
[55] C. *Paulsen*, u. a.

18

Soweit also die bislang bezeichnendste Auskunft über die Eigenart des Erzählers im höfischen Barockroman. Bekanntlich hat Stanzel, ausgehend von der „Mittelbarkeit der Darstellung im Roman", seine Typologie auf die Erzählsituation gegründet. Stanzels Merkmale sollen uns helfen, den Erzähler zu bestimmen. Kaysers Steckbrief des Erzählers im höfischen Barockroman erlaubt uns vorwegnehmend schon, etliche von Stanzels Typen als unzutreffend auszuscheiden. Die Er-Form der Haupthandlung schränkt die Möglichkeiten bereits auf die personale oder auktoriale Haltung ein. Durch das Fehlen der fiktiven Erzähler-Person verengt sich die Auswahl weiter auf die personale Erzählsituation oder ihre Sonderform der neutralen. Die Ich-Form der Lebensgeschichten[56] bleibt vorderhand unberücksichtigt; sie beweist zudem die formale Vielseitigkeit dieser Werke. Unsere theoretischen Überlegungen sollen uns jedoch keinesfalls der Beschreibung der Erzählsituation im höfischen Barockroman entheben. Der Beginn von Anton Ulrichs ,Aramena' mag der folgenden Untersuchung als konkrete Textgrundlage dienen:

Es hatte kaum / der warme und liebliche tag / der kalten rauhen nacht gewichen / und das regiment der sterne ware kaum angegangen: als die beeden Fürsten von Canaan / mit ihren leuten / sich wieder aufmacheten / und die höle verlassend / darin sie den tag über verborgen gelegen / bei dem dunkeln sternenlicht unsäumig ihren weg über das gebirge Gilboa fortnahmen / in hoffnung / noch vor tags den brunnen Arad zu erreichen. Das gesause der winde / so sich mit den gebüschen stiesse / das traurige heulen der nacht-eulen / und das wachsame bellen der schäfer-hunde / ware es allein / was unterwegs ihnen zu ohren kame. Die herbe kälte / so oben auf dem gebirge regirte / fochte die meisten unter ihnen nicht wenig an: nur allein der Fürst Elieser entfande davon nichtes / als dessen innerliches feur so gros war / daß er keine äuserliche kälte fühlen noch entfinden kunte.

Dieser verliebte Herr / von unaussprechlicher liebe / hochbesorglicher gefahr / übersüsser hoffnung / und billiger furcht getrieben / sasse nebst seinem Bruder auf den wagen / dessen er zu seinem grossen fürnehmen sich bedienen wollen / und weidete seine sinne mit der angenehmen einbildung / morgen um diese zeit seine geliebte Fürstin auf demselbigen zuführen. Wann er aber ferners bedachte / wie gefährlich sein fürhaben / wie so unglückselig er seyn würde / wann es übel hinaus schlüge / und wie er seinen Bruder mit ihm in die höchste gefahr stürzete: triebe es ihm viele seufzer ab / die doch seinen fürsatz nicht rückgängig machen konten. Massen er / auch ohne dieses gewalttthätige mittel / sich unglückseelig erinnerte: indem sein zustand so auf das äuserste gerahten / daß entweder alles brechen / oder durch so was frömdes gehoben werden muste. Hierbei war sein trost / der gedanke / wie daß der Himmel gerecht sey / und darüm seiner billigen sache beistehen würde. Solche seine zuversicht / stiesse er in diese worte heraus: O gütiger himmel! du bist so rechtfärtig / der König ist so unbillig / Ahalibama so schön / und mein herze also verliebet / das du ein gewünschtes ende in dieser sache wirst bescheren müssen.

---

[56] Zu diesem Terminus vgl. u. S. 248—250.

Ja / mein bruder! (sagte hierauf / sein beisitzer /) unser fürsatz ist so un-straffbar / daß die götter müsten aufhören / götter zu seyn / wo sie uns ihre hülfe jezt nicht wolten wiederfahren lassen. Ach Ephron! (fragte Elieser) wie hast du meine gedanken wissen können / daß du so schicklich auf dieselbige antwort giebest? Weist du dann nicht / (wiederholte Ephron) daß du mir selber solche entdecket? Wie / mein Bruder! (fragte jener wieder /) bin ich so auser mir selbst gewesen / daß mein mund mein herz / wider mein wissen / verrahten? Die schöne Ahalibama von Seir (wandte Ephron nie/) (sic!) ist wol würdig / daß man ihrentwegen auser sich selbst komme. Doch must du in warheit (fuhr er scherzend fort /) morgen deine gedanken bässer beisam-men haben / wann der angriff geschehen sol: sonst dörften wir eher den schatten / als die person / fahen. Du erinnerest mich wol meiner gebühr: (sagte Elieser) doch verlasse ich mich auf deine fürsichtigkeit / daß du wann ich / von Ahalibama schönheit etwan verwirret / nicht alles thun solte / wessen ich befuget / das deinige desto bässer in acht nehmen und mich nicht lassen wirst.

Wie ihm nun der Ephron überflüssig seines treuen beistandes versicheret / hube / nach kurzer stille / Elieser wiederüm seufzend an zu sagen: Ach! wir unterfangen uns anjezt mit so grosser gefahr / die Fürstin von Seir zu be-freyen / und sind doch so wenig versichert / ob ihre strenge tugend dieses unser beginnen auch billigen werde! Wer weiß / ob sie uns folgen wil? wer kan uns versichern / ob sie / üm alle nachrede zuvermeiden / nicht lieber des Beors gefangene / als des Eliesers entführete heissen wolle? Wann ich nicht (antwortete Ephron) ja so erfahren in den wirkungen der liebe wäre / als du bist / würde ich dich sehr auslachen / daß so unnötige sorgen dir zu kopfe steigen. Bekümmere dich nur zuvor / deine Ahalibama zu erlösen; und frage dann hernach / ob sie es auch haben wolle? Sie / die soviele proben wahrer beständiger liebe dir erwiesen; die / dir getreu zubleiben / ihr leben in die schanze geschlagen / und die Cananitische Kron so standhaftig deinetwegen verachtet: solte die / sage ich / wol bedenken tragen / durch den jenigen sich befreyen zulassen / dem sie zu liebe alles dieses gethan hat? Der verliebte Fürst / erlaubte sich / an stat zu antworten / mit den süssen vorstellungen von seiner Fürstin beständigkeit: die ihm also die sinne bezauberten / daß er ferner nichtes mehr redete / bis sie an den brunnen und an den weg kamen / da die Fürstin von Seir morgen muste fürbei reisen.

Wie sie nun in den gebüschen / so gut es sich wolte thun lassen / sich ge-lageret / und des anbrechenden tages mit unbeschreiblichem verlangen erwar-teten / und damit kaum eine stunde zugebracht: da kame einer von den aus-gestellten wachten gelaufen / und meldete an / wie daß nicht weit von ihnen / im thal / viele personen mit Camelen und pferden sich um ein feur gelagert hätten / bei dessen schein sie als Assyrier anzusehen wären. Dieser bericht machte sie alle bestürzet / und sagte einer zum anderen: wir seind verrahten! also daß Elieser so wol / als Ephron / ihnen einen muht einzusprechen / sich bemühen musten. Und ob diese wol selbst hierüber unruhig geworden / lies-sen sie doch dessen sich nicht merken / und erholeten sich auch eher wieder / weil der / so ihnen diese zeitung gebracht / jene für Assyrier angegeben / die sie eher für ihre freunde / als für feinde / achten kunten. Um aber bässer versichert zu seyn / entschlossen sich die Fürsten / mit etlichen hinzuzuschlei-chen / und diese frömden zu belauren. Als ihnen demnach der weg gezeiget worden / krochen sie auf händen und füssen / so leise als sie konten / den berg hinab / bis sie an das thal kamen: da sie / durch das dicke buschwerk / die frömden bei dem gemachten feur stehen und sich wärmen sahen.

Wie sie nun so ein wenig gelauschet / höreten sie nahe bei ihnen zwey personen reden / die den rucken zu ihnen gewandt / und sagte in Assyrischer sprache der erste zu dem anderen: Wer wolte / einer so grossen schönheit zu gefallen / nicht diese mühe auf sich nehmen? Fürwar / Hadat! du bist ein schlechter hofmann / wenn du dich scheuest / dem frauenzimmer zu willen / alles ungemach auszustehen. Mein gnädiger herr vergebe mir / (antwortete sein beisitzer /) wann ich mich unterfange / meine meinung zu behaupten / und sage / daß die liebe von mir selber anhebet / und meine eignene gemächlichkeit mir das liebste auf der welt ist. Wann alle so gesinnet wären / (sagte der erste wieder / und hube an zu lachen) so würde die gute Prinzessin keine hoffnung haben / aus Canaan zu kommen. Ja / wären wir alle so gesinnet / (wandte der andere wieder ein) so dürften wir nun nicht sorgen / daß der König von Sichem uns verfolgen / und schwerlich / wegen dieses frevels / den wir in seinem lande begehen wollen / ungestraffet lassen werde; so könten wir zu Damasco jezt sicher leben / und von unserer langen reise ausruhen. Ey Hadat! (sprache der eine) du bist gar zu sehr guter tage gewohnet. Doch beweise mir / daß dieses ein frevel sei / was ich jezt mir zu thun fürgenommen; und ob du wol anders verfahren würdest / wann du Tharsis wärest? Ja bey Gott! (antwortete Hadat) wäre ich der Fürst von Sepharvaim / ich begehrete gewiß nicht / üm eines andern liebsten wegen / so viel ungemach mir anzuthun / und diesen frevel zubegehen / eine braut aus diesem Königreich zuentführen. Solte ich sie dann ihrer bitte nicht gewähren? fragte der Fürst; dem der andere antwortete: Das paar worte / die sie zu uns sagte / haben die solche kraft gehabt / daß man darum leib / leben und ehre hintan setzet? Ach Hadat! (sagte der Tharsis wieder) ich müste ein felsenherz haben / wann ich diese trostlose Prinzessin / die mich zu ihrem erlöser erkohren / verlassen wolte? Nein! nein! sie muß befreyet seyn / und solte es leib und leben kosten. Ich werde doch die ehre davon tragen / die mir / wegen eines so edelen gehabten fürsatzes / ewig bleiben wird. Ja Hadat! ich weiß / du must mir beifallen / ob schon dein scherzhaftes maul anderst spricht. Ich wolte (widersprache Hadat /) noch mit allem einstimmen / wann man dieses üm einer liebsten willen thäte. Aber üm eine frömde person / die man kaum einmahl gesehen / und die einen nicht liebet / solche dinge anzufangen / achte ich gar zu grosmütig / wo nicht allzuverwegen seyn. So bist du dann meiner meinung / (fügete der andere hinzu) wann ich dir dieses gestehe / daß ich alles aus lieb thue / und daß mein herz diese unvergleichliche schönheit anbete. Auch ist meine hoffnung groß / daß sie mir nicht abhold sey / und daß mein fleisiges aufwarten künftig sie zu einiger gegenliebe bewegen werde. (A I 1—6)

Methodisch gliedern wir den Romanbeginn in seine epischen Bauformen und bestimmen deren jeweilige Erzählhaltung. Als erste erkennen wir eine Naturbeschreibung (Z. 1—12), die, später gang und gäbe, im höfischen Barockroman selten ist.[57] Erstaunlicherweise entspricht sie den Gepflogenheiten des zeitgenössischen Schäferromans, somit eigentlich einer anderen Gattung. Nun fällt es in der ‚Aramena' nicht schwer, den Natureingang

---

[57] U. W. finden sich Natureingänge weiter nur noch in *Bucholtzens* ‚Herkules und Valiska' und in *Scudéry-Zesens* ‚Ibrahim' Vgl. auch W. *Pfeiffer-Belli* S. 58 f.

statt des in dieser Gattung üblichen „welthistorischen Signals"[58] auf das schäferliche Element im Ursprung dieses Werkes zurückzuführen. Der Natureingang gehört nämlich zu jenen epischen Bauteilen, die sich, wenn auch in ihrem szenischen Bezug gewandelt, aus MS 2[59] in die editio princeps herübergerettet haben. Die Rhetorisierung[60] der Sprachform des Erstdrucks ließ diesen Natureingang zu einem integrierten Romanbeginn werden.[61] Das Naturbild präsentiert sich dabei nicht in isolierter Selbstgenügsamkeit. Schon die rhetorisch geprägte Zeitangabe („kaum-kaum-als") schafft gemeinsam mit den antithetischen Doppelattributen („warm-lieblich/kalt-rauh") die Stimmung der darin auftauchenden Menschen mit, deren Verhalten („verborgen-unsäumig-hoffnung") damit zusammenstimmt. Der zweite Satz erweist die stimmungsgeladene Naturbeschreibung als noch stärker auf den Reisetrupp bezogen („was unterwegs ihnen zu ohren kame"). Im Rahmen dieses Bezugs zwischen Natur und Mensch wird im dritten Satz eine einzelne Person (antithetisch) in der Gruppe beleuchtet und damit für den Leser aus ihr herausgehoben.

Dieser Person wendet sich der Blickpunkt des Erzählens im nächsten Abschnitt (Z. 13—29) intensiv zu. Dadurch wird Elieser vorübergehend zum Träger der Handlung im weitesten Sinne und bestimmt den Blickpunkt (des Lesers) ins Geschehen. Diese Perspektive verringert aber wieder die vielgepriesene Distanz solchen Erzählens, sodaß sich mit Vorsicht von einer vorübergehend betonten *Erzählperson* sprechen ließe. Allerdings darf die Distanzverringerung bei dieser Erzählhaltung nicht als individuelle, sondern höchstens als eine Art typischer Vertrautheit verstanden werden. So wird die *Erzählperson* im folgenden Absatz als „verliebter herr" (typisierende Sprachform) nicht subjektiv, sondern normativ, ihrer Bewußtseinslage nach, charakterisiert. Dabei müssen wir an Stanzel erinnern, der gerade der „Darstellung des Bewußtseins" besondere Differenzierungs-Qualität in bezug auf seine Typen zuerkennt.[62] Die Sprachform läßt uns dabei erstaunlicherweise an jene des auktorialen Erzählens denken, ohne

---

58 G. *Müller*, Barockromane S. 12 bezieht sich dabei auf den Beginn der ‚Argenis'.
59 Vgl. Cod. Guelf. Extrav. 258: „Der liebliche Früeling bekleidete bereits wieder die öden felder, und streuete seine blumen aus über die wiesen, als die Schäfer von Dolhan im Lande der Canariter ihre heerden an einem morgen in die weide trieben, und ihrer gewohnheit nach auf dem Gebirge frische nahrung für ihr Vieh sucheten. Unter diesen befunden sich auch der höchstvergnügte Elieser und Ephron welche dieses süße feldleben erwehlet hatten, weil es ihnen vergönnte die gegenwart ihrer geliebten schäferinnen in sanfter ruhe und zufriedenheit stetigt zu genießen..."
60 Verf. schlägt diesen Begriff in: Literaturwissenschaftliches Jahrbuch 8 (1967), S. 337 neben B. L. *Spahrs* ‚tension' für die stilistischen Änderungen von MS 2 zu P vor.
61 Vgl. dazu die Interpretation G. *Müllers*, Deutsche Seele S. 110—112.
62 F. K. *Stanzel*, Die typischen Erzählsituationen S. 145—156.

daß auch nur im geringsten der Anschein einer fiktiven Erzählerperson erweckt würde: „Der auktoriale Roman läßt das Bewußtsein der Charaktere nur in der Form vollendeter Gedanken und in vollständigen Sätzen sichtbar werden."[63] Die Innenschau Eliesers wird einleitend durch eine rhetorische Häufung der Gefühle symptomatisch charakterisiert („liebegefahr-hoffnung-furcht"), denen eher affektive als charakterisierende Beiwörter zugesellt werden („unaussprechlich-hochbesorglich-übersüss-billig"). Nach dieser emotionalen Typisierung des Anfangs wird genauer differenziert; es laufen dabei häufig sprachliche Signale unter, die den Bewußtseinsinhalt oder die Gedanken eindeutig als solche erkennen lassen („einbildung, bedachte, erinnerte, gedanke"). Verglichen mit solchen Formen im auktorialen Roman, fehlt aber die bedeutsame Nuancierung der Sprachform durch ein Aussagesubjekt von faßbarer Individualität oder perspektivischer Eigenart. Die neutrale Erzählhaltung wird eben vom Formalen her nur leicht auktorial akzentuiert.

Die folgende Bauform eines direkt wiedergegebenen Gesprächs (Z. 30—64) mit seinen protokollartigen Inquit-Formeln verstärkt den gewonnenen Eindruck der durchlaufend neutralen Grundhaltung dieses Erzählens. Die Sprechsignale sind weitgehend sparsam, objektiv und uncharakteristisch; selten illustrieren sie das Verhalten oder geben eine psychologische Einstellung der Sprechenden wieder. Man könnte von Stanzels *objektiver Szene* sprechen. Berichtartig neutral verläuft auch die weitere Schilderung (Z. 65—81), die bald in eine erzähltechnisch neue Situation und eine neue Bauform von besonderer Funktion mündet, nämlich in das *belauschte Gespräch* (Z. 82—119). Beachtet man diesen besonderen Aspekt nicht, so unterscheidet sich dieses Gespräch zwischen Tharsis und Hadat in nichts von dem eben untersuchten. Auch hier kann man von einer *objektiven Szene* sprechen. Weit und breit ist kein Erzähler, schon gar nicht als fiktive Person, zu spüren. Der Erzählstandpunkt verharrt in den Belauschern, wie er sich auch mit ihnen in diese szenische Situation bewegt hat. Dabei zeigt sich nun, daß das Erzählen nicht fortlaufend von einer einzelnen *Erzählperson* zur anderen wechseln muß. Manchmal ruht der Blick auf der ganzen Gruppe (wie wir es vom Anfang her kennen), manchmal verengend auf den beiden Brüdern Elieser und Ephron (verschiedener Bezug des personalen Pronomens „sie", etwa Z. 76, 79). Das ständige Vorhandensein einer gewissen Perspektive beweist allerdings die Sprachgebung („die frömden" Z. 78). Während des Lauschens ruht der Blickpunkt weiter in beiden Fürsten; erst vom Schluß des Gesprächs an bis zur überhasteten Abreise der Assyrer rückt Elieser ins Blickfeld des Erzählens und wird wieder zur *Erzählperson*. Seine Bevorzugung versteht sich als Form der zwischenmenschlichen Integration: die Wirkung des Gesprächs wird durch die Gestaltung des eigentlich Betroffenen (innerfiktional) am überzeu-

---

[63] Ebenda S. 146.

23

gendsten dargestellt. Die Schilderung kann dabei auch — in einer Art
wechselnder Beleuchtung zwischen innen und außen — seine Gedanken
und Gebärden effektvoll aufleuchten lassen. Wir halten einmal fest: Der
Erzähler bleibt auch bei Anton Ulrich anonym. Er ist nirgends als fiktive
Person zu fassen. Die Er-Form seiner Romane erweist sich grundsätzlich
als Gestaltung von einer neutralen Erzählsituation aus. Da diese bei
längeren Werken kaum einheitlich durchzuhalten ist, akzentuiert der erzählende Dichter vielfach Stellen ins Personale und manchmal an die
Grenze des Auktorialen. Es ergibt sich also — im Sinne Stanzels — der
Befund einer Mischform, aber einer von erstaunlich einheitlicher Wirkung.
Diese setzt sich als Ergebnis aus mehreren Komponenten zusammen: Aus
der Fülle der Romanpersonen greift der erzählende Dichter abwechselnd
für mehr oder weniger lange Strecken eine *Erzählperson* heraus. Diese
epische Konzentration auf verschiedene Personen unterstützt die Wirkung
der vielfach genannten Objektivität. Die gleichbleibende Sprachform des
hohen Stils verstärkt diesen Eindruck noch. Schließlich durchzieht die Wertung die Sprachgebung des Erzählvorganges, denn in der Fiktion dieser
Welt wird typisch und gegentypisch ein bestimmtes Menschenbild beschworen. Im Zentrum allen Erzählens bei Anton Ulrich steht nämlich
der Mensch. Er wird besonders in seinem Verhalten zu anderen Menschen
erzählerisch gestaltet, was bei dieser Personenfülle überhaupt nur durch
die eben beschriebene Mischform der Erzählhaltung und ihren Perspek-
tivenwechsel möglich scheint.

Der gleichförmige Eindruck neutralen, anonymen, distanzierten, aber
doch wertenden Erzählens eignet nun nicht nur der Er-Form, sondern in
ähnlichem Maße auch der Ich-Form. Um diese Behauptung beweisen zu
können, müssen wir das Verhältnis von Ich- und Er-Form in den Lebensgeschichten untersuchen. Die Haupthandlung verläuft, abgesehen von
längeren Botenberichten, durchaus in der Er-Form. Jede Lebensgeschichte
wird von einer bestimmten Romanperson erzählt. Aufgrund des Gesetzes
der *vraisemblance*[64] können sich auch mehrere Personen in die Erzählung
teilen (etwa Baleus und Jaelinde die ‚Geschichte der Mirina' A III 46—149).
Als Spielform kann sogar eine ganze Gesellschaft abwechselnd eine Geschichte vortragen (etwa die ‚Reihen-Erzehlung von Moab und Ammi'
A I 496—503). Gerade dieses Beispiel bestätigt, daß sich Standpunkt und
Erzählhaltung der verschiedenen Vortragenden gleichen. Läßt man nämlich
die szenischen Überleitungen fort, so entsteht eine geschlossene Geschichte
ohne erzählerischen Bruch, welche der Dichter in gleicher Form einer einzigen Person in den Mund hätte legen können. Daraus läßt sich weiter
folgern, daß die spezielle Erzählerperson nicht individuell formend auf die

---

[64] Der Begriff der ‚vraisemblance' spielt in der Romantheorie der *Madeleine
de Scudéry* eine wichtige Rolle. Vgl. auch E. *Lindhorst* S. 62—64. Hier auch
der Einfluß auf *Anton Ulrich*.

Gestaltungsweise ihrer Geschichte einwirkt. Besonders die Sprache der Einführung, des Schlusses und der fallweisen Anrede an die Zuhörer ist von traditionsreicher Topik und sprachlicher Formelhaftigkeit geprägt (s. u. S. 295—318). Sogar die Redeweise von erzählendem Dichter und Romanperson ist bei Anton Ulrich — ebenso wie bei Lohenstein — kongruent.[65]

Nun zum Problem der Ich-Form in der Lebensgeschichte. Jede Lebensgeschichte wird von einer bestimmten Romanperson erzählt, demnach ist sie prinzipiell Ich-Erzählung. Die Anton-Ulrich-Forschung unterscheidet aber Lebensgeschichten der Ich-Form von solchen der Er-Form. Diese Differenzierung erklärt sich aus dem Verhältnis der erzählenden Person zur Hauptperson der Geschichte. Sie kann einmal mit dieser identisch sein (etwa Armizar erzählt seine eigene Geschichte A I 403—454), dann spricht man von Ich-Erzählung. Sie kann aber auch nur die (der) Vertraute der Hauptperson sein (etwa Astale erzählt Ahalibamas Geschichte A I 82—140), so handelt es sich um eine Er-Erzählung. Meist ist aber die ‚Hauptfigur' einer solchen Lebens- und Liebesgeschichte ein fürstliches Paar. Daraus ergeben sich wieder neue Konsequenzen: Entsprechend dem bekannten Hindernisschema werden die Liebenden im Prüfungsroman oft lange Zeit getrennt. Solche Phasen zeigen dann folgende Form: Der Ich-Erzähler berichtet die Reihe der eigenen Abenteuer in der Ich-Form. In diesen Handlungsstrang eingeschoben, finden sich aber plötzlich Schilderungen in der Er-Form, wenn er die Erlebnisse seiner abwesenden Geliebten erzählt (etwa A I 413—418: Armizar erzählt Amesses Vorkommnisse mit Epha während seiner Gefangenschaft). Diese Er-Phasen weichen in der grundsätzlichen Darstellungsweise nicht von jenen der Er-Form anderer Lebensgeschichten oder der Haupthandlung ab. Nur selten spricht der hier wirklich *fiktive* Erzähler kommentierend dazwischen. Untersucht man weiter Lebensgeschichten mit sozusagen durchgehender Er-Form, so beobachtet man hier wieder gegenläufige Übertritte in die Ich-Form. Die Vertraute ist nämlich meist nicht nur Mitwisserin, sondern auch Miterlebende. Das führt in manchen Phasen sprachlich zu einem der Ich-Form angenäherten Erzählerverhältnis in der Wir-Form (etwa Ahalibamas Geschichte A I 86, 90, 96, 97 u. ö.). Die Übergänge zwischen beiden Formen werden vom Leser kaum registriert, was die große innere Verwandtschaft und die gleichförmige Erzählhaltung bestätigt. Natürlich spielt die Ausgangssituation (ich oder wir) als Grundeinstellung erzählerisch und strukturell bedeutsam mit; sie beeinflußt aber eben die Darstellungsweise nicht spürbar. Das beweist die weitgehende erzählerische Ähnlichkeit der Fassungen von Ahalibamas Geschichte in MS 2 (Ich-Form) und der editio princeps (Er-Form), deren Entdeckung und wissenschaftliche Verwertung[66]

---

[65] Vgl. W. *Kayser*, Entstehung und Krise S. 11: „Die Worte des Erzählers und die Worte und Taten der Figuren sind kongruent."

[66] B. L. *Spahr*, Aramena S. 73—79 weist auch die Unterschiede der beiden Fassungen eindrucksvoll an Textbeispielen nach.

wir Blake Lee Spahr verdanken. Abgesehen vom Wandel der erzählerischen Qualität, reichen die Übereinstimmungen, besonders beim Übergang von der indirekten Rede in die direkte im Dialogbereich, bis in sprachliche Details. Anton Ulrichs Erzählweise in den Lebensgeschichten (teilweise Ich-form) und der Haupthandlung (Er-Form) weist grundsätzlich ähnliche Merkmale auf. Freilich kommt es dort zu Kommentaren des Ich-Erzählers oder zu Anreden an die Zuhörer, die vordringliche Erzählhaltung typi-sierender Distanz gilt jedoch in beiden Formen. Der Ich-Erzähler kann sogar ähnlich dem erzählenden Dichter seinen Blickpunkt oft rasch von Person zu Person wechseln lassen, besonders etwa bei der Darstellung einer Menschengruppe. Wiederkehrende Strukturen der Bevorzugung spiegeln dabei die höfische Hierarchie (der Tugendhaften): so wird die Titelheldin *Delbois* (= Aramena) innerhalb der Haupthandlung besonders oft zur *Erzählperson* erkoren.

Grundsätzlich entspricht das wechselnde Hervorheben einzelner Personen einer Grundform von Anton Ulrichs epischer Weltgestaltung. Günther Müller war es, der erstmals Übereinstimmungen zwischen den Grund-strukturen dieser fiktiven Romanwelt und den Grundzügen von Leibnizens Monadologie feststellte. Aus dieser Affinität heraus erscheint die Erzähl-form des raschen Wechsels von Person zu Person gewissermaßen als die adäquate Form der Gestaltung ihrer zwischenmenschlichen Beziehungen: „Daß die Harmonie zwischen den Monaden als ein kombinatorisches Be-ziehungssystem, ein Relationsgewebe gegenseitiger funktionaler Entspre-chungen in dieser Monadologie von größter Bedeutung ist, darf man in der barockzeitlichen Dichtung vorgebildet finden, insofern deren Anlage nicht sowohl die ‚Helden‘ an sich, als vielmehr ihr gegenseitiges ‚Relationsge-webe‘ zum eigentlichen Gegenstand erhebt" (Deutsche Dichtung S. 233).

In Anton Ulrichs fiktiver Romanwelt agieren die Menschen als Monaden in einem hierarchischen System.[67] Eine solche Konzeption bietet natürlich für die Person eines fiktiven Erzählers kaum Platz, auch die Überbe-tonung *einer* Romanperson in durchlaufend personaler Sicht würde das Gleichgewicht der Kräfte stören. So schafft sich der Dichter in der Ideali-sierung des Höfischen eine fiktive Welt, die sinnbildlich die Ordnung der göttlichen Providentia erweisen soll. Das Sinnbildhafte liegt aber gewisser-maßen bei Anton Ulrich nicht im Metaphorischen wie so oft in diesem Zeitalter, sondern im Kompositorischen. Die Komposition an sich spiegelt die göttliche Ordnung, die das Labyrinth der irdischen Scheinwelt als *Tiefenstruktur* durchwirkt. Daß der Dichter bei der Durchführung eines solchen Erzählwerkes die Mischform einer neutralen Grundhaltung wählt, erweist die überzeugende Affinität zwischen seiner Gestaltungsabsicht und

---

[67] Hierarchisch = verschiedene Grade der Bewußtheit, Vollkommenheit. Vgl. unsere erzähltechnische Theorie vom *Ausschnitt*.

seiner spezifischen Gestaltungsform. Die Wahl wechselnder *Erzählpersonen* ermöglicht ihm erst die künstlerische Bewältigung dieses anschaulich fiktionalisierten Kombinations- und Relationsgewebes.

Neben dem Phänomen der wechselnden *Erzählperson* wird die Gleichförmigkeit dieses Erzählens noch durch seinen wertenden Aspekt verstärkt. Ihm wollen wir besonderes Augenmerk schenken, weil hier das langgehegte Vorurteil objektiver Darstellungsweise widerlegt zu werden droht. Wolfgang Kayser wies bereits auf Normen und Wertmaßstäbe hin, die ein solches Erzählen beeinflussen.[68] Auch diese stimmen mit des Dichters höfischer Hierarchie und seinem fiktiven Idealisierungsprogramm überein. Er will nicht individualistisch, subjektiv und persönlich gestalten, sondern *normentsprechend stilisieren;* nicht auf das psychologisch Einmalige, sondern das typisch Allgemeine zielt sein Kunstwollen ab. Jedes Verhalten der fiktiven Romanperson wird so schon im erzählenden Gestalten gewissermaßen am höfischen Tugendkodex gemessen. Das erreicht der Dichter aber nicht durch den launigen Kommentar eines personalen Erzählers, sondern durch Nuancen der Sprachgebung. Hierbei kommt dem Adjektiv aufgrund seiner immanenten Zweipoligkeit besondere Bedeutung zu. Auch das Nomen gerät vordringlich in den Dienst dieses Wertens. In der Sprachform durchdringen sich dann allerdings Wertung und Typisierung häufig. Der zweite Absatz des Romanbeginns der ‚Aramena' beginnt mit der Typisierung „dieser verliebte Herr" als stilistischem Namensersatz. Nach der Darstellung von Eliesers Bewußtseinslage faßt dieser als *Erzählperson* seine schicksalhafte Situation in einem verknappenden Ausruf zusammen: „ O gütiger himmel! du bist so rechtfärtig / der König ist so unbillig / Ahalibama so schön / und mein herze also verliebet / das du ein gewünschtes ende in dieser sache wirst bescheren müssen." (A I 2) Typisierungen rahmen also die Innenschau von Eliesers Gefühlen und Gedanken. Sie enthalten aber auch Wertungen, die denen des erzählenden Dichters entsprechen: König Beor ist nämlich nicht nur für den verliebten Elieser, sondern in seinem ‚moralischen Stellenwert' „unbillich", und er bleibt es durch fast alle Handlungen innerhalb dieser fiktiven Welt. Daß die Neigung zur Typisierung und der Hang zur Wertung zwangsläufig zu einer stereotypen Verwendung der Adjektive führen, läßt sich leicht ermessen. Trotz der kühlen Anonymität und weiten Distanz solchen Erzählens handelt es sich also nicht um eine Objektivität[69] des Erzählers

---

[68] W. *Kayser*, Entstehung und Krise S. 11.
[69] Allerdings wird der Eindruck einer gewissen ‚Objektivität' durch das erzähltechnische Medium der wechselnden Person unzweifelhaft erweckt. ‚Objektiv' könnte man sogar auch in bezug auf eine allgemeingültige Ordnung im Soziologischen und Ethischen, wie sie als allgemeingültige Norm diese Stilisierung des höfischen ‚Raumes' durchwirkt, gelten lassen. Nimmt man ‚objektiv' aber im erzähltechnischen Sinne als ‚Darstellung von außen' (und

und um einen sachlichen Berichtston. Der Dichter gibt nämlich keine objektive *Darstellung von außen*[70], sondern er beeinflußt das Urteil der Leser über die Romanperson ständig durch besondere Formen der Sprachgebung. Jede Person wird in bestimmten Situationen mit charakterisierend-typischen Epitheta bedacht, die dem Leser eindringlich und unmißverständlich ihren jeweiligen Zustand und ihr Verhalten zu verstehen geben. Diese Beeinflussung erfolgt manchmal so massiv, daß sie beinahe pleonastisch wirkt: „Dem armen Elieser ... wurde darüber nicht anders zu sinne / als wann ein jedes wort eine glühende zange gewesen wäre / die ihn am herzen risse" (A I 6). Im Spiegel des nachfolgenden Vergleichssatzes wird das Beiwort „arm" als überdeutlich erscheinen. Besonders auffällig ist die Wertung bei der gleich darauf folgenden Beschreibung von Eliesers vermeintlichem Rivalen Tharsis von Sepharvaim:

> Das eiversüchtige verlangen Eliesers wurde hierdurch gestillet / als er seinen so unvermuteten mitbuhler sehen kunte. Selbiger / war einer ansehnlichen länge. Seine augen / gaben ein so scharfes als listiges gemüte zuerkennen. Seine braune haarlocken / hiengen ihm von den schultern hernieder. Es ware / in allen seinen gebärden / ein so sonderbares freyes wesen / daß man auch aus diesen äuserlichen dingen urtheilen können / wie er eines unerschrockenen muhtes / und aller grossen dinge sich zu unterfangen / fähig wäre. (A I 6)

Man kann sich vorstellen, was ein moderner Dichter aus einer solchen Situation machen würde, wie er im Blick des Eifersüchtigen den Nebenbuhler zur grotesken Figur verzerrte. Die Zeichnung bei Anton Ulrich ist unpsychologisch positiv. Wenige sparsame äußere Beobachtungen dienen als Anstoß zur inneren Charakterisierung. Tharsis unterliegt selbst hier, trotz der affektvollen Erzählperspektive Eliesers, der neutralen Erzählhaltung. Der erzählende Dichter gibt wohl den Standpunkt an die betroffene Erzählperson ab, nicht aber die Wertung.[71] Selbst aus dieser extremen Perspektive Eliesers darf das Normurteil über eine Person nicht verzeichnet

---

das wird meist damit gemeint!), so ist die Bezeichnung falsch. Da die anderen Aspekte in unserer Beschreibung volle Beachtung finden, halten wir die Ablehnung der erzähltechnischen Objektivität für berechtigt.

[70] Vgl. methodisch zu diesem Begriff: K. *Rossbacher*, Erzählstandpunkt und Personendarstellung bei Adalbert Stifter. Die Sicht von außen als Gestaltungsperspektive. Diss. Salzburg 1966 (Maschinenschriftlich).

[71] Diese Behauptung läßt sich mit Recht auch auf jeden Erzähler einer Lebensgeschichte beziehen, denn die Prominenten-Hierarchie der Romanpersonen ist zugleich auch eine Tugendstaffel. Nur dem Würdigen wird eine Lebensgeschichte gewidmet, weil das Grundkonzept dieser Romanfiktion sich jeweils auf das zentrale Fürstenpaar und die Bewährung seiner Tugend konzentriert. Die Bösen aber sind nur die behindernden Gegenspieler darin. Ihre Intentionen sind grundsätzlich stets auf die Guten bezogen, so muß ihnen die Erfüllung natürlich versagt bleiben in einer Fiktion, in der die Guten den Bereich des Himmels repräsentieren (vgl. dazu K. *Hofter*, S. 161).

werden: Tharsis ist ein tugendhafter junger Fürst, und er bleibt es auch vom Blickpunkt des eifersüchtigen Rivalen aus. Die wertende Sprachform („scharfes listiges gemüt; sonderbares freyes wesen; unerschrockener muht; fähigkeit, sich aller großen dinge zu unterfangen") bleibt in der Kontrolle des normhaft erzählenden Dichters. Wohl aber muß Elieser nach dem herrschenden Verhaltenssystem typisierter Kausalität auf dieses Gespräch mit äußerster Eifersucht reagieren.

Für Lohenstein differenziert Kayser zwischen „bloßem Wissen" und „Werten" (S. 11). Das scheint mir korrekturbedürftig. Die dahinterstehende Ablehnung des *gelehrten Schwulstes* gehört nämlich zu den bedenklichsten Vorurteilen innerhalb der germanistischen Forschung, auch wenn hervorragende Barockspezialisten ihr anhängen. Neuere Arbeiten[72] zu diesem Roman lassen allmählich erkennen, daß auch das verrufene Anhäufen von stofflich Wissenswertem bei Lohenstein einem immanenten Strukturgesetz seiner Dichtung gehorcht und keinesfalls schlechthin als epischer Mangel begriffen werden darf. Lohenstein sieht im konkreten Vorkommnis einen erzählten Fall, den er durch die Kombinatorik gelehrter Bezüge zu höherer öffentlicher Bedeutsamkeit aufwertet. Dieser schöpferische Vorgang steht unter der Denkgesetzlichkeit einer weltweiten Intelligenz. Wissen und Werten durchdringen einander demnach in einem einzigen künstlerischen Prozeß, und diesen gedanklichen Strukturen muß man aufgrund ihrer Autonomie auch die Fähigkeit zu ästhetischer Regung zubilligen.[73]

Wir fassen zusammen: Von den drei Merkmalen eines etikettenhaften Erzählerbegriffes (Objektivität, sachlicher Berichtston, Er-Form) bleibt nur die Er-Form unwidersprochen, obwohl es innerhalb der Lebensgeschichten zu gleitenden Übergängen zur Ich-Form kommen kann. Die Objektivität des Erzählers im höfischen Barockroman ist als erzähltechnisches Kriterium (im Sinne der *Darstellung von außen*) nicht zu halten, und zwar ganz abgesehen von der Problematik einer objektiven Darstellung überhaupt. Wir haben die sogenannte Objektivität als untauglichen Terminus für eine neutrale Erzählsituation mit wechselnder, doch gleichförmiger Distanz erkannt. Jede Person und jeder Erzählvorgang wird nicht objektiv, sondern eindeutig normhaft wertend vom erzählenden Dichter gestaltet. Das Bezugssystem all dieser Wertungen ist das höfische Tugendschema. Nur

---

Innerhalb der Lebensgeschichte wird also eben so wenig subjektiv gewertet: die Helden aller Lebensgeschichten gehören den Guten zu. Die radikale Umwertung der Messalina, Locusta und Acte in der ‚Octavia' dient dem als gewichtiger Beweis. Der Scharfsinn der Motivationen im Kontrast zur historischen Folie hat gerade in diesen Fällen die Zeitgenossen als Gipfel des *Sinnreichen* entzückt. Die falschen Wertungen, die allerdings häufig auftreten, entsprechen der Beschränktheit des einzelnen *Erfahrungs-Ausschnittes* dieser Welt. Vgl. dazu u. S. 31—54.

[72] E. *Verhofstadt*.
[73] Ebenda S. 111.

durch das ständige Orientieren jedes menschlichen Verhaltens an diesem ethischen Wertsystem kann die modellhafte Gleichförmigkeit dieser stilisierten Fiktionswelt überhaupt erst entstehen. Darin liegt auch die Kongruenz zwischen dem erzählenden Dichter und den Worten der Romanpersonen begründet, auf die W. Kayser hinweist.

Neutralität der Distanz bei wechselnder Monadenbeleuchtung, Wertung nach einer Tugendnorm und typisierende und modellhafte Stilisierung begründen die gleichförmige Erzählhaltung in den Romanen Anton Ulrichs. Sie ist ein komplexes Phänomen, das einem komplexen Erzählgegenstand entspricht. Ihre Übereinstimmung mit dem künstlerischen Wollen des Dichters aber ist zwingend und überzeugend: dem eigentlichen Thema eines vielfältigen Gewebes menschlicher Beziehung kann nur eine neutrale Erzählsituation entsprechen, die einzelne Personen im raschen Wechsel ihrer Beziehungssituationen beleuchtet.

Diese Charakteristik der Erzählsituation bedürfte nun eigentlich der Bestätigung durch die zeitgenössische poetische Theorie. Leider existieren u. W. keine Äußerungen Anton Ulrichs zu diesem Thema. So liegt es nahe, nach Einflüssen in seiner direkten Umgebung zu suchen. In erster Linie gerät uns dabei Sigmund von Birken, sein literarischer Mentor und Mitarbeiter[74], in den Blick. Dieser veröffentlichte im Jahre 1679 seine ,Teutsche Rede-bind und Dichtkunst oder Kurze Anweisung zur Teutschen Poesy mit geistlichen Exempeln.' Zu diesem Zeitpunkt war allerdings Anton Ulrichs ,Aramena' (1669—1673) bereits erschienen und die ,Octavia' (I-III 1677—1679) halb gedruckt. Das schließt jedoch den Einfluß von Birkens theoretischen Bemühungen auf den Herzog keineswegs aus, denn seine Poetik war „im Entwurf schon etwa drei Jahrzehnte vorher entstanden und damals in Form von fünfzig Lehrsätzen in Abschriften bereits um 1650 verbreitet gewesen."[75]

Wir klären eine Vorfrage von entscheidender Bedeutung aus Birkens Theorie und vergleichen dann unsere Ergebnisse mit seinen poetologischen Überlegungen. Das wesentliche Ziel der Dichtung ist für Birken im Vergleich mit jenem der Malerei die „Gegenwärtigkeit", die er als Ergebnis einer „bestimmten Gestaltungsweise"[76] erkennt. Der Dichter muß nach ihm „nicht allein berichten / sondern auch neue Sachen erdichten." Damit weicht Birken in modern anmutender Weise von der im Barock weitgehend vorherrschenden Mimesis-Theorie ab, er erreicht natürlich noch nicht die Auffassung vom Erzählen, die Käte Hamburger charakterisiert: „... er erzählt nicht von seinen Gestalten (Dingen und Begebenheiten), sondern

---

[74] Vgl. B. L. *Spahr*, Aramena besonders S. 52—79.
[75] B. *Markwardt*, Poetik I, S. 116.
[76] Vgl. zu diesem Abschnitt besonders W. *Lockemann* S. 60—76. Auch die Zitate aus Birkens ,Rede-bind und Dichtkunst' entstammen dieser Arbeit. Obiges Zitat S. 63.

er erzählt die Gestalten . . ."[77] Birken sieht also in der Dichtung nicht die Wiederholung einer Wahrheit, sondern die Gestaltung eines Geschehens, das in seiner Gegenwärtigkeit erlebbar werden soll und vom Kriterium der Wahrscheinlichkeit bestimmt ist, während Hamburger einen Standpunkt von der Autonomie des Erzählens vertritt. Dieser Dichtungsbegriff bewegt sich auf die moderne Auffassung der Dichtung als Fiktion zu: die Fiktion wird durch das Erzählen erst geschaffen. Das Resultat dieser Vorüberlegung entspricht genau unserem ständigen Hinweis auf Anton Ulrichs Romanwirklichkeit als dem schlüssigen Beziehungsgewebe einer Fiktion, das im Laufe des Erzählvorganges entsteht.[78] Die nächste Frage stellt sich als Folgerung daraus: Wie müssen die erzählerischen Mittel aussehen, die eine solche Fiktion zu schaffen vermögen?

Damit kehren wir zu unserem Untersuchungsergebnis über die Erzählsituation im höfischen Barockroman (besonders bei Anton Ulrich) zurück. Wir konstatierten eine Mischform von entscheidend neutraler Grundhaltung mit möglichen Akzentuierungen ins Personale und Auktoriale. Was meint Sigmund von Birken dazu? „Es [das Schaffen des Dichters] muß die Person an sich nehmen / die oder von deren er redet und handelt: und ihm einbilden / als wann er gegenwärtig alles sähe / und als ob er alles selber thäte."[79] Die Übereinstimmung von Birkens theoretischer Forderung mit unserer These des point of view in der *Erzählperson* ist erstaunlich. Damit hat Anton Ulrichs Darstellungsweise Birkens Postulat der verlebendigenden Gegenwärtigkeit in hohem Maße erreicht.

2. Der *Erfahrungs-Ausschnitt* von Leser und Romanperson

a. Begriff

Jedes Erzählwerk schafft eine fiktive Welt durch die verbale Vermittlung bestimmter Informationen zwischen Autor und Leser. Die besondere Eigenart dieses allgemein anerkannten Prozesses bei Anton Ulrich ist wohl mehrmals erwähnt, seine strukturellen Voraussetzungen aber sind noch kaum berührt worden. In diesen Romanen enthüllt der erzählende Dichter Stück für Stück seiner fiktiven Welt, die in ihrer abschließend sichtbaren Ordnungs-Konzeption als Spiegelbild göttlicher Providenz begriffen wird.

---

[77] Käte *Hamburger*, Logik der Dichtung. Stuttgart 1957, S. 113.
[78] Ob man sich diesen Vorgang aufbauend oder enthüllend (Cl. *Lugowski*) vorstellt, bleibt sich gleich.
[79] Zitiert nach W. *Lockemann* S. 63 f.

Die Besonderheit dieses Informationsprozesses stellt eines der konstitutiven Grundphänomene von Anton Ulrichs Erzählweise dar. Es kann von zwei Seiten her betrachtet werden. Vom Autor aus als kompositorisch geordnete Darstellung fiktiver Ereignisse, Gedanken und Gespräche, wobei jedem erzählerischen Detail das Moment der Information innewohnt. Vom Leser aus gesehen, wächst sein Wissen um die Romanfiktion mit dem Erzählvorgang, der ihm Informationen über deren Ereignisse und Zusammenhänge bringt. Dieser Prozeß des zunehmenden Wissens im Leser korrespondiert mit der Struktur der schrittweisen Enthüllung der gesamten Romanwelt.

Wie sieht dieser Vorgang im Leser nun eigentlich aus? Er ist während der Lektüre des Romans zwischen zwei Extreme eingespannt. Vor der Lektüre des Buches weiß er von dieser Fiktionswelt buchstäblich nichts, nachher kennt er alle ihre Zusammenhänge und Beziehungen. Das gilt allerdings fast für jedes Erzählwerk[80], nur kommt es auf die Relevanz und besondere Strukturierung dieses Prozesses an. Das setzt die Erkenntnis voraus, daß der *Erfahrungs-Ausschnitt*, den der Leser von der Romanwelt besitzt, sich zunehmend vergrößert, und zwar vom Wert Null bis zur Totale. Der *Ausschnitt*[81] des Lesers ist also in jeder Phase des Erzählablaufes identisch mit seinem Wissen um fiktive Fakten und Zusammenhänge. Der Erzählablauf enthüllt diese Welt bis zur konzeptions-totalen Wahrheit des Romanschlusses. Dieser Vorgang im Leser verläuft parallel zu ähnlichen Vorgängen in den Romanpersonen.

Die guten Romanpersonen, die gleichzeitig die bedeutenden sind, erleiden ihren Schicksalsweg bis zur glücklichen Vermählung am Ende. Während dieses Weges nimmt auch ihr Wissen um Ereignisse und Zusammenhänge der sie umgebenden Welt zu. Das befähigt sie, ihr dunkles Schicksalsrätsel schrittweise lösen zu können. Damit erkennen wir also drei parallele Abläufe, die im Spannungsdreieck von Autor, Leser und Romanperson in Strukturzusammenhang stehen: die Weltenthüllung durch den erzählenden Dichter, die zunehmende Vergrößerung des *Ausschnittes* im Leser und die Schicksalsentwirrung der einzelnen Romanperson. Das Zusammenwirken dieser drei Abläufe ist ein äußerst komplexes, denn sie unterscheiden sich trotz ihrer prinzipiellen Parallelität bemerkenswert voneinander.

---

80 Es gilt nicht grundsätzlich. Die Totale der epischen Beziehungen und Zusammenhänge ist etwa bei einem Werk wie Thomas Manns ,Der Zauberberg' oder Robert Musils ,Der Mann ohne Eigenschaften' nach einmaliger Lektüre noch nicht erreicht.

81 Wir verwenden im weiteren diesen kürzeren Terminus und meinen damit alle Fakten und Zusammenhänge aus der Romanfiktion, die dem Leser zu einem bestimmten Zeitpunkt bekannt sind. Sie sind eindeutig durch die Äußerungen innerhalb des Erzählablaufes belegbar.

So scheinen sich nach dem eben Skizzierten die Weltenthüllung des Erzählablaufes und der wechselnde *Ausschnitt* des Lesers mit seinem zunehmenden Informationsumfang schrittweise und phasenhaft zu decken. Dem ist aber nicht so. Wohl entspricht jeder Phase des Erzählablaufes ein jeweils klar bestimmbarer *Ausschnitt* des Lesers. Zwischen beiden Entwicklungen besteht jedoch nicht Identität, sondern eine konstitutive Spannung. Im Bereich dieser Spannung entfaltet sich in all seinen Formen das Spiel, welches der erzählende Dichter mit dem Leser treibt. Der Enthüllungsvorgang des Erzählablaufes bewegt sich nämlich nicht in simpler Gerade vom Nullpunkt des Romanbeginns auf die Wahrheits-Totale des Romanschlusses zu. Die Distanz des erzählenden Dichters zu den Enthüllungsvorgängen seiner fiktiven Welt ermöglicht ihm ein häufiges Abtreten des schwer fixierbaren Erzählstandpunktes an die einzelne Romanperson (*Erzählperson* oder gar Erzählerperson einer Lebensgeschichte). Auch in den vielen Gesprächen gibt der erzählende Dichter (Unmittelbarkeit der direkten Rede) das Wort an die einzelne Romanperson ab. An diesem Spiel zwischen Autor und Leser sind also auch die Romanpersonen mitbeteiligt. Dem enthüllenden Erzählvorgang steuern nämlich neben dem erzählenden Dichter auch Romanpersonen häufig Informationen bei (im Gespräch und in den Lebensgeschichten). Diese entstammen natürlich ihrem *Ausschnitt* und dürfen vom Leser nicht als gleich gesichert gewertet werden. In bezug auf die Wahrheit des Romanschlusses können sie nämlich richtig oder falsch sein.

Wohl wird in der Anton-Ulrich-Forschung häufig mit den Phänomenen von Verstellung, Verschwiegenheit, Täuschung und Irrtum gearbeitet. Ihre vordringliche Funktion besteht aber — was man offensichtlich bislang übersehen hat — in der Beeinflussung des *Ausschnittes* von Leser und Romanperson. Damit gewinnen diese Phänomene eine eminente strukturelle Relevanz gemäß der voluntas autoris.[82] Wir erkennen darin eine weitere Eigenart in der Entwicklung der jeweiligen *Ausschnitte* von Leser und Romanperson. Die Vergrößerung der *Ausschnitte* erfolgt nicht Schritt für Schritt als gesicherte Wahrheit; der Vorgang ist vielmehr in besonderer Weise der Täuschung und dem Irrtum ausgesetzt, er ist sogar das eigentliche Gebiet für deren wirksame Entfaltung. Man könnte hierbei alle irrtümlichen Bezüge als *Oberflächenstruktur* und alle wahren als *Tiefenstruktur* bezeichnen.

Die grundsätzliche Gesetzlichkeit der besonderen *Ausschnitte* der einzelnen Romanperson bedarf noch weiterer Klärung. Parallel zum Enthüllungsvorgang der fiktiven Gesamtwelt verläuft also der Schicksalsweg der

---

[82] Täuschung und Irrtum müssen immer im Hinblick auf den Betroffenen gesehen werden. Gerade hier bleiben die meisten Untersuchungen auf einer Überschätzung des Innerfiktionalen stehen, das sie als Welt für sich interpretieren. Die Funktion der einzelnen Person bleibt dabei unbeachtet.

keit. Der Leser kann die Zuhörerschaft jeder Lebensgeschichte namentlich genau bestimmen. Es ist von struktureller Bedeutung, wer wem eine oder seine Geschichte erzählt. Die szenische Belanglosigkeit des pedantischen Abschließens während eines solchen Vortrages unterstreicht gestisch die Bedeutung der Exklusivität. Mit diesem Detail funktionalisiert Anton Ulrich eine motivische und sprachliche Topik aus überreicher Tradition völlig neu (siehe u. S. 273 ff.).

Zusammenfassend wollen wir im Rahmen dieser begrifflichen Annäherung an das epische Phänomen des *Ausschnittes* folgendes festhalten: Der Erzählablauf in Anton Ulrichs Romanen ist der bewußt strukturierte Enthüllungsvorgang einer fiktiven Welt. Das ursprünglich scheinbar zusammenhang- und sinnlose Gewebe von Beziehungen (*Oberflächenstruktur*) erstrahlt schließlich als sinnvolles Spiegelbild der göttlichen Ordnung (*Tiefenstruktur*). In der Richtung des Erzählablaufes erfährt der Leser zunehmend Wissen über die Zusammenhänge dieser Welt. Jeder Phase des grundsätzlichen Enthüllungsvorganges entspricht eine klar bestimmbare Wissensphase des Lesers. Parallel zum Erfahrungszuwachs im Leser vollzieht sich ein solcher auch in jeder prominenten Romanperson. Die Spannungsstruktur beruht dabei auf einer komplizierten Diskrepanz zwischen diesen drei Abläufen: Enthüllungsvorgang dieser Fiktionswelt, *Ausschnitt*-Vergrößerung bei Leser und Romanperson. Im Bereich dieser Spannung entfaltet der erzählende Dichter sein subtiles Spiel von Täuschung und Irrtum. Die gegebenen Informationen sind nämlich in bezug auf die *Tiefenstruktur* (Wahrheit des Romanschlusses) nicht gleichrangig. Die Gefahr von Irrtum und Täuschung gilt nicht nur für die Romanpersonen, sondern streckenweise auch für den Leser. Aufgrund einer lückenlosen kausalen Motivation von äußerster Akribie steigert der Dichter diese Gefahr zur echten Gefährdung. Dabei bilden die vielen Möglichkeiten falschen oder richtigen Informierens — ähnlich wie beim modernen Kriminalroman — die Strukturgesetzlichkeit eines solchen Werkes. Umso erstaunlicher ist die Tatsache, daß die Forschung diese raffinierte Beziehung zwischen erzählendem Dichter, Romanperson und Leser nicht beachtet hat.

b. Beschreibung

aa. Divergenz der *Ausschnitte* von Romanperson und Leser (‚Aramena')

Obige Ausführungen wirken für den Leser, der mit Anton Ulrichs Romanen wenig vertraut ist, abstrakt und theoretisch. Sie bedürfen einer Veranschaulichung. Deshalb beschreiben wir jetzt die konkrete Strukturform und Funktion der *Ausschnitte* in der erzählten *Wirklichkeit* eines solchen

Werkes. Da die Divergenz der *Ausschnitte* das prägnante Hervortreten dieses epischen Phänomens besonders fördert, beginnen wir mit einer Struktur aus dem zweiten Buch des dritten Theiles der ‚Aramena' (A III 213—222 und 309—317; dazwischen eingelagert die ‚Geschichte der Prinzessin Hercinde' A III 222—309). Dieser Abschnitt erhebt sich als zusätzlicher und weiterreichender Spannungsbogen im Raume jener großen Spannungsstruktur, die in der Scheinheirat von Dison und Aramena gipfelt. Er betrifft vorwiegend Delbois, Belochus und Baleus, also ein wichtiges Triangel-Schema innerhalb der assyrischen Konstellation [zwei Herren (Vater und Sohn) lieben eine Dame (ihre vermeintliche Tochter bzw. Schwester)].

Baleus macht in Gedanken an seine unbekannte Geliebte (= Hercinde) mit seinem Vertrauten Zameis einen (traditionellen) Spaziergang (A III 213 ff.). Als ihm eben Zameis die wahren Umstände um diese Unbekannte in ihrer Lebensgeschichte entdecken will, werden sie durch die Ankunft des Babyloniers Spiridates unterbrochen. Dieser bringt den unverständlichen Befehl des Königs Belochus, daß sich sein Sohn Baleus sofort nach Acraba begeben solle. Dem verwunderten Baleus berichtet der Bote weiter von einer rätselhaften Veränderung am assyrischen Hofe. Die Informationselemente des Botenberichtes kann Baleus aus seinem *Ausschnitt* heraus nicht begreifen. Alles deutet auf eine „eiversüchtige liebe" des Belochus hin, deren Ziel Spiridates nicht kennt. Aus des Königs Verhalten gegen seinen Sohn ergibt sich aber eindeutig, daß er diesen als Nebenbuhler betrachten muß.

Hier wird die Divergenz der *Ausschnitte* besonders augenfällig. Für den Leser bilden die Vermutungen des Spiridates aufgrund seines größeren *Ausschnittes* keine Offenbarung mehr. Er kennt nämlich seit den Berichten des Barzes (A II 595—598) und des Abimelech (A II 626—638) einen der wesentlichen personalen Zusammenhänge des Romans. Dort erfuhr er mit Delbois, daß diese nicht des Belochus Tochter, sondern Nichte sei. Belochus von Assyrien weiß aber noch mehr als Delbois und der Leser: Sie ist nämlich die Tochter seiner Jugendgeliebten Philominde, die Aramenes von Syrien geheiratet hat. Damit ist aber Delbois als die wahre syrische Aramena die Titelfigur des Romans. Diese Information hat Belochus' Absichten grundlegend verändert: er liebt *Delbois* (= Aramena) als Spiegelbild ihrer Mutter Philominde und möchte sie ehelichen. So hartnäckig er früher die Verbindung zwischen seinem Sohn Baleus und seiner vermeintlichen Tochter Delbois gefordert hatte, so energisch versucht er sie jetzt zu hintertreiben, um Delbois für sich zu gewinnen. Da er Baleus' neue Liebe zur schönen Unbekannten nicht ahnen kann, muß er glauben, daß sein Sohn noch immer Delbois liebe. Deshalb verfolgt er ihn als Nebenbuhler und beordert ihn, weg von der Geliebten, nach Acraba. Dieser Irrtum des Belochus beruht auf der Begrenztheit seines derzeitigen *Ausschnittes*. Alle

damit das rätselhafte Schicksal der unbekannten Schönen des assyrischen Prinzen. Man sieht: Selbst das strukturelle Verhältnis dieser *Geschichte* zum Erzählablauf steht eigentlich unter dem Phänomen des *Ausschnittes*. Der Erzähler Zameis mußte aufgrund eines richtigen Verhaltensmodelles sein Wissen um diesen Lebenslauf dem Prinzen bislang verschweigen: „Ach Zameis! (rieffe hierauf der verliebte Prinz/) was für unheil hat eure verschwiegenheit angerichtet . . ." (A III 309). Diese Verschwiegenheit wird aber durch das Urteil der Königin als verständig belobt. Nun wendet sich Baleus um einen Rat an Delbois. Darauf folgt ein für unser Phänomen interessanter Passus:

> Die schöne Delbois besanne sich etwas / auf dieses des Prinzen fürbringen / und stunde an / ob sie nicht von dem / was ihr wissend war / ihme teil geben solte. Sie sahe wol / daß sein beistand ihr merklichen vorteil würde bringen können / gedachte deshalben ihn zu verpflichten / indem sie endlich in gegenwart des Zameis / als dem sie wol trauen konte / ihm alles entdeckte / was Abimelech von des Belochus liebe / seiner eiversucht / und der Dalimire anschlag auf Ninive / ihr geoffenbaret. Sie vertraute ihm auch ihre liebe zu dem Prinzen von Gerar / und verschwige ihm nichtes / auser nur dieses / daß sie nicht des Belochus tochter sei: dan ihr viel zu bange war / Baleus möchte sie wieder lieben / wan er erfüre / daß er nicht ihr bruder wäre. (A III 310)

Delbois vertraut also Baleus teilweise das Wissen ihres *Ausschnittes* an; sie läßt ihn einen Blick in Zusammenhänge tun, die er vorher nicht begreifen konnte. Unter diplomatischer Beachtung ihrer Zwecksetzungen nähert sie seinen *Ausschnitt* dem ihren an. Sie verschweigt ihm aber den zentralen Motivationszusammenhang, der gerade ihrer beider menschliche Beziehung betrifft. Wohl tut sie dies aus Gründen, die der erzählende Dichter wieder dem Leser haarklein auseinandersetzt. Diesem Vorgang in Gesprächsform wohnt der Leser aufgrund seiner *Ausschnitt*-Struktur in erregender Position bei. Im weitesten Sinne gehört dieser Passus in die Darstellung politischer Pläne, er bildet aber gleichzeitig ein Verbindungsstück innerhalb einer bedeutsamen Dialogstruktur. Er ist, oberflächlich betrachtet und ohne funktionalen Zusammenhang gesehen, wie viele Gespräche, die sich mit bereits Geschehenem auseinandersetzen, scheinbar langweilig und notwendig handlungsarm. Vom Blickpunkt des konstitutiven *Ausschnitt*-Wechsels einer Person aber gewinnt er eine erzählerische Bedeutsamkeit von hohem Rang.

Alle Vorgänge, die hier in diesem zusammengeballten Handlungskomplex aufgezeigt wurden, stehen unter dem Phänomen der Information von existentieller Werthaftigkeit. Baleus durchläuft in diesen Seiten einen weiten Weg der *Ausschnitt*-Vergrößerung, der ihn schrittweise an den dunklen Kern seines Schicksalsrätsels heranführt. Das Entscheidende ist in diesem Abschnitt nicht so sehr die Enthüllung der Fiktionswelt, denn das Faktum von Belochus' Liebe zu Delbois war längst schon aufgedeckt. Das neue Moment bildet nur der Befehl des Belochus als Reaktion daraus.

Die eigentliche Spannung und der erzählerische Sinn beruht auf der Veränderung des *Ausschnitts* von Prinz Baleus. Der gehaltliche Akzent liegt dabei auf der allmählichen Befreiung eines Menschen aus den Beziehungen einer als scheinhaft zu erkennenden Welt: das Erlebnis der Spannung zwischen *Oberflächenstruktur* und *Tiefenstruktur* also. Durch seinen größeren *Ausschnitt* rückt der Leser in beobachtende Distanz zu diesem Vorgang. Nur die Interpretation der Gestaltungszüge und ihrer Funktion vermag die intensive Spannungsstruktur solcher erzählerisch scheinbar minderwertiger Passagen zu enthüllen, deren Formgesetz unabweislich in der Konvergenz und Divergenz der *Ausschnitte* von Romanperson und Leser beruht.

bb. Kongruenz der *Ausschnitte* von Romanperson und Leser (‚Octavia')

Die Divergenz der *Ausschnitte* zwischen Romanperson und Leser führt zu einer bislang unbeachteten Differenzierung des Phänomens der Täuschung in Anton Ulrichs Romanwerk. Die Täuschung existiert in diesem Falle nur als Täuschung der Romanperson, der zudem hierarchisch eine ungetäuschte (Delbois) oder partiell getäuschte Person (Belochus) zur Seite stehen. Die Kongruenz der *Ausschnitte* kann aber dazu führen, daß der Leser vom Autor mit in die Täuschungsstruktur einbezogen wird. Dieses Phänomen wollen wir an einem Beispiel aus Anton Ulrichs ‚Octavia' beschreiben.

Mit dem dritten Band dieses Romans ist der Zustand des Haupthelden Tyridates durch einige Ereignisse völlig in Verwirrung gefallen. Seine Beziehungen treffen sich mit jenen des *Drusus* (= Italus) in einem chiastischen Schema. Tyridates glaubt nach des Drusus vermeintlichem Tod verpflichtet zu sein, seine ungebührliche Liebe zu seiner vermeintlichen Schwester Neronia durch die Vermählung mit der Claudius-Tochter Antonia überwinden zu müssen. Diese aber liebt seit Anfang ihren vermeintlichen Bruder *Drusus* (= Italus). Als der Totgeglaubte plötzlich wieder auftaucht, wird er mit in dieses chiastische Schema gefügt:

Tyridates trennt sich von seiner vermeintlichen Schwester Neronia und heiratet die vermeintliche Schwester des Drusus, obwohl er seine eigene liebt.

Drusus trennt sich von seiner vermeintlichen Schwester Antonia und heiratet die vermeintliche Schwester des Tyridates, obwohl er seine eigene liebt.

Dieses parallel-chiastische Schema bildet einen Komplex der *Oberflächenstruktur*, von der *Tiefenstruktur* des Romanschlusses her erweist es sich als Täuschung. In Wahrheit liebt Tyridates nämlich die Titelheldin

das Faktum der vollzogenen Heirat (321). Noch weiß der Leser nichts Bestimmtes, aber alle diese Formulierungen bestimmen seine Spannung und neigen auch seine Vermutung eher dem Vollzug zu. Tarquitius Priscus führt den Leser dann an Galbas Hof (325—328) und zur Kaiserin Plautia Urgulanilla (328—333). Auch im Laufe dieser Verschwörerberatung setzt der erzählende Dichter als Meinung von Personen sprachlich das Faktum der Verheiratung (331). Die Sprachform hüllt sich dabei in eine scheinbar gesicherte Behauptung, indem die Heirat bereits als Faktum genommen wird: „Die Verheuratung des Tyridates mit der Antonia / ware den meisten unter ihnen sonders angenehm" (331). Ein Gespräch zwischen Drusus und Italus (333—337) leitet zur abenteuerlichen Suche nach Cynobelline über (337—338). Um Claudia an den Vologeses zu verkuppeln, begibt sich Annius Vivianus als Vermittler zu den Medischen Fürsten (343—345). Einem Gesandten des Kaisers antworten die Morgenländer, daß Tyridates „gantz gewiß vor mehr als dreyen wochen / aus Rom nach Armenien abgereist wäre" (347). Auf einer Festlichkeit des Galba erfreut Coccejus Nerva diesen mit der Versicherung, „daß Tyridates in Italien nicht mehr zu finden ist" (355); das machen aber die Räte des Kaisers wieder zunichte. „Er verschwiege diesen nicht seine freude / den Tyridates außer Italien zu wissen: das aber Vinius nicht wolte annehmen / sondern die leichtgläubigkeit des Käisers beklagte . . ." (358). Der Leser weiß noch immer nichts Verbürgtes von der Vermählung; und es sind bereits 200 Erzählseiten verstrichen. Des Martianus Erzählung unterbricht diese Szene (361—366). Trotz des Vinius Einwand freut sich Galba, „daß der gesandten ertheilte nachricht / die abreise des Königs Tyridates betreffend / mit des Coccejus Nerva aussage übereinstimmte" (367). Kurze Zeit darauf bestätigen die medischen Gesandten auch dem Ariaramnes die Abreise des Tyridates aus Rom. Anton Ulrichs Informationstechnik im Sinne der Täuschungsabsicht wird hier klar. Er verbindet sprachlich zwei Fakten immer dichter miteinander: die Vermählung und die Abreise der beiden. Dies gilt für Ariaramnes und die anderen Romanpersonen ebenso wie für den Leser; alle nehmen die Abreise allmählich als Bestätigung für die vollzogene Trauung. Das ist aber eine bewußte *Oberflächenstruktur* des täuschenden Dichters. Die Abreise stimmt nämlich, die Vermählung jedoch nicht.

Bis zum Ende des ersten Buches (394) verbleibt die Erzählung in Rom, dann folgt der Dichter dem Zuge des Vitellius nach Norden. Während des Aufenthaltes in Tusculum (157—306) und in Rom (310—394) treten Tyridates und Antonia nicht mehr ins Blickfeld; sie bleiben mit ungewissem Schicksal verschwunden, spielen aber in den Gesprächen und Plänen der auftretenden Personen die dominierende Rolle. Die geschickte Manipulation der Aussagen bildet eine intensive Spannungs- und Täuschungsstruktur, welcher auch der Leser unterliegt. Fast alle Personen sind der Meinung, daß diese Hochzeit bereits vollzogen ist. Allerdings schiebt sich in den Aussagen an die Stelle der Heirat allmählich das (richtige) Faktum der

Abreise. Es findet sich aber kein Augenzeuge für die zwei Ereignisse, im besten Falle werden Augenzeugen zitiert (Stachis 321). So stellen alle diese Äußerungen nur ein Bezugsnetz individueller Informationen dar. Sie erreichen, daß der Leser mit zunehmender Gewißheit an den Vollzug der Trauung glaubt. So mühsam es ist, alle diese sprachlichen Belege aufzuspüren, so subtil erweist sich darin Anton Ulrichs Technik der Leser-Täuschung. Die letzte Gewißheit bleibt diesem aber bewußt versagt, während turbulente Vorfälle und konspirierende Gespräche in Rom vor sich gehen.

Auf einem Landhaus nahe Rom begegnen dem Leser dann wieder Drusus und Italus im Gespräch mit dem Römer Petilius Cerialis. Dieser gibt sich ihnen plötzlich als der verschollene Thumelicus zu erkennen und erzählt ihnen seine sonderbare Lebensgeschichte (O III 403—461). Dann passiert es endlich:

> Sie redten noch mit ihm hiervon / als sich jählings Italus und Drusus von hinten umfasset fühlten / und im umschauen in den armen der schönen Antonia und Cynobelline sich befanden. Sie ließen sich / von diesen beiden Prinzessinen / gleichwie todte leute handtiren. Antonia erhielte auf ihr freundliches zureden / da sie den Italus fragte / ob er seine schwester nicht mehr kennete / keine antwort: und der wahre Drusus konte auch nicht glauben / daß er seiner Cynobelline so nahe wäre. Indem trate auch Tyridates unvermutet zu ihnen / und bald den Drusus / bald den Italus ümarmend / fehlte es nicht viel / das (sic) diese zugabe ihres schreckens sie gar getödtet hätte. (O III 461)

Ähnlich überrascht wie die beiden Fürsten ist der Leser durch dieses unvorbereitete Auftreten. Viel wurde von Tyridates und Antonia seit ihrem Verschwinden von der Erzählbühne (157—461) gesprochen. Plötzlich sind sie in einer gestisch hervorragenden Szene wieder da. Eben als sie sich zu einer Erklärung anschicken wollen, meldet ein Bote, daß sich Vitellius der Laube nähere. Überstürzt eilen sie davon. Die Sprachform der beginnenden Erklärung ist aber wesentlich: „Hiemit umarmte er [Italus] den Tyridates / und folgends die Antonia: welche wol merkend / wohin er zielte / ihm eben wolten *aus dem traum helfen* . . ." (462). In dieser sprachlichen Wendung löst sich die Täuschungsstruktur für den Leser, obwohl es noch zu keiner weiteren Erklärung kommt. Anton Ulrich gebraucht sie häufig, um den Irrtum einer Romanperson aufzuklären. Tyridates und Antonia merken, daß Italus sie für ein Paar hält, sie wollen ihm „aus dem traum helfen." Sie möchten seinen Irrtum aufklären und sind demnach also nicht verheiratet. Leider kommt diese Erklärung hier zu spät. Italus ist nämlich überstürzt abgereist, um die beiden — wie er glaubt — Verheirateten nicht zu stören und nicht Zeuge ihres Glückes sein zu müssen. Erst viel später ist diese Täuschungsstruktur für ihn, den eigentlich Betroffenen, zu Ende.

Anton Ulrich läßt also den Leser 300 Erzählseiten lang über ein gravierendes Problem der zentralen Romankomposition völlig im unklaren. Er baut vielmehr eine Täuschungsstruktur auf, in der ein Netz von sprach-

Die Braut dürfe davon jedoch auf keinen Fall vor der Hochzeit erfahren. Diese Vergrößerung von Mehetabeels *Ausschnitt* durch Ahalibamas Information ist funktional bedeutsam in diesem szenischen Intrigenspiel um das Geheimnis des eigenen persönlichen Wissens. Nach dem Abendessen treffen sich Ahalibama, Timna, Mehetabeel und *Dison* in einem Zimmer, um über die Hochzeit zu sprechen (A III 171—172). Dieses Gespräch ist bis zum Abgang *Disons* konsequent auf seinen *Ausschnitt* bezogen, das heißt er (sie) erhält keine Information über die wahre Identität seiner (ihrer) *Braut*. Erst nach seinem (ihrem) Abgang ändert sich das Gespräch der drei seirischen Fürstinnen entsprechend ihren *Ausschnitten* (A III 172—173). Mit einer epischen Vorausdeutung auf den kommenden Tag begeben sich alle zur Ruhe. Soweit also die Phasengliederung.

Wir wenden uns nun einer Deutung zu. Eine Gruppe von zwölf namentlich genannten Personen wird vom erzählenden Dichter in dieser Besuchsszene episch aktiviert. Sie alle kennen nur ein Gesprächsthema und damit ein Ziel ihrer Neugierde: die zwischen *Dison* und *Aramena* angekündigte Hochzeit (A III 348—355). Zehn Seiten von den insgesamt zwölfen dieses Abschnittes füllen Gespräche, vorwiegend in direkter Form. Worin besteht nun der erzählerische Reiz dieses episch fast ausschließlich als Gespräch realisierten Tages? Worin seine wie immer geartete Funktion? Der Leser weiß bereits um Ahalibamas und Timnas Plan; es wird ihm hier also erzählerisch (mit Ausnahme des Besuchs) nichts Neues geboten. Die Literatur sieht die Gespräche in den höfischen Barockromanen meist funktional verarmt und als rhetorische Stilübungen. Gerade diese Gesprächsstellen eignen sich aber herzlich schlecht als exemplarische Muster zur rhetorischen Bewältigung höfisch bedeutsamer Situationen. Es handelt sich eigentlich eher um konventionelle Klatschgespräche über ein gesellschaftliches Ereignis. Die darin verarbeiteten Informationen, die dem Leser als störende Wiederholungen erscheinen können, verleihen ihnen keinen besonderen erzählerischen Reiz. Die Funktion dieser langweiligen Gespräche kann somit nur aus dem reizvollen Entfalten des intriganten Planes durch Darstellung des wechselnden *Ausschnittes* der Romanpersonen richtig verstanden und gewertet werden.

Die Gespräche innerhalb des gesellschaftlichen Besuchs-Vorganges sind jeder Person ein willkommenes Mittel, ihren Horizont in bezug auf das erwartete gesellschaftliche Ereignis zu vergrößern. Bereits der Anstoß zur Fahrt steht unter diesem Zeichen: die Dianenschwestern wollen *Disons* Gründe für diesen Entschluß erfahren, denn das Faktum kennen sie bereits. Mehetabeel wird von Timna aus Diplomatie mitgenommen, damit sie als seirische Fürstin die seirischen Pläne unterstützen helfe. Auf das Spiel der *Ausschnitte* gegründet, setzt die Spannung bereits mit jener Gruppe von Personen ein, die im Wagen nach Naema fährt. Schon hier wundern sich alle über diese Hochzeit, sie verschweigen einander aber die Ursachen ihrer

Verwunderung. Sie verheimlichen einander also das Beziehungsgefüge ihres *Ausschnittes*, welches dieses Ereignis betrifft. Sie hüten ihr Wissen gewissermaßen als persönliche Macht ins Geschehen.

Die Funktion des ersten Gesprächs besteht darin, den neugierigen Ordensschwestern *Disons* wahre Gründe für die Hochzeit anzuvertrauen. *Dison* nähert ihre *Ausschnitte* seinem umfassenderen an. Briane als Wortführerin versucht dabei durch Informationen, nach denen sie Frage um Frage stellt, ihren *Ausschnitt* zu vergrößern, damit sie *Disons* Handlungsweise begreifen kann. „Wie soll ich diese wunderdinge verstehen?" (A III 165) Aramena antwortet aus ihrem *Ausschnitt* heraus. Da der Leser längst weiß, daß sie bewußt von Ahalibama getäuscht wird, sieht er also den Vorgang folgendermaßen: Eine Person gibt im besten Wissen und Gewissen Informationen weiter, die sich als Irrtümer herausstellen werden. Die Vergrößerung ihrer *Ausschnitte* ist also vom Romanschluß her eine irrtümliche und falsche. Ahalibama täuscht mit intriganter Absicht (zwar zum besten ihrer Freundin und ihres Bruders), Aramena dagegen gibt ihre Informationen als (subjektive) Wahrheit weiter, sie ahnt selbst nicht, daß sie falsch sind. Unter diesem Spannungseffekt läßt sich der zeitgenössische Leser gerne nochmals in einem Frage- und Antwortspiel Ahalibamas Intrigengeflecht vorführen. Hier wird also kein neues Thema argumentativ erörtert, noch dem Leser wesentlich neue Handlung geboten. Vielmehr erlebt er aus der Distanz seines größeren *Ausschnittes* heraus menschliche Befangenheit im Irdischen (Erlebnis der *Oberflächenstruktur*).

Frage und Antwort erkennt er aufgrund seines Wissens als Irrtum und Täuschung. Die inhaltliche Wiederholung ist damit eine Voraussetzung für diese erzählerische Gestaltung aufgrund der Divergenz der verschiedenen *Ausschnitte*.

Diesem Eindruck dient auch das nächste Kurzgespräch: Ahalibama erkundigt sich bei Briane und Zimene sofort nach *Disons* Meinung (A III 168 f.). Der Leser erkennt die raffinierte Intrige Ahalibamas. Der erzählende Dichter betont diesen Eindruck noch durch die Diskrepanz zwischen Gehaben und Äußerung: „Also redete Briane / deren der Ahalibama glaubens-änderung / noch unbekant war; welche solches mit stillschweigen beantwortete." (A III 169) Ahalibama hütet ihr Wissen unter dem Aspekt der Zweckhaftigkeit für die Hochzeit. Sie verhindert durch das Stillschweigen das Eröffnen ihres *Ausschnittes*.[87] Durch das „noch unbekant" weist sich die ständige Zunahme des *Ausschnittes* als gegeben aus, Briane wird davon schon noch erfahren.

Auch das nächste Gespräch [Mehetabeel: *Aramena* (= Dison von Seir)] bietet dem Leser weder Neues noch im üblichen Informationssinne Spannendes. Es handelt sich nur um die gesprächsweise Darlegung dessen, was

---

[87] Die „verschwiegenheit" ist ein beliebtes Phänomen der Anton-Ulrich-Forschung. Vgl. etwa W. *Bender* Diss.

die verschiedenen Personen zum zentralen Ereignis der Hochzeit sagen. Unserer Terminologie nach beruht die Gestaltung dieser Gespräche „auf einem erregenden Wechsel und Austausch der einzelnen *Ausschnitte* nach einem erkennbaren Strukturprinzip", wobei man das Thema von Mißverständnis und Irrtum als das durchlaufende Gestaltungsziel erkennen muß. Im weiteren Verlauf steht besonders der *Ausschnitt* Mehetabeels im Blickpunkt des Erzählens (A III 169—173). Der Prozeß ihrer *Ausschnitt*-Vergrößerung offenbart dem Leser am wirksamsten diesen intriganten Plan. Diesen Vorgang wollen wir näher betrachten:

Als Mehetabeel mit der kranken *Aramena* zu sprechen Gelegenheit bekommt, weiß sie schon, daß diese eigentlich der verkleidete Dison von Seir ist. Die Funktion des Gesprächs ist eine zweifache: Einmal bewegt Mehetabeel durch ihre Reizfrage Dison dazu, ihr seinen *Ausschnitt* zur Hochzeit zu entfalten. Daraus erhellt die raffinierte Struktur dieser Gespräche während des Besuches in Naema. In chiastischer Komposition enthüllt der erzählende Dichter die *Ausschnitte* der beiden Brautleute, auf deren Eigenart Ahalibamas Intrigenplan beruht. Ahalibama überwacht diesen inneren Intrigenvorgang intensiv und erkundigt sich nach jedem Gespräch über dessen Verlauf. Die *Ausschnitte* von *Dison* und *Aramena* dürfen sich bis zur Hochzeit nicht mehr verändern. Das *Dison*- und das *Aramena*-Gespräch sind also strukturell aufeinander angelegt: *Dison* wird von den Dianenschwestern fragend bestürmt, *Aramena* von Mehetabeel. Der Leser erhält im Kontrast ihre Meinungen zur Hochzeit, auf denen — wie gesagt — die Intrige basiert. Nach den *Ausschnitten* der beiden Brautleute kommt nun jener einer dritten Person ins Bild, nämlich der *Ausschnitt* Mehetabeels. Sie bildet das Strukturprinzip der folgenden Gespräche dieses Tages. An ihrer *Ausschnitt*-Entwicklung demonstriert der Dichter effektvoll das Geflecht der Intrige. Von diesem Blickpunkt aus können die Gesprächsszenen nicht mehr als langweilige Wiederholung von bereits Bekanntem gesehen werden, sondern als sorgsam strukturierte Enthüllung eines menschlichen Verhaltenskomplexes. Die gesellschaftlichen Probleme sind für Anton Ulrich zentrale Probleme. Und gerade eine Darstellungsweise, die den individuellen *Ausschnitt* genau beachtet, vermag das menschliche Beziehungsgefüge einer solchen ‚politischen' Handlung aufzudecken.

Die Vergrößerung von Mehetabeels *Ausschnitt* in den folgenden Gesprächsszenen spiegelt als winzige Teilstruktur den gesamten Enthüllungsprozeß des Romans wieder. Die Schritte sind folgende: Nach Mehetabeels Gespräch mit dem verkleideten Dison von Seir, weiht sie Ahalibama kurz in die wahre Identität des *Bräutigams* ein:

Ahalibama name alda die gelegenheit in acht / der Mehetabeel eiligst zu entdecken / wie daß ihr ritter Dison die Syrische Aramena wäre. Sie bate aber / daß sie ja dessen sich nicht merken lassen / noch auch dieser Aramena offenbaren wolte / daß es ihr bruder Dison sei / der die andere Aramena fürstellete. Diese Fürstin bliebe hierüber so bestürzt / daß sie kein wort herfürbringen kunte ... (A III 170)

Erneut stellt die Information für den Leser eine längst bekannte Enthüllung wiederholend dar. Der epische Reiz dieses Gestaltungszuges kann nur in der Auswirkung auf Mehetabeel liegen: die plötzliche Vergrößerung ihres *Ausschnittes* macht sie äußerst „bestürzt." Das künstlerische Wollen richtet sich auf eine schrittweise Enthüllung dieses Intrigengespinstes, wobei die Enthüllung an sich für den Leser völlig sekundär ist; das Entscheidende bleibt die Betonung des menschlichen Intrigenschemas durch seine Auswirkung auf eine Person. Die Darstellung basiert auf der Vergrößerung von Mehetabeels *Ausschnitt*.

Ahalibamas Verhaltensregel (nichts sagen) macht die Angesprochene noch unsicherer. Diese Unsicherheit zeigt sich gleich in der nächsten Szene, in der ihr Ahalibama (als Regisseur) den Ritter *Dison* vorstellt.

Die alte kundschaft / so ehmals / von der Mehetabeel und dieser Aramena / auf den gebirg Seir gepflogen worden verursachete / daß Ahalibama sich nicht gescheuet / diese Prinzessin ihr kund zu machen: die als dan nicht unterlassen konte / diese ihre erkante freundin zu ümarmen. Der schöne Dison / so nicht vermeinet / daß die Mehetabeel ihn kennen solte / verwunderte sich / voll bestürzung / sehr über dieser ihrer bezeigung: die aber / als sie unterschiedliche mal den namen Aramena genennet / damit an den tag gabe / daß sie wol wüsten / in wessen arme sie gerahten. Wie / Mehetabeel! (fragte die verkleide Aramena) weist du dan auch / wer ich bin? Wäre es mir nicht gesagt / (antwortete Mehetabeel /) würde es mir schwer fallen / unter dieser kleidung die Aramena zu finden. Hiermit trate Ahalibama herzu / und bekante / daß sie der Mehetabeel ihre base verraten hätte. Worauf an beeden seiten / die freud-bezeugungen / daß sie also einander wider sehen mochten / erst recht angiengen. Nachgehends fragte die verkleidte Aramena: ob Mehetabeel sich nicht verwunderte / daß Dison und Aramena bald ehelich zusammen würden kommen? Mehetabel wuste nicht / was sie auf diese frage antworten solte / weil sie sich der Aramena warnung erinnerte / die sie kurz vorher ihr gethan hatte: demnach schwiege sie still / üm / sich nicht zu verreden.
Ahalibama und Timna aber / denen hierbei bange wurde / aus besorgung / die Mehetabeel möchte / weil sie nicht völlig in diesem geheimnis unterrichtet war etwas fürbringen / daß zu ihrem handel undienlich wäre / gaben sich mit in dieses gespräch / und erklärten der Mehetabeel / welcher gestalt diese verkleidete Syrische Aramena gesinnet sei / die Ninivitische jungfrau Aramena / durch diese vorgewante heurat / mit guter art von hof / und mit sich in der Diana tempel zu bringen: weil nicht allein der Prinz Baleus mit seiner liebe diese verlobte jungfrau der Diana verfolget / sondern auch die Königin von Ninive auser diesem mittel nie würde gestattet haben / daß diese ihre jungfrau in der Diana tempel sich begeben möchte. Die Mehetabeel merkete wol / wie es hiemit gemeinet war stellete sich demnach / als ob sie üm nichts wüste / was den Dison anginge / und verlangete heimlich ihre beide basen bald wieder allein zu sprechen. Es klagte ihnen aber der schöne Dison / wie daß der Thebah zu Naema wäre / den man im garten gesehen hätte welches die Ahalibama / als zu ihrem vorhaben nüzlich / gern hörete / wiewol sie sich dessen nicht merken ließe. (A III 171—172)

Die Schilderung dieses Vorfalles ist eindeutig auf den weiten *Ausschnitt* des Lesers bezogen. Mehetabeel gerät in eine komödienhafte Situation, aus der sie von den Regisseuren dieser Intrige wieder befreit wird. Ihr und damit nochmals dem Leser wird der ganze Plan dieser Intrige am nächsten Tag wiederholt im Detail vorgeführt (A III 173—176).

Mehrfache, scheinbar unnütze Wiederholungen stellen diese Gespräche für den Leser dar, und sie erweisen Anton Ulrich scheinbar als Erzähler von übler Kompositionskraft. Das negative Urteil diesbezüglich ist nach dem Gesagten keineswegs mehr zu halten. Der Dichter entfaltet durch die Gespräche den ganzen erregenden Mechanismus von Ahalibamas Plan als zwischenmenschliches Geflecht. Der Herzog dürfte an diesem gesellschaftlichen Phänomen in gleichem Maße wie der zeitgenössische Leser seiner Romane interessiert gewesen sein.[88] Die Spannung dieses Abschnittes liegt in der eindeutigen Kennzeichnung der verschiedenen *Ausschnitte* aller an der Hochzeit beteiligten oder von ihr betroffenen Personen. Der eigentliche erzählerische Vorgang besteht im geschickten Vergrößern der einzelnen *Ausschnitte* in bezug auf das zentrale Ereignis; daher läßt sich seine Struktur zusammenfassen:

Um die Neugier der Besucher zu stillen, enthüllt zuerst *Dison* (A III 165—168) seinen, dann *Aramena* (A III 169—170) ihren *Ausschnitt*. Nach dieser chiastischen Enthüllung schiebt der erzählende Dichter Mehetabeel vor: An der schrittweisen Vergrößerung ihres *Ausschnittes* (bis zur aufgipfelnden Zusammenfassung der ganzen Intrige durch Ahalibama: A III 173—176) demonstriert der Dichter (ganz im Stile seiner üblichen Enthüllungstechnik) in Gesprächsform den überraschenden Mechanismus dieser Intrige. Nicht die Information ist hier das Entscheidende für den Leser, sondern die *Ausschnitts*-Vergrößerung einer Person als Veranschaulichung eines raffinierten menschlichen Planes. Daß Anton Ulrichs Erzähltalent dabei Mehetabeel noch in komödienhaft peinliche Szenen führt, spricht zu seinen Gunsten. Diese Darstellungsweise umreißt weiter auch den Menschen als monadenhaftes[89] Wesen, dessen Handeln und Planen ständig in einer Atmosphäre zwischenmenschlichen Bezugs gesehen wird. Für die Beurteilung des Planens und Handelns der Romanpersonen ist aber die genaue Kenntnis ihrer *Ausschnitte* eine grundsätzliche Voraussetzung. Nur daraus sind sie zu verstehen und in gewissem Maße für die Kombinationslust des Lesers zu bestimmen, weil nämlich ganz bestimmte Grundregeln des höfischen Verhaltens für sie maßgebend sind. Ihre Befangen-

---

[88] W. *Hoecks* Darstellung von der Verheiratung der Enkelin Anton Ulrichs Elisabeth-Christine an den damals spanischen König Karl belegt das politisch-diplomatische Talent des Herzogs zur Genüge.

[89] Vgl. den Exkurs zu diesem Thema u. S. 380—383.

heit aber in einer Welt des Scheins, ihre Befangenheit als Irrtum und Täuschung in einem Intrigenspiel menschlicher List wird dem Leser von seinem großen *Ausschnitt* her besonders augenfällig.

d. Die innere Spannung zwischen Ausschnitt und Geschehen

Als nun der tag wieder angebrochen / wurde die schöne Königin von Ninive / auf der Kemuelsburg / im tempel der Juno gemisset: worüber unter den Syrern eine neue bekümmernis und furcht entstunde / und vermeinten sie alle / der Mamellus hätte sie mit list wieder in seine hände bekommen. Als die Timna solches vername / urteilere (sic) sie alsobald / daß diese abwesenheit der Königin / durch das gestrige von dem Husan übersandte schreiben wäre verursachet worden. Sie wolte aber hiervon nichtes melden / weil sie die treue gegen dieser ihrer Königin / unangesehen dieselbige sie für treulos hielte / beständig zu erhalten gedachte. Alle Priester im tempel wurden hierüber zur rede gestellet / und fande man im nachfragen / daß einer unter ihnen sich verloren hatte: deme dan diese schuld beigemessen wurde. Der alte Thebah war gar nicht zu trösten / als er sahe / wie alles so widrig abliefe / und eine hinternis nach der andern sich herfür täte / sein getreues fürnemen zu zerstören. Er wandte aber allen äusersten fleiß an / daß diese der Königin von Ninive verlierung den Assyriern nicht kund werden möchte: damit dieselbigen (wan sie nicht selber / wie er fast besorgte / diesen raub begangen) hierdurch nicht neuen muht bekämen / wider ihren gefangenen König zu wüten. Es verlangte sie aber alle nach der abgesandten Fürsten / des Elhanan und Akans / wiederkunft: vor deren sie keinen schluß fassen konten / etwas fürzunemen. Ein gleiches verlangen truge der statthalter Mamellus / nach seinen ausgeschickten: den es nicht wenig wunder name / daß er von Acraba ganz keine nachricht erhielte. (A III 415—416)

Die Textstelle bildet den Anfang des dritten Buches. Die Flucht der Königin wird plötzlich entdeckt, und der erzählende Dichter teilt nun die Vermutungen über die Ursachen dieses Vorfalles, die verschiedene Personen bzw. Personengruppen haben, dem Leser mit. Die Stelle wirkt aus dem Kontext gelöst wie ein medias-in-res-Einsatz: ein rätselhafter Vorgang muß in seinen wahren Beweggründen erst erzählerisch enthüllt werden. Dem ist aber nicht so. Der Leser ist nämlich über den wahren Sachverhalt bereits vollständig unterrichtet: A III 406—408 (Plan des Fürsten Husan, Delbois zur Flucht zu verhelfen, und dessen Vorbereitung); A III 411—414 (Darstellung dieser Flucht). Welche Funktion kommt diesem Textabschnitt aber zu, wenn der Leser längst um Genese und Durchführung dieser Flucht weiß? Die Interpretation solcher Stellen ist ohne die Beachtung der verschiedenen *Ausschnitte* von Leser und Romanpersonen nicht möglich. Der Leser ist aufgrund der Struktur des Erzählverlaufes vollkommen im Bilde; er hat sogar das ganze Geschehen, das sich hier gewissen Romanpersonen als unverständliches Resultat bietet, in der glaubwürdig fiktiv-faktischen Gestaltung des erzählenden Dichters erfahren. Von diesem Wissen (= *Ausschnitt* der fiktiven Wirklichkeit) her beurteilt er nun die Vermutungen der Romanpersonen. Gegen die Folie seines Wissens erkennt er sie als teils richtig, teils falsch. Der Eindruck, daß menschliches Handeln und Planen weitgehend vom Irrtum gezeichnet ist, muß sich ihm durch eine solche Darstellungsweise zwangsläufig aufdrängen. Daß die einzelnen Vermutungen grundsätzlich durch die Verschiedenheit der *Ausschnitte* differieren, wird ebenfalls augenfällig. Daneben erkennt der Leser das intensive Bestreben aller an diesem politischen Vorfall beteiligten Personen, ihr Wissen und ihre Pläne vor anderen aus irgendwelchen Gründen geheim zu halten. Dadurch kann es natürlich zu keinem Austausch der Meinungen, bzw. zu keiner Annäherung der *Ausschnitte* kommen: „Sie [Timna] wolte aber hiervon nichtes melden . . ." — „Er [Thebah] wandte aber allen äussersten fleiß an / daß . . . den Assyriern nicht kund werden möchte . . ." Das eigentliche Darstellungsziel sind also die teils irrtümlichen Vermutungen der Personen über ein Ereignis und das sich daraus ergebende und so geplante zwischenmenschliche Verhalten; das eigentliche Darstellungsthema kann nur die Befangenheit des Menschen in der Scheinhaftigkeit der irdischen Welt sein, wobei diese durch eine so ausgebreitete Darstellung mehr und mehr Eigengewicht bekommt. Das Formprinzip solchen Erzählens aber ist die Erkenntnis von den differenzierten Wirklichkeits-*Ausschnitten* der einzelnen Personen. Auch jede einzelne Vermutung entwächst ja einem bestimmten Horizont. Daß Timna der Wahrheit am nächsten kommt und als einzige einen Zusammenhang zwischen Husans Brief und der Flucht der Königin herstellt, versteht sich ganz aus ihrer Erfahrung: Sie selbst überbrachte Husans Brief der Königin. Aber auch hier waren bereits Irrtum und Täuschung mitverwoben. Husan wußte nämlich nicht, daß Timna seit der Scheinhochzeit bei Delbois völlig in Ungnade gefallen war, sonst hätte er ihr dieses wichtige Schreiben nie anvertraut.

In Anton Ulrichs epischer Darstellung ist nicht nur die Geschehnisfolge erzählenswert, sondern auch die unterschiedliche Reaktion der einzelnen Personen auf ein dem Leser längst bekanntes Ereignis. All diesen Gesprächen, Vermutungen, Reaktionen und Plänen ist eines gemeinsam: sie können nur unter präziser Beachtung der verschiedenen *Ausschnitte* wirklich interpretiert werden. Sie entstammen in ihrer Totalität bestimmten *Ausschnitten*. Nur aus der Position des Lesers aber kann überhaupt die Funktion einer solchen Darstellung nach dem Willen des Autors bestimmt werden.

e. Der Ausschnitt und die Lebensgeschichte innerhalb des Strukturgefüges der erzählten Vorzeit

Bisher haben wir die Bedeutung des *Ausschnittes* vorwiegend in der Haupthandlung betrachtet. Das Phänomen der stetig zunehmenden ‚Wirklichkeit‘ von Leser und Romanperson beeinflußt aber auch Gestaltung und Funktion der Lebensgeschichten, welche die Vorzeit als erzählerischen Ertrag einbringen. Die Möglichkeiten einer solchen Beeinflussung müssen vor einer Interpretation erwogen werden. Als Textgrundlage wählen wir eine frühe Lebensgeschichte (Ahalibama A I 86—140) und eine späte (Marsius d. Jüngere A IV 349—374) aus der ‚Aramena‘.

Da der Leser sich als Zuhörer bei allen Lebensgeschichten befindet, leuchtet es ein, daß gerade diese seinen *Ausschnitt* besonders vergrößern helfen. Sie heben sein Wissen von jenem der einzelnen Romanperson effektvoll ab. Unsere Fragestellung verlangt allerdings eine Unterscheidung: Manche Lebensgeschichten sind mit der Romankomposition besonders eng verbunden, manche aber entfalten als Nebenstrang einen erzählerisch eher selbständigen Bereich. Für unsere Betrachtung ist der Typus der ersten wichtiger, deshalb wählen wir gerade die späte Lebensgeschichte einer sehr prominenten Person: *Cimber* (= Marsius) ist der Verehrer der Titelheldin Aramena. Da diese männliche *Hauptperson* zum Zeitpunkt der Enthüllung ihrer Geschichte dem Leser schon vielfach in Haupthandlung und anderen Lebensgeschichten (beispielsweise Amorite A I 186—188 u. ö.) begegnet ist, kann ihm diese Erzählung nicht mehr viel Neues bieten. Sie bildet kompositorisch einmal eine Art Gedächtnishilfe in ihrer Wiederholung schon erzählter Begebnisse. Bevor wir uns diesem Problem näher zuwenden, wollen wir einmal beide Lebensgeschichten vergleichend nach ihrer Erzählweise und ihrer Erzählsituation charakterisieren.

Die ‚Geschichte der Ahalibama‘ (A I 86—140) wird der jüngeren Aramena von Ahalibamas Vertrauter Astale erzählt und gehört funktional in den Bereich der Exposition. Ahalibama ist die Schwester Disons von Seir, der später die Schwester der Titelheldin, die jüngere Aramena, heiraten wird. Sie ist weiter jene Prinzessin, mit deren Entführung (Parallelkonstruktion) der Roman als heftigem Handlungsimpuls einsetzt. Ahalibama ist demnach eine prominente Person und befindet sich meist in direkter Nähe der Titelheldin. Ihr Geschick ist auch mit jenem dieser Aramena erotisch verfugt. Die Titelheldin hält nämlich den Aborigenser Fürsten Tuscus Sicanus für ihren geliebten Cimber. Er entpuppt sich aber schließlich als Ahalibamas totgeglaubter Elieser.[90] Die Erzählweise dieser Geschichte ist breit (Umfang ca. 54 Seiten — gegen ca. 26 Seiten der Marsius-Geschichte) und

---

[90] Anton Ulrich ließ auf Wunsch Catharina Reginas von Greiffenberg Elieser im fünften Band wieder erscheinen, wo er sich mit seiner treuen Ahalibama in abschließender Vermählung findet.

neigt zu vielen szenischen Situationsbildungen. Die innere Spannung der Erzählsituation entspricht der typischen Norm; die Neugierde der Zuhörerin erzwingt die Geschichte dieser Liebe. Sie steht beispielhaft für den Typus der einführenden Vorgeschichte, wie sie Carola Paulsen (S. 114) nennt. Der Leser und die Zuhörerin sind in Bezug auf ihre *Ausschnitte* noch weitgehend identisch; beiden bietet die Geschichte faktisch nur Neues, beiden erweitert sie ihr Wissen um diese Person und deren vielfache Beziehungen. Das führt dazu, daß Ahalibama als Romanperson dem Leser früh vertraut wird und ihm menschlich nahetritt.

Völlig anders geartet ist Erzählweise, Erzählsituation und Stellung des Lesers bei den ‚Begegnisen des jungen Marsius / Königs in Basan‘ (A IV 349—374). Sie gehört nicht zum Typus der einführenden, sondern zu jenem der enthüllenden Vorgeschichte (nach C. Paulsen S. 114). Nicht eine freundschaftlich intime, sondern eine politisch öffentliche Atmosphäre führt zur Erzählung, wie das grundsätzlich thesenhafte Liebesgespräch der beiden Aramenen (A IV 346—348) präludierend bestätigt. Die besondere Spannung der Erzählsituation drückt sich auch in der sie charakterisierenden Sprachform aus: „. . . wurde ihm [Cyniras] nicht anders zu sinne / als wan er einen gefährlichen anschlag fürzunemen hätte / an dessen glücklicher ausführung ein grosses haftete" (A IV 349). Das Schicksalsrätsel Aramenas und Marsius' wird hier beschworen; seine mögliche Lösung schwebt als Spannungseffekt über Vortrag und Situation. Es beweist Anton Ulrichs raffinierte Handhabung der Spannungsstrukturen, daß er die mögliche Lösung des Rätsels in einen unerwarteten Trugschluß umbiegt, der Aramena noch die Liebesleiden von rund 1500 Seiten in glaubwürdiger Stilisierung ermöglicht. Die Erzählweise ist knapp und skizzenhaft mit äußerst starker Raffung und Aussparung. Viele Szenen sind dem Leser bereits mehrfach erzählerisch geboten worden. Es geht hier nur um eine neue Beleuchtung, das ganze Spannungsspiel wird nämlich von falschen Identitätsvoraussetzungen getragen. Diese aber beruhen wieder auf der feinsinnigen Begrenzung der einzelnen *Ausschnitte* von Leser, Aramena und Cyniras.

Aramenas innere ‚Wirklichkeit‘ ist zu diesem Zeitpunkt völlig verwirrt: Durch des *Prinzen von Gerar* (= Ahusaths, nicht Abimelechs) Werbung um Ammonide ist sie von Abimelechs Untreue überzeugt und als Liebende enttäuscht. Gleichermaßen (Modell-Denken) wirft sie dem Fürsten Cimber Untreue vor, der wegen ihrer Schönheit angeblich Hermione verlassen habe. All dies (also eigentlich ihren themenbezogenen *Ausschnitt*) entfaltet die Unterredung zwischen den beiden Aramenen (A IV 346—348). Dieses Gespräch wirkt wie ein bedeutsames Signal des erzählenden Dichters für den Leser, denn Aramenas *Ausschnitt* ist von konstitutiver Relevanz für die folgende Geschichte.

Cyniras, der Erzähler von Marsius' Geschichte, weiß bestimmte Fakten aus dem Leben des Königs von Basan, die er nun teils als Berichterstatter (beachte die Funktion der häufigen Briefe), teils als Miterlebender vorbringt. Seine rhetorische Absicht liegt in einem für die Zeitgenossen höchst spannenden Ziel: Er will durch diesen Vortrag seine Zuhörerin nicht nur von des Marsius' Liebe zu ihr überzeugen, sondern sogar zur Gegenliebe bewegen. Darin sieht er den Zweck seiner Erzählung, den er vorher nicht unbedeutsam als „gefährlichen anschlag" empfindet.

Die dominierend kompositionelle Funktion dieser Lebensgeschichte kann sich aber erst erhellen, wenn wir sie vom *Ausschnitt* des Lesers her deuten. Einleitung und Schluß rahmen die Geschichte thematisch-rhetorisch. Cyniras untermauert die Indiskretion der Liebeseröffnung als ergebene Treue und setzt zweimal sein Thema an:

> Es ist E. Maj. so wol / als dem ganzen Syrien / hoch daran gelegen / daß sie erkennen / was für gedanken der grosse und mächtige König von Basan / wie auch dessen fürnemste Fürsten / gegen sie füren: massen er nicht mit einer gemeinen / sondern mit einer sonderbaren recht hohen liebens-art / E. Maj. schönheit anbetet und verehret. (A IV 349 f.)

Kontrastierend dazu ermahnt ihn die Zuhörerin, als „bloßer geschicht-schreiber" (A IV 351) zu sprechen. Der Schluß greift klammernd auf das Thema des Anfangs (Offenbarung von des Marsius Liebe zu Aramena) zurück und führt es rhetorisch weiter. Man kann dies cum grano salis schon eine unmißverständliche Aufforderung zur Gegenliebe nennen. Zweck der Erzählung und Thema der Geschichte greifen damit ineinander.

Verglichen mit der frühen Ahalibama-Geschichte, mangelt dieser späten epische Anschaulichkeit, indem sie gewissermaßen die Situationen durch eine Art Zeigeformel nur aus der Erinnerung (Zuhörer, Leser) beschwören will. Es kommt kaum zu lebendiger szenischer Entfaltung. Die für die Geschichte entscheidende Information überwuchert in sprachlicher Präzision die eigentliche epische Anschaulichkeit. Wir greifen zwei Ereignisse aus dieser Geschichte besonders heraus: Marsius nimmt seinem Rivalen Cimber die gefangene Delbois ab und geleitet sie als Feind ins Lager der Assyrer zurück (A IV 353—354) — Marsius rettet Delbois bei einem Schiffsunglück vor dem Ertrinken (A IV 356—358). Die Zuhörerin hat beide Vorfälle als Gerettete miterlebt, sie braucht sich nur zu erinnern. Beidemale konnte sie aber ihren Retter nicht erkennen, wer also war es?

Die Lösung dieser Frage setzt eine genaue Positionsbestimmung des Lesers und seines Wissens um die Zusammenhänge voraus: Wie steht es also mit seinem diesbezüglichen *Ausschnitt?* Der Leser hat den Beginn der Liebe zwischen Marsius und Delbois erstmals im Rahmen des Bildnis-Motivs[91] in Amorites Erzählung vernommen (besonders A I 186—188 und 202—204). Dort taucht auch bereits das Gerücht von Marsius' Tod auf

---

[91] Vgl. A. *Haslinger*, ‚Dies Bildnisz ist bezaubernd schön'. Zum Thema ‚Motiv und epische Struktur' im höfischen Roman des Barock. In: Literaturwissenschaftliches Jahrbuch. N. F. 9 (1968), S. 83—140; besonders 96 ff.

(A I 191), den er in diesem assyrischen Krieg erlitten haben soll. Nach dem Widerruf dieses Gerüchtes (A I 195) und der Heimkehr des Marsius, nunmehrigen Königs von Basan, gesteht er Amorite (A I 198—200) seine Liebe zur assyrischen Königstochter. Mit dem Wissen um diese Beziehungen erfährt nun der Leser die ‚Geschichte der Delbois' (A II 91—175) und kommt dabei zeitlich wieder in denselben assyrischen Krieg. Anton Ulrich erzählt aber hier nicht eindeutig aspekthaft, weil die Vorgänge des Krieges in der ‚Geschichte der Amorite' weitgehend ausgespart blieben. Delbois berichtet nun ihre Erlebnisse bei diesen Kämpfen: Sie wird von einem feindlichen Ritter auf dem Pferde geraubt und von einem feindlichen Heerführer wieder ins Zelt zurückgebracht (A II 140—142). Später kentert das königliche Schiff bei einer nächtlichen Bootsfahrt; ein Ritter rettet die ohnmächtige Prinzessin, bringt sie in eine Fischerhütte und entfernt sich unerkannt (A II 143—145). Für Delbois bleiben diese Ereignisse als unergründliche Rätsel bestehen, für den Leser allerdings schließen sich die Informationen zu einem ersten Motivationszusammenhang fast durchschaubarer Beziehungen. Er ahnt bereits, daß der verliebte Marsius in diesem Kriege zweimal das Leben der Prinzessin gerettet hat. In bezug auf die Identität der Retter klafft große Divergenz zwischen den *Ausschnitten* der Titelheldin und des Lesers, weil es sich um ihr eigenes Schicksalsrätsel handelt. Mit dieser Ahnung und seinem großen Wissen erfährt der Leser nun die wiederholende Erzählung des Cyniras. Anton Ulrich erzählt also (wie schon verschiedentlich ohne nähere Erörterung von Texten behauptet wurde) manche Ereignisse mehrmals. Diese werden aber mit einem Wechsel des erzählerischen Aspektes wiederholt. Wir nennen dieses epische Phänomen demnach *aspekthaftes Erzählen*. Der Vorfall mit Cimber wird zuerst aus der Perspektive der Geretteten erzählt (A II 140—142) und dann aus jener des Retters (A IV 353—354). Das heißt aber: Gemäß dem Ereignis sind A II 140—142 und A IV 353—354 ebenso identisch wie A II 143—145 und A IV 356—358. Diese wiederholten Darstellungen desselben Vorfalles liegen in der Chronologie der Erzählzeit 1673 Seiten auseinander. Das wirft ein Licht auf die Komplexität dieses strukturellen Aufbaues und verlangt die Erörterung der Funktionalität eines solchen Verfahrens. Dazu greifen wir ein Ereignis heraus und stellen seine textlichen Versionen einander gegenüber: Marsius rettet Delbois aus Cimbers Händen und bringt sie ins assyrische Lager zurück. Der Vergleich der Darstellungsweisen macht den Unterschied zwischen früher und später Lebensgeschichte klar und betont zudem die wichtige Funktion der *Ausschnitte*, die einer solchen Form aspekthaften Erzählens notwendig als konstitutive Phänomene zugrundeliegen müssen.

MARSIUS RETTET DELBOIS AUS CIMBERS GEFANGENSCHAFT UND BRINGT SIE INS ASSYRISCHE LAGER ZURÜCK

Version A
Erzähler: Delbois
Zuhörer: Ahalibama, (Leser)
A II 140—142

Version B
Erzähler: Cyniras
Zuhörer: Delbois, (Leser)
A IV 353—354

In solchem brache unversehens ein großes heer feinde in unser lager / die unsere / leib-wacht gleich übermeisterten / und unserem gezelte zueileten. Ich liefe ganz erschrocken hinter die Königin: aber diese leute / alles andere frauenzimmer / das bei uns war / vorbei gehend / wehleten allein mich aus / rissen mich aus den armen der Königin / und füreten mich also halb tod hinweg. Eldane / die mit zugegen war / hatte gehöret / daß ich in dieser angst etliche mal dem Abimelech üm hülfe geruffen: da mich einer unter ihnen auf sein pferd name / und mit mir fort-eilete.

Wie ich aber also aller hülfe mich entblöst sahe / begegnete mir / von der schlacht herwarts / ein ansehnlicher ritter / von zweien seiner bedienten begleitet: der / mein klägliches winselen hörend / mit dem fürsatz / mir beizuspringen / auf uns zurante.

Sein befehl / machte gleich die anderen von mir ablassen.

Nachdem er mir seine dienste angeboten / und verstanden / daß ich nach der Königin gezelt / aus welchem man mich entfüret / wiederzukehren verlangete: verhiese er mir / mich dahin zu begleiten / welches er auch thäte / und mich für sich auf sein pferd nemend / dergestalt mit mir davon rante.

Wie aber die liebe den Cimber so häftig regirte / daß er / ungeacht er keinen nutzen hiervon absehen konte / in das Assyrische lager einbrache / und E. Maj. aus ihrem gezelt entfüret / wurde solches dem Marsius sobald nicht kund gemacht / da eilte er aus der schlacht / an den ort / alwo man ihm gesagt / daß er den Cimber finden würde;

den er auch / E. Maj. vor sich auf dem pferd daher fürend / antraffe. Die ümstände des orts und der zeit / ließen ihm nicht zu / viel zu sprechen / und als E. Maj. ihn üm hülfe anrieffen / ergrösserte solches seinen fürsatz / ihr zu dienen / und

gebote er sofort / daß man E. Maj. frei lassen solte.

Cimber / der sich schuldig erkante / seinem Kronprinzen zu gehorchen / sahe sich hierzu genötigt:

und werden E. Maj. sich noch wol erinnern / wie dieser dapfere ritter / so der Marsius war / sie wieder in der Königin Naphtis gezelt gebracht / und hierbei schwerlich verwundet / den wütenden Assyriern kaum entkommen können.

Er seufzete unterwegs ohne ablaß /
und so viel mir der schrecken meine
sinne frei ließe / hörete ich / daß er etliche mal begunte mich anzureden /
und doch wieder still wurde.

Als wir unser lager erreichet / fanden wir es voll soldaten von den unsrigen: dann meine flucht / die rucht-
bar worden / einen haufen / unter dem
befehl des Sparetes / aus dem treffen
zurücke gebracht hatte. Sie ersahen
mich nicht so bald / da entstunde in
ihnen eine übermäsige freude. Doch
ware so wenig erkentlichkeit bei
ihnen / für meinen erlöser / daß sie un-
gescheuet auf ihn anfielen / so bald er
mich von seinem pferd gehoben / und
nach dem gezelt der Königin füren
wolte.

Ihre verbitterung gegen diesen frömden / entstunde daher / weil sie ihn
erkanten / für einen fürnemen befehl-
haber vom feinde / der durch seine
dapferkeit ihnen den grösten abbruch
gethan / und viele der unsrigen nieder-
gehauen hatte. Mein befehlen und
mein bitten / dieses frömden zu schonen / der ihnen ja ihre Prinzessin wie-
derbracht hätte / war alles ümsonst:
und fielen sie ihn mit gesamter solcher wut an / daß / sonder seine unbeschreibliche dapferkeit / er bald hätte

Ich entsinne mich noch wol / (fiele
alhier die Königin dem Cyniras in die
rede) aller dieser begebenheiten / hätte
aber nimmermehr vermeinet / daß der
sonst so bescheidene Cimber diese that
an mir zu begehen fähig seyn können /
noch daß ich damals meine erlösung
dem Marsius zu danken gehabt.

Es waren ja freilich diese beide verliebte (fuhre Cyniras fort) die also
E. Maj. betrüben und erfreuen musten.
Und da solcher gestalt der verliebte
Marsius E. Maj. zum erstenmal gesehen / ware ihm völlig seine freiheit
vergangen / also daß er nun noch
mehr / als iemals / den beständigen
schluß fassete / E. Maj. bis in den tod
zu lieben. Was unbeschreibliche freude
entfunde er die zeit über / als er E.
Maj. nach dem lager fürete / und ihr
also einen gefälligen dienst leisten
dorfte! Etwan / von häftiger liebe getrieben / begunte er zu reden / und E.
Maj. sein anligen zu eröffnen: aber
seine furcht und dero entsetzen musten
diesen seinen vorsatz in der geburt
erstecken.

erliegen müssen. Er machte aber / mit seinen zweien bedienten / ihnen so viel zu schaffen / daß viele auf dem platz blieben / und er mit guter art / wiewol schwerlich verwundet / samt den seinigen endlich davon kame.

Als er nun an stat der belonung / von den Assyriern / die ihn für einen rauber ihrer Prinzessin hielten / so übel zugerichtet / mit harter noht entkommen können / erquickten ihn diese seine wunden mehr / als daß sie ihn schmerzten / weil er seiner Delbois misfallen hierüber wol erkennet.

Er konte aber / wegen des vielen verlorenen bluts / der schlacht nicht ferner beiwonen und ließe sich halb onmächtig / durch seine leute / samt dem Prinzen Daces in die hütte etlicher fischer bringen...

Der Ich-Erzähler (= Delbois) der ersten Version (A) ist die Gerettete, der Er-Erzähler der zweiten (B) ein Freund des Retters, der damit die Zuhörerin (= Gerettete) daran erinnern und ihr die Identität des Retters und der beteiligten Personen deuten will. Die Zuhörerin kennt also diesen Vorfall als eigenes Erlebnis; das ist ein Umstand, der unzweifelhaft die Darstellungsweise von B beeinflussen muß, und zwar innerhalb der Gesetzmäßigkeit der einmal vom Dichter gewählten höfischen Stilisierung dieser Fiktionswelt.

A erzählt dieses Ereignis als unkommentierte und unreflektierte Vorgangsschilderung in 13 Sätzen fließend durch, ohne Unterbrechung durch die Zuhörerin. A weiß dabei allerdings nicht, von wem sie geraubt und von wem sie gerettet wurde. Hinter dem Erzählen bleibt also in der ersten Version die Identitätsfrage des Retters und Entführers ungelöst. Diese Aussparung scheint uns ein Beweis dafür, wie dicht beide Geschichten kompositorisch ineinanderfugen.

B bewältigt in äußerster Raffung den gleichen Vorwurf erzählerisch in vier Sätzen. Die starke Verkürzung der Wiederholung war aus dem Gesagten fast zu vermuten. Die zentrale Mitte aber bildet hier die unterbrechende Diskussion zwischen Erzähler und Zuhörerin. Die eigentliche Thematik des aspekt-geänderten Wiedererzählens erklärt sich aus eben dieser Diskussion. In ihr charakterisiert der erzählende Dichter nochmals Delbois' *Ausschnitt* und ihre Verwirrung in bezug auf das Identitätsproblem:

Delbois kennt einen Fürsten namens Cimber. Er ist der einzige Mensch, den sie lieben könnte, nachdem sie sich von Abimelech enttäuscht glaubt (vgl. dazu A IV 348: „Ich gestehe euch / wan einiger mensch des Abimelech stelle bei mir vertreten oder mein herz gewinnen könte / so würde es der Cimber gewesen seyn...“). Marsius von Basan hat sie noch nie in ihrem

Leben gesehen. Dieser soll sie nun seit langem lieben und ihr schon mehrmals das Leben gerettet haben. Soweit der verwirrte *Ausschnitt* der
Delbois, die nun *ihren* Cimber als einen gewalttätigen Verliebten wiedererkennen soll.

Der Leser weiß mehr: Marsius hat nach dem Tode seines Freundes
Cimber dessen Namen angenommen. Als deutscher Fürst Cimber errang
er sich Abimelechs Freundschaft; als Abimelechs Freund hielt er sich unter
dem Namen Cimber lange in Delbois' Nähe auf, und sie gewann ihn in
täglichem Umgang lieb. Marsius und der *Cimber* der Delbois sind also
identisch. Die Spannung der Situation besteht nun darin, daß der Erzähler
aufgrund seines *Ausschnittes* dieses Rätsel für die Zuhörerin auch nicht
lösen kann. Cyniras hat nämlich keine Ahnung davon, daß Marsius unter
Cimbers Namen am Hofe der Königin von Ninive weilte. Es ergibt sich
also folgende Diskrepanz:

Unter *Cimber* meint Cyniras aufgrund seines *Ausschnittes* Cimber I und
nicht wie seine Zuhörerin Cimber II; beide kennen nämlich nur einen
Cimber. Nur der Leser weiß von beiden und vollzieht die Identitätsgleichung: Cimber II = Marsius von Basan (Cimber I = tot). Wir sehen
dieses Identitätsproblem in unserer Terminologie als ungelöste *Ausschnitt*-
Überlagerung. Deshalb führt die Erzählung nicht zur Lösung des Schicksalsrätsels von *Delbois* (= Aramena), sondern lediglich zum kompositorischen Faktum eines Trugschlusses, den uns das folgende Gespräch
zwischen Aramena, Ahalibama und Timna (A IV 375—380) enthüllt.
Aramena hält ihren Cimber und Tuscus Sicanus für identisch. Nun aber
zurück zu den beiden Versionen des Textes und zum Phänomen des aspekthaften Erzählens in einer frühen und einer späteren Lebensgeschichte.

Der erzählerische Duktus in A ist im Vergleich zu B breiter und detail-
reicher. Man könnte beinahe das Gesetz aufstellen, je breiter die Szene in
A, desto knapper ist die demonstrative Erinnerungsformel in B. Den sechs
breiten Sätzen von Cimbers Überfall und Raub stehen zwei in B gegen-
über. Die Anschaulichkeit des Beginns in A erfährt eine thematische
Auswertung im knappster Form in B. Kein erzählerisches Detail taucht in
B auf, wohl aber die Beziehung zu Marsius, dem Helden der Erzählung.
Gewaltig preßt Anton Ulrich den ganzen Vorgang in B in ein syntaktisches
Gefüge, das im Kontrastmodell vom antihöfischen Verhalten Cimbers zur
höfischen Aktion des Marsius reicht. Mit dem Anruf zur Erinnerung rafft
B gleich den ganzen Vorgang (im dritten Satz) bis zum Resultat zusam-
men. Damit ist die Diskussionsgrundlage für den Fall geschaffen, die Zu-
hörerin unterbricht den Erzähler.

Jetzt folgt die reine Erörterung des Identitätsproblems. Damit sind wir
beim eigentlichen Thema dieser enthüllenden Lebensgeschichte. Die Bestürzung der Zuhörerin über diese Eröffnung verwertet der Erzähler gleich
zu einer Bestätigung von des Marsius Liebe „bis in den tod." Zu diesem
Grundprinzip der argumentativen Verwertung des Vorfalles gehört auch

die Tatsache, daß zwei erzählerische Details des Textes A im Text B betont aufgegriffen werden. Einmal ist es das stereotype Seufzen des Retters als Ausdruck seiner großen Liebesleidenschaft und der Versuch, die Gerettete anzusprechen. Durch die besondere Sprachform steht diese Stelle in moralisch-wertender Parallele zu Cimbers Überfall („den die liebe so häftig regirte"), während Marsius (obwohl „von häftiger liebe getrieben") nicht einmal zu sprechen wagt. Als Casus des höfischen Verhaltens erscheinen hier zwei extreme Verhaltens-Oppositionen veranschaulicht: Cimber greift aus Liebe zur gewalttätigen Entführung, während Marsius, gleich verliebt, die Geliebte befreit und in ihrem Dienst sogar sein Leben riskiert. Damit hängt das zweite Detail zusammen; es sind des Marsius Wunden, die er beim Liebesdienst empfängt. Dieser Vorfall wird von A breit und mit allen Überlegungen (Lob des unbekannten Befreiers, Einsatz der Geretteten für seine Schonung) erzählerisch entfaltet, im Text B allerdings nur wertend erörtert; gewissermaßen als Argument für die Liebesthese des Erzählers.

Zusammenfassend läßt sich also sagen: In der späten Lebensgeschichte wird nicht wie in der frühen breit und detailreich erzählt, sondern die Vorgänge werden nur durch kurze Anspielung in der Erinnerung des Zuhörers wachgerufen. Die Sprachform erscheint eher vom Prinzip argumentativer Erörterung als von dem veranschaulichender Darstellung geprägt. Die Stellen epischer Breite (A) und entsprechenden knappen Hinweises (B) belegen dieses Prinzip ebenso wie die den Erzählablauf unterbrechende Diskussion zwischen Zuhörerin und Erzähler (B). Gerade diese Stellen beruhen auf der konstitutiven Divergenz verschiedener Wirklichkeits-*Ausschnitte*. Wesentlich ist aber auch hier: Die Beachtung des Lesers mit seinem Wissen (*Ausschnitt*) ermöglicht erst die umfassende Interpretation dieser epischen Wiederholungen unter dem Prinzip des aspekthaften Erzählens gemäß der voluntas autoris. Das Spiel mit den *Ausschnitten* erregt Spannung und Reiz und erweist sich als ein nicht zu übersehendes episches Grundphänomen der gesamten Kompositionstechnik solcher Romanschöpfungen.

Eine Randglosse zur raffinierten Motivationstechnik Anton Ulrichs sei noch notiert: Während ihres Einzuges in Damaskus wird *Delbois* (= Aramena) von drei wilden Löwen bedrängt. Drei mutige Kämpfer eilen ihr zu Hilfe und erlegen je eines der Untiere. Der erste ist der als Hofdame *Aramena* verkleidete Dison von Seir, der zweite Abimelech von Gerar und der dritte bleibt ungenannt (vgl. A II 180–184). Durch eine Dame vom tyrischen Hof kommt es im Laufe dieses Bandes zu einer Lösung des Rätsels (vgl. A II 481): dieser Unbekannte war Cimber (II), also Marsius von Basan. Die Gleichung (*unbekannter Löwenritter* = Cimber) ist *Delbois* (= Aramena) bekannt. Jetzt stellt sich der wissende Leser die Frage: Wenn Cyniras in der Lebensgeschichte des Königs von Basan diesen Vorfall erwähnt, enthüllt er dann nicht für Delbois ihr Schicksalsrätsel? Cyniras erinnert tatsächlich an diese Begebenheit, die Stelle verdient zitiert zu werden:

> Es war damals eben üm die zeit / wie E. Maj. ihren einzug in Damasco halten solten: da dan / wie leicht zu ermassen (sic) / der verliebte Marsius nicht zurück bleiben wolte. Er beredte sich deßwegen mit niemand / als dem Daces: wiewol es Trebetes auch wuste / und Suevus neben mir es wol vermuten kunte. Was aber dieser verliebte König so heimlich und verborgen triebe / daß (sic) täte der Tuscus Sicanus offenbarlich: welcher sich vernemen ließe / wie hoch ihme daran gelegen wäre / E. Maj. einzug in Damasco beizuwonen. Weil nun beide Könige einander wie brüder liebten / als machten sie reis-gesellschaft dahin ... Doch vername ich nicht lang hernach / wie zween frömde unbekante ritter E. Maj. von den grimmigen lewen errettet hätten: die ich dan für den Marsius und Tuscus Sicanus halten müssen / und weiß ich nicht / ob ich irre / wan ich sage / daß diese beide Könige damals mitbulere geworden. (A IV 368 f.)

Anton Ulrich verhindert eine Kongruenz der *Ausschnitte,* indem er eine bestimmte personale Funktion gewissermaßen verdoppelt. Delbois weiß, daß nur einer der beiden dieser Unbekannte gewesen sein kann, denn Abimelech als der zweite hat sich ihr damals zu erkennen gegeben. Davon weiß allerdings Cyniras nichts. Für ihn decken sich die beiden Personen. Delbois aber gewinnt dadurch keine Eindeutigkeit der Identität. Es wird vielmehr ihr Trugschluß vorbereitet, wenn sie nach Cyniras' Erzählung Tuscus Sicanus für *ihren* Cimber hält. Nur der Leser weiß Bescheid, und er bewundert die raffinierte Kompositions- und Motivationstechnik. Die Klippe ist gemeistert, und das Rätsel läßt sich von hier nicht lösen. Die Verdoppelung der Personen verhindert die Eindeutigkeit; diese hätte die Titelheldin zu früh in den Kern ihres eigenen Lebensproblems geführt. Cyniras motiviert Tuscus Sicanus' Wunsch, den Einzug zu sehen, auf Aramena hin. Das ist eine falsche *Ausschnitt*-Motivation vom Romanschluß her. Tuscus Sicanus wollte nämlich als ‚Elieser' seine geliebte Ahalibama sehen.

Alle diese Strukturen, welche die Bedeutung des *Ausschnittes* von verschiedenen Aspekten her beleuchten, stammen aus der ‚Aramena'. Da sie sich vielfach verschränken, prägt das Kapitel als Ganzes dem Leser die Komplexität dieses epischen Gebildes besonders eindrucksvoll ein. Das Phänomen des *Ausschnittes* gilt selbstverständlich auch in der ‚Octavia'; dort zeigt sich allerdings noch eine kleine Besonderheit desselben. Bestimmte Menschengruppen haben auffällig einen identischen *Ausschnitt* in bezug auf bestimmte Teilstrukturen. Das bestätigen wiederkehrende Formulierungen wie „Wie nun alle anwesende (bei Locustas Erzählung) der Locusta unschuld für bekandt angenommen ..." (O II 478). Manchmal erspart sich der Erzähler sogar die — bei Anton Ulrich so sorgsam wahrgenommene — namentliche Nennung der ‚anwesenden' Personen durch den sprachlichen Hinweis auf ihren *Ausschnitt:* „Es waren bei der Kaiserin in ihrem zimmer *alle diejenigen* versammlet / *die* um der Claudia heimlichkeiten wissenschaft getragen . . ." (O II 499). Diese Sprachform ist sehr aufschlußreich. Die Charakteristik des *Ausschnittes* kann die Aufzählung einer Gruppe von Romanpersonen ersetzen. Der Leser müßte damit wissen, wer sich in diesem Raum befindet. Daneben hat aber auch die *Ausschnitts-*Veränderung der einzelnen Romanperson ihre Bedeutung (vgl. etwa innerhalb eines zusammenhängenden Textabschnittes: O II 479, 480, 481, 491, 511, 512, 523, 525, 527 usw.). Der erzählende Dichter gestaltet innerhalb der umfangreichen Gespräche in der ‚Octavia' vorwiegend die Veränderungen einzelner oder gruppenhafter *Ausschnitte* (zur Gruppenhaftigkeit in der ‚Octavia' als besondere Form der Personenkonstellation beachte besonders u. S. 100 f.).

3. Spannungsstruktur und Spannungsstrukturen

a. Beschreibung der Formen

In der Erzählhaltung, der *Erzählperson* und dem Wirklichkeits-*Ausschnitt* von Leser und Romanperson haben wir wichtige Grundphänomene von Anton Ulrichs Darstellungsweise kennengelernt. Als Erzählspannung und Handlungsverknüpfung bezeichnet die systematische Literaturwissenschaft zwei weitere, denen wir uns nun zuwenden wollen.

Die Erzählspannung gehört mit in den direkten Wirkungsbereich zwischen Autor und Leser. Ihre Eigenart beruht auf der besonderen Anordnung des Erzählstoffes und damit der aufbaumäßigen Durchführung der Fabel. Das Grundprinzip der von Anton Ulrich geschaffenen Erzählspannung in seinen Romanen bezeichnet Clemens Lugowski als „Rätselspannung": „Der Verrätselung in dieser Romanwelt entspricht eine ganz bestimmte Art von Spannung, von der *die Romanfiguren ebenso wie der Leser*[92] erfüllt sein können: eben jene Spannung, mit der man der Auflösung eines Rätsels entgegensieht."[93] In richtiger Weise bezieht Lugowski hier Leser und Romanperson in die Erklärung der besonderen Spannungsform Anton Ulrichs mit ein. Er betrachtet dabei allerdings nicht die eminent konstitutive Bedeutung der verschiedenen *Ausschnitte*. Wohl setzt er Formulierungen, die um die Erkenntnis dieses epischen Phänomens zu kreisen scheinen: „Daß eine Auflösung folgen wird, ist gewiß, denn immer wird

---

[92] Die Auszeichnung stammt von mir.
[93] R. *Alewyn* (Hrsg.), Deutsche Barockforschung S. 378.

nach den Zusammenhängen gefragt, die entweder schon geschehen sind und *von jemandem gewußt,* aber vorläufig verheimlicht werden, oder die wenigstens *der Erzähler weiß,* um sie sparsam, Zug um Zug, freizugeben."[94] Hinter solchen Formulierungen wird sichtbar, daß Lugowski eigentlich mit dem Phänomen des begrenzten Wirklichkeits-*Ausschnittes* arbeitet, der das Wissen einzelner Personen voneinander abgrenzt (ohne allerdings die besondere Rolle des Lesers in dieser Struktur zu präzisieren). So kommt er dazu, in seiner Untersuchung das Phänomen der Erzählspannung (bei ihm „Rätselspannung") als das „eigentliche Baugesetz"[95] dieser Romane zu sehen. Wir greifen damit wichtige Ansätze Lugowskis auf, ohne jedoch seiner Argumentation bis zu dem Punkte zu folgen, an dem er Anton Ulrichs Romanfiktion als „märchenhafte Enträtselung der Wirklichkeit"[96] betrachtet. Wir nehmen Lugowskis Behauptung eigentlich nur ihre Ausschließlichkeit, wenn wir formulieren: Die Erzählspannung ist *eines* der fundamentalen Baugesetze dieser epischen Großdichtungen.[97] Ihre Gesamtstruktur umfaßt als großer vielfältig aufspringender Bogen das ganze Werk von Beginn bis Ende der Erzählzeit.

Ein vergleichsweiser Blick auf die grundsätzliche Spannungsstruktur des zweiten prominenten Romantyps im 17. Jahrhundert macht uns die spezielle Eigenart dieses Phänomens im höfischen Barockroman augenfälliger. Der Schelmenroman entwickelt, seiner linearen Komposition entsprechend, eine einfache und einsinnige Spannungsstruktur. Wohl wölbt sich auch hier eine Art angedeuteter Spannung von Beginn zum Schluß. Vordringlich wirksam wird das Spannungsgefüge für den Leser aber in den Teilbogen, die einzelne Episoden oder Episodengruppen des chronologisch aufgebauten Lebenslauf-Schemas überwölben. Mit der Lösung eines solchen Teilbogens sinkt die Spannung sehr stark, sie hebt mit dem neuen Teilbogen wieder neu an zu steigen. Diese spannungsmäßige Phasengliederung schafft Pausen fast vollständiger Lösung, in denen der Leser beinahe aus der Fiktion des Werkes entlassen wird.[98]

Dieser einfachen Struktur des Schelmenromans steht eine äußerst komplizierte im höfischen Barockroman gegenüber. Auch hier existiert in umfassender Intensität ein Gesamtbogen über das ganze Werk. Dieser wird in viele Teilbogen unterschiedlichster Größe und Intensität zerlegt.

---

94 Ebenda. Die Kursive stammt von mir.
95 Ebenda.
96 Vgl. dazu bereits die Rezension von Paul *Böckmann.* In: AfdA (1936). Neuerlich D. *Kimpel* S. 21—22.
97 Allerdings erweist sich daraus, daß neben anderen Qualitäten eines epischen Werkes im Roman Anton Ulrichs vor allem den kompositorischen eine starke Aussagekraft gemäß dem Willen des Autors zukommt.
    Andere mögliche wären etwa das Beziehungsnetz der Metaphern und Vergleiche, der syntaktische Rhythmus als Charakterisierungsmerkmal der persönlichen Sprechweise, die Symbolisierung der Natur usw.
98 Siehe dazu den Vergleich zwischen Schelmenroman und Heroischem Roman bei R. *Alewyn,* Der Roman des Barock S. 21—34.

Graphisch gesehen bietet sich so die Spannungsstruktur der ‚Aramena' etwa als riesiger das Gesamtwerk überwölbender Bogen, der von vielen kleineren und größeren Teilbogen getragen wird. Der Leser unterliegt damit der Gesamtspannung, die vom erzählenden Dichter ständig in kleinere Spannungseinheiten aufgespalten wird. Diese kleineren Einheiten führen auch zu gewissen Teillösungen. Das Entscheidende, auch im Unterschied zum Schelmenroman, ist nun aber, daß die Spannung des Lesers hier nicht zur Spannungslosigkeit absinkt. Das Bewußtsein weiterwirkender anderer Spannungsbogen, die nicht in diesem Punkte des Erzählverlaufes enden, verhindert das. Außerdem enthalten viele Teillösungen starke Keime neuer Spannung, in der Form von Verwirrung und neuer Rätselhaftigkeit. In der vom Leser erwarteten Spannungslösung der Scheinhochzeit von Dison und Aramena im dritten Band schlägt das vermutete Absinken sofort in neue Verwirrung und neue Spannung um. Die kleineren Teilbogen laufen im Erzählverlauf also nicht linear und hintereinander ab, sie sind vielmehr ineinander und übereinander komponiert. Diese komplexe Struktur entsteht vor allem dadurch, daß sich durch häufige Unterbrechung verschiedene Spannungsbogen ineinanderschichten. Breitendimension[99] und labyrinthische Vielfalt scheinen demnach die Spannungsstruktur von Anton Ulrichs Romanen als das Gefüge ineinandergefugter Spannungsstrukturen zu kennzeichnen.

Die komplizierte Architektur dieser großen und kleinen Spannungsbogen beschränkt sich aber nicht ausschließlich auf die innere Strukturierung von Vorgängen der Haupthandlung. Im Grundeffekt gelten nämlich die Vorgänge in den Lebensgeschichten und jene in der Gegenwartshandlung als erzählerisch gleichrangig. Daraus erst läßt sich verstehen, daß eine Spannungsstruktur Vorgänge aus Lebensgeschichte(n) und Haupthandlung miteinander verbindet. Ein treffendes Beispiel dafür bietet die Lebenskurve und Lebenslinie des männlichen Haupthelden *Cimber* (= Marsius). Seine Liebesgeschichte vor der ersten Begegnung mit seiner Angebeteten berichtet Amorite in ihrer Geschichte (A I 169—249). Die erste Begegnung und den Beginn des identitätsverwirrenden Namensspiels erfährt der Leser in Delbois' Geschichte (A II 91—175). In der Haupthandlung des zweiten und dritten Bandes tritt er als *Cimber* in unmittelbarer Umgebung der Haupt-heldin auf; im vierten Band wird er totgesagt. Als erregende Spannungs-struktur bietet sich ein zusammenfassender Rückblick in der Geschichte des jüngeren Marsius (A IV 349—374), ohne die Lösung für *Delbois* (= Aramena) herbeizuführen.[100] Erst gegen Schluß der Haupthandlung gelangt

---

[99] Dieser Eindruck wird besonders durch das *aspekthafte Erzählen* eines Ereignisses an drei weit auseinanderliegenden Stellen erweckt. Vgl. z. B. *Neronias* Rettung durch Tyridates: O I 142—143 = O II 195 f. = O III 249 f.

[100] Ein Parallelbeispiel aus der ‚Octavia' bilden alle Hinweise in Haupthandlung und Lebensgeschichte(n) bis zur Lösung des Identitätsproblems der Titel-heldin *Neronia* (= Neros Witwe Octavia).

es zur harmonisierenden Vermählung zwischen der Titelheldin und *Cimber* (= Marsius). Die erzählten Vorgänge um diese Person sind als Elemente einer ausgreifenden und in sich äußerst komplizierten Spannungsstruktur auf weite Teile des ganzen Werkes verteilt, und zwar sowohl in Lebensgeschichten als auch in der Haupthandlung. Vergleicht man damit die Spannungsstruktur eines zentralen Pikaro, so wird der Unterschied eindeutig klar. Diese ganze Struktur ist jedoch nur möglich auf der Gleichrangigkeit der erzählerischen Vorgänge in den beiden verschiedenen Erzählformen.

Daß die Erzählspannung in wechselseitiger Beziehung zur besonderen Form der Handlungsführung und -verknüpfung in einem epischen Werk steht, leuchtet ein. Diese Formen bedingen sich gegenseitig. Allerdings sind Handlungsstruktur und Spannungsstruktur nicht identisch. Carola Paulsen (S. 72 ff.) formuliert diese Divergenz als Unterschied zwischen den ‚Führkräften' und der Spannung. Grundsätzlich ist die Verknüpfungsart der Handlungen in Anton Ulrichs Romanen eine korrelativ-kausale.[101] Wir kommen in einem eigenen Kapitel noch eingehend darauf zu sprechen. Das eigentliche Medium der Handlungsverknüpfung stellt u. E. die komplizierte Personenkonstellation dieser Werke dar. Jede erzählerische Ereignis-Entfaltung in ihnen geschieht mit Hilfe der erzählerischen Aktivierung irgendwelcher zum Ereignis in Beziehung stehender Personen. Es gibt nur *menschliche* Vorgänge von erzählerischer Relevanz in Anton Ulrichs Romanen. Naturereignisse besitzen nur einen untergeordneten Stellenwert; sie stehen grundsätzlich nur in Beziehung zum Menschen. Die erzählerische Aktivierung der Personen erfolgt eindeutig durch kausale Motivation.

Erzählspannung, Handlungsverknüpfung und Personenkonstellation bilden durch das Prinzip der kausalen Motivation eine dichte Beziehungsstruktur aus: erst in dem Zusammenspiel all dieser Formen wird die feinsinnige Struktur eines solchen Kunstgebildes sichtbar, dessen einzelne Teile in höchstem Maße integriert sind.

b. Die Architektur eines Teilbogens der Erzählspannung in der ‚Aramena'

Um die besondere Form der Erzählspannung in einem überblickbaren Phänomen zu veranschaulichen, sei ein solcher Teilbogen von immerhin beträchtlicher Bedeutung für den ganzen Roman aus dem Kontext des Erzählablaufes herausgeschält.[102] Das Beispiel vermittelt zudem einen Ein-

---

[101] Vgl. zu Terminologie und Begriff: E. *Lämmert* S. 52—61.
[102] Das ist offensichtlich bislang die einzige Methode, solch komplizierte erzählerische Phänomene bei Anton Ulrich darstellerisch zu bewältigen. Vgl. Cl. *Lugowski*, Wirklichkeit und Dichtung.

druck davon, wie Anton Ulrich Teilstücke seiner Fabel gestaltet. Es handelt sich um jene Vorgänge und Beziehungen, welche auf die Scheinhochzeit zwischen Dison von Seir und Aramena der Jüngeren von Syrien hinführen.[103] Bei der Funktionsbetrachtung des *Ausschnittes* haben wir bereits einen Tagesablauf (A III 162—173) aus diesem Komplex herausgelöst (vgl. o. S. 36—41).

Die Wurzeln dieses Spannungsbogens reichen als Elemente der Exposition weit in den ersten Band des Romans zurück und treten dort als scheinbar zufällige und belanglose Informationen auf. Sie fallen als Keime in das Bewußtsein des aufmerksamen Lesers und stellen konstitutive Formen des bewußten Strukturwollens des Autors dar. Man könnte sie im modernen Sinne — nach Heimito von Doderers privater Terminologie — als *epische Vorhalte* bezeichnen. Wir verstehen darunter erzählerische Details (Informationen), die zu einem späteren Zeitpunkt der Romanstruktur bedeutsam eingelöst werden. Die Voraussetzung eines solchen Einlösens stellt die Erkenntnis ihrer Wiederkehr oder ihres thematischen Wirksam-Werdens dar. Diese Hinweise bilden — nach unserer Terminologie — das Teilgefüge des Leser-*Ausschnittes*, die Verbindung zwischen Dison und Aramena betreffend. Welche Informationen bilden also den *Ausschnitt* des Lesers in bezug auf diesen Vorfall zu Ende des ersten Bandes?

Dison von Seir, der Bruder Ahalibamas, sollte mit Aramena von Chaldäa, der Tochter des Mamellus, verheiratet werden. Durch Kindesvertauschung ist diese Aramena aber die Tochter des syrischen Königs Aramenes, was sie selbst erst später erfahren soll. Beide Väter wünschen diese Hochzeit, die beiden Betroffenen weigern sich aber. Denn beide sind (nach einem parallelen Modell) durch ein religiöses Gelübde gebunden: Aramena als Dianenpriesterin, Dison als Isispriester.

Die Motivationskette, auf welcher die Spannungsstruktur beruht, muß ein frühzeitiges Erkennen der beiden prinzipiell ausschließen. Nun kommt es in Seir aber einmal zu einer Zusammenkunft zwischen geplanter Braut und geplantem Bräutigam. Dieser zweimal erzählte Vorgang[104] (im Sinne des *aspekthaften Erzählens*) bedarf umsichtiger Motivierung. Die erste Begegnung erlebt Dison in Frauenkleidern verstellt. Das scheint vorderhand schlecht motiviert, denn Dison begegnet Aramena später wieder in Frauenkleidern: sie müßte ihn also unbedingt wiedererkennen und seine Identität lüften können. Die erzählerische Wiederaufnahme dieses Vorfalles von seiten Disons erfolgt aber in gegenläufiger Motivierung, die wohl auch für Aramena gilt: die Dunkelheit läßt Dison sein schönes Gegenüber

---

[103] C. *Paulsen* S. 76 bezeichnet diese Hochzeit als „Lösung aus aller Verwirrung" und sieht sie dadurch als Spannungsstruktur. Vgl. auch B. L. *Spahr* zu diesem Komplex in: The Germanic Review 40 (1965), S. 257—258.

[104] Die beiden Aspekte dieses Ereignisses finden sich in Aramenas Geschichte A I 372 und in Disons Geschichte A II 59, 64, 76—77.

nicht recht sehen (A II 59). Parallele und Chiasmus bestimmen die weiteren Schicksalslinien der beiden: Aramena verkleidet sich als Ritter *Dison*, Dison als Jungfrau *Aramena*, wozu ihn „das andenken dieser Prinzessin beanlasset" (A II 64). Als der in Ahalibamas Gefolge reisende Ritter *Dison* (= Aramena) unter den Hofdamen der Königin von Ninive erstaunt eine *Aramena* (= Dison) trifft (A I 493–495), weiß der Leser noch nicht, daß sich dahinter Dison von Seir verbirgt; das erfährt er erst später (A II 14). Der Leser wird also aus Spannungsgründen vom erzählenden Dichter über eine weite Handlungsstrecke hin (A I 493 bis A II 14 = 223 Seiten) über die wahre Identität einer Romanfigur getäuscht. Er kennt zum Zeitpunkt ihrer Wiederbegegnung (im Rahmen der Haupthandlung A I 493) wohl die Gleichung *Dison* (= Aramena), nicht aber die Identität *Aramenas*. Die besondere Form dieses *Ausschnittes* erhöht den erzählerischen Reiz der Szene mit dem wahrsagenden Chaldäer (A I 533–535). Ihr kommt eine wichtige Funktion in diesem Spannungsbogen zu. Der Wahrsager prophezeit den beiden nämlich, daß sie schon einmal miteinander verlobt waren und in etlichen Monaten einander ehelich verbunden sein werden. Diese Prophezeiung müssen wir in ihrer Wirkung auf Romanpersonen und Leser kurz erläutern; im Hintergrund eines solchen Verfahrens steht als Voraussetzung wieder die genaue Kenntnis ihrer *Ausschnitte. Dison* erscheint diese Prophezeiung ebenso wie *Aramena* völlig absurd, denn beide sehen im versprochenen Gegenüber eine Person gleichen Geschlechts. Den umstehenden Romanpersonen erscheint sie von der Sache her möglich, durch die Reaktion der Betroffenen aber als Witz. Darin bestärkt sie die besondere Form der Weissagung, die wir gleich näher erläutern. Dem Leser in seiner Kenntnis der halben Wahrheit, erscheint sie als Gipfel der Widersinnigkeit. Diesen Eindruck durchzieht allerdings ein staunendes Unbehagen, als der Prophet zum Gelächter aller Umstehenden behauptet, daß in diesem Liebesspiel die Rollen vertauscht seien. Im Kontrast zur äußeren Kleidung würde *Aramena* darin die werbende Rolle des Mannes zukommen, *Dison* jedoch die gewährende der Dame. Das rückt die Szene für die Gesellschaft in die Atmosphäre des Scherzhaften, an der die beiden Betroffenen in Unkenntnis ihres Gegenübers lachend und neckisch mitspielen. Schließlich flüstert der verärgerte Wahrsager *Dison* abgehend ins Ohr: „Ich wil euch nicht mit gleicher münze bezahlen / sonst möchte ich wol vieleicht etwas von euch offenbaren können / das euch das lachen vertreiben würde." (A I 535) *Dison* ist betroffen, gibt aber den anderen diesen heimlichen Wink des Chaldäers selbstverständlich nicht preis. Der Leser horcht auf, halbe Möglichkeiten zeichnen sich ab, seine Kombinationslust beginnt zu arbeiten. Die frühzeitige Lösung der Spannung muß aber ausbleiben, solange er keine stichhaltigen Informationen über die wahren Zusammenhänge erhält.

Zu Beginn des zweiten Bandes kommen sich *Dison* und *Aramena* in der Gesellschaft der Königin von Ninive näher, und beide sind voneinander sehr angenehm berührt. Wie zugleich raffiniert und beiläufig der erzählende Dichter seinen Strukturplan in diesen Vorhalten gestaltet, mag folgende Stelle belegen:

> Mitlerweil Ahalibama also ihre zeit bei der Ninivitischen Königin zubrachte / hatte ihr vetter Dison in gesellschaft der Aramena den nachmittag zur vergnügung verwendet. Dann je mehr diese verkleidete Prinzessin mit der andern Aramena ümgienge / je mehr entfunde sie in sich eine liebe zu dieser jungfrauen: dannenhero sie öfters in ihrem herzen wünschete / daß diese Aramena mit ihr einerlei sinn haben / und ihr eine gefärtin in der Diana tempel nach Ninive geben mögte. Sie dorfte aber diesen wunsch ihr öffentlich nicht entdecken / üm nicht auser den schranken des fürstellenden Disons zu schreiten... (A II 10)

Eine kurze, einen Nachmittag erzählerisch raffende Bemerkung, daß *Dison* „eine liebe" für *Aramena* zu empfinden beginnt und sie mit sich nach Ninive wünscht. Dieser beiläufige Wunsch ist so unaufdringlich in die Erzählung eingebettet, daß man ihn kaum beachtet. Dabei ist er vollinhaltlich identisch mit Aramenas späterer Begründung für die Scheinhochzeit mit Dison von Seir, dessen wahre Identität sie allerdings erst am Hochzeitstag erfährt. Das Beziehungsnetz solcher unbedeutender Hinweise ist das motivierende Gegenstück zum Bildnis-Motiv[105], das Disons früh auf Aramena angelegte echte Liebe beweist. Bald darauf gibt sich Dison seiner Schwester Ahalibama zu erkennen. Der Leser wird darin eine Überraschung erleben, oder eine längst geahnte Kombination bestätigt finden (A II 14). Unmittelbar nach dieser Szene erzählt Dison sein bisheriges Leben (A II 18—77), denn seine Kindheit und Jugend waren bereits teils in Ahalibamas Geschichte (A I 86—140) mitverwoben, teils in diejenige der syrischen Aramena (A I 334—383). Man kann die bewußte Spannungsstruktur, die in der Hochzeit der beiden gipfelt, darin belegt finden, daß Dison in seiner Geschichte die wichtigsten diesbezüglichen Vorhalte als strukturelle Schnittpunkte erneut erzählerisch aufgreift: vor allem die beabsichtigte Verlobung mit Aramena von Chaldäa (A II 59, 64, 76—77). Nachdem er durch eingehende Motivierung das Urbild seines zuinnerst verehrten Dianenbildes tot glauben muß, verliebt er sich in die schöne Königin von Ninive. Diese für ihn scheinbar ‚abwegige' Liebe wird im höheren Sinne dadurch verzeihlich, daß Delbois die leibliche Schwester jener Dame ist, für welche der Dichter Dison von Seir, wenn auch durch viele Täuschungen hindurch, von Anfang an bestimmt hat. Nach seiner Erzählung verschweigt ihm Ahalibama absichtlich die Erklärung dieser Dianenstatue (sein Liebes-Bild), das

---

[105] Vgl. A. *Haslinger* in: Literaturwissenschaftliches Jahrbuch N. F. 9 (1968), S. 83—140.

ihn erstmals und nachhaltig zur Liebe bewegte. Sie fürchtet nämlich, er könne sich durch ihre Enthüllung erneut in ihre Aramena (= Urbild) verlieben.

Soweit also das Netz der Vorhalte innerhalb des ersten und zu Anfang des zweiten Bandes der ‚Aramena'. Während des zweiten Bandes tritt diese Spannungsstruktur etwas hinter die Entfaltung der Beziehungen um Delbois von Ninive zurück.[106] Erst gegen Ende des Bandes verdichten sich die Bezüge dieser Spannungsstruktur allmählich wieder. Anton Ulrich setzt seine Vorhalte früh an und führt sie bis zu kleinen Spannungskonzentrationen. Dann schiebt er als Unterbrechung wieder eine andere Spannungsstruktur erzählend vor, während die angetönte einmal liegen bleibt. Der Leser ist aber durch die aufgezeigten Entsprechungen in ganz bestimmter Weise (Ausschnitt) informiert. Aufgrund des verwirrenden Geschehens sieht er vorderhand aber kaum eine Möglichkeit zur Verifizierung der prophezeiten Hochzeit. Noch dazu verschwindet Dison nach dem Einzug in Damaskus auf längere Zeit. Erst gegen Ende des zweiten Bandes nimmt Anton Ulrich diese Spannungsstruktur zögernd wieder auf. Sie verdichtet sich bald zu dramatischen Handlungsabläufen (A II 528 ff.) und überspielt die äußere Bandgrenze. Ahalibama entwickelt hier einen folgenschweren Plan. Sie hat nämlich erfahren, daß die syrische Aramena (= ihr Ritter Dison) ihrem Dianengelübde untreu geworden sein soll. Obwohl sie diesem Gerücht mißtraut, überlegt sie im stillen: „Und da sie ja heuraten wollen / vermeinte sie / daß ihr bruder Dison wäre würdiger gewesen / ihre schönheit zu besitzen". Ein winziger Gedanke verklammert damit das System der epischen Vorhalte mit der nun kräftig einsetzenden Spannungsstruktur, und zwar episch rück- und vorweisend zugleich. Ihr Ausschnitt und ihr politisches Interesse an dieser Verbindung macht sie für die Führerposition in diesem Intrigenplan besonders geeignet.[107] Trotzdem ist es erst zweihundert Seiten später — unter völlig neuen Umständen — so weit. Ein Komplex schicksalhafter Verkettungen führt dazu, weite Beziehungen der Personenkonstellation wirken in diesen Spannungsbogen hinein: Aramena von Syrien (= Dison) ist aus politischen Erwägungen mit Milcaride, der Tochter des Mamellus, vertauscht worden, die sich als Aramena (= Milcaride) dem Hemor von Canaan vermählte. Aramena (= Dison von Seir) bemüht sich den Liebesbezeigungen des assyrischen Prinzen Baleus zu ent-

---

[106] C. *Paulsen* S. 74 f.: „Die inneren Probleme Delbois: die Liebe zu Abimelech von Gerar und die aus Staatsgründen vorgesehene Zwangsheirat mit ihrem Zwillingsbruder Baleus, der sie auch aus religiösen Gründen nicht zuzustimmen vermag, treten hier in den Vordergrund."

[107] Als Schwester Disons und als Vertraute Aramenas macht sie der Dichter zur bevorzugten Zuhörerin der diesen Handlungskomplex tragenden Lebensgeschichten. Als seirische Fürstin ist sie an der politischen Erhebung ihres Hauses in besonderem Maße interessiert. Timna und später Mehetabeel werden — als seirische Fürstinnen — ebenfalls ins Vertrauen gezogen.

gehen, weil sie (er) die Königin von Ninive liebt. Im Zustand solcher Verwirrung nimmt nun Ahalibama die Fäden in die Hand und entwickelt daraus einen klugen Staatsstreich. Der Anstoß aber entstammt den verwickelten Liebesbeziehungen an Delbois' Hof, wie folgende Szene beweist:

Cimber berichtet Delbois, daß Ahalibama sich über die Rückkehr ihres Ritters *Dison* sehr gefreut habe, worauf die danebenstehende *Aramena* tief errötet. Nun nimmt Delbois, *Aramenas* heimliche Liebe, diese(n) ins Verhör. Sie zwingt sie (ihn), sich zwischen Baleus und *Dison* zu entscheiden, und damit beginnt die Geschichte zu rollen. Obwohl der treibende Vorschlag eigentlich von der bedrängten *Aramena* stammt, fängt Ahalibama sofort an, die Vorgänge nach ihrem Wunsch als Plan (A II 528) zu dirigieren:

> ... fiele ihm [Dison von Seir] endlich ein / wann der ritter Dison / den seine schwester bei ihr hatte / mit dem er vordessen / als Aramena / in ein liebesgespräche gerathen / könte dahin vermögt werden / sich mit ihm unter der Aramena namen zu verehlichen: so würde er mit guter art von hof abkommen / der Königin ungnade vermeiden / sein betrug verschwiegen bleiben / und also niemand innen werden können / daß ein Fürst von Seir unter weibskleidern so lang in der schönen Delbois frauenzimmer gelebet. (A II 708).

Aramena (Dison) plant hier völlig vernünftig aus *ihrem Ausschnitt* heraus und nimmt damit den Höhepunkt unserer Spannungsstruktur als *ihren* Plan vorweg. Für den besserwissenden Leser bewegt *sie* sich dadurch auf jene Prophezeiung des Chaldäers zu, die plötzlich aus dem Bereich der Unmöglichkeit in jenen der überraschenden Möglichkeit rückt. Alle Phasen der Verwirklichung dieses Planes gestaltet nun Ahalibama aus. Ihr als Regisseur steht ihre Base Timna als Vermittlerin zur Seite. Damit beginnt das erregende Spiel der *Ausschnitte*, auf dem diese Spannungsstruktur basiert. Verschiedene Personen werden schrittweise in Ahalibamas Intrige eingeweiht, wodurch deren Mechanismus zu eindrucksvoller Gestaltung kommt (vgl. etwa Mehetabeel A III 169—173).

Timnas Wissen deckt sich anfangs genau mit jenem Disons von Seir, d. h. sie kennt seine Identität, hält *Dison* (Aramena) aber gemäß deren Verkleidung für einen jungen Ritter. Als Parallelsituation zu Ahalibamas Entdeckung in Timnas Schlafzimmer (A II 383)[108] überrascht diese nun Ahalibama mit einem schönen Jüngling im Bett. Ließ die erste Entdeckung einen Teil-Spannungsbogen von großer Verwirrung entstehen, dessen schwerwiegendes Mißverständnis Cimbers Liebe zu Hercinde darstellt

---

[108] Ahalibama küßt plötzlich einen Männermund, als sie im dunklen Schlafzimmer Timnas diese wecken will. Dem höfischen Tugendbild entsprechend, ist sie vom Lebenswandel ihrer Base entsetzt; sie weiß nämlich nicht, daß diese heimlich mit Eliphas getraut worden ist. Die ungewollte Entdeckung von Timnas Schwangerschaft steigert dieses Entsetzen Ahalibamas noch.

(A II 383—665), so klärt Ahalibama die Situation sofort; sie rettet ihre höfische Ehre, indem sie *Disons* Geheimnis lüftet. Damit gewinnt Ahalibama ihre Base Timna als Vertraute für ihren Plan. Beide erwägen nun diese „himmelsschickung" und Disons Vorschlag, beide wollen ihn als seirische Fürstinnen im seirischen Sinne politisch nützen. Sie müssen nur verhindern, daß ‚Braut' und ‚Bräutigam' die wahre Identität des anderen erfahren, d. h. ihre *Ausschnitte* dürfen sich nicht decken.

Vom Blickpunkt des Lesers aus entwickelt sich der Intrigenplan folgendermaßen: Während Ahalibama gerade Timna ihren Plan erzählen will, tritt plötzlich *Dison* ins Gemach. Der Leser erfährt nun gleichzeitig mit Timna und *Dison*, was und wie Ahalibama plant. Das stereotype Türverriegeln unterstreicht die bedeutsame Exklusivität des Gesprächs:

Du weist / (sagte sie) liebste Aramena ! daß die Königin von Ninive eine jungfrau am hof hat / die deinen namen füret / mit der du auch zu Hemath / auf gegebene anleitung des Chaldeers / in ein gespräche geraten / also / daß euch jedermann für verliebte personen gehalten. Diese jungfrau hat sich / gleich wie du / in den tempel der Diana nach Ninive verlobet / und ist ja so beständig / ihren irrigen wahn nicht zu verlassen / unangesehen sie bei einer rechtgläubigen Königin lebet / die mich Gott lob! bekehret / und auf den rechten weg gebracht hat. Weil nun diese Aramena / von dem Prinzen von Assyrien sehr mit liebe verfolget wird / als hat sie kein anders mittel gewußt / diese liebe zu hintern / als daß sie vorgewandt / sie wäre an dich / als an den ritter Dison / ehelich versprochen. Dieses thäte sie in der zeit / da du verloren warest. Nunmehr / da du wiedergekommen / ist sie deshalben sehr beunruhiget: massen sie nicht weiß / wie sie ihr vorgeben / daß ihr miteinander verlobt seit / behaubten soll / da sie besorgen muß / du möchtest / wann du hiervon nicht unterrichtet würdest / das gegenspiel bezeugen / und anderst als sie reden. Um des willen hat die Fürstin Timna diß gewerbe von ihr übergenommen / ihre noht mir anzubringen / und mich zu bitten / daß ich dich / als meinen ritter / dahin vermögen wolte / nicht allein bei ihr liebe fürzugeben / sondern auch dich mit ihr öffentlich im tempel trauen zu lassen / und nachgehends sie nach Ninive in den tempel der Diana zu bringen: damit sie also ihr gelübde nicht brechen müsse / auch von dem Prinzen von Assyrien abkommen könne. Die freundschaft / die diese Aramena und ich miteinander gemacht / bringt sie zu dieser verträulichkeit / von mir diese hülfe zu begehren: und finde ich solche für dich / zumal dadurch dein gelübde nicht gebrochen wird / und du der Diana ewig getreu verbleiben kanst / so leicht zu thun / daß ich schon gläube / deine entschließung werde meinem verlangen sich gleichförmig erweisen / und diese meine freundin aus ihrer noht reißen.

Wenn ich dasjenige / (antwortete die verkleidte Aramena/) so du mir / liebste schwester! iezt fürgebracht / recht bei mir überlege / so kan mein gemüte sich nicht gnug darob verwundern / daß mit dieser Aramena so dahin gekommen / in ernst / nach des Chaldeers vorsage / mein aufwärter zu werden / gleichwie sie solches bisher im scherz gewesen. Ich erkenne hieraus der großen Diana regirung / du du zwar verachtest / und von der du abtrünnig worden bist. Weil ich nun dieser göttin hierinn einen dienst thun kan / als bin ich erbötig / dieser guten Aramena vorgeschlagener massen davon zu helfen. Nur fürchte ich / in gefahr zu kommen / sowol weil ich dadurch mich zu des mächtigen

Prinzen von Assyrien mitbuler mache / als weil auch / wann ich also meine gestalt öffentlich für allem volk im tempel sehen lasse / ich erkannt werden möchte / daß ich Aramena und nicht Dison bin.

Ich erfreue mich / (antwortete Ahalibama /) über deiner entschließung / und kan dir deine dabei habende zwo beisorgen bald benemen / wann ich dir darthue / daß der Prinz von Assyrien diese vermeinte heurat nicht hintern kan / weil die Königinnen und alle Assyrier dieser seiner liebe zuwider sind; und daß kein mensch dich für Aramena wird halten können / da du ja den bräutgam fürstellest / und ohne das in dieser tracht sehr unkentlich bist. Ich ergebe mich gänzlich / (sagte hierauf der schöne Dison /) in euer beider willen / und bin erbötig / dieser Aramena zu lieb alles zu thun / was ich kan: massen ich ohndas solche neigung zu ihr entfinde / daß ich verlange / meine lebenszeit mit ihr zu Ninive hinzubringen. Die Timna hörete alles dieses mit an / ohne ein wort dazu zu sagen / und wunderte / wie es ablaufen wolte.

Ahalibama aber fuhre fort / die verkleidte Aramena in ihrer gefasten entschließung zu stärken; und ihr vorhaben zu vollenden / sagte sie: Sie erkenne es nicht für nützlich / daß die andere Aramena erfüre / wie ihr ritter Dison in der that auch eine weibsperson sei; weil dieselbe / als dem Assyrischen hause / und der Königin Delbois gar sehr ergeben / es nicht verschweigen / und also ausbringen mögte / daß sie die Syrische Aramena wäre. Ob ich gleich diese Syrerin nicht seyn wil / noch zu seyn mir einbilde / (antwortete Aramena /) so wil ich iedoch hierinn / wie in allen sachen / deinem einrath folgen. Ich vermeine zwar / meine künftige ordensschwester hätte küner mit mir im tempel sich können trauen lassen / wann sie erfahren / daß wir eines geschlechtes seien: als nun geschehen wird / da sie sorgen muß / ob ich nicht / als Dison / in warhafter liebe gegen ihr entbrennen / und also / durch mein recht / so ich an ihr durch diese trauung erlangen werde / ihr heiliges fürhaben hintern könte. Diese sorge hat sie nicht / (gabe die Ahalibama zur antwort /) weil ich ihr stäts von dir fürgesaget / daß du gewillet seiest / ein Isis-priester zu werden: daher ihr vertrauen gegen dir sich auch vergrößert / weil sie dich ihrem sinne so gleichförmig erkennet. Wolan dann! (sagte Aramena /) thue mit mir / was dir gefället / ... (A II 715—718)

Ahalibamas Vorschlag, *Disons* Bedenken und deren Widerlegung und letztlich Ahalibamas Bedingung, Aramenas wahre Identität auch der ‚Braut‘ zu verschweigen: das charakterisiert für den Leser das ganze Schema dieses „betruges." Ein Brief Ahalibamas an ihren Bruder Dison besiegelt das Ganze. Der Leser wird vom erzählenden Dichter ins Vertrauen gezogen und erfährt den ganzen Plan. Die Hochzeit findet aber erst ca. 350 Seiten später statt. Wie kann der Dichter nun den wohlinformierten Leser ohne Spannungsverlust über diese weite Erzählstrecke bringen? Mit welchen Mitteln hält er den Bogen der Erzählspannung aufrecht? Einmal besteht Anton Ulrichs Spannungs-Architektur — wie schon gesagt — nicht auf der einsinnigen Durchführung einzelner Teilbogen, die enden, bevor der nächste beginnt. Nicht Linearität, sondern Komplexität bestimmt den Bau seiner Spannungsgefüge. Auch in diesem Bereich entwickeln sich erzählerisch noch andere Teilbogen, die thematisch und personenmäßig mit unserem Komplex zusammenhängen. Da ist einmal die ‚Geschichte der vermeintlichen Syrischen Aramena‘ (A III 4—17) und die Vollendung ihres

Geschickes in der Haupthandlung, die spannungsmäßig die äußere Kluft zwischen Band II und III überbrückt; sie steht zur echten syrischen Aramena der Jüngeren in vielfacher Beziehung (Kindesvertauschung und ständige Verwechslungen mit ihr). Einem anderen Spannungskomplex wieder gehören die ‚Geschichte der Mirina' (A III 46—129) und die ‚Geschichte der Hercinde' (A III 222—309) zu. Sie retardieren die Haupthandlung in diesem Bereich, also die Vorbereitungen auf die Scheinhochzeit um genau 170 Erzählseiten. Aber auch diese Geschichten und ihre Spannungsstrukturen erweisen sich durch die Person des assyrischen Prinzen mit unserem Komplex verbunden. Baleus ist der Aufwärter der *Aramena*, die sich (angeblich) durch die Scheinhochzeit mit *Dison* seinen Nachstellungen entziehen möchte. Delbois stellt *Aramena* vor die Alternative, zwischen *Dison* oder Baleus zu wählen (vgl. den Anstoß zum Hochzeitsschema A II 708). Die Personen dieses Komplexes greifen sogar aktiv in die Handlungsstruktur ein: *Aramena* wird von der in Baleus verliebten und auf *sie* eifersüchtigen Hercinde in einem Walde überfallen, verwundet und dadurch mit Ahalibama in Naema vereint. Baleus verfolgt die schöne Unbekannte, deren Identitätsrätsel er nicht zu lösen vermag. Erst die beiden Geschichten (Mirina, Hercinde) vergrößern seinen *Ausschnitt* bis zur Befähigung, seine geliebte Prinzessin Hercinde aus zwei Personen in eine zu vereinen und damit der Lösung seines Schicksalsrätsels nahe zu kommen.[109] Dieses Ineinander-Wachsen verschiedener Spannungsbogen, die zudem in vielseitigen Beziehungen zu unserem Komplex stehen, überbrückt erzählerisch die Zeit zwischen Plan und Ausführung der Hochzeit. Das Einströmen erzählter Wirklichkeit, die wieder einer eigenen Spannungsgesetzlichkeit unterliegt und doch nicht in fremder Isolation zu dem Begonnenen steht, verstärkt in großem Maße auch den Eindruck von der verwirrenden Komplexität dieser Intrige. Auch auf die Gefahr einer Verwirrung unsererseits müssen wir diese Beobachtungen machen. Sie beweisen deutlich, daß Anton Ulrich nicht einen Teilbogen in isolierter Selbstgenügsamkeit aufwölbt und ihn dann sauber und für sich abschließt. Aus dem aufsteigenden Spannungsbogen eines größeren Handlungsabschnittes erwachsen laufend neue mehr oder weniger weitreichende, die kompositorisch und thematisch subtil ineinander verfugt sind. Die Über- und Unterordnung dieser Teilbogen kann im Erzählablauf wechseln. Dabei kommt den Unterbrechungen eine wichtige Spannungsqualität zu. Die eingelagerten Informationen, die sich ständig auf die *Ausschnitte* von Leser und Romanperson(en) beziehen, bestimmen die Art des Enthüllungsvorganges, auf dem nach der voluntas autoris die überwölbende Spannungsstruktur beruht. Auch innerhalb des betrachteten Teilbogens, der auf die Scheinhochzeit hinführt, kommt vor allem dem erregenden Spiel der *Ausschnitte* hohe Spannungsfunktion zu,

---

109 Auch hier spielt das Motiv der verkleideten Frau eine bedeutende handlungsfördernde und zugleich verwirrende Rolle.

weil der Plan eben dem Leser schon vollinhaltlich bekannt ist. Handlungsmäßig treten dem noch scheinbare oder tatsächliche Behinderungen von
Ahalibamas Plan zur Seite, die an der Erzählspannung mitwirken.

Durch einzelne Hinweise hält der erzählende Dichter während der Haupthandlung und sogar während der erzählerischen Entfaltung der anderen
Spannungsbogen den Eindruck im Leser wach, daß er sich langsam auf
diese Hochzeit zubewegt. Diese raffinierte Komposition wird sprachlich
besonders von Zeitangaben getragen: Die Königin besucht die Verwundeten in Naema. Dabei bringt sie die Brautleute wie die beiden „stifte-
rinnen dieser heurat / Ahalibama und Timna" (A III 36) in gefährliche
Verlegenheit, als sie gerne die seltsame Liebesgeschichte der beiden hören
möchte. *Dison* ersucht sie diplomatisch um Aufschub und bittet dabei die
Königin, den Vollzug der Vermählung in „zehen tagen" zu ermöglichen.
Immer häufiger werden nun die einzelnen Tage der Haupthandlung als
Zahlenangaben vorausdeutend auf dieses große Ereignis bezogen (10, 8,
6, 3 Tage bis dorthin). Die pedantische Tageszählung stimmt aber nicht
mit den temporalen Hinweisen überein. Am Morgen eines Tages (A III 162)
erteilt Delbois dem Statthalter Mamellus den Befehl, für die in acht Tagen
stattfindende Hochzeit geeignete Gebäude zu verschaffen. Dieser hier
beginnende Tag dauert erzählerisch (A III 162—172), der nächste (A III
173—207). Innerhalb des nächsten Tages weist aber der erzählende Dichter
zweimal (A III 175 — und 205) unter einem Abstand von sechs Tagen
auf das Ereignis hin. Heute acht, morgen sechs, das kann natürlich nicht
stimmen.[110] Die Pedanterie ist aber kein Formprinzip der Erzählspannung.
Es handelt sich eben doch nicht um ein konstitutives Kalendarium, sondern um erzählerische Formen des epischen Vorausdeutens. Dabei werden
aus der bereitstehenden traditionellen Topik vor allem die Zahlen acht,
sechs, drei bevorzugt. Das Entscheidende ist, daß der Leser den Eindruck
gewinnt, die erzählte Zeit verkürze sich ständig auf dieses Ereignis hin.
Darauf beruht auch der Spannungswert dieser Angaben. Neben der
erzählerischen Beachtung dieses Orientierungspunktes muß man noch die
zwischenmenschliche Auswirkung des Ereignisses sehen, die an der
Spannungsstruktur mitwirkt. Delbois, als die höfisch-hierarchische Spitze
der Personenkonstellation, übernimmt mit dem Ehrenschutz auch die
Direktion der Vorbereitungen auf die Hochzeit. Sie stellt dabei eine Art
Gegenbild zum eigentlichen Regisseur Ahalibama dar. Im Schein befangen,
aktiviert sie durch ihre Befehle viele Personen aus dem bereitstehenden
Kontingent erzählerisch. Faszinierend für das Wissen des Lesers bleibt,
wenn sie im Spiel der *Ausschnitte* andere Personen von ihrer Warte aus

---

[110] H. *Wippermann* gründet ihre Arbeit über die ‚Octavia' auf eine sorgfältige
Zählung nach Tagen (ebenso wie ihre beachtliche Inhaltsangabe dieses
Werkes). Dem Künstlerischen ist man damit allerdings noch nicht gerecht
geworden.

unwissentlich falsch informiert (etwa Baleus A III 150). Weiter entspricht es Anton Ulrichs grundsätzlicher Darstellungsweise, daß er die Reaktionen der betroffenen oder beteiligten Personen ausführlich entfaltet. Nur durch dieses Doppelspiel zwischen Wahrheit und Täuschung kommt der Heirat zwischen einem Ritter und einer Hofdame eine solche Bedeutung zu. Die syrischen Fürsten begrüßen, daß ihre Aramena ihnen durch diese Hochzeit Dison von Seir als König schenkt, denn sie erwarten sich davon die Befreiung vom assyrischen Joch. Damit mündet dieser Teilkomplex in die zentrale Problematik des Romans: die verschollenen Kinder des von Belochus überwundenen Aramenes von Syrien sollen ihr rechtes Erbe als Herrscher über dieses Land wieder antreten. Daraus erfährt Ahalibamas Plan vom höfischen Standpunkt höchste Rechtmäßigkeit, denn die Kongruenz erotischer und politischer Interessen zugunsten eines Staates ist im Zeitalter des Absolutismus legitim.

Alle diese Bezüge im Rahmen der erzählerisch-kompositorischen Vorbereitungen lassen am Tag der Hochzeit diese Spannungsstruktur ihren Höhepunkt erreichen. Die Verwirklichung des intriganten Planes ist offensichtlich trotz großer Schwierigkeiten gelungen. Die beiden haben keine Ahnung, daß sie eine völlig legale Ehe zwischen Mann und Frau eingehen, und damit die Prophezeiung des Chaldäers (A I 533—535) in schönstem und reinstem Sinne erfüllen (nach 1221 Seiten Erzählzeit!).[111]

Am Vortag der Hochzeit bewegt sich die höfische Gesellschaft in prächtigem Zuge (A III 323) nach Naema, um die Brautleute einzuholen und auf die Kemuelsburg zu geleiten (A III 327). Kemuel war bezeichnenderweise der Vater des Aramenes von Syrien gewesen, was die Bedeutsamkeit dieses Ortes unterstreicht. Nach den ortsüblichen Gebräuchen werden *Dison* und *Aramena* von ihren Dienern (Männer bei *Dison* — Frauen bei *Aramena*) zum Baden vorbereitet. Die Intrige scheint dadurch im letzten Augenblick an einer Kleinigkeit zu platzen; die Spannung steigt auch für den Leser mächtig an. Aber Ahalibama und Timna wissen nochmals einen Ausweg: die Brautleute sollen arge Unpäßlichkeit vorschützen (A II 328 f.). Um den beiden diesen Rat geben zu können, verkleiden sie sich als ägyptische Wahrsagerinnen (das treibende Motiv des Orakels kehrt spielerisch wieder: Chaldäer). Als traditionelles Motiv wird es von Anton Ulrich aber der konkreten Spannungsfunktion anverwandelt. Die Tendenz zur Breite, das Prinzip der Fülle offenbart sich auch an diesem winzigen Detail in der Aktivierung vieler Personen und Bezüge. Nicht nur die beiden seirischen Prinzessinen, sondern auch die Dienerinnen Briane, Zimene, Astale und vor allem Jaelinde und Siringe beteiligen sich an dieser Mummerei. Damit löst sich aus der spannungsmäßigen Anlage auf die Hochzeit

---

[111] Zum Problem der falschen und richtigen Prophezeiung bei Anton Ulrich vgl. E. *Lindhorst* S. 55. Die Prophezeiungen des Chaldäers sind richtige: das ergibt sich aus unserer Spannungsstruktur.

hin wieder mancher Impuls zu neuer Spannung. Die Beteiligten mißbrauchen ihre Prophezeiungen nämlich für ihre eigenen Liebeszwecke: Jaelinde etwa weissagt Cimber (A III 331), und in ihrem ‚Fall‘ spiegelt sich modellhaft Cimbers tragische Liebesbeziehung zu Delbois. Die thematische Verfugung dieses Vorganges beruht darauf, daß die Wahrsagerinnen nur von Liebe reden, „weil die meiste begebenheiten von der liebe herrüren . . .“ (A III 333). Damit gewinnen die Prophezeiungen, vor allem in bezug auf den *Ausschnitt* des Lesers, starke kompositorische Funktion (A III 328—336). Im Gesellschaftsspiel des „Gedichte-zuwurfs“ (A III 337—345)[112] wird unter der gleichen Tendenz der kompositorischen Breitenentfaltung unser Spannungsbogen verzögert.

Parallele Gespräche Ahalibamas mit *Dison* und Timnas mit *Aramena* bereiten dann die Enthüllung als Höhepunkt vor (A III 346—348). Aber nochmals wird der geplante Ablauf durch ein Ereignis gefährdet, die Spannung hochgetrieben und der Leser überrascht. *Dison* (= Aramena) verrät während der Trauungszeremonie (A III 348-353) der ‚Braut‘ ihre Identität. Die Perspektive ruht dabei in der *Erzählperson Aramena,* denn *ihre* Reaktion und *ihr* weiteres Verhalten trägt die relevante Spannungsstruktur in diesem dramatischen Augenblick. Hier vollendet sich Dison von Seirs Schicksal (als „wahre himmelsschickung“). Er nimmt bewußt an der Täuschung teil und heiratet willentlich die ihm vormals verlobte syrische Aramena. Die subtile Motivation bleibt bei Anton Ulrich natürlich nicht aus: Dison empfindet in diesem Augenblick die Vollendung seiner Liebeskurve, die sich sprachlich innerhalb der Topik des Bildnis-Motivs vollzieht.[113] Blitzartig erkennt er die Identität seiner Braut mit dem zeitlebens geliebten Dianenbilde und glücklich weiß er nun: Diese Aramena hat er immer geliebt. Wir ersehen daraus Anton Ulrichs raffinierte Handhabung der Erzählspannung. Der Intrigenplan ist längst Schritt für Schritt vorgezeichnet. Im tatsächlichen Ereignisablauf aber treten stets neue überraschende Wendungen ein. So lebt der Erzählablauf und seine Spannungsstruktur von der ständig gefährlichen Diskrepanz zwischen Plan und Wirklichkeit. Die kühnste menschliche Planung erweist sich dabei immer wieder als *Oberflächenstruktur,* während die Phasen ihrer Realisierung sich nach der Ordnung der göttlichen Providentia richten *(Tiefenstruktur).*

Das ist aber erst der eine Schritt zur Enthüllung. Dem großen Hochzeitsmahl folgt die Brautnacht, in der sich unser Spannungsbogen endgültig vollenden und lösen soll (A III 355—361). Da sich hier die innere Wandlung in *Dison* (= Aramena) vollzieht, wählt der erzählende Dichter sie als *Erzählperson.* Die Vorgänge der Hochzeitsnacht ballt der Dichter in eine dramatische Szene (A III 356—359). Die Enttäuschung der syrischen Aramena ist über alle Maßen. Sie lehnt diesen Betrug ab und läßt damit

---

[112] Vgl. diese Bauform u. S. 236—247.
[113] Vgl. dazu A. *Haslinger* in: Literaturwissenschaftliches Jahrbuch N. F. 9 (1968), S. 110.

alle politischen Pläne in nichts zusammenstürzen; die erwartete Lösung schlägt vor den Augen des Lesers in ärgste Verwirrung um. Wohl setzen sich die Syrer durch einen heimlichen Überfall in den Besitz der Kemuelsburg. Die Intrige ist äußerlich geglückt, ihre Lösung als Spannungsstruktur ist aber nur partiell. Aus dem Abschluß dieser Spannung erhebt sich eine vielfach neue, der starke Verwirrungskeime innewohnen. Einer besteht darin, daß Dison von Seir Aramena von Syrien nun wirklich liebt und ihr unter Einsatz seines Lebens zu ihrem Thron verhelfen will. Ein anderer, daß Thebah die syrischen Fürsten in dem Irrtum beläßt, *Dison* sei der verschollene Aramenes, der Sohn des ehemaligen Königs von Syrien. Damit beginnt der Freiheitskampf der Syrer unter falschen personalen Voraussetzungen. Und viel später erst wird durch das Auftauchen des richtigen Aramenes wieder eine neue Situation geschaffen, und Dison von Seir erlangt die Verzeihung seiner Aramena und herrscht mit ihr über Ninive. Anton Ulrich jedenfalls holt aus dem Kontrast zwischen dem Erwartungshorizont des Lesers und dem tatsächlichen Verlauf der Geschehnisse alle nur mögliche Spannung heraus.

Obwohl sich im Abschluß der von uns betrachteten Spannungsstruktur sofort eine neue erhebt, lassen wir es bei der Beschreibung der ersten bewenden. Wir wollten nur an einem Teilphänomen von Anton Ulrichs Erzählspannung deren rationale Struktur und ungeheure Komplexität aufzeigen. Dieses Kapitel veranschaulicht, daß eine Beschreibung der gesamten Spannungsstruktur eines Romans von Anton Ulrich ein wissenschaftliches Werk für sich bilden müßte, denn eine grob raffende Darstellung würde seiner raffinierten Beziehungsdichte kaum gerecht werden können. Es genügt aber das Herausschälen einer Teilstruktur, weil uns ihre prinzipielle Anlage im Gesamtwerk nur als Fülle von Variationen begegnet. Die Variation des Identischen bestätigt demnach die wissenschaftliche Berechtigung eines solchen exemplarischen Vorgehens. Das Bild dieser eindrucksvoll komplexen Bogenstruktur ineinander verfugter Teilbogen spiegelt die Gesamtanlage der Erzählspannung. Die Medien ihrer Gestaltung sind das reizvolle Spiel des wechselnden *Ausschnittes,* die sich darin zeigende ständige Unzulänglichkeit zwischen menschlichem Planen und göttlicher Ordnung im Bereich der schicksalhaften Ereignisse und erzähltechnisch das Moment der Unterbrechung und des vielseitigen Bezugs des Einzelvorfalls ins Gewebe der Personenkonstellation und ins Motivationsgeflecht der Vorgänge.

4. Chronologie und Mehrsträngigkeit des Erzählens — Zum Problem von

Erzählzeit und *Erzählraum*

Im Rahmen seiner ‚morphologischen Poetik'[114] widmete Günther Müller dem Zeitgerüst des Erzählens besonderes Augenmerk. Das Verhältnis zwischen Erzählzeit und erzählter Zeit etwa brachte ihm (und seinen Schülern) dabei manche wichtige Erkenntnis über die Struktur von Prosawerken ein. Auch auf Anton Ulrichs Romane wandten seine Schüler diesen methodischen Ansatz mehrfach an.[115] Neuerlich wird allerdings die Brauchbarkeit von Müllers Proportion (zwischen Erzählzeit und erzählter Zeit) immer stärker der Kritik unterzogen. In seine Einwände führt Oskar Holl etwa systematisch die Beachtung des Lesers ein. Auch in unserer Untersuchung steht der Leser besonders im Blickfeld. Im Phänomen des *Ausschnittes* haben wir den Leser als Mitvollzieher eines Kunstwerkes voll gewürdigt. Holl setzt seine Einwände gerade in diesem Punkte an: „Günther Müllers Theorie erfaßt das Werk dort, wo es vorliegender, niedergeschriebener Text ist. Dort aber ist es noch gar nicht in der Weise realisiert, in der es allein wahrgenommen werden kann, nämlich als eine Aufforderung an den Leser, die sprachlichen Andeutungen mit eigenen Bewußtseinsinhalten zu erfüllen. Erst vom Leser her wird das Werk zu dem in der Vorstellung des Verfassers konzipierten Komplex" (S. 146). Damit bringt Holl ein wichtiges Phänomen in die Diskussion, nämlich die bedeutsame Abfolge der sprachlichen Inhalte, die als Vorstellungen im Leser entscheidend den Prozeß des ‚Nachschaffens' eines Kunstwerkes mitbestimmen. Dazu bedarf es allerdings noch mancher Vorarbeit zum Thema. Wir beachten vorderhand jedenfalls einmal konsequent bei der Beschreibung der zeitlichen Gliederung von Anton Ulrichs Enthüllungsvorgang den Leser als den eigentlichen funktionalen Zielpunkt dieses künstlerischen Bemühens.

Karin Hofter erkennt als eines der wesentlichen Merkmale von Anton Ulrichs Erzählen die „Zeit als Reihung" (S. 11—15). Der Herzog erzählt im Bereich der fiktiven Gegenwartshandlung (Haupthandlung) in klar ausgeprägten Tagesreihen.[116] Ein erzählerisch gefüllter Tagesablauf folgt gewöhnlich dem andern in folgender Weise: Der erzählende Dichter beginnt am Morgen eines bestimmten Tages mit einem bestimmten Ereignis. Daran

---

[114] Dies ist der bezeichnende Titel einer Aufsatzsammlung G. *Müllers*.

[115] Vgl. besonders H. *Wippermann*.

[116] Vgl. dazu H. *Wippermann*, die sogar ihre verdienstvolle Inhaltsangabe der ‚Octavia' danach gliedert S. 26—98. — In den Manuskripten des Cod. Guelf. Extrav. 198, die einen handschriftlichen Entwurf des Herzogs zur ‚Octavia' enthalten, ist eine frühe Gliederung des („viertheiligen") Romans überliefert: „Octavia / Römische Geschicht / Getheilet in 4 theile. Ieder theil hat 4 bucher. Iedes buch / wehret drei wochen. Hebet also das 1 buch an den 12 April und wehret bis den 2 May. Das 2 buchhebet an den 3 May bis den 23 May. Das 3 buchhebet an den 24 May, bis den 13 Iunij. (NB. den 10 Iunij kommt Nero ümb." (Bl. 18) Diese Notiz zeigt, daß Anton Ulrich in einem sehr frühen Plan zur ‚Octavia' bereits die kalendarische Tageszählung als Gliederungsprinzip verankert hat. Das starre Schema von ‚Drei Wochen pro Buch' hat der Dichter wohl in der unserem Zitat folgenden handschriftlichen Übersicht über die geplanten vier Teile des Romans, nicht aber in der Druckfassung durchgehalten.

anschließend begibt er sich etwa vormittags mit einer fiktiven Romanperson an einen anderen Ort, um dort ebenfalls ein bestimmtes Ereignis
zu gestalten. Dann folgt meist das Mittagessen mit Gesprächen über verschiedene vergangene oder zukünftige Vorfälle. Nachmittags begibt sich
die Gesellschaft etwa zu einer Bootsfahrt, die vordringlich als überraschendes Ereignis oder wieder als Gespräch der Teilnehmer gestaltet wird.
Abendessen und Gespräche beenden dann den Tag, wobei häufig das letzte
Vorkommnis des vergehenden Tages auf das erste des nächsten voraus-
weist. Es kann aber auch in Form einer rhetorischen Wendung (vgl.
u. S. 367) kontrastierend (Antithese) oder entsprechend (Parallele) zu
einem anderen Ereignis um eine andere Person überleiten.[117]

Welchen Eindruck läßt eine solche Form des Erzählens im Leser entstehen? Dichtes erzählerisches Geschehen läuft in lückenloser Chronologie
ab. Dieses pausenlose Erzählkontinuum der Haupthandlung umfaßt weiter
in seiner gesamten erzählten Zeit meist nur den klar meßbaren Bereich von
ein bis zwei Jahren, was den Eindruck großer Gedrängtheit der Ereignisse
verstärkt. Diesem Kontinuum fehlt, zumindest scheinbar, jegliche Unterbrechung; oder anders gewendet: der Leser wird nie und nirgends aus der
stetig ablaufenden Fiktion entlassen.[118] Die Illusion einer solchen Romanfiktion ist pausen- und lückenlos. Diese Beobachtung erscheint mir als sehr
wichtig. Sie steht in markantem Gegensatz zu einem Aufbau aus abgerundeten Episoden, wie er etwa bei Wickram, beim Amadis oder durchgehend beim Pikaroroman gestaltet ist. Richard Alewyn[119] leitet daraus die
Folgerung ab, daß im höfischen Barockroman die Personen, im Pikaroroman die Handlung im Mittelpunkt stehe. Wesentlich erscheint uns im
Zusammenhang mit dem Eindruck dieser lückenlosen Fiktion aber noch
folgendes: Der Leser hat durch diese Befangenheit innerhalb der fiktiven

---

[117] In diesem Punkte ist K. *Hofter* zu ergänzen.

[118] R. *Alewyn*, Johann Beer hat auf dieses wichtige Phänomen bereits vor über
35 Jahre hingewiesen: „Umgekehrt spannt sich die Handlung im heroisch-
galanten Roman in einem einzigen Bogen vom Anfang bis zum Ende hinüber, ohne Einschnitt, ohne Pause, ohne Ablassen und Neuanfang, während
die Handlung des Pikaroromans eine Kette von Episoden ist, von denen
immer erst die alte absetzt, ehe die neue beginnt." (S. 153). — Vgl. dazu die
Beobachtungen zur Spannungsstruktur o. S. 64 ff., die aus dieser Beschreibung
bestätigt werden, obwohl hier Alewyn die ‚Handlung' meint und nicht
eigentlich die ‚Spannung', also die Auswirkung der dargestellten Handlung
auf den Leser. — Zudem ist spannungsmäßig zum großen Bogen noch die
reiche Architektur der vielen, man ist fast versucht zu sagen, ‚barocken'
Teilbogen zu ergänzen (vgl. o. S. 68 ff.).

[119] R. *Alewyn*, Johann Beer S. 153. Die Betonung der Personenkonstellation
findet ihre Entsprechung in unserer sehr hohen Bewertung des Prinzips der
menschlichen Beziehung, das eigentlich die ganze epische Darstellungsweise
Anton Ulrichs bestimmend durchwaltet. Auf seine Beziehung zu *Leibnizens*
Monadologie hat bereits G. *Müller*, Deutsche Dichtung S. 233, hingewiesen.

Welt eigentlich nie die Möglichkeit, zu ihr in Distanz zu treten. Dadurch verstärkt sich der Eindruck einer ,universalen' Wirklichkeit, die in einem solchen Roman gestaltet wird.

Diese Illusion eines lückenlosen Zeitkontinuums steht in scheinbarem Gegensatz zur allgemein anerkannten Tatsache der exemplarischen Viel- oder Mehrsträngigkeit[120] von Anton Ulrichs Erzählen: „Beispielhaft ist solche Vielgleisigkeit durchgeführt in der ,Octavia' des Herzogs Anton Ulrich von Braunschweig."[121] Denn ein Erzählvorgang, der in pausenloser Chronologie abrollt, kann offensichtlich nicht in ständigem Fadenwechsel erzählerische Mehrsträngigkeit entfalten. Es handelt sich dabei um eine Diskrepanz zwischen Zeit und Raum. Wir versuchen diesem Problem durch eine konkrete Frage näherzukommen:

Wie bricht Anton Ulrich aus der erzählerischen Chronologie in die Gestaltung einer mehrsträngigen Handlung aus? Wie gestaltet er den epischen Schauplatzwechsel? — Gemäß dem Eindruck des pausenlosen Erzählkontinuums macht der erzählende Dichter nie einen Sprung von einem Schauplatz zum andern: die große Einheit des epischen ,settings' bleibt grundsätzlich gewahrt. So spielt etwa das erste Buch der Aramena in Canaan, das zweite in Thanac, das dritte in Sichem und das fünfte in Mesopotamien. Selbstverständlich vollzieht sich innerhalb dieser Großräume oft ein Schauplatzwechsel. Dieser erweckt aber nie den Eindruck eines gewaltsamen Sprunges. Wie im Bereich des Temporalen (lückenloses Zeitkontinuum) bleibt auch im Lokalen die Kontinuität gewahrt. Der erzählende Dichter gelangt eben mit einer bestimmten Romanperson (Erzählperson) von einem Schauplatz zum anderen. Diese Person verfolgt dabei natürlich stets einen Zweck. Daß bei der Vorrangstellung des Menschen in Anton Ulrichs Romanwerk dieser ,Weg' nicht primär als Landschaft, sondern als menschliche Beziehung erzählerisch relevant wird, versteht sich von selbst. Nach einer wertvollen Beobachtung Karin Hofters (S. 11—15) bleiben diese Wege erzählerisch häufig ausgespart.

---

[120] O. Holl S. 190—192 unterscheidet hier die Termini „mehrsträngig" und „vielsträngig", wobei sich wenigstens zwischen den vielfach gebrauchten Termini „mehrgleisig", „mehrsträngig" und „mehrsträhnig" u. E. Synonymie annehmen läßt. Die Unterscheidung Holls ist für den modernen Roman nicht unwesentlich. Wir referieren kurz die beiden Begriffe: Mehrsträngigkeit tritt für ihn in einem Erzählwerk auf, in dem mehrere, zueinander annähernd gleichwertige ,Handlungsfäden' (Holl treffender „Orientierungszentren") eine gewisse Handlungsstrecke nebeneinander her laufen. „Vielsträngigkeit" aber setzt eigentlich die Erkenntnis voraus, daß ein solches Aufeinander-Beziehen verschiedener Handlungen grundsätzlich gar nicht möglich ist. Der „vielsträhnige" Roman stellt nach Holl „Heterogenes nebeneinander, verquickt es sogar ineinander, doch löst das eine das andere nicht auf, und nicht die Aufgabe des Romans ist es, zu lösen und zu deuten, sondern die des Lesers" (S. 191).

[121] E. Lämmert S. 39.

... wovon er folgendes tags bäßere nachricht zu erlangen verhoffte / wann er zu dem Silius Italicus kommen würde. Diesen seinen freund / wie auch den Traccalus Turpilianus / zu den Rostris zu begleiten / wo sie die regirung-zeichen ablegen / und dieselbige dem Plautius Sylvanus und dem abwesenden Otto überlassen solten / begabe er sich / mit anbrechendem tage / nach des Silius palast / den er in gesellschaft des Suetonius Paullinus / Nerva Coccejus / Fontejus Capito / Julius Ruffus und Annius Vivianus antraffe. (O II 200 f.)

Wie irrelevant die epische Gestaltung des Weges (Zwecksetzung + Faktum des Aufbrechens ("begabe") und Einlangens ("antraffe") und wie relevant jene der menschlichen Bezüge ist, wird dieses Beispiel bezeugen können. Eine Romanperson will mit einer bestimmten Absicht eine andere besuchen und langt dort schon an. Dieses Faktum wird schier überwuchert von der erzählerischen Aktivierung einer Fülle von 10 Personen, wobei die Bedeutungschwere der Doppelnamen diesen Eindruck noch um ein vielfaches verstärkt. Grundsätzlich bleiben also die Wege als Formen des Schauplatzwechsels erzählerisch ausgespart. Sie können aber auch erzählerisch hervortreten. Das geschieht nur, wenn sie zur Szene irgend eines Ereignisses werden (Überfall, Entführung, Begegnung meist überraschender Natur). Sie können also unter dem Aspekt des Ereignisromans auch erzählerische Relevanz erlangen.

Das Aussparen der Wegstrecke wieder kann auf andere Weise erzählerisch erfüllt werden, indem zwei Personen den Schauplatzwechsel vollziehen, und eine davon der anderen ihre Lebensgeschichte erzählt oder eine Begebenheit berichtet (vgl. näher darüber u. S. 109). Dadurch erweckt der Dichter im Leser den Eindruck langer Zeit und langen Weges, denn dieser bleibt stets in das ablaufende Zeitkontinuum eingespannt. Am neuen Schauplatz führt die *Erzählperson* den Leser meist in einen anderen Handlungskreis oder Spannungsbogen, indem sie ins Gefüge einer neuen Personenkonstellation tritt.[122] Damit hat sich der gleitende Übergang von einem Handlungsstrang zum anderen vollzogen, ohne daß der Eindruck des chronologisch abrollenden Erzählverlaufes unterbrochen wurde. Der Leser wird durch einen solchen Vorgang eben nie aus der lückenlosen Fiktion entlassen. Der Übergang von der Einsträngigkeit zur Mehrsträngigkeit scheint sich als einfache Verwandlung von erzählerischer Zeit in erzählerischen Raum zu vollziehen. Diese scheinbare Breitendimension[123] macht eben wegen ihrer Unaufdringlichkeit einen monumentalen Eindruck auf den Leser.

---

[122] Der Mensch steht im Zentrum von Anton Ulrichs Romanwelt. Sogar der scheinbar ,außermenschliche' Schauplatzwechsel offenbart sich hier als purer Wandel des menschlichen Beziehungsgefüges.

[123] Vgl. R. *Alewyn*, Johann Beer S. 153: „Strebt der Pikaroroman nach Tempo, so der heroisch-galante nach Raum. Geht die Spannung des Pikaroromans in die zeitliche Ferne, so die des heroisch-galanten Romans in die räumliche Breite."

Neben dem Schauplatzwechsel durch die Wanderung einer *Erzählperson* kennt Anton Ulrich noch eine andere Form der Verbindung zweier Örtlichkeiten, die sich analog seiner Darstellungsabsicht als Verbindung zweier Menschen sprachlich realisiert. Das ist innerhalb einer episch gestaltenden Prosa erstaunlicherweise häufig ein rhetorisch-rationaler Bezug zwischen zwei Personen. Die vordringlichsten Figuren dieses Gestaltungszuges sind Parallele und Antithese. Auch hier wird der Leser keineswegs aus der lückenlosen Fiktion entlassen:

> Genosse aber dieser verliebter König [Beor] der ruhe / so ware hingegen der Fürst Elieser üm so viel unruhiger. Er war des Königs ankunft nicht sobald innen worden / da stellte er ihm für ... (A I 33)

Nachdem der erzählende Dichter längere Zeit bei der Schilderung des Königs Beor verharrt war, wendet er sich plötzlich dem verwundeten Elieser zu, der sich natürlich in einem anderen Palaste befindet. Die Lakonik und rhetorische Prägung des Übergangs läßt den Leser den Schauplatzwechsel keinesfalls als abrupten Sprung von einem Faden zum anderen empfinden. Um von einem Erzählstrang zum anderen zu wechseln, bedarf der Dichter aber nicht notwendig des Schauplatzwechsels, es gibt eine weitere, eher theatralische Form. Sie beruht auf dem gleichen personalen Prinzip. Der Schauplatzwechsel wird meist durch den Besuch einer Person bei einer anderen motiviert, wobei der Besucher handlungsmäßig in beiden Personenkreisen verankert ist. Ebenso kann — ohne Schauplatzwechsel — der ‚Auftritt‘ oder ‚Abgang‘ einer Person die Konstellation einer Szene (meist als Gesprächsform verwirklicht) verändern. Da die Handlungs-, vor allem aber die Spannungsstrukturen weitgehend auch von Gesprächselementen getragen werden, kann so ein Ankömmling in der Szene einen Handlungsstrang unterbrechen und einen anderen an seiner Stelle fortführen. Die auftretende Person unterbricht aufgrund ihrer Beziehungen dann das Gespräch an markanter Stelle, wenn sie etwa ein Feind ist. Sie kann die Konstellation aber auch grundlegend verändern, indem sie neue Nachrichten bringt. Diese verarbeitet der Dichter häufig als Verknüpfungsganglien zwischen zwei oder mehreren Handlungssträngen. Der Auftritt oder Abgang einer Person kann sogar selbst eine überraschend neue Situation innerhalb eines Erzählstranges herbeiführen. Alle diese Möglichkeiten der Unterbrechung wollen wir in der Erörterung der Handlungsstrukturen eingehender darstellen (vgl. u. S. 101 f.). Schauplatzwechsel und Unterbrechung, beides durch die Funktionalisierung einer bestimmten Romanperson, stellen demnach zwei Ansatzpunkte zur Mehrsträngigkeit dar.

Eine dritte Möglichkeit dazu bildet die in die Haupthandlung eingeschobene Lebensgeschichte, welche eine Romanperson an einem bedeutsamen Punkt des Erzählablaufes erzählt. In bezug auf Erzählzeit und Erzählraum sind die Lebensgeschichten (zum Terminus s. S. 248 f.) wesentlich großzügiger gestaltet, obwohl ihnen grundsätzlich auch eine wohl geraffte Chronologie als Aufbauschema dient. Sie beginnen mit der Herkunftstabelle und der Geburt der Hauptperson(en) und münden schließlich in den Zeitpunkt ihrer fiktiven Erzählsituation innerhalb der Haupthandlung ein. Trotz der konstitutiven Chronologie unterscheiden sie sich aber von der Haupthandlung durch die verschiedene Raffungsintensität. Der Stundenablauf des Tages und der Kalendarische der Monate, wie er die Haupthandlung bestimmt, gilt hier grundsätzlich nicht. Aus dem Lebenslauf werden markante Situationen mit epischer Detailschilderung unter dem Gesetz informativer, spannungsmäßiger oder thematischer Relevanz herausgehoben. Die Zwischenzeiten rafft der Erzähler in einen knappen Bericht, oder er spart sie als erzählerisch unergiebig einfach aus Die kalendarischen Zeitangaben fehlen in den Lebensgeschichten demnach grundsätzlich. Dafür stehen Altersangaben der Hauptpersonen oder Bezüge auf Ereignisse, die auch in anderen Lebensgeschichten oder in Gesprächen oder Vorgängen der Haupthandlung auftauchen. Sie erfüllen vordringlich kompositorische Funktionen. Charakterisierend für das eigentliche Zeitgerüst der Lebensgeschichten sind typische sich wiederholende Signale:

1. Einsatz zu einer epischen Situationsbildung, die durch langsameres Erzähltempo und Detailschilderung erkennbar ist: „... einsmals / als Valeria ... in ihrem zimmer sich befande ...“ (O II 631).

2. Bezug eines darzustellenden Vorgangs auf einen vergangenen Zeitpunkt: „Es geriete auch nach diesem tage dahin / daß Piso ...“ (O II 635).

3. Eindruck der Gleichzeitigkeit verschiedener Handlungsabläufe[124]: „Mitlerweile man [Octavius, die drei Druyden] also über diese unschuldige auf wahre / trachtete sie ...“ (O II 623); auch A I 435, 446.

4. Unterbrechung der Zuhörer: „Ich entsinne mich noch wol / (fiele alhier die Königin dem Cyniras in die rede) ... (A IV 353 u. ö.).

5. Einwände und Einwürfe des Erzählers: „Ich habe erzehlt / daß Octavius diese beide beisammen allein verlassen habe...“ (O II 636). „Ich kan unmüglich beschreiben / wie sich diese dreie in ersehung des Piso gebärdet...“ (O II 647).

6. Sprung des Erzählers von einem Handlungsstrang zum andern: „Es ist aber nun die zeit / daß ich berichte / wie es mir zu Says inzwischen ergangen. Ich lebete also aller dinge unwissend / in meinem gefängnis / als eines tags der ehrwürdige Orgas zu mir kame ...“ (A I 418).

---

[124] Die Notwendigkeit, verschiedene Handlungsabläufe gleichzeitig zu gestalten, ergibt sich aus einem der Grundschemata der Lebensgeschichten. Sobald die Abenteuerreihen der beiden zentralen Liebenden getrennt sind, muß innerhalb einer Geschichte so konstruiert werden. Es können natürlich auch zwei Geschichten vom jeweiligen Aspekt der betroffenen Person aus erzählt werden.

Auch die Einheit des Ortes wird hiebei nicht so stark betont, wie im Bereich der Haupthandlung. Die Lebensgeschichte unterliegt spürbarer dem Prinzip der erzählerischen Auswahl unter einem bestimmten Aspekt. Indem sie dem Leser Informationen über Ereignisse und persönliche Beziehungen liefert, erscheint sie als Motivationskomplex. So tritt — wie oben schon angedeutet — die erzählte Zeit vordringlich auch als Beziehungsaussage auf, bezogen nämlich auf andere dem Leser schon bekannte Ereignisse, die an einem bestimmten Orte sich ereigneten. Hätte das Geographische einen entscheidenden Wert in Anton Ulrichs Fiktion, müßte man die Lebensgeschichten beinahe als geographische Sammelsurien ansehen. Durch das Abenteuerschema kommen alle Prinzen und Prinzessinnen in ihrer Jugendzeit viel in der Welt herum. Das ermöglicht dem Dichter erzähltechnisch, sie nach dem Gesetz der Wahrscheinlichkeit unaufdringlich in eine Fülle von Begegnungen zu führen. Dem personalen Beziehungsgefüge steht damit ein lokales Beziehungsnetz zur Seite. Dieses erscheint in der Haupthandlung im Vergleich dazu einheitlicher und geschlossener. Die Konzentration auf die Einheit der Zeit deckt sich mit einer Konzentration auf die Einheit des Ortes. Wie allem Erzählen Anton Ulrichs wohnt natürlich dem Erzählen in den Lebensgeschichten sowohl enthüllend-entwirrende wie auch täuschend-verwirrende Funktion inne.[125]

Wir fassen zusammen: Der Schauplatzwechsel mithilfe einer *Erzählperson*, die rhetorische Klammer, die Unterbrechung und das zeitliche Ausholen und räumliche Ausdehnen der Lebensgeschichten bilden Anton Ulrichs besondere Formen des Überganges von einem Handlungsstrang zum anderen. Vereinzelt oder im Zusammenwirken bedingen sie den offensichtlichen Eindruck erzählerischer Mehrsträngigkeit im Leser. Obwohl der Dichter diese epischen Phänomene häufig gebraucht, leisten sie die Handlungsverknüpfung keineswegs allein. Sie bilden grundsätzlich nur die erzählerischen Möglichkeiten des Übergangs von einem Handlungsstrang zum anderen. Die Handlungsabläufe und die ihnen zugeordneten Spannungsstrukturen beruhen nämlich sowohl auf faktisch-fiktivem Geschehen wie auf fiktivem Planen (in Form von Gedanken und Gesprächen der Romanpersonen). Da die Bauform des Gesprächs aber wesentlich zeitfrei ist, kann sich in ihm — ohne Rücksicht auf seine fiktive Realisierung hic et nunc — die Verbindung zweier Handlungsstränge erzählerisch ereignen. Zudem können Erzähleinheiten der Lebensgeschichten auch Gestaltungskerne solcher Handlungsabläufe beinhalten und diese weiter-

---

[125] Darauf weist W. *Bender* Diss. in Fortführung der Lebensgeschichten-Typologien von C. *Paulsen* S. 113—117 und C. *Heselhaus* hin. Von rein akademischem Interesse erscheint mir dabei die Unterscheidung von C. *Heselhaus* über die unterschiedliche temporale Rückblendung der Lebensgeschichten in eine Vorzeit (ca. 25 Jahre) und eine Vorvorzeit (ca. 50 Jahre). Beide Typen werden u. E. nur in der Proportion erzählter Vorzeit zur Handlung erzählerisch relevant.

führen oder rückwirkend erhellen. Die vielfältige Beziehung einer Person während ihres Lebenslaufes wieder schafft womöglich an verschiedenen Handlungskreisen durch Motivation und dargestelltes Ereignis mit. So enthüllt sich die Mehrsträngigkeit dieser Romane, deren Erzählverlauf wir als Enthüllungsprozeß erkannt haben, als komplexe Struktur. Trotz der pedantischen Chronologie der Haupthandlung und ihrer örtlichen Einheit entfaltet der Dichter innerhalb seiner Romanfiktion eine Erzählweise von wirksamer Mehrsträngigkeit.

5. Mehrsträngigkeit und die Anlage der Geschichte — ein Vergleich zwischen Anton Ulrichs ‚Aramena' und Lohensteins ‚Arminius'

Diesen theoretischen Überlegungen zu Erzählzeit und Erzählraum, Chronologie und Mehrsträngigkeit legen wir nun das anschauliche Beweismaterial zugrunde. Aufbau und Anlage der Geschichte sollen an je einem längeren Abschnitt analysiert werden. Dem Beispiel aus der ‚Aramena' stellen wir dabei eines aus dem Lohensteinschen ‚Arminius' gegenüber. Richtige und falsche Vorurteile und Wertungen bleiben aus dem Spiel, das Ziel dieser Analyse liegt ausschließlich im Vergleich der erzählerischen Bewältigung der Fabel in diesen beiden Romanen, welche, meist wenig differenziert, einer ‚Gattung' zugeschoben werden. Die quantitative Monumentalität dieser Werke zwingt zur exemplarischen Darstellung auf selektivem Material. Aus der ‚Aramena' dient uns dabei ein Erzählverlauf von acht Tagen (A III 1—212) und zwei Lebensgeschichten, aus dem ‚Arminius' ebenfalls ein solcher von acht Tagen (Ar I 1—81). Als Orientierungsschema legen wir der Analyse das Gerüst einiger ‚erzählter Tage' zugrunde. Die Durchführung konzentriert sich auf die Handlungsstruktur.

Beschreibung des Abschnittes aus der ‚Aramena' (A III 1—212)

Das Kontinuum der Haupthandlung umfaßt acht durcherzählte Tage.
    1. Tag (A III 1—32: eingelagert die ‚Geschichte der vermeintlichen Syrischen Aramena' (A III 4—17), die Milcaride dem Elihu erzählt.
    2. Tag (A III 32—45).
    3. Tag (A III 45—161). Eingelagert findet sich die ‚Geschichte der Königin Mirina' (A III 46—149), die abwechselnd Indaride, die Prinzessin von Ophir, und Baleus, der Prinz von Assyrien, der Titelheldin erzählen: A III 46—79, 90—123, 129—133 (Indaride); A III 79—90, 123—129, 133—146 (Baleus).

4. Tag (A III 161—173).

5. Tag (A III 173—206).

6. Tag (A III 206—210).

7. Tag (ausgespart).

8. Tag (A III 210—212).

Der ganze Abschnitt bildet das ‚Erste Buch des III Theils der ‚Aramena.'
Zwischen dem Ende des II. Bandes und dem Anfang des III. ist die erzählerische Kontinuität gewahrt. Nach Mitternacht setzt A II erzählerisch aus,
um in A III bei frühem Morgen wieder zu beginnen. Die äußere Bandgrenze wird handlungs- und spannungsmäßig überspielt.[126] Zwischen A III,
1. Buch und A III, 2. Buch verstreichen etliche Tage, die erzählerisch ausgespart bleiben. Das zweite Buch beginnt sofort mit einem temporalen
Hinweis („in drei tagen") auf das große Ereignis, die Vermählung von
Dison und Aramena. Soweit also die Begrenzung unseres Abschnittes in
die übrige Struktur des Romans. Der ‚Teilbogen einer Spannungsstruktur'
(s. o. S. 68 ff.) und das Kapitel über die Neuwertung der Gespräche (s. o.
S. 46 ff.) beruhen auch auf Teilen des gewählten Abschnittes. Die Auswertung sich überschneidender Textteile ist ein methodisch legitimes Verfahren, es belegt zudem anschaulich die Komplexität des Romangefüges. Zuerst
wollen wir abrißartig die Handlungsführung dieses Abschnittes beschreiben.

1. Tag (A III 1—32): Chronologisch an A II 744 anschließend, besucht
Elihu die vermeintliche syrische Aramena. Er hat den Todesbefehl des
Mamellus an ihr nicht vollstreckt und sie auf ein Landhaus nahe Damaskus
bringen lassen. Dieser Handlungsstrang wird mit leichter Retardierung
(Geschichte Milcarides 4—17) bis zum Beginn des nächsten Tages erzählerisch fortgeführt (33). Die innere Spannung beruht auf einem reizvollen
Spiel der *Ausschnitte*. Milcaride muß nämlich erst überzeugt werden, daß
sie nicht die syrische Aramena, sondern des Mamellus Tochter ist.

2. Tag (A III 32—45): Mit einer epischen Vorausdeutung auf Milcarides
Fest (41—45), das am Abend dieses Tages stattfinden soll, läßt der Erzähler diesen Handlungsstrang liegen. Der Hinweis schafft aber einen Spannungsbogen über den ganzen Tag. Mit Delbois Besuch in Naema wird
nun die Handlung, welche auf die Dison-Aramena-Hochzeit hinführt,
weitergesponnen. Auf der Rückreise wird im Gespräch zwischen Delbois
und Lantine sogar ein weiterer Handlungsstrang aufgegriffen; Lantine soll
nämlich Baleus heiraten, obwohl sie Hadoran liebt. Mit dem Fest bei Hofe
schließt Milcarides Schicksal vorläufig auf einem repräsentativen Punkt ab.

---

[126] Hier mag als grundsätzliches Phänomen die Spannungs-Dosierung vom Typ
des Fortsetzungsromans her wirksam werden, wenn man bedenkt, daß
zwischen 1669—1673 jedes Jahr ein Band der sogleich berühmten ‚Aramena'
erschien. — C. *Paulsen* S. 76—77 und Tabelle S. 86 a ordnet unseren Abschnitt, ohne Beachtung der Bandgrenze A II/A III der dritten Phase ihrer
Einteilung zu, die von Aramena II. Theil, 3. Buch bis Aramena III. Theil,
4. Buch reicht.

3. Tag (A III 45—161): Am frühen Morgen greift der erzählende Dichter den Handlungsstrang um Baleus erneut auf. Dieser erstattet der Delbois seinen Bericht über die Verfolgung der schönen Unbekannten und gesteht ihr seine neue Liebe zu dieser. Scheinbar unmotiviert wird die ‚Geschichte der Königin Mirina' (46—149) hier eingeschoben. Mirina ist aber die Schwester von Baleus' Unbekannter (= Hercinde); so erfährt dieser Handlungsstrang dadurch eine erhebliche Ausweitung. Der Absicht des Baleus, seine schöne Unbekannte zu suchen, widerrät Delbois, weil sie den ebenfalls verschwundenen Cimber für seinen Nebenbuhler hält. Sie will vorher mit Cimber darüber sprechen, um die Wahrheit zu ergründen. Damit gleitet dieser Handlungsstrang in einen neuen über, als Delbois bei einem Spaziergang plötzlich Cimber auf sich zukommen sieht. Nun (151—158) findet das wichtige Gespräch zwischen dem der Identität nach verschlüsselten Liebespaar *Delbois* (= Aramena) und *Cimber* (= Marsius) statt. Es ist jener Handlungsstrang, welcher das Schicksalsrätsel der Titelheldin bestimmt. Eine Unterbrechung führt zum erneuten Aufnehmen des Handlungsstranges um Lantine-Hadoran, wie am zweiten Tag (A III 39—40). An Lantines Stelle entschließt sich Hadoran, nach Elam zu reisen.

4. Tag (A III 161—173): Dieser Tag setzt die Vorbereitungen auf die Dison-Aramena-Hochzeit fort (vgl. o. S. 36—41).

5. Tag (A III 173—206): Obiger Handlungsstrang zieht sich auch auf diesen Tag herüber und holt mit dem Bericht des zurückgekehrten *Dison* (176—196) in die Vergangenheit aus. Thematisch wichtig ist das Modell, nach dem *Dison* für den verschollenen Aramenes von Syrien gehalten wird. Es wird im weiteren noch häufig als Handlungsimpuls und Verwirrungskeim auftauchen. Thebahs Bericht (196—204) und seine Pläne (204—206) entfalten den ‚Hochzeitsstrang' bis weit in seine politischen Konsequenzen und Möglichkeiten.

6. Tag (A III 206—210): Mit Thebah als *Erzählperson* übersiedelt der Leser wieder von Naema nach Damaskus. Nochmals wird Ahalibamas Intrigen-Plan, teils irrtümlich, politisch wirksam, indem Thebah den syrischen Fürsten erklärt, *Dison* sei ihr verschwundener Aramenes. Für den folgenden Tag plant der Hof eine Bootsfahrt nach Naema, die aber wegen des Regens unterbleiben muß.

7. Tag (A III 210): erzählerisch ausgespart.

8. Tag (A III 210—212): In den wechselnden Gesprächsszenen eines Spazierganges in Naema bündelt der erzählende Dichter Personen und Handlungsstränge um Delbois und bringt damit dieses Buch zu einem vorläufigen Ruhepunkt, der aber durch den Vorverweis auf die Hochzeit (21) bereits wieder aufgelöst wird. Eine Fülle von Personen in ihren

wechselseitigen Beziehungen wird von Anton Ulrich in der chronologischen Tagesreihe dieses Buches entfaltet. Der Blick auf die Personengruppierung gliedert uns schon gewisse Orientierungszentren[127] der Handlung aus:

1. Delbois von Ninive — Baleus von Assyrien — (der deutsche Fürst Cimber).

2. Das geheimnisvolle Lebensrätsel des Baleus — Mirina — Hercinde (*Aramena*).

3. *Dison* — *Aramena* — (Baleus).

4. Ahalibama — Timna — Mehetabeel (also der Kreis der seirischen Fürstinnen).

5. Mamellus — Milcaride — Tharasile — Elihu — (der verkleidete *Dison* als syrische Aramena) = Klammer dieses Buches.

6. Die syrischen Fürsten, die sich nach ihrem *Ausschnitt* unterscheiden: a) Thebah, Zophar, usw. erkennen aufgrund von Ahalibamas Vertrauen in *Dison* die Aramena, b) die anderen syrischen Fürsten sehen in ihr den verschollenen Aramenes.

Diese sechs Personengruppen und ihre wechselseitigen Beziehungen machen es unmöglich, einen dominierenden Handlungsstrang, vielleicht gar isoliert, aus unserem Abschnitt herauszuschälen. Der Grund dafür liegt offensichtlich im Strukturprinzip des steten Aufeinander-Bezogen-Seins aller Personen und allen Geschehens in dieser Romanwelt. Trotz der einfachen Chronologie dieses Erzählens, die uns das Hilfsgerüst der erzählten Tage zeigt, wechselt der erzählende Dichter von einem Handlungsstrang zum anderen. Die Handlungsskizze bestätigt den Eindruck besonderer erzählerischer Mehrgleisigkeit. Zwanglos begegnen, vereinen und lösen sich die verschiedenen Handlungsstränge in dieser Strukturform. Keine sprachstilistische Manieristik, keine quellende Metaphorik, kein gelehrtes Ausweiten durch Beispiele herrscht im distanzierten Erzählton vor, der gleichförmig vom Maß des hohen Stils gebändigt erscheint. Das eigentlich Exzessive liegt in der Komposition.

Viele Handlungsstränge werden nebeneinander geführt. Das geschieht so, daß sich die Fortsetzungen der einzelnen Handlungsstränge ineinander-schieben, bzw. stets durch Unterbrechung oder Schauplatzwechsel ein anderer an die Stelle des alten tritt. Das Entscheidende an dieser Gestaltungsform aber ist, daß trotz der breiten Fülle niemals das Detail aus dem Blick gerät. Keine erzählerische Belanglosigkeit wird von Anton Ulrich in selbstgenügsamer Isolation belassen, es gibt keine blinden Motive: alles steht unter dem Gesetz der epischen Integration. Innerhalb der Handlungsstruktur spiegelt sich diese Geschlossenheit als ständig wirkende und wirk-

---

[127] Vgl. zu diesem Terminus und seiner Bedeutung: O. *Holl* S. 49, 69, 72 u. ö.

same wechselseitige Beziehung. Hinter der *Oberflächenstruktur* dieser Fiktionswelt muß nämlich im Romanschluß die *Tiefenstruktur* der göttlichen Ordnung strahlend hervorbrechen.

Diesem Beispiel stellen wir nun einen Textabschnitt aus dem ‚Arminius' (1. und 2. Buch) gegenüber. Als Orientierungshilfe dient uns wieder das Zeitgerüst.

Beschreibung des Abschnittes aus dem ‚Arminius' (Ar 5 l—81 r)

Das Kontinuum der Haupthandlung des ersten Buches umfaßt acht erzählerisch gestaltete Tage. (Die Seitenzahlen beziehen sich auf die Ausgabe von 1689):

1. Tag (Ar 5 l — 52 l) : 47 Großseiten.
2. Tag (Ar 52 l — 53 l) : 1 Großseite.
3. Tag (Ar 53 l — 53 r) : ½ Großseite.
4. Tag (Ar 53 r — 57 l) : 4 Großseiten.
5. Tag (Ar 57 l — 62 r) : 4½ Großseiten.
6. Tag (Ar 62 r — 66 r) : 4 Großseiten.
7. Tag (Ar 66 r — 69 r) : 3 Großseiten.
8. Tag (Ar 69 r — 81 r) : 12 Großseiten.

Die acht Tage des Aramena-Buches (212 Seiten) vergleichen wir mit ebenfalls acht erzählten Tagen (76 doppelspaltige Seiten = ca. 190 Aramena-Seiten) aus dem ersten Buch des ‚Arminius'. Anton Ulrich verbraucht für die dort eingelagerten Lebensgeschichten zusammen 116 Seiten, ein Tag wird erzählerisch ausgespart, es bleiben also für sieben durcherzählte Tage noch rund 96 Seiten übrig. Diese verteilen sich wie folgt auf die einzelnen Tage: I 19, II 12, III 13, IV 12, V 33, VI 5, VII 0, VIII 2. Die Hälfte der erzählten Tagesumfänge ist annähernd gleich. Diese quantitativen Werte sind bei Lohenstein unregelmäßiger; besonders die Ausgestaltung des ersten und achten Tages fällt gegenüber den sozusagen kurzen anderen ins Auge: I 117,5 und VIII 32 Seiten (nach Aramena-Zählung). Bezieht man noch das zweite Buch in diese Überlegungen mit ein, so wird das Verhältnis noch unterschiedlicher:

1. Tag (Ar 85 l — 87 l): 2 Großseiten.
2. Tag (Ar 87 r) : erzählerisch ausgespart.
3. Tag (Ar 87 r — 185 r) : ca. 100 Großseiten.

---

[128] L. *Cholevius* S. 314 gibt diesem Kapitel den bezeichnenden Titel ‚Gelehrte Gespräche'.

Nach der kurzen Einführung besteht dieses zweite Buch eigentlich nur aus der erzählerischen Ausgestaltung der Ereignisse eines Tages, der in unserer Vergleichszählung rund 250 Seiten (also den stattlichen Durchschnittsumfang der Aramena-Bücher) umfaßt. Ohne diesen Seitenzahlen interpretatorische Relevanz zubilligen zu wollen, zeigen sie eines deutlich: die Form der erzählerischen Gestaltung von Tagesabläufen ist bei Anton Ulrich und Lohenstein nicht gleich. Während der erstere gleichmäßig erzählerisch gefüllte Tage bevorzugt, neigt der letztere zu einer stark unterschiedlichen Ausgestaltung. Weiter wollen wir das mathematische Resultat vorderhand nicht strapazieren. Zuerst beschreiben wir abrißartig die Handlungsführung dieses Abschnittes:

1. Tag (Ar 5 l—52 l): Der erzählende Dichter gibt einen Überblick über die Zustände des römischen Reiches unter Kaiser Augustus (5 l—7 r). Herzog Hermann trifft sich mit den deutschen Fürsten zu mitternächtlicher Stunde im Deutschburgischen Hain. In Tanfanens Heiligtum bringt der Priester Libys ein Opfer dar. Plötzlich erblickt die Versammlung einen näherkommenden Trauerzug. Die Fürstin Walpurga hat sich vor den Nachstellungen des römischen Feldherrn Varus in einem Fluß ertränkt (13 l— 16 r). Herzog Hermann lädt die Fürsten zu einem Mahle und fordert sie zur Befreiung des Vaterlandes auf. Seghestes weist auf die Gefahren eines solchen Vorgehens hin, aber die Fürsten wählen Hermann zum Feldherrn. Eine geheimnisvolle Grabinschrift patriotischen Inhalts wird als gutes Omen begrüßt. Herzog Hermann hält in strahlender Rüstung vor dem Heere eine Kampfrede. Beim Ausrücken zur Schlacht bittet ein deutscher Ritter (= Thußnelda)[129], sich mit einem Feinde im Zweikampf messen zu dürfen. Sein Sieg verklärt als gutes Omen die kommende Schlacht. Dann beginnt das Treffen zu toben (34 l—52 l). Im wechselnden Schlachtglück gerät Hermann sogar in Lebensgefahr. Seghestes ist zum Verräter geworden und kämpft verkleidet im Heere der Römer gegen die Seinen. Die verkleidete Thußnelda besiegt ihn und reißt ihm den Helm vom Kopfe. In ihrer Verzweiflung bittet sie ihn um ihren Tod. Hermann läßt den Verräter fesseln und mit der ohnmächtigen Thußnelda nach Deutschburg bringen. Der römische Feldherr Varus, den Hermann bereits verwundet hat, stürzt sich ins eigene Schwert. Die Finsternis beendet die Schlacht. Der Tag klingt aus mit einem visionären Bild vom Frohlocken der germanischen Sieger und dem Elend der römischen Besiegten.

[129] Das Verkleidungs-Motiv im höfischen Barockroman ist so häufig, daß es nicht weiter belegt werden muß. Erwähnenswert aber bleibt, daß sich auch hier ein Unterschied zwischen Lohenstein und Anton Ulrich zeigt. Während beim Herzog das Motiv über kompositorisch weite Strecken hin, und eigentlich nur so, ausgestaltet wird, verbraucht es Lohenstein beinahe im Rahmen der Episode. Thußneldas Verkleidung wird auch schon in der Schlacht im Teutoburger Wald gelüftet. Dort muß sie allerdings als Unbekannte noch kämpferische Wunderdinge verrichten. Auch die Motive haben bei Lohenstein eine kompositorisch beschränkte Funktion.

2. Tag (Ar 52 l — 53 l): Die flüchtenden Römer werden weiter von den Deutschen verfolgt.

3. Tag (Ar 53 l — 53 r): Die Deutschen bereiten den Sturm auf das römische Lager vor.

4. Tag (Ar 53 r — 57 l): Das römische Ersatzheer des Asprenas wird zurückgeschlagen.

5. Tag (Ar 57 l — 62 r): Nach Verhandlungen mit einem Unterhändler kapituliert das römische Lager und wird von den Siegern besetzt. Episode der Herminigildis.

6. Tag (Ar 62 r — 67 r): Hermann plädiert dafür, daß Varus ein ordentliches Begräbnis haben solle. Den heimkehrenden Fürsten begegnet vor Deutschburg Aurinia mit ihrem Gefolge und einer Menge Volkes, die zu Ehren der Sieger Bardengesänge darbringen (65 l — 66 l).

7. Tag (Ar 67 r — 69 r): Die Toten werden bestattet. Episode von des Ritters Stirum Wittib (68 r — 69 l).

8. Tag (Ar 69 r — 81 r): Die Deutschen feiern ihren Sieg und bringen Opfer im Tempel dar. Dann beraten die Fürsten über den Verrat des Seghestes. Er hat sogar an Varus einen Brief geschrieben, der nun als Beweisstück der Anklage dient. Seghestes wird zum Tode verurteilt, doch Thußnelda verlangt, nach dem Gesetz für den Vater zu sterben. Als der Priester Hermanns innere Not sieht, erklärt er, die Götter würden auf dieses Opfer verzichten, falls sie Hermanns Gattin werde. Seghestes gibt mit innerem Groll seine Zustimmung, und das Buch klingt mit der Verlobung von Hermann und Thußnelda aus.

Die Handlungsskizze zeigt, daß Lohenstein im ersten Buch seines Romans eigentlich nur einen Handlungsstrang durcherzählt, den wir vereinfachend als die ‚Haupthandlung' bezeichnen könnten. Der breite medias-in-res-Einsatz bewegt sich in kräftigen Phasen über die Vorbereitungen zum Aufstand, die Vorgänge der Schlacht im Deutschburger Wald zum Sieg und zur Verlobung Hermanns mit Thußnelda. Die Komposition ist einfach; Nebenstränge der Handlung werden nicht entfaltet. Die von uns als Episoden bezeichneten ‚epischen Abschweifungen' vom Hauptstrang tragen exemplarischen Charakter und haben keine kompositorische Funktion. Lohenstein strebt nicht nach dem Kontinuum einer lückenlosen Vorgangsschilderung. Gespräche und kleine Zufälle unterbrechen den Strang der Haupthandlung, sie werden erzählerisch aber sofort in ihr verwertet.

Diese Beschreibung von Textabschnitten aus der ‚Aramena' und dem ‚Arminius' zeigt den Unterschied ihrer Handlungsstrukturen. Gerade diesen scheint uns der zeitgenössische ‚Vorbericht an den Leser' des ‚Arminius' im wesentlichen zu bestätigen:

„Und wird man Ihm [Lohenstein] umb so viel desto weniger diese Schreibens-Art übel deuten können / weil nicht allein bey andern Völckern / sondern auch in unserm Deutschlande die Edelsten unter den Sterblichen sich dergleichen bedienet; ja so gar vor wenig Jahren Durchlauchtige Hände[130] einen höchst rühmlichen Anfang darinnen gemacht und genugsam gezeigt: daß wir nunmehr andern Völckern in der Kunst-Liebe[131] / wo nicht es zuvor thun / doch die Wage halten können; also daß wir der ausländischen Übersetzungen vor itzo so wenig / als ihrer deßwegen über uns geführten Höhnerey bedörffen werden ... Weßwegen er auch hierinnen allerhand fröhliche und traurige Abwechslungen von lustigen / verliebten / ernsthafften und geistlichen Sachen gebrauchet / umb die Gemüter desto aufmerksamer zu machen; auch über diß mehr auf anmuthige Reden / gute Gleichnüße und sinnreiche Sprüche / als allzuweitläufftige Umbstände und Verwicklungen der Geschichte gesehen ..."

Zwei Aspekte dieses zeitgenössischen Urteils, das von Lohensteins Bruder stammt, scheinen uns aufschlußreich. Das Werk wird einmal eindeutig dem Gattungsbereich des höfischen Romans zugeordnet. Dabei ist nicht belanglos, in welchem Zusammenhang der Gedanken dies geschieht. Man darf hier die offensichtlichen Parallelen zu Sigmund von Birkens ‚Aramena-Vorrede' nicht übersehen. Auch der Adel, der von diesen aristokratischen Geschäften am meisten versteht, finde es nicht unter seiner Würde, solche Romane zu verfassen. Der Autor bezieht sich sprachlich eindeutig auf Birkens Vorrede, wie die wörtlichen Übereinstimmungen (Fußnoten) bestätigen. Die Zugehörigkeit zur Gattung des höfischen Barockromans wird also nicht allgemein behauptet, sondern durch unmißverständliche Bezüge auf Anton Ulrichs Romanwerk fixiert.[132] Der Zeitgenosse beider Dichter vergleicht sie also, weist aber zweitens auf bemerkenswerte Unterschiede des ‚Arminius' von anderen Werken(!) dieser Gattung hin. Das Gestaltungsziel Lohensteins unterscheide sich von dem anderer Dichter durch die Konzentration auf „anmutige Reden / gute Gleichnüße und sinn-

---

[130] Diese Stelle erinnert eindeutig an Birkens berühmten Satz in der Vorrede zur ‚Aramena': „Sie [‚Aramena'] hat eine hohe hand zur gebärerinn ..."

[131] Auch dieser Begriff und die ganze Argumentation dieser Stelle scheint auf die ‚Aramena'-Vorrede bezogen: Vgl. „Wir Teutschen lassen uns / in Italien und Frankreich / zu adelichen Leibs-übungen anweisen: warum lernen wir nit auch / von dem beispiel dieser Nationen / die löbliche kunst=liebe und verstandsübung?" — Die Aussage des ‚Arminius'-Vorberichtes wirkt wie eine Antwort auf diese Frage Sigmunds von Birken.

[132] Darüber hinaus wird die eindeutige Zuordnung der Gattung noch innerhalb des Widmungs-Gedichtes von Christian Gryphius, dem Bruder des bekannten Andreas Gryphius, in diesem Bande deutlich. Die Stelle lautet:

„Schau! wie Heliodor sich gantz erschrocken flüchet;
Schau! was Barclajus selbst und Scudery gethan;
Schau! wie Marini starrt / wie Sidney sich entsetzet /
Und wie Biondi fast vor Neid zerbersten wil.
Sie haben ja vorhin die kluge Welt ergötzet:
Jedweder sehnte sich nach ihrem Helden=Spil.
Jetzt aber ist es aus: du hast allein gesiget /
Du hast Italien und Engelland gezähmt /
Und Frankreich / das sich sonst nur an sich selbst vergnüget /
Zu aller Deutschen Trost / durch deine Schrifft beschämt."

reiche Sprüche . . ." Die verwickelte Komposition dagegen erscheine ihm nicht so wesentlich. Das Gegenbild der „allzuweitläufftigen Umbstände und Verwicklungen der Geschichte" dürfen wir demnach mit großer Wahrscheinlichkeit auf Anton Ulrich beziehen.

Das Ergebnis unserer Analyse vermag diese richtige zeitgenössische Beobachtung noch schärfer zu differenzieren: Die Handlungsstruktur Anton Ulrichs ist von ausgeprägter Mehrsträngigkeit. Kompositorisch ließe sich aufgrund dieses eingeschränkten Befundes bei Lohenstein von einer gewissen Einsinnigkeit sprechen. Ihm fehlen die komplizierten Verstrebungen der einzelnen Handlungsabläufe etwa in der erzählerischen Chronologie eines Tages. Wohl treten auch bei ihm geheimnisvolle Vorgänge auf (Begräbnis der Walpurga, der Epitaph in ihrem Grab, die Episoden von Herminigildis und Stirums Wittib). Sie gelangen aber zu keiner kompositorischen Bedeutung, weil sie im Erzählablauf bereits an der entsprechenden Stelle auftauchen und sofort gelöst und verwertet werden. Trotzdem bilden beide Strukturen den Eindruck epischer Breite und Fülle. Anton Ulrich erreicht ihn vorwiegend durch die kompositionelle Struktur, Lohenstein aber durch die Diskussion des konkreten Einzelfalls. Dadurch wird bei ihm die eigentlich epische, fiktionsschaffende Schilderung eine Bauform unter vielen. Bei Anton Ulrich dienen alle Bauformen dem Zweck, eine lückenlose Fiktion zu schaffen (vgl. die Funktion der epischen Bauformen bei Lohenstein u. S. 120—124, 140—146, bes. 145 f., 153—161 u. ö.).

Das scheint die Erklärung für die unterschiedliche Komposition und Erzählweise bei Anton Ulrich und Lohenstein zu sein. Anton Ulrichs Erzählen ist *in die Fiktion gerichtet*, Lohensteins Erzählen dagegen versucht das episch Gestaltete (Elemente der Fiktion) *in politischen und welthistorischen Bezug zu stellen oder wesenhaft zu transzendieren*. Günther Müller kommt von seinem beschränkten Begriff des ‚Wortkunstwerkes' zu einer Abwertung Lohensteins gegenüber Anton Ulrich. Dieses Urteil beruht auf einer einseitigen Überschätzung des episch-gestaltenden Erzählens. Anton Ulrich stellt alle erzählerischen Mittel unter *das Gesetz der szenischen Fiktion*, aus deren Zusammenklang sich die Universalität seiner Romane zusammensetzt, Lohenstein aber unter das Gesetz der kosmisch-bedeutsamen Verallgemeinerung. Das Göttliche im menschlichen Bereich offenbart sich beim Herzog im strahlend auftauchenden Ordnungsprinzip seiner chaotisch angelegten Fiktionswelt, bei Lohenstein aber im steten Bezug des Einzelfalls ins zu verherrlichende Kosmisch-Allgemeine, das den Schöpfer lobt. Zwei grundsätzlich verschiedene Modi der erzählerischen Gestaltung des menschlichen Schicksals spiegeln sich in diesem Unterschied. Anton Ulrich gestaltet seine ganzheitliche Welt aufgrund seiner vollkommenen Komposition, Lohenstein als Künstler der Metaphorik („gute Gleichnüße und sinnreiche Sprüche") und diskutierenden ‚Abschweifung' („anmuthige Reden").[133] Anton Ulrich erstrebt eine lücken- und bruchlos motivierte Fiktionswelt, Lohenstein transzendiert jeden episch gestalteten Einzelfall, um sein Wesen zu erfassen, *und verläßt damit den szenischen Fiktionsbereich*. Beide Gestaltungsformen aber beruhen auf einer vollkommenen epischen Integration. Das Verlassen der szenischen Fiktion (etwa in der *Disputation* vgl. u. S. 153 ff., der *Erklärung* u. S. 122 ff., oder nur der wertenden Metapher) bedeutet keinen Mangel an epischer Integration, wie Günther Müller meinte. Diese unterschiedliche Beachtung der *szenischen Fiktion* bestätigt auch die Behandlung des erzählerischen Tagesablaufes der beiden Dichter in unserer Analyse. Lohenstein betont oder vernachlässigt die Tagesfolge unter dem Aspekt eines exemplarisch bedeutsamen Geschehens, was zur extrem unterschiedlichen erzählerischen ‚Tagesfüllung' führt. Er entläßt seinen Leser weiter bei jeder Gelegenheit aus dem Bannkreis seiner Fiktion, denn diese ist nur beispielhaftes Aufzeigen von Fällen. Der konkrete Einzelfall (im Rahmen eines solchen beispielhaften Erzählens) wird transzendiert und beweist darin Gottes Vorsehung, die Anton Ulrich in der enthüllten Ordnung seiner scheinbar chaotischen Welt, sozusagen mit Hilfe der Eigenart seiner Komposition, beweist.

6. Die Wechselwirkung zwischen Personenkonstellation und Handlungsgefüge

a. Personenkonstellation

Im Schelmenroman spielen Familienbande und genealogische Beziehungen gestalterisch kaum eine Rolle. Der Schelm ist meist Einzelkind, das sich wohl gegen Ende seiner episodischen Lebenskurve als (erbender) Abkömmling wohlhabender Eltern entpuppen kann. Die zwischenmenschlichen Beziehungen sind erzählerisch nur insofern entfaltet, als sie in Begegnissen des Helden dem Dichter die Möglichkeit bieten, effektvoll Figuren einer einseitigen Welt[134] vorzuführen. Ganz anders dagegen liegen die Verhältnisse im höfischen Barockroman.

Der soziale Rang der Romanpersonen verlangt schon nach der großen Verwandtschaft. So unterstreicht der Stammbaum-Topos, als wesentliche Sprachformel der Einführung, die Bedeutsamkeit der Genealogie.

---

[133] Man ist versucht, an die ähnliche Opposition bei *Doderer* und *Gütersloh* zu denken, die den ‚totalen Roman' auf entsprechend unterschiedliche Weise zu verwirklichen trachten. Der kompositionelle Aspekt *Doderers* entspräche hiebei vergleichsweise dem *Anton Ulrichs*, der assoziativ-abschweifende *Güterslohs* demjenigen *Lohensteins*.

[134] Vgl. R. *Alewyn*, Der Roman des Barock, S. 23.

Diese ist nicht die verkümmerte einer vater- und mutterlosen Waise, sondern die bis in frühe Generationen reich entfaltete des Aristokraten mit Abstammung. Gerade das Zurückreichen auf einen erlauchten kaiserlichen Vorfahren betont manche Person in der ‚Octavia', um sich dadurch ‚rechtmäßig' um die Thronfolge in Rom bewerben zu können. Diese politische Funktionalisierung eines traditionellen Erzählmomentes bildet die eigentliche Integrationsform etwa des Novellenzyklus im Hause der Crispina (O II 246—278). Die Enthüllung des Stammbaumes bis zu welthistorisch bedeutsamen Ahnen kann allerdings auch repräsentativer Aspekt dieser Prunkgebärde sein (vgl. die Lebensgeschichte des Prinzen Antiochus, der Augustus und Herodes zu seinen Vorfahren zählt O IV a 711).

Im höfischen Barockroman wird also sprachlich eine völlig andere Personenkonstellation als im Schelmenroman entfaltet. Der Dichter verankert jede prominente Person in reich verzweigter Genealogie und läßt sie daraus hervorwachsen. Dieses Faktum hatte für Anton Ulrich große Bedeutung; man könnte sogar von einem konstitutiven Formzug sprechen, wie ein handschriftlicher Entwurf zur ‚Octavia' beweist. Anton Ulrich notiert sich hier „der Messalina (= Mutter der Titelheldin Octavia) gantze freundschaft." Die sippenhafte Genealogie bildet dabei mehr als eine mnemotechnische Notiz; mit Akribie legt der Dichter alle möglichen (oft mehrfachen) genealogischen Beziehungen von Messalina aus fest, die weithin in die sprachliche Gestaltung des Romans eingehen. Eine Person wird damit zum Blickpunkt über einen weiten Bereich der Personenkonstellation:

MS ‚Entwurf zur Römischen Octavia' Cod. Guelf. Extrav. 198 Bl. 31:

Der Messalina gantze freundschaft.

Ihr Vatter.

Marcus Valerius Messala Barbatus, aus dem alten hause der Valerien, deren der erste die Römer mit den Sabinern zu Romulus zeiten verglichen.

Ihre Mutter.

Lepida eine tochter des bauherren Lucius Domitius Aenobarbus, und der jüngeren Antonia (tochter*), die des Antonius und der Octavia tochter war. NB. ist also Augustus ihrer grosMutter bruder und Antonius ihr grosVatter.

Ihr stiefVatter.

Cajus Appius Junius Silanus gewesener bürgermeister, beim volck sehr beliebet, kommt unter dem Claudius ümb, da ihn Cajus in Hispanien schicket. NB. bei deme wird Messalina erzogen.

ihr stiefbruder. — Marcus Junius Silanus. — dieser dreien Mutter ist
schwiegersohn. — zimblich alt. Lucius Silanus — Aemilia Lepida gewesen,
— brätigamb der Octavia. — deren grosVatter Augustus
stiefschwester. — Junia Calvina — war, und also ihr elter
Vatter. Aemilia Lepida war des Claudii brautt gewesen.

---

* Im MS gestrichen.

ihr halbbruder.	Domitius Junius Silanus.	diese wehren der Messa-
ihre halbschwester.	Junia Silana. Des Silius	lina Mutter kinder.
	gemahlin.	
ihres stief-	Silianus Torquntus.	Tac. / in / 5 buch.
bruders sohn.		
ihres stief-	Torquntus.	
bruders sohnes		
sohn.		
ihres stief-		
bruders tochter.	Lepida. Des Cassius gemahlin.	
Ihr Mutter bruder.	Cneus Domitius Aenobarbus. tod.	
Ihrer Mutter	Agrippina, des Nero Mutter, Witwe des Aeno-	
bruder fraw,	barbus.	
Ihrer Mutter		
bruder sohn.	Nero. ihr Sohn.	
Ihrer Mutter	Domitia. Des Passineus Crispus gewesene ge-	
Schwester.	mahlin, die Er verstoßen. Passineus Crispus	
	ein Rahtsherr heirahtet die Agrippina. stirbt	
	auch.	
Ihrer grosMutter		
der Antonia schwester sohn.		
wird ihr gemahl.	Claudius der Kaiser.	
Die beiden Antonien	Agrippina ist ihr auch sonst ohne die Schwie-	
seind ihre grosMüttern.	gerschaft verwand.	

Julia des Drusus tochter, der des Tiberius sohn war, ihre Mutter hieß Livilla, die war des Claudius schwester, sie heirahtet nach ihres ersten herren des Neronis tode, der ein bruder des Caligula war, den Caius Rubellius Plaucus. Claudius ließe sie nicht am * Messalina ist mit im triumpf gefahren, den Claudius wegen eroberung Britaniens gehalten.
Petronius des Vitellius sohn und der Petronia, blind mit dem einen auge. Sein Vatter bringet ihn ümb; er heirahtet die Calvinia zu des Claudius zeiten.

Trotzdem ist der höfische Barockroman kein ‚Familienroman', sein Anspruch ist universaler und totaler. Die persönlichen Beziehungen einer Person sind eine Struktur unter vielen: alle zusammen erst ergeben das Gesamtgefüge. So gehen auch die individuellen Beziehungen einer Person an sich schon vielfach über die Konfiguration der Sippe hinaus, obwohl in ihr schon manche für das weitere Schicksal entscheidende Relation grundgelegt sein kann. Das zentrale Lebensproblem jeder Person ist die Liebe.

---

* wahrscheinlich Auslassung von „hofe."

Von diesem Augenblick an zerfallen, vom Standpunkt der Betroffenen aus, alle Menschen um sie entweder in Förderer dieser Verbindung oder in deren Gegner. Häufig finden sich die letzteren aus politischen Gründen sogar innerhalb der eigenen Sippe.

Das Hereinwirken anderer Personen in eine bestimmte genealogische Konstellation verläuft auch meist als Begegnung zweier genealogischer Bereiche. Das hängt selbstverständlich mit dem Öffentlichkeitsmoment der Liebe und ihrer politischen Bedeutsamkeit im höfischen Roman zusammen. Hier darf man die Funktion der Geschwister nicht übersehen, es finden mehrfach Ehen zwischen Geschwisterpaaren statt. Auch die Täuschungsstruktur in der ‚Octavia' (vgl. o. S. 41—46) mit der unrichtigen Verbindung von Tyridates — Antonia und *Drusus* (= Italus) — Octavia beruht auf einem solchen Modell der Geschwisterehen. Sind die Personenkonstellationen in der ‚Octavia' und der ‚Aramena' auch ziemlich gleich, so besteht doch ein kleiner bemerkenswerter Unterschied zwischen ihnen.

Die Konfiguration der ‚Aramena' ist betont individualistisch, die der ‚Octavia' darüber hinaus augenfällig gruppenhaft. Das mag seine Gründe mit im Kern der Komposition haben. Trotz der politisch-öffentlichen Bedeutsamkeit sehen wir den Weg der verschollenen syrischen Königskinder als ‚familiäres' (genealogisches) Ereignis, die römische Kaisernachfolge und ihre Wirren aber als welthistorisches. Diese Formulierung ist absichtlich überspitzt, um das Gegensätzliche schärfer hervorzutreiben. Die Gegenargumente des ‚Auch-Öffentlichen' und ‚Auch-Welthistorisch-Bedeutsamen' in der ‚Aramena' leuchten uns selbstverständlich ein, sie vermögen jedoch den Unterschied nicht aufzuheben. Die sprachliche Durchführung von Handlung, Spannung und menschlichen Beziehungen ist von Roman zu Roman leicht verschieden. In der ‚Aramena' z. B. taucht häufiger eine prominente Romanperson immer wieder als *Erzählperson* auf. Den politischen Mechanismus der großen römischen Bühne in der ‚Octavia' dagegen gestaltet Anton Ulrich vorwiegend durch die vielköpfigen Verschwörergruppen im Dienste einzelner Kronprätendenten.[135] Diese bleiben (partielle) Hauptperson; das ‚kombinatorische Beziehungssystem' des diplomatischen Handelns und der politischen Intrige entfalten meist die Verschwörer,

---

[135] Vgl. dazu wieder Anton Ulrichs handschriftliche Entwürfe: „Bei Crispina" (*Cod. Guelf. Extrav. 198, Bl. 50 b*), „Bei dem Nimphidius" (Bl. 51), „Bei der Plautia" (Bl. 51 b), „Bei dem Drusus" (Bl. 52) — Eine andere Aufstellung gruppiert Notizen über Anhänger und politische Handlungsabsichten ebenfalls um die einzelnen Kronprätendenten, was unsere Theorie von der Bedeutsamkeit des Gruppenhaften zu stützen vermag. Folgende Überschriften setzt Anton Ulrich dabei über diese Notizen: „1 Raht / Claudia — 2 Raht. / des Nimphidius Sabinus" (Bl. 34 b), „3 Raht / des Galba — 4 Raht / des Italus: welcher Drusus ist" (Bl. 35) „Der 5 Raht. / Des vermeinten Drusus" (Bl. 35 b). — Diese Werkstattnotizen bestätigen, daß Anton Ulrich in gruppenhaften Konstellationen dachte und demnach, wie die Druckfassung beweist, auch gestalterisch ausformte (Die Virgeln bedeuten: neue Zeile).

welche weniger vom Tugendideal her erstarrt wirken als die eigentlichen Helden. Diese ergreifen selten persönlich die Initiative. Gruppen handeln und planen für sie und gegen ihre Rivalen; Beratungs- und kurze Vorgangsszenen unterstreichen dieses Phänomen szenisch. Daß dabei die Gespräche viel Raum beanspruchen, versteht sich aus der Bedeutsamkeit der *Ausschnitte* von selbst. Die Gruppenhaftigkeit ist zudem schon dadurch stärker ausgeprägt, daß meist vier bis fünf Kronprätendenten sich um den Kaiserthron bewerben. Gestalterisch stehen häufig die problematischsten Bewerber im Vordergrund (O II Nimphidius, O III Galba, O VI Otto). Das ist in der Literatur des 17. Jahrhunderts leicht verständlich. Es schafft dem Dichter die epische Möglichkeit, das barocke Paradigma des Höhenflugs und Höhensturzes dem Leser in argumentativer Typik und extremem Effekt vorzuführen. Die äußere Bandeinteilung erfährt daraus eine innere strukturelle Bestätigung. So sind die Szenen (sozusagen die ‚Bühnenausschnitte‘ des Geschehens) meist mit vielen Personen bevölkert. Die einzelnen Gruppen haben gleichförmige Interessen und entsprechende Absichten.[136] Daneben gestaltet der Dichter aber gerade in jenem Bereich, wo sich einzelne Personen aus ihren Gruppen entfernen und einander annähern, individuelle Meinungsnuancen. Diese Personen sind meist epische Medien, in denen sich die *Ausschnitt*-Veränderung anschaulich vollzieht. Es handelt sich also bei dieser Gruppenhaftigkeit der Personenkonstellation und des *Ausschnittes* nur um die relevante Betonung einer zusätzlichen Gestaltungsmöglichkeit, nicht um eine Aufhebung der ‚individuellen‘ *Ausschnitt*-Veränderungen, wie sie die ‚Aramena‘ zeigt. Ein sprachliches Detail vermag das zu bestätigen: die Exklusivität der Zuhörerschaft. Große Gesellschaften als Zuhörer begegnen uns in der ‚Aramena‘ häufiger erst im fünften Band, in der ‚Octavia‘ spielen sie durchlaufend eine bedeutsame Rolle. Die Einzelpersonen, welche sich meist unter einem Sonderauftrag aus der Gruppe lösen, bezeichnen wir als Vermittler. In der ‚Aramena‘ entstammen sie meist der soziologischen Gruppe der Diener und Vertrauten, in der ‚Octavia‘ jener der römischen Patrizier. Ihre Funktion zeigt uns eine wirkliche Verbindung von Personenkonstellation und Handlungsstruktur auf. Gerade dieses Vermitteln wird bei den bekannt passiven Helden des höfischen Barockromans besonders bedeutsam.

b. Das Handlungsmoment der Vermittlung

Die Vermittlung findet sich als konstitutives Handlungsmoment aufgrund der ähnlichen Personenkonstellation in fast allen höfischen Dichtwerken; es besitzt literarische Tradition. Die höfische Literatur des Mittelalters

---

[136] K. *Hofter* würde sagen, ihre Zwecksetzungen sind identisch.

kennt schon die bedeutsame Rolle des (der) Vertrauten, vor allem in Sachen Liebe. Am Anfang des Amadis-Romans wird die Zusammenkunft zwischen König Perion und Prinzessin Elisena (I, 1), somit die Zeugung des Haupthelden, durch die aktive Mittlerrolle einer lüsternen Dienerin der Prinzessin überhaupt erst ermöglicht. Auch in den Volksbüchern des 15. und 16. Jahrhunderts, in die höfische Motive und höfischer Stoff abgesunken sind, tritt der Typ des Vermittlers in ähnlichen Funktionen auf. Mephistos Vermittlung zwischen Faust und Gretchen sei als Sonderform unter völlig neuer Akzentuierung beispielhaft für spätere Dichtungen genannt. Die Entwicklung erweist die Funktion des Vermittlers aber nicht nur auf den Bereich der höfischen Literatur beschränkt, deren hierarchische Personenkonfiguration bietet ihr nur besonders reiche Entfaltungsmöglichkeiten. Thematisch lassen sich drei wichtige Vermittlungsbereiche unterscheiden:

a. der erotische: Vermittlung in Liebesbeziehungen,
b. der politische: Vermittlung in Staatssachen,
c. der religiöse: Vermittlung als Bekehrungsversuch zum rechten Glauben.

Die Formen, welche uns vordringlich interessieren, werden aber vom Thema nicht entscheidend differenziert. Zudem greifen im höfischen Barockroman alle drei Bereiche häufig so ineinander, daß sie funktional überhaupt nicht zu trennen sind; wir brauchen also thematische Unterschiede nicht weiter zu beachten.

Unter den Formen ist vorerst *die verbale Vermittlung* als ,Information' zu nennen: (Grundschema: A erzählt B etwas über C). Diese Information kann richtig sein und als positive Beeinflussung der Wahrheit dienen (*Tiefenstruktur*). Sie kann aber auch falsch sein und als negative Beeinflussung oder (gewollte, ungewollte) Täuschung die Wahrheit verschleiern (*Oberflächenstruktur*). Die adäquate Form für beide Möglichkeiten ist das Gespräch, wie sich aus obigem Grundschema zwangsläufig ergibt. Als Beispiel für den ersten Fall mag die Fürsprache von *Delbois* (= Aramena) (A)[137] bei Delbois von Tyro (B) für deren Sohn Tiribaces (C) in seiner Liebe zu Orosmada dienen. Die Fürsprecherin (Vermittlerin) muß nicht notwendig dem Dienerstande angehören, Delbois ist als Titelheldin die hierarchische Spitze der gesamten Personenkonstellation. Die Fürsprache ist richtig und dient der Wahrheit, wie die abschließende Hochzeit zwischen Tiribaces und Orosmada beweist. Dieses Gespräch behandeln wir eingehender unter dem Aspekt der epischen Bauformen (u. S. 135 ff.).

Als Beispiel für die zweite Form müssen alle Fürsprachen für Abimelech bei Delbois gelten (z. B. Ahusath A II 108, Arsas A II 116 und 119 f., Timna A II 167 usw.). Die Täuschung ist ungewollt, weil sich für alle

---

[137] Diese Fürsprecherin wird noch unterstützt von der später dazukommenden Lantine von Elam.

erst im vierten Band der Geliebte der Delbois als ihr verschollener Bruder Aramenes entpuppt.[138] Eine Variation des zweiten Falles mit absichtlicher Täuschung bildet Hadorans Information an Indaride. In der Absicht, sie seelisch zu schützen, behauptet er, ihr geliebter Amraphel sei vom Feind gefangen worden. In ‚Wahrheit' starb er neben ihm. Allerdings hebt der Romanschluß in weiser Vorsehung auch diese Täuschung wieder zum Guten auf: Amraphel taucht nach wundersamer Rettung lebendig wieder auf und heiratet seine treue Indaride. Alle diese in Anton Ulrichs Romanwerk häufig vertretenen Formen sind verbale Vermittlung und beruhen auf der Bauform des Gesprächs.

Davon unterscheiden wir *die szenische Vermittlung:* (Grundschema: A sieht C und berichtet es B). Im Endeffekt läuft das natürlich wieder auf verbale Vermittlung hinaus; die Voraussetzungen liegen aber anders, wenn der Leser diese Beobachtung episch gestaltet erfährt und sie erzählerisch miterlebt. Der *Ausschnitt* des Lesers vergrößert sich dadurch, und der Erzähler vermag so eine Diskrepanz zwischen szenischer Darstellung und verbaler Vermittlung eindrucksvoll aufzuzeigen, falls A etwa willentlich falsch vermittelt. Damit liegen weitere Variationen auf der Hand. A kann den szenischen Vorgang schon mit der Absicht zur Weitervermittlung absichtlich beobachtet haben oder ihn nur zufällig erblicken. Die Darstellung kann das Gewicht auf das Gespräch (Belauschung) oder den Vorgang (Beobachtung) verlegen usw.

Als letzte Form läßt sich hiebei *die tätliche Vermittlung* ausgliedern. [Grundschema: Der Vermittler A führt eine Handlung für B an C durch (Überfall, Mord, Entführung, Befreiung usw.)] Auch hier muß A keineswegs der Dienerschaft angehören, er kann Freund oder Verwandter von B sein. Naharat etwa entführt für den König von Jarmuth die Prinzessin Orosmada. Damit ist das Verdachtsmoment vom König abgewendet, und es gelingt ihm, Adonias, den Verliebten der Orosmada, damit zu belasten. Alles fällt in Verwirrung. Das Moment der tätlichen Vermittlung ist der entscheidende Impuls für die neu entstehende Struktur. Eine interessante Variation (Potenzierung des Verhältnisses zwischen Personenfiguration und Handlungsgefüge) bildet folgender Vorgang. Alaris soll Amraphel im Auftrage seiner vier unrechtmäßigen elamitischen Vormünder vergiften. Als Mittelsmann (A der tätlichen Vermittlung) wählt er dazu unwissend den Freund Amraphels, nämlich Hadoran. Dieser übernimmt die Rolle, um seinen königlichen Freund zu schützen (A II 224 ff.). Meist haben die Bösewichter kein langes Leben. Die Strafe folgt ihren Untaten dann auf dem Fuße, wenn sie keine weitere kompositorische Funktion zu erfüllen haben. Dieser Grundsatz (Lohn-Strafe) findet sich bereits in Birkens ‚Aramena'-Vorrede ausgesprochen (s. u. auch den Exkurs S. 380—383).

---

[138] Dieses Motiv findet sich in der ‚Argenis' vorgebildet. Auch dort erweist sich der schärfste Rivale (Archombrotus) des Haupthelden Poliarchus um die Titelheldin Argenis als deren Bruder.

Bedeutende Funktionen und Handlungsimpulse kommen auch jenen Vermittlern zu, welche Briefe überbringen sollen. Sie können in dieser Welt überraschender ,Zufälle' leicht verloren gehen und in falsche Hände geraten. Als Beispiel dafür sei auf Armizars Brief verwiesen (A I 463), der in seiner modellhaften Sprachform die folgende Handlung bestimmt (s. u. S. 355 ff.).

Eine wichtige Grundvoraussetzung für die überragende Bedeutung der Vermittlung ist eine Form der Verhaltenstypik aller Romanpersonen. Sie sind offensichtlich der Meinung, daß Liebe durch die Fürsprache einer hierarchisch und ethisch anerkannten Person gefördert, wenn nicht gar hervorgerufen werden könne. Der assyrische Prinz Baleus schäkert mit *Aramena* und sagt dabei zu seiner Schwester Delbois von Ninive: „und wie er zu dieser Aramena eine sonderbare zuneigung entfände / also wüste er gewiß / daß die Königin seine schwester so gut seyn würde / ihme auch ihre gunst zu weg zu bring⸗n." (A II 473.)

Die Verbindung von Personenkonstellation und Handlungsstruktur verlangt nun den Blick auf die erzähltechnischen Auswirkungen der Vermittlung. Man kann sie vom Dichter und vom Leser aus untersuchen.

Der Autor kann mit Hilfe der Vermittlung das monumentale Personal seiner Romane immer wieder erzählerisch aktivieren. Der Tatbestand sei kurz an der ,Geschichte des Amraphel und der Indaride' (A II 220—292) erläutert. Innerhalb der 72 Erzählseiten werden dem Leser genau 51 Personen mit Namen, Titel oder beidem vorgestellt. Neben den Verwandten der beiden Liebenden treten als Nebenbuhler Hiarbas von Ägypten (erotisch) und die vier Vormünder Kajumaras, Berug, Obad und Usal (politisch) auf. Das übrige Personal setzt sich aus Feldherrn, Dienern usw. zusammen, denen als einzige Handlungsfunktion eine vermittelnde zukommt. Damit soll allerdings kein quantitativer Beweis angestrebt werden. Diesem widerspräche die eingehende Motivation auch dieser Personen. So besteht die Funktion der Jubalis, des Schloßhauptmanns Nergal ophirischer Frau, darin, Amraphel vor seiner Hinrichtung zu bewahren. Ihr Vorgehen wird durch ihre Liebe zu diesem Prinzen motiviert. Man sieht daraus: auch bedeutende Handlungsfunktionen können so auf Personen übergehen, welche nur kurzlebig erzählerisch aktiviert werden. Diese Frau taucht nämlich im weiteren Romanverlauf nie mehr auf. Daneben aber gibt es Romanpersonen, die durch Tausende von Seiten immer neu als Vermittler aktiviert werden. Unter *Aktivieren* verstehen wir folgenden erzähltechnischen Vorgang: Der Autor greift aus dem Arsenal seiner Personen möglichst viele jeweils heraus, um ihnen kleinere Handlungsfunktionen zu erteilen. Erzähltechnisch werden besonders Nebenpersonen dadurch dem Leser immer wieder in Erinnerung gerufen. Der vielfache Bereich der Vermittlung dient dieser Tatsache als unerschöpfliche Beispielsammlung. Natürlich liegt dieses Aktivieren auch einer Gestaltung als Formprinzip zugrunde, welche im Leser den Eindruck eines kombinatorischen Relationsgewebes und menschlicher Fülle erzeugen will.

Eine weitere Funktion der Vermittlung besteht darin, daß sie zwei Handlungskreise oder Schauplätze miteinander verbinden kann. Erzählerisch bedeutet das die Verfugung neuer Personenkonstellationen und Handlungsbereiche mit jenen des fiktiven Gegenwartsgeschehens. *Delbois* (= Aramena) wird von Tiribaces um Beistand in seiner Liebe gebeten. Damit sie dies aber intensiv tun kann, müssen ihr (und dem Leser) Iphis und Tiribaces seine Liebesgeschichte mit Orosmada erzählen. Durch diese verbale Vermittlung als Voraussetzung für die verbale Vermittlung als Fürsprache gerät eine neue Personenkonstellation und ein neuer Handlungskreis in Erfahrung des Lesers. Die Vorgänge dieser Lebensgeschichte setzen sich direkt in die Haupthandlung hinein fort. Tiribaces ist verzweifelt wegen Orosmadas Flucht, und Delbois verspricht ihm ihre Hilfe.

Durch häufiges Einschieben vermittelnder und ausführender Personen formen sich weite Handlungsbogen aus. Im Zwischenbereich dieser resultat-verzögernden Vermittlung geschieht einfach zu viel. Das soll nicht heißen, daß Anton Ulrich weitschweifig und ereignislos erzählt. Im Gegenteil! Was die großen Bogen handlungs- und spannungsmäßig unterteilt in kleine, ist nämlich immer wieder erneutes Ereignis und Geschehen. Zudem strömen hier in reichem Maße die Möglichkeiten bewußter und unbewußter Täuschung ein. Die Intrige besonders bedient sich vermittelnder Personen, um sich des Scheins der Glaubwürdigkeit zu versichern. Eine künstlerische Form, welche die Mechanismen diplomatischer Intrige sorgsam freilegt, dürfte in hohem Maße den Herzog und sein Publikum interessiert haben. Hier liegen übrigens auch viele Spannungseffekte seiner Romanstrukturen. Der Herzog selbst hat seine Talente in klugem politischen Handeln bei der Verheiratung seiner Enkelinnen unter Beweis gestellt.[139] Diese vielfache Vermittlung erlebt der Leser demnach als epischen Einfallsreichtum des Dichters und als die gewaltige Lebensfülle solcher Romane. Die epische Bewegtheit und Dynamik verhüllt ihm auf weite Strecken hin die Passivität der Haupthelden. Der Eindruck der verwirrten Welt wird zusehends auch durch die vermittelnden Personen bewirkt.

c. Information — Rat — Plan — (Tat)

Die Vermittlung ist im Bereich der Gespräche mit einer wichtigen Handlungsstruktur verbunden, nämlich jener von Information — Rat — Plan — Tat. Dabei ist vorerst eine allgemeine Beobachtung zu äußern. Es besteht

---

[139] Vgl. dazu W. *Hoeck.*

eine für die Wirkung dieser Romane wesentliche Beziehung zwischen dargestelltem Geschehen und redend beschworenem. Schon die quantitive Masse der Gespräche neben dem geringeren Anteil dargestellter Vorgänge legt eine besondere Beachtung dieser Struktur nahe. Wir weisen auch beim Prinzip der Verwirrung auf die Korrespondenz zwischen besprochener und erzählter Tat (also ‚Plan'—‚Tat') hin; beide können sich — in bezug auf Leser und Romanperson — eidetisch nähern. Darin liegt ein bedeutsames Bauelement von Anton Ulrichs Romanfiktion. Der Leser droht manchmal selbst die Gewißheit zu verlieren, ob er einen Vorgang bereits lesend miterlebt hat oder ob ihn nur jemand (aus individueller Sicht) berichtet oder gar planend erwogen habe. Diese Beziehung zwischen Vorgang und Aussage wird durch unsere Struktur auf beinahe schematische Weise wiederholend bestätigt. Die Voraussetzung bildet ein typisches Verhaltensmodell der Romanpersonen, nämlich ihre Absicht, sich mit dem fiktiv-faktischen Geschehen auseinanderzusetzen. Das Schicksal wird selbst im Fortuna-Bereich nicht von allen fatalistisch erfahren, sondern man paßt sich in aktiver Auseinandersetzung nach den präfigurierten höfischen Verhaltensregeln diesem an. Dabei kommt es zu einem ständigen Wechselspiel zwischen Reaktion und Aktion (oder zumindest Aktionswollen). Die Zwecksetzung der Personen, die Karin Hofter so betont hat, spielt hier eine bedeutsame Rolle. Die verschiedene Zwecksetzung bestimmt die eigentliche ‚Individualisierung' der Personen im Rahmen eines typischen Menschenbildes. Das motivische Element der überraschend neuen Situation (auf die wir bei den Strukturen der Unterbrechung noch kommen) stellt die Voraussetzung für unsere Handlungsstruktur von Information — Rat — Plan — Tat dar.

Ihr Schema sieht so aus: Ein überraschendes Ereignis stürzt Romanperson(en) (und Leser) in eine neue Situation. Dieses findet meist sozusagen ‚hinter der Bühne' statt. Direkt Betroffene oder Augenzeugen berichten über das Ereignis: erste Stufe (‚Information'). Die entsprechenden Bauformen sind Gespräch und Bericht. In der Gesellschaft politisch Gleichgesinnter mündet dieser Bericht meist in eine Diskussion, in welcher man die Möglichkeiten der Reaktion auf dieses Ereignis erörtert: zweite Stufe (‚Rat'). Das beratende Gespräch gipfelt abschließend in einem fixen ‚Plan' (dritte Stufe); dieser hat als epische Vorausdeutung spannungsmäßige Funktion, als Wille zur Tat natürlich handlungsfördernde. Die ersten drei Stufen (‚Information' — ‚Rat' — ‚Plan') laufen temporal meist in ununterbrochener Erzählfolge ab, zwischen ‚Plan' und ‚Tat' aber klafft häufig eine zeitliche Lücke. Sie wird oft von Unterbrechungen irgendwelcher Art bedingt, die wieder Auswirkungen der erzählerischen Mehrsträngigkeit sind. Damit bleibt allerdings dem Leser viel Ungewißheit darüber, wie sich die Struktur weiter fortsetzt. Es kann auch ein Schauplatzwechsel als erzählerische Brücke vom ‚Plan' zur ‚Tat' führen. Nicht immer schließt das Wechselspiel von geplanter und dargestellter Tat diese Struktur ab. Sie kann mit großer Spannungsenergie auch zwischen ‚Plan' und ‚Tat' liegen bleiben. Oder die ‚Tat' hebt sich durch neue Ereignisse in diesem Zwischenraum als sinnvolle Zwecksetzung von selbst auf. Unser Beispiel betrifft einen szenischen Vorgang um die Verschwörergruppe, welche unter Leitung der Kaiserin Plautia Urgulanilla dem Claudischen Hause dient. Annius Vivianus hat soeben seinen Bericht (O III 13—18) vom neuerlichen Auftauchen des *Nero* (= Claudia) abgelegt (‚Information'):

> Was ist nun hier zu rahten? begunte Plautia / nach etlicher bedenkweile / zu fragen. Sollen wir der flüchtigen Claudia nachschicken / und die für den Galba wieder holen lassen? Oder sollen wir dem Tyridates ferner zum reich zu verhelfen trachten / da Antonia / sowol als Claudia / seine ansprache zu hiesigem thron fest machen kan? Oder sollen wir uns an nichts mehr kehren / nun wir doch sehen / daß die götter unsere ratschläge nur verlachen / und es alles anders führen / als wir es verlangen? (O III 18 f.)

Diese Frage scheint uns in ihrer Grundsätzlichkeit über die konkrete Situation hinaus bedeutsam. Plautia bringt die Beratung in Bewegung, indem sie drei Möglichkeiten als Alternativ-Vorschläge setzt. Die dritte charakterisiert mottoartig alles Beraten in diesen Romanen: viele Pläne und Aktionen werden laufend durch ‚faktisches' Geschehen wieder sinnlos. Trotzdem muß sich der Barockmensch in seiner Aktivität stets neu seinem Schicksal stellen. Immer wieder wird er versuchen, auch die verzweifeltste Situation irgendwie zu meistern. Der stereotype jähe Glückswechsel unter Fortunas Herrschaft zwingt ihn dazu. Die beiden Alternativen Plautias lauten also: Claudia für Galba? Oder Kaisertum für Tyridates, der nach Aussage des Informanten Antonia heiraten will? — Nun folgt die Beratung als zweites Stadium unserer Struktur. Dabei werden verschiedene Meinungen in gefeilter Rhetorik und ‚umständlich' vor dem Leser entfaltet. Silius Italicus gebraucht etwa zur Begründung seines Vorschlages (Claudia für Galba) fast eine ganze Seite (O III 19). Sein Gegenredner ist Coccejus Nerva, der geschickt für Tyridates — Claudia plädiert. Falls Antonia und der vermeintliche Drusus sich wirklich lieben sollten, würde Antonia sich diesem zuwenden, wenn sie ihn nicht mehr als ihren Bruder betrachten müsse. Claudias Abneigung gegen Galba sei sicher größer als gegen Tyridates, den sie bekanntermaßen liebe. Mit dem Kaiserthron von Rom dürfte sich dieser wohl leicht für Claudia entscheiden können. Der Schluß aus seinem Ratschlag (‚Plan'), man müsse Tyridates suchen und ihm unter dieser Bedingung die Hilfe der Verschwörerpartei antragen: „Also schlossen sie endlich alle / dahin / daß Annius Vivianus[140] mit dem Tyridates hiervon reden / Coccejus Nerva[140] aber nach Ostia eilen / der flüchtigen Claudia nachsetzen / und sie wider zurückbringen solte." (O III 20)

---

[140] Phänomene der Vermittlung: Beide werden mit verschiedenen Zwecksetzungen innerhalb unserer Struktur erzählerisch aktiviert. Bezeichnenderweise sind es die beiden Hauptredner innerhalb der Beratungsphase.

Dieser Plan bestimmt den weiteren Handlungsverlauf, selbst wenn sich die ‚Tat' nicht gleich verwirklichen läßt. So treten gerade dem Annius Vivianus Hindernisse in den Weg. Das zeigt uns eine wichtige Variation dieser Struktur. Die Verwirklichung der Tat ist nicht (sofort) möglich. Ihre erzähltechnische Seite ist das Phänomen der ‚Unterbrechung', dem wir uns gleich als dritte Strukturform zuwenden wollen. Daß daneben allerdings der Leser indirekt eine Antwort auf Annius Vivianus' Frage erhält (O III 31 f.), bleibt immer noch im Bereich der erzählerischen Möglichkeiten. Norondabates berichtet dem armenischen König, daß mehrere Römer (darunter Annius Vivianus) sich nach seinem Verbleib erkundigt hätten. Tyridates will darauf „das unglückselige Rom auf ewig verlassen." Auch diese Absicht bleibt nur Plan. Jedenfalls bestimmt diese Struktur (Information — Rat — Plan — Tat) weite Bereiche des Romans in ständigem Zusammenwirken von Personenkonstellation, Erzählspannung und Handlungsführung.

d. Die Unterbrechung als strukturbildendes Phänomen

Die Unterbrechung gewinnt ihre erzähltechnisch eminente Bedeutung erst, wenn man sie — scheinbar paradox — als Voraussetzung für den ununterbrochenen Erzählablauf dieser Romane erkennt. Das erzählerische Kontinuum ist ein wesentliches Merkmal der Großstruktur von Anton Ulrichs Werken. Dieses Phänomen hat u. W. nur Richard Alewyn besonders betont, obwohl es auffällig die Erzähltechnik des höfischen Barockromans mitformt: „Umgekehrt spannt sich die Handlung im heroisch-galanten Roman in einem einzigen Bogen vom Anfang bis zum Ende hinüber, ohne Einschnitt, ohne Pause, ohne Ablassen, ohne Neuanfang, während die Handlung des Pikarorromans eine Kette von Episoden ist, von denen immer erst die alte absetzt, ehe die neue beginnt."[141] Diesen pausenlosen Ablauf des Erzählens im höfischen Barockroman müssen wir bestätigen; zudem wird die Unterbrechung daraus erst deutlich greifbar, die sogar dem Eindruck eben dieses kontinuierlichen Erzählstromes dient. Aber wir sagten schon, das klingt paradox und bedarf einer erklärenden Erörterung.

Vorher werfen wir einen Blick auf die epische Tradition. Jörg Wickram erzählt in seinem Roman ‚Der Jungen Knaben Spiegel' (1554) die Abenteuerreihen zweier räumlich getrennter Helden. Er muß also von Zeit zu Zeit von einem Handlungsstrang zum anderen überwechseln. Das gleiche epische Problem stellt sich dem Autor des ‚Amadisromans'; selbst Bucholtz steht, trotz seiner Opposition gegen den ‚Schandsüchtigen', in dieser Tradition, und Zigler schafft diesen Wechsel durch elegante Wendungen

---

[141] R. *Alewyn*, Johann Beer S. 153.

des Erzählers, der bei ihm schon manchmal als fiktive Person greifbar wird. In allen diesen Werken erklärt der Erzähler dem Leser, das Geschehen ‚kommentierend', den Schauplatzwechsel, und zwar mehr oder weniger geschickt, im Rahmen der entsprechenden Topik. Ein typisches Beispiel aus dem ‚Amadis' sei dafür zitiert:

> Aber der Autor nit weitter oder lenger vom Amadis schweigen wöllen, nimmt jn jetzt wider für die hand, damit er hernach, wann es die Matery erfordern wirt, diß so dem Galaor ferner begegnet, vollfüren möge. (S. 135)

Der Regisseur und Gestalter des gesamten Erzählstoffes führt den Leser als „Author" einfach von einem Schauplatz zum entfernten anderen und verbindet damit die Handlungsstränge der beiden Helden Amadis und Galaor. Meist kann er dabei auch en passant das Zeitverhältnis der beiden Handlungen zueinander sicherstellen.

Diese Möglichkeit eines mehr oder weniger fiktiven Erzählerkommentars scheidet bei Anton Ulrich aus, sie widerstrebt seiner Erzählhaltung. Außerdem zwänge ihn die Vielsträngigkeit seiner Komposition zu ständigen Entschuldigungen für den Sprung von einem Erzählstrang zum anderen. Wir kommen nun endlich auf die paradoxe Behauptung des Anfangs zurück, daß die ‚Unterbrechung' dem Eindruck des erzählerischen Kontinuums diene. Wie erweckt Anton Ulrich diesen Eindruck? Er erzählt, wie wir wissen, die Handlung(en) seiner Romane mit äußerster Akribie von Morgen bis Abend eines Tages durch und füllt in gleicher Weise erzählerisch den nächsten Tag usw. Er prägt die temporale Struktur der Handlung durch eine sprachlich aufmerksam fixierte Chronologie. Dadurch entsteht im unbefangenen Leser der — auch tatsächlich vorhandene — Eindruck eines erzählerischen Kontinuums. Die ebenfalls zugrundeliegende Struktur der Mehrsträngigkeit der Fabel fällt dabei eigentlich nicht auf, weil der Erzähler nicht autoritär und vor den Leser tretend den Schauplatzwechsel vollzieht. Er unterbricht die Handlungslinie nicht von außen, wie etwa das genannte Beispiel aus dem ‚Amadis'. Die Unterbrechung vollzieht sich wie der Schauplatzwechsel als innerfiktionales Phänomen.

Beim Schauplatzwechsel konzentriert der Erzähler seinen Blickpunkt auf eine *Erzählperson*, die sich meist aus einer Menschengruppe (-konstellation) in den Kreis einer anderen begibt. Dieses ‚Begeben' ist tatsächliches innerfiktionales Geschehen (Wandern, Reise, Besuch). Damit ist meist die Absicht der Handlungsförderung verbunden. Der erzählende Dichter begleitet diese Person nun auf ihrem Weg.[142] Sprachlich vollziehen sich alle diese Formen des Schauplatzwechsels unaufdringlich in wenigen Sätzen:

---

[142] Das erzählerische Aussparen des Weges hat K. *Hofter* (S. 21) bemerkt. Das gilt natürlich nur, wenn auf diesem Wege keine neues verzögerndes und unterbrechendes Ereignis eintritt.

Ariaramnes begleitete darauf die Pomponia Grācina wieder nach ihrem palast / die daselbst mit diesem Prinzen und dem Pudens Ruffus ankame / als eben auch Daria sich einstellte. (O II 363)

Das ist unseres Erachtens das entscheidende Phänomen. Mit dem erzählenden Dichter geht auch der Leser mit in die neue Konstellation (+ Daria), und er wird nicht aus dem Kontinuum der erzählten Zeit entlassen. Die Fiktion strömt pausenlos in seine geistige Vorstellungswelt ein. Diese Form von ‚Unterbrechung' bedingt also gewissermaßen erst den Eindruck des lückenlosen erzählerischen Kontinuums. Damit löst sich unsere paradoxe Behauptung des Anfangs.[143]

Neben dem Schauplatzwechsel gibt es aber noch andere Formen der ‚Unterbrechung', die ebenfalls den Erzählablauf nur durch innerfiktionale Mittel strukturieren. Als Beispiele kommen vordringlich situationsbildende Gespräche in Betracht, die als ‚Handlungsphasen' in diesem Sinne unterbrochen werden. Die häufigste Art der Unterbrechung solcher Situationen bildet in Anton Ulrichs Romanen das Auftreten einer neuen Person, die zur Gesprächsgruppe stößt. Eine wichtige Voraussetzung für das Beenden eines solchen Gesprächs stellt die besondere szenische Fiktion des Innenraums dar. Diese epischen Phänomene erinnern an Formen des Theaters. Selbst wenn Geschehen (Lärm) in die Szene hineinwirkt, berichtet meist sofort eine auftretende Person dessen Ursache. Der geschlossene Raum (der Bühne), die Unterbrechung des Dialogs durch das Auftreten neuer Personen, der Aspektwechsel durch den Abgang einer anderen: die erzählerische Situation des Romans scheint darin der theatralischen Szene verwandt.

Der Variationsmöglichkeiten beim Auftreten einer neuen Person sind viele: Der Ankommende kann ein Freund der Sprechenden sein, das Gespräch wird dann nicht unterbrochen, kann aber eine neue Wendung erfahren, häufig eine Bereicherung der Argumente und Erfahrungen. Diese Unterbrechung bedingt also vielleicht einen Phaseneinschnitt im begonnenen Gespräch, das in gleicher Thematik weiterläuft. Der Ankommende kann aber auch ein Feind sein, einer anderen politischen Gruppe zugehören (etwa in der ‚Octavia') oder ein des höfischen Vertrauens nicht Würdiger sein, so unterbricht er das Geschehen tatsächlich. Das Gespräch

---

[143] Die toposhaften Abrundungen einer Situation möchten wir von den hier beschriebenen Formen der Unterbrechung absetzen. Es sind dies vor allem der Abendtopos (im Freien), der Topos ‚Das Abendessen steht bereit' (bei Gesprächen in Innenräumen). Diese Topoi sind keine echten Unterbrechungen. Sie dienen als traditionelle Formen des Abschlusses der temporalen Fiktion der Erzählsituation. So betrachten wir auch die Retardierung der Haupthandlung durch eingefügte Lebensgeschichten nicht als Unterbrechungen, weil sie bewußt in den chronologischen Ablauf der Haupthandlung einkomponiert sind.

kann nun aus diplomatischen Gründen nicht fortgesetzt werden. Den Auftritt setzt Anton Ulrich natürlich an einem Höhepunkt des Gesprächs an. Die Störung, die der Leser mitempfindet, bildet den Ansatzpunkt einer Spannungsstruktur. Das noch nicht Gesagte ist dabei von erzähltechnischer Bedeutung. Eine solche Unterbrechung benötigt keinen Schauplatzwechsel, sie kann aber zwei Handlungskreise verbinden, indem die neue Personenkonstellation ein neues Gesprächsthema bedingt. Die Störung kann absichtlich oder unabsichtlich sein. Der Auftretende will etwa verhindern, daß die Sprechenden weitere Informationen austauschen. Eine reizvolle Variante dieses Phänomens bildet u. E. die moralische Störfunktion der ‚Gesellschaft' im Schäferroman, wenn das Schäferstündchen der Liebenden unterbrochen wird. Das kann durch eine Aufforderung meist neckischer Art erfolgen, wodurch die Liebenden wieder in den ‚sittlichen' Bereich der gesellschaftlichen ‚Lust' zurückgeführt werden. Diese Störfunktion der Gesellschaft in der Liebessituation ist nicht ohne Tradition, wenn man an die Rolle des Wächters im ‚Tagelied' der mittelalterlichen Literatur denkt. Bei Anton Ulrich handelt es sich um politische Absichten und Wirkungen, die sich dem thematischen Gefüge nach auch mit erotischen decken können.

Diese beiden Möglichkeiten des Auftrittes einer neuen Person seien kurz an einer Gesprächsstruktur illustriert. Delbois besucht die Königin von Tyro, um sich über das weitere Schicksal von deren Sohn Tiribaces mit ihr zu besprechen (A II 474—479), der sie um Fürbitte angefleht hat. Kaum hat Delbois mit dem vermittelnden Gespräch begonnen, betritt Lantine von Elam (= Schwester des Tiribaces) das Gemach und unterbricht (A I 476). Delbois fährt fort und gewinnt in der Hinzugekommenen einen vortrefflichen Beistand ihrer Absicht. Beide können aber gegen die dogmatische Härte der alten Königin nichts erreichen. Die zweite Unterbrechung (A II 479) setzt dem erfolglosen Beginnen der jungen Königinnen ein Ende. Der Störenfried ist in diesem Falle Baleus, der Prinz von Assyrien. Seine Ankunft macht die Fortsetzung des persönlichen Gespräches unmöglich. Obwohl er Delbois' ‚Bruder' (!) ist, wird er in die Intimsphäre dieser Struktur nicht einbezogen. Dieses Gespräch enthält somit beide grundsätzlichen Formen dieser ‚Unterbrechung'. Wesentlich bleibt die Tatsache, daß die Unterbrechung dem Eindruck des erzählerischen Kontinuums dient, denn nur dadurch wird der Leser nie aus der lückenlosen Fiktion entlassen.

C. DIE BAUFORMEN DES ERZÄHLENS IM HÖFISCHEN BAROCKROMAN — ANTON ULRICH — BARCLAY — LOHENSTEIN — BUCHOLTZ — ZIGLER

1. Die Vorgangsschilderung

Die Beispiele für die Beschreibung dieser erzählerischen Bauform wählen wir aus einem bestimmten thematischen Bereich, nämlich dem der epischen Schilderung eines Kampfes. Diese ruht im Strom einer überreichen Tradition, deren Anfänge sich weit in die mündliche Dichtung einzelner Literaturen zurückverfolgen lassen. Stilformen des alten Epos scheinen in diesem Rahmen bis in die Romane des 17. Jahrhunderts gelangt zu sein. Die motivische und gestalterische Tradition, in der solche Schilderungen unbestreitbar stehen, schränkt ihre äußeren Variationen stark ein. Andererseits kommt dabei den kleinen Abweichungen oft bedeutende künstlerische Relevanz zu, was allerdings im einzelnen Falle genau zu prüfen ist. Der höfische Barockroman bevorzugt bewaffnete Handgemenge bei Überfällen und Darstellungen von Schlachten. Innerhalb der letzteren treten häufig Einzelkämpfe in der Form eines Duelles hervor, die sich meist als abgeschlossene und in sich gerundete erzählerische Vorgänge aus dem bewegten Gemälde einer großen Schlacht lösen lassen. Die Liebe zum Detail und die scharfe Zeichnung der einzelnen Phasen eines solchen Vorganges heben diesen aus der üblichen Schlachtschilderung, die vom Standpunkt des fürstlichen Strategen nicht von jenem des pikarischen Bärenhäuters aus gesehen wird.

Einige Fragen drängen aus dem Traditionsbereich dieser literarischen Form sich auf. Da sie unsere methodische Richtung veranschaulichen, seien einige beispielhaft angeführt: Welches Verhältnis besteht zwischen der erzählerischen Ausformung des Kampfbeginns und Kampfendes? Spielen Rede und Gespräch innerhalb eines Kampfes eine gewisse Rolle, wenn ja, welche?[145] Welche Phasen des kämpferischen Ablaufes werden durch die epische Gestaltung besonders betont? Von welchem Blickwinkel aus

---

[145] Reizreden vor dem Kampf sind z. B. traditionelle Elemente.

werden die Kämpfenden gesehen? Wird die Perspektive der Kampfschilderung vom Resultat des Kampfes her beeinflußt? Steht die Darstellung im Banne des Äußerlichen oder unter ethischer Relevanz?[146] Handelt es sich bei der Schilderung um eine Art wiederkehrenden Mechanismus des äußeren Ablaufes? Übt die erzählerische Wertung der Person einen Einfluß auf das Resultat des Kampfes aus? Reflektieren oder deuten die äußeren Vorgänge die psychologische Situation der Kämpfenden?

Die beschriebenen Szenen entstammen Romanen von Bucholtz, Anton Ulrich, Lohenstein und Zigler. Zu Beginn drängt sich uns aber förmlich der Hinweis auf die Kampfschilderungen des ‚Amadis-Romans' (1569 ff.) auf. Wir wollen damit keinesfalls die Problematik der Erzählkunst des 16. Jahrhunderts von einem kleinen Detail her aufrollen, sondern nur die traditionellen Elemente schärfer hervortreten lassen. Die äußere Ablehnung des ‚Amadis' bietet nämlich keine Garantie für eine andere Darstellungsweise, wie aus manchen Stellen von Ulrich Machés Aufsatz[147] über Bucholtz hervorgeht.

Im ‚Amadis' bildet die Kampfschilderung eine der häufigsten Formen der epischen Darstellung; sie liegt, quantitativ gesehen, sogar über der Anzahl der von der zeitgenössischen Kritik so verfemten Liebesszenen. Jeder Kampf im ‚Amadis' steht unter streng ethischer Gesetzlichkeit und stellt kompositionsmäßig zugleich eine weitere Stufe in der Lebenskurve der heroischen Hauptfigur oder ihrer Variation (Galaor) dar. Die Intensität des Ethischen zwingt zu folgender Formel: Sinnbildhaft überwindet der Held in diesen bedrohlich gefährlichen Kämpfen immer wieder das Böse. Er reitet durch eine märchenhaft stilisierte Ritterwelt und hilft Jungfrauen, Gefangenen, Überwundenen und Verzauberten. Der kämpferische Ablauf der Abenteuer stellt innerhalb dieser epischen Stilisierung nur Variationen eines Schemas dar. So nimmt es nicht wunder, daß auch die Kampfschilderungen von wiederkehrenden Gestaltzügen geprägt sind. Steigerung und Stärke fast ebenbürtig sein. Man kann allerdings in diesem Faktum eine innere Dynamik lassen die Gegner den Guten (Amadis und Galaor) an rhetorische Figur (Steigerung) sehen: die Überwindung des Starken erhöht den Anteil des Ruhms (laudatio). Dadurch scheint der Ausgang dieser Kämpfe dem Leser längere Zeit ungewiß. Blut fließt auf beiden Seiten, und die Trümmer der Waffen bedecken den Boden. Häufig werden die Zuschauer aktiviert; ihre Reaktionen kontrapunktieren die innere kämpferische Linie. Allerdings ist auch ihr Glück oft an den Sieg des Guten gebunden. Der moralisch Bessere siegt, wie es die ethische Relevanz dieser Darstellungsform verlangt. Als Vertreter des guten Prinzips, nicht als jener

---

[146] Vgl. zur methodischen Durchführung von epischen Kampfschilderungen und zu diesen Begriffen: Alois *Wolf*: Gestaltungskerne und Gestaltungsweisen in der altgermanischen Heldendichtung. München 1965, S. 144—146.
[147] U. *Maché* in: ZfdPh 85 (1966), S. 542—559.

der egoistischen Sache, gebührt Amadis der kämpferisch-ethische Erfolg: Er
ist Gott befohlen. Höhepunkte eines solchen Kampfes werden durch Reizreden oder durch offene Drohgespräche innerhalb des kämpferischen Ablaufes betont:

Hierauff erfasset der König sein Schwert, vnd den vbrigen theil seines
Schilts, vnnd saget: Weh für dich, daß du jemahls solche frechheit gehabt,
welche dich in die strick vnnd garn fallen macht, darauß du ohne verlierung deines Haupts nicht entfliehen noch entlauffen kanst.

5   Thut was euch müglich, antwort der Junckher, denn jhr keine ruhe von
mir erlangen werden, biß daß entweders jhr oder ewer macht vnd vbermut
außgetilget ist.
Auff diese reden erneuwerten sie jhren streit viel vngestümmer, denn
hieuor, vnnd lieffen wider ein ander, gleich als ob sie den gantzen tag
10   keinen streich jhe gethan. Vnnd wiewol der König Abies gantz geschmitzt
vnnd geschwind (von wegen der langwirigen vbung in Kriegs sachen) daß
er sich wol zubeschirmen, vnnd seinen feind zuuerletzen vnd zubeschädi-
gen wust. Jedoch machten die ringfertigkeit, künheit, vnnd die grosse,
behende geschwindigkeit deß Junckhern (212) in aller seiner geschicklig-
15   keit zu vergessen, dermassen, daß er von nahem gedrengt, sein schilt
gantz verloren, vnd jn also der Juncker mehr, denn hieuor, beschedigen
kundt. Wie er auch denn sich befliesse, vnnd jhn an so viel orten verwundet, daß das Blut jhm von seinem Leib, wie auß einem Röhrbrunnen
herausser drange. Deßwegen er allgemach sein stärcke verlor, vnnd sich
20   so lassz vnd schwach befande, daß er hin vnd her schwancket, vnd nicht
eigentlich wissen mochte, was er zu entweichung seins Feinds verfolgen-
dem Schwerdt, thun solte. Demnach sich schier one einige hoffnung mehr
sehende, nam er jm für, entweders bald zusterben, oder in kurtzem den
Sieg zuerlangen. Vnnd damit er deren eins zu end führet, nam er sein
25   Schwerdt in beyde hände, mit welchem er auß allem seinem gewalt den
Juncker vberfiel, vnnd in seinem Schilt erreichet, in dem es so weit hinein
gienge, daß er es nicht mehr herausser ziehen mocht, auff welchs der
Junckher jhm einen solchen streich auff den lincken blossen fuß versetzet,
daß er jhm denselbigen schier abgehauwen hett.
30   Derwegen er auß grossem vnleidentlichen (213) schmertzen, auff den platz
darnider fiel. Da sprang der Juncker auff jhn, vnd riß jhm vngestümig
den Helm hinweg, mit den worten: Ihr müsset sterben König Abies, wo
jhr euch nicht für gefangen werdet ergeben. Gewißlich bin ich deß Tods
eigen, antwort der König, aber darumb nicht vberwunden. Vnnd ist an
35   einem vnd dem anderen, allein mein hochmut schüldig, doch dieweil es sich
also begeben, Bitt ich dich, verschaffe daß meinen Kriegsknechten vnnd
Soldaten sicher geleyd geben werde, damit sie mich ohne jrrungen vnd
leyd in vnser Landt führen können, vnnd auff das ich jetzund in meinem
absterben Gott vnd der Welt, als ein Christen Mensch genug thue, So bitt
40   ich dich laß mich zur Beicht kommen. Nachgehendts wil ich dem König
Perion alles das widerumb einreumen vnnd vbergeben, so ich jm abge-
drungen. Vnnd so viel dich als meinen vberwinder betrifft, bekümmert
mich gar nichts, daß ich durch ein so Adelichen mannhafften, vnd starck-
mütigen Ritter wie du bist, mein ende nemmen werde, Sondern wil von
45   Hertzen gerne sterben, vnnd dir gutwilliglich verzeihen. Doch darneben
wöllest auch ermah (214) net seyn, in dieser angefangnen Mannheit fürzu-
fahren, vnd meiner eingedencks zu haben.

114

Als der Juncker jhn so schwach vername, trug er grosses mißfallen ab
seinem todt, wiewol er gar gewiß wußt, wo er obgelegen, daß er mit jm
50 ärger gehandelt hett. Innerhalb diesem gesprech nehert sich ein jeder
hinzu, derwegen befahl der König Abies also bald seinen Hauptleuten,
daß sie dem König Perion diß widervmb vbergeben, so er in Frankreich
eröbert, welches auch erstattet worden.
Demnach ward den Irrländern, jren König hinweg zuführen, freyer paß
55 vnd sicherung gegeben, welcher doch bald nach dem er seines königreichs
halber befehl vnd ordnung gethan, verstarbe ... (Amadis I, 10; S. 102—103)

Der Text gestaltet die zweite Hälfte des Kampfes zwischen Amadis und
dem irischen König Abies, der aus Hochmut und Eroberungslust König
Perion von Frankreich (Vater des Amadis) überfallen hat. Der Zweikampf
soll über Sieg oder Niederlage im ganzen Feldzug entscheiden. Amadis
reitet nach der Morgenmesse (!) von allen französischen Großen begleitet,
zum Kampfplatz vor der Stadt. Sein weißes Pferd (S. 97) und der große
schwarze Hengst seines Gegners (S. 100) symbolisieren schon die ethischen
Positionen dieses Streites. Mehrere Hinweise des Erzählers werten den
Gegner unseres Helden bewußt auf (S. 100: Abies' Lob als Riesentöter,
S. 101: seine enorme Größe, S. 101: seine männlichen Tugenden). Die
Kampfschilderung erreicht ihren ersten Höhepunkt in der sengenden
Mittagssonne mit dem Vorschlag des Gegners, eine Pause einzulegen. Die
Ablehnung des Junkers bietet bereits unser Text (Z. 1—7). Mit einer
betonten Steigerung (Z. 8 f. „ungestümmer, denn hieuor") setzt die nächste
Phase des Kampfes ein. Die gedankliche Alternative des Gegners (Z. 23—24)
weist auf das Resultat und den letzten Höhepunkt voraus. Dieser wird als
Vorgang vom Erzähler konkret in geballter Dynamik gestaltet (Z. 24—33).
Bedeutsam rückt dann das Gespräch zwischen Sieger und Besiegtem
(Z. 32—47) den Kampf in eine ethische Proportion, das weitgreifende
Resultat (Z. 51—56) rundet das Ereignis als Episode ab. Diese offenbart
sich dadurch als ethisches ‚Beispiel', dessen Aussage so zu definieren ist:
Der hochmütige[148] Usurpator wird schuldig und verliert nicht aus Mangel
an Kraft gegen den vorbildlich christlichen Ritter, sondern aufgrund eines
ethischen Defektes („hochmut"). Die Verzeihung des Besiegten (Z. 45)
und sein Lob des Siegers vollenden die ethische Wertung. In Ergänzung
der Ansichten Ulrich Machès[149] könnte man im tätigen Christentum des
Amadis-Ritters eine ausgleichende Gegenbewegung gegen die unchristlich-
unmoralische Gestaltung der Liebesszenen und -beziehungen sehen. Etliche
weitere Beobachtungen zur Sprachform dieser Kampfschilderung lassen
sich stimmig aus dem Prinzip ethischer Relevanz des Kampfes und der
Steigerung des Helden erklären. Mit Ausnahme des letzten Höhepunktes

[148] Vgl. die Hinweise auf diese Eigenschaft des Gegners S. 101: „zu viel stolz
und frech", S. 102, Z. 6: „ewer macht und übermut" und Abies' Geständnis
Z. 35: „und ist ... allein mein hochmut schüldig."
[149] U. *Maché* in: ZfdPh 85 (1966), S. 542—559.

(Z. 24—33) stehen die Phasen des Kampfes nicht unter anschaulicher Dynamik, sondern unter affektiv gesteigerter Abstraktion. Die Gegner werden weniger handelnd vorgeführt, als vielmehr in ihren Eigenschaften statisch charakterisiert. Das findet seinen sprachlichen Niederschlag im Adjektiv-Bereich („geschmitzt, geschwind" usw.) und in jenem der substantivischen Abstrakta („ringfertigkeit, künheit, große behende geschwindigkeit"), die eigentlich ‚Konkreta' sind. Die Vorgänge drängen in rascher effektvoller Steigerung dem Resultat zu. Dieser Steigerung dienen auch die, eigentlich nicht sehr anschaulichen Pluralformen, denen mehr demonstrative Intensität (Zeigecharakter) als anschauliche Prägnanz eignet. Damit sieht der Erzähler die Streitenden nie im Bereich objektiv geschilderter Aktionen, sondern er übersteigert die Darstellung mit allen verfügbaren sprachlichen Mitteln und stellt alles unter das Prinzip ethischer Bewährung. Amadis ist auf ritterliche Weise ‚gut' mit seinem Schwerte; der hochmütige Usurpator mag der tapferste Held der Welt sein, nach dem immanenten Gesetz dieser Welt muß er dem vorbildlichen christlichen Ritter unterliegen.

Andreas Heinrich Bucholtz zieht in seinen beiden Romanen gegen den ‚schandsüchtigen' Amadis zu Felde und will seine Leserschaft zu anständiger Lektüre erziehen. Wir wählen eine Kampfschilderung aus dem ‚Herkuliskus' (1665):

Als man Wind und Sonne jhnen gleich außgeteilet hatte / winkete Festus [= Herkuliskus] mit dem Speer / setzete auf den Schif Herrn an / und traffen dergestalt / daß dieser sich des Falles nährlich entbrach / und an seines Pferdes Mähne sich halten muste; Festus aber ohn einigen wank
5 vorbey trabete / wiewol er recht auf die Brust getroffen wahr / daß das Speer in stücken zersprang. Der Egyptier fühlete / was vor Kräfte seinem widersacher beywohneten / zweifelte auch nicht / dafern er mit dem Schwerte so wol umzugehen wüste / würde er mit dem Leben bezahlen müssen / da jhm anfangs doch heimlich liebe wahr / daß er mit diesem
10 vorerst treffen solte / weil er Axels Stärke schon geprüfet hatte / und davor sich am meisten fürchtete. Er wolte ungern den andern Speer = Stoß wagen / aber weil Festus darauf drang / muste er sich finden lassen; verwandelte derwegen die Furcht in eine rasichte Wuht / und setzete mit grosser Gewalt auf jhn zu / der Meynung / da er drauf gehen solte / seinen Feind mit
15 in den Tod zu nehmen; aber als ein blindzorniger traf er neben hin / da hingegen Festus ihn so unsauberlich zur Erden warf / daß er über und über purzelte; doch schikte er sich bald zum Schwert = Streit zu Fusse / und weil er sich auf seine grosse Leibeskraft verließ / empfieng er nicht geringe Hofnung des Sieges.
20 Sein Feind wahr hierzu eben so begierig / sprang vom Pferde / und stellete sich in ein wolgemessenes Lager / ließ auch in wenig hieben und stössen sehen / daß gegen seine Fechterkunst der SchifHerr / als ein unerfahrner Baur zu rechnen wahr / welcher in kurzen seinen Harnisch mit seinem eigenen Blute ganz roht mahlte / wiewol die wunden eben so tief nicht
25 wahren.

Axel sahe dieses mit grosser Vergnügung án / und wie heftige Sorge er
anfangs wegen dieses seinen lieben und unbekanten Freundes trug / so gewiß legte er jhm numehr den Sieg zu.
Der Egyptier sahe / daß er dem Tode nicht entgehen würde / derwegen
30 wolte er versuchen / ob eine billige Rachtung stat finden könte / und sagte
zu Festus:
Ritter / ich werde durch eure Tugend gezwungen / euch die Ehre des Sieges
zu gönnen / und gewapnet gütlichen Vergleich zusuchen / wans ohn Ver-
letzung meiner Ehre geschehen kan.
35 Ich weiß nicht / antwortete Festus / ob du auch ein krümlein Ehre an dir
habest / massen ich mir einbilde / ich schlage mich mit keinem ehrlichen
Ritter / sondern mit einem frechen Meerräuber. Dieser Schimpf taht dem
guten Herren weh / setzete es derwegen auf die Spitze und triebs eine
zeitlang durch seine Leibes Kraft / daß seine Geselschaft etwas Hofnung
40 bekam / wehrete aber nicht lange / daß jhm Festus eintrat / und jhm die
Kehle mit einem geschiklichen Schnitte dergestalt zurichtete / daß er ge-
strekt zur Erden fiel / und seinen Geist mit dem Blute außgurgelte; welches
Axel ersehend / vom Pferde sprang / und dem Überwinder Glük wünschete /
stieg doch bald wieder auf / ritte hin zu den Egyptiern / und redete den
45 Vornehmsten unter jhnen also an:
Du greulicher Bluthund / solt dich anjezt erinnern aller der Belüstigung /
die du aus meinen ehmaligen Streichen genommen hast / und deren meh-
renteils Angeber und Befoderer gewesen bist; und weil ich solche / als
ein ehrlicher freyer Ritter ungerochen zu lassen / ungewohnt bin / so werde
50 ich vor dißmal versuchen / ob dir deren einen Teil wieder einbringen und
bezahlen können.
Axel besiegt dann diesen tapferen Seeräuber: Da wolte nun keiner gerne
den kürzern ziehen / aber Axel hatte die meiste Kraft / und nicht so viel
Blut / als jener zugesezt / und gerieht jhm endlich ein Stoß / welchen er
55 dem Egyptier in den Unterbauch gab / daß er in die Knye sank / und bald
darauf den lezten Seufzer außbließ ... *Dann erledigen Festus und Axels
Genossen alle übrigen.*
Nach geendigtem Kampfe ward den unsern wegen des erhaltenen preiß-
wirdigen Sieges von Felix und andern vornehmen Herren Glük ge-
60 wünschet / und jhnen sonst aller guter Wille bezeiget / und musten die
unsern wegen Axels Wunden sich zwo Wochen hieselbst aufhalten / da
dan inzwischen Festus mit Herr Felix hinüber in Sizilien schiffete / die
die übrigen Seeräuber gebührlich abzustraffen / weil des SchifHerrn ent-
lauffener Diener Anzeige taht / was Gestalt sie nicht allein die Feinde /
65 sondern auch Freunde beraubet / etliche Römische Schiffe bestritten / und
mit allen Menschen im Meer versenket hetten; welches / weil es die
übrigen auf dem Schiffe gestehen musten / nachdem sie von den absonder-
lich befrageten leibeigenen Ruderknechten überzeuget wahren / wurden sie
alle mit einander an Händen und Füßen gebunden / und im Meere
70 ersäuffet / die Güter aber / die sich auf etliche viel Tonnen Goldes be-
belieffen / der Römischen Schazkammer zugesprochen / als zuvor Axel seine
Baarschaft und Kleinot / die jhm geraubet wahren / wieder empfangen
hatte / welche auf zwo Tonnen Goldes und drüber außtrugen / und Festus
daher wol abnam daß er von nicht geringen Leuten müste entsprossen
75 seyn. (Herkuliskus S. 9 l—11 l)

Der äußere Verlauf dieses Kampfes unterscheidet sich nur geringfügig
von jenem des Amadis-Beispiels. Der Hauptheld kämpft im Rahmen eines
Rechtsstreites gegen einen Piratenkapitän, der Axel als Ruderknecht zum

Sklaven gemacht hat. Axel übernimmt die Funktion des parteiischen Publikums, die motivische Nähe zu den vielen Befreiten im Amadis besteht auch hier. Erzählerisch weniger gewichtig stehen ihm die Gesellen des Kapitäns gegenüber.

Nach der Schilderung der ersten Phase des Kampfes (Z. 1—6) schwenkt der Blickpunkt des Erzählers auf den Gegner („Der Egyptier . . .“ Z. 6—19). Diese scheinbar ‚feindliche‘ Perspektive wirkt so stark, daß sogar der Hauptheld zur Sprachform „Sein Feind . . .“ wird (Z. 20—25). Axel gerät dann, die Qualität des Helden bestätigend, ins Bild (Z. 26—28). Wieder folgt die Bauform des Gesprächs zwischen den Gegnern, welches das erzählerische Beschwören des Kampfausganges vorbereitet. (Z. 29—31). Dieses Reizgespräch (Z. 32—37) treibt den Kampf auf den entscheidenden Höhepunkt (Z. 37—42), den Axels ‚höfisches‘ Benehmen beinahe pedantisch unterstreicht (Z. 42—43).

Die Lust an der Schilderung von Kämpfen[150] und Bucholtzens eiserne Konsequenz in der grausamen Abstrafung der Bösen[151] führt zur weiteren Ausgestaltung des folgenden Kampfes zwischen Axel und dem nächst vornehmen Ägypter. Nach diesem Sieg erschlagen Festus' und Axels übrige Begleiter noch die weiteren Piraten. Der Abrundung dieser Episode müssen wir besonderes Augenmerk zuwenden; sie erscheint uns für des Dichters Darstellungsweise und künstlerisches Wollen aufschlußreich.

Bucholtz schildert zwei konträre Grundtypen von Menschen in der Welt seiner Romane, nämlich „idealisierte gute Christen“ und „Bösewichter.“[152] Die Tendenz seines Erzählens zwingt ihn zur eindeutigen Stellungnahme, deren auffälligstes Zeichen die sprachliche Parteinahme (die „Unsern“) für die Guten ist. Die höfisch-repräsentative Geste des Glückwunsches nach siegreich bestandenem Kampf leitet die Abrundung dieser Episode ein. In stark raffendem Berichtston, gegenüber der anschaulichen Detailschilderung der Kämpfe, bewältigt der Erzähler die Konsequenzen dieser Episode. Die Zeitraffung („zwo wochen“), die Ortsveränderung („in Sizilien“) und die Parallelhandlung (Axels Genesung — Festus' Räuber-Vertilgung) bereinigen die Situation, die aus der Episode entstanden ist. Diese bildet allerdings die erste Spannungslösung des medias-in-res-Einsatzes des Romans, womit dem Beispiel nach Technik und Komposition gewisse Bedeutsamkeit eignet. Die Räuber werden also im Meer ertränkt, und ihre Güter dem Staat und dem vornehmen Beraubten rückerstattet. Der Erzähler ergeht sich in genauen Zahlenangaben und schließt

---

[150] F. *Stöffler* S. 115: „Auch hier zeigt der Dichter wieder eine große Vorliebe für die Beschreibung von Palästen, Turnieren und Kämpfen.“

[151] Ebenda S. 74/75: („. . . grausamen Strafen . . .“).

[152] Vgl. auch F. *Stöffler* S. 66.

aus dem Reichtum[153] auf Axels vornehme Abstammung. Der Ausklang dieser Episode erweist sich als moralisches Schwänzchen, geprägt von der magisterhaften Verteilung von großzügigem Lohn und grausamer Strafe.

Blenden wir auf den eigentlich ‚heroischen' Vorgang zurück. Die ethische Grundstruktur dieses Kampfes zwischen Gut und Böse durchdringt nicht die Sprach- und Gestaltungsform des gesamten Vorganges, sondern tritt besonders nur im schulmeisterlichen Schluß und in der Beschimpfungsrede hervor. Die Vorgangsschilderung ist für die Zeit relativ anschaulich und konkret; es findet sich keinerlei Bezug ins Transzendente. Ein Zuwachs an Entstilisierung und zugleich an Realismus ist zu beobachten. Hiebe und Stöße fallen nicht mehr auf Kopf, Brust, und Arm, sondern die Kehle wird durchschnitten und der Unterbauch getroffen. Wohl zieht die Parteilichkeit der Aussagen sich durch den ganzen Vorgang. Festus' grausam tödlicher Schnitt wird als „geschiklich" bezeichnet. Axel sieht die Niederlage des Gegners „mit grosser Vergnügung" an. Der Schiffsherr ist gegen Festus' Fechtkunst „als ein unerfahrener Baur" zu sehen. Die erzählerische Zuwendung an den Gegner (Z. 6–19) dient nur der Aufwertung ‚unseres' Helden. Dabei kehrt häufig die Vorwegnahme des Resultates als Meinung des Gegners wieder: Z. 8 f.; „würde er mit dem Leben bezahlen müssen"; Z. 14; „der Meynung / da er drauf gehen solte..."; Z. 29: „Egyptier sahe / daß er dem Tode nicht entgehen würde..." Als steigernde Gegenbewegung dazu, ebenfalls im Dienst der Heroisierung der Titelfigur, ist die Wiederholung seiner körperlichen Qualitäten zu bemerken: Z. 14: „mit grosser Gewalt", Z. 18: „weil er sich auf seine große Leibeskraft verließ"; Z. 39: durch seine Leibes Kraft."

In etwas drastischer Manier schildert der Erzähler also einen Kampf zwischen einem tapferen unbescholtenen Ritter, der noch dazu das Recht auf seiner Seite hat, und einem üblen Bösewicht. Der protestantische Superintendent scheint aber die heroisch-höfische Höhenlage des Stils nicht durchgehend zu schaffen. Mag auch die Sprachform („Du greulicher Bluthund...") an die ekstatischen Wendungen der hohen Barocktragödie erinnern, so ist die Redestruktur und die Vorgangsschilderung doch eher privat als öffentlich zu bezeichnen. Letztere steht eindeutig im Banne des Äußerlichen. Die pedantische Lohn-Strafe-Verteilung des abrundenden Episodenschlusses ordnet den Vorgang als moralisches Ende der Absicht des Autors unter.

Daß dieser alle seine auch noch so ‚realistisch' und anschaulich geschilderten Vorgänge als „verborgene erbauliche Lehrstücke" sah, beweist die ‚Vorrede an den Leser'. In ihr deutet der Autor einige Begebenheiten des

---

[153] Dieser Passus wäre in einem Roman Anton Ulrichs undenkbar. Die pedantische Verteilung der Beute, das Aufzählen von Barschaft und Tonnen Goldes, das verrät eher bürgerlichen als höfischen Sinn. Der Blick auf das Heroische verträgt diese Kleinkrämerei im Sprachlichen nicht. Auch die grausame Bestrafung läuft dem Edelmut echter Helden zuwider.

fiktiven Romananfanges ihrem erzieherischen Kern nach beispielhaft aus. Sie müssen demnach als Exempel für die von Bucholtz gewünschte Wirkung und Sehweise genommen werden. Zur vorliegenden Kampfschilderung meint er wörtlich: „Hohen Häuptern und Rittersleuten kan zuzeiten der Kampf wider jhre frevelmütigen Feinde gegönnet seyn." Hier scheint sich plötzlich die Kluft zwischen dem modernen Leser und der Literatur des Barock aufzutun. Oder ist es nur die innere Spannung zwischen der seelsorgerischen Absicht des protestantischen Geistlichen und seinem mit ihm durchgehenden erzählerischen Talent?

Wie sieht die Kampfschilderung nun in Daniel Casper von Lohensteins ‚Arminius' aus? Gleich zu Beginn des Romans gestaltet der Dichter die Schlacht im Teutoburger Wald. Bevor die Deutschen ins Treffen ziehen, reitet einer aus ihren Reihen zu Herzog Hermann vor und erinnert ihn durch Übergabe eines Schreibens an eine alte Sitte der Deutschen, den Ausgang der Schlacht durch ein Duell zwischen einem der ihren und einem Gefangenen zu erkunden. Dem Ritter wird der Zweikampf mit einem gefangenen Römer gewährt:

Alsofort wurden die ihm [dem Römer] abgenommenen Waffen / und ein wohlaufgeputztes Pferd zur Stelle bracht. Die Fertigkeit im Wafnen gab die Lust zu diesem Kampfe und die Hoffnung des eingebildeten Sieges genugsam zu verstehen.

5   Ob nun wol die zum Vortrab beornete Kriegs = Völcker ihren Anzug beschleunigten / so blieb doch das gantze Heer / sammt denen Fürsten und Kriegs = Häuptern mit aufgesperreten Augen und begierigem Gemüthe den Ausschlag zu erfahren unverrückt halten.

Der nunmehr fast volle Mond ersetzte an dem heutern Himmel bey nahe
10 die Stelle der abwesenden Sonnen.

Beyde freudige Kämpfer tummelten ihre Pferde mit ungemeiner Geschicklichkeit / und hierauf renneten sie wie ein Blitz gegeneinander. Der Gefangene traf mit seiner Lantzen den Deutschen an die rechte Hüfte / dieser aber jenen auf die Brust. Jedoch sassen sie beyde so wol zu Pferde / daß
15 ehe einer sich aus dem Sattel bewegte / beyde Lantzen in Stücke sprungen. Augenblicks wendeten sie sich / und ergriff der Römer einen Wurff = Spieß / der Deutsche aber einen Streit = Hammer; alleine der Wurff = Spieß gieng diesem unter dem lincken Arm durch / und obzwar der Deutsche mit dem Streit = Hammer den Römer an der rechten Achsel er-
20 reichte / wuste sich der Römer doch dem Schlage so künstlich auszuwinden / daß selbter ohne empfindliche Beschädigung abging. Ja er spannte mit ebenmässiger Geschwindigkeit seinen Bogen / und schoß rückwärts auf seinen Verfolger so gerade / daß / wenn selbter mit dem Schilde den Pfeil nicht aufgefangen / ohne Verwundung derselbte seinen Flug nicht würde
25 vollendet haben.

Inzwischen hatten beyde schon ihre Schwerdter entblösset / und fielen einander als zwey junge Löwen an; jedoch wuste ein ieder des andern Streiche mit solcher Geschicklichkeit zu begegnen / daß bey einer halben Stund die Zuschauer nichts minder verwundernd als zweifelhaft blieben /
30 auf welche Seite noch endlich der Sieg ausschlagen würde.

Endlich glückte dem Deutschen ein heftiger Streich des Römers Pferd an Hals / wovon selbtes sich kollernd in die Höhe dehnte / in einem Augenblicke zurücke schlug / und der Gefangene / weil es zugleich einen kleinen Graben traf / durch einen heftigen Fall unter das Pferd zu liegen kam.

35 Der Deutsche sprengte bei diesem Zufall etliche mal umb seinen Feind rings umbher / und nachdem er an selbtem keine Bewegung sahe / ritt er gegen dem Feld = Herrn / bezeigte selbtem eine tieffe Ehrerbitung / ihm gleichsam für den verstatteten Kampf demütigen Danck erstattend / und rennte Spornstreichs dem vorangegangenen Vortrabe nach ... (Ar 33 l—33 r)

Dieser spezielle Zweikampf steht grundsätzlich unter doppeltem Aspekt: unter dem der individuellen Anonymität der Kämpfer und dem der öffentlichen Bedeutsamkeit seines Resultats als Orakel. Beides hat erzähltechnische Folgen, die sich Lohensteins Komposition gemäß strukturell allerdings bald erschöpfen. Der Sieg des Deutschen wird noch im ersten Buch durch den Sieg in der Schlacht erwartungsgemäß eingelöst. Die Anonymität des Römers lüftet sich, als man den Verwundeten von seinem Harnisch befreit: es ist die gefangene Königin Erato, wie ihr besorgter Diener in seinem Schrecken verrät. Auch die Anonymität des Siegers wird noch an diesem erzählerischen Tage enthüllt: es ist die verkleidete Thußnelda. Die Voraussetzungen dieser Schilderung aber sind gegenüber jener des ‚Amadis‘ und des ‚Herkuliskus‘ verändert. Der Zweikampf findet zwischen zwei verkleideten Heldinnen statt; die Tugend beider erstrahlt während des ganzen Romans in hoher Vollkommenheit. Der Kampf scheint also vom Kontrast der Personen her keine ethische Relevanz aufzuweisen. Wohl aber wird er — sogar abgesehen von der patriotischen Tendenz — erzählerisch gewertet, wie der unglückliche Kampfverlauf bestätigt. Die Schilderung beruht also im Lob der Kampfestugenden beider Streitenden und im ungleichen Ausgang. Diesen bedingt der weitere Handlungsverlauf, denn der Sieg Thußneldens verklärt als Orakel den Ausgang der Schlacht.

Das Beispiel dieser Vorgangsschilderung weist Lohenstein als echten Erzähler von beachtlicher Kraft der Anschaulichkeit aus. Die innere Stimmigkeit der Erzählhaltung bestätigt das Beispiel als relativ reine Bauform. Die einzelnen Phasen des Ablaufes sind eigenwillig und konkret gestaltet. Die bei Lohenstein übliche Rhetorisierung der Sprachform und die syntaktisch-kausale Struktur widersprechen dem keineswegs. Man darf die Literatur des 17. Jahrhunderts nicht von einem modernen Realismus-Begriff aus sehen. Trotz dieser relativen Anschaulichkeit der einzelnen Phasen des Kampfes tritt ein wesentlicher Stilzug des Dichters schon im ersten Satz zutage. Die Gestaltung des äußeren Vorganges und seine Deutung durchdringen einander.[154]

---

[154] Z. 2—4: ein Merkmal eines Vorganges („Fertigkeit"), also ein äußerlich Anschauliches, wird sofort als innere Haltung („Lust, Hoffnung") gedeutet. Auch bei der sprachlichen Gestaltung des Publikums wird dieser Stilzug sichtbar (Korrespondenz zwischen innen und außen: „aufgesperreten Augen" — „begierigem Gemühte").

Wir betrachten nun den rhetorisch durchformten Vorgang in seiner syntaktischen Struktur: 1. Waffnen des Römers (ein Satz). 2. Publikum (ein Satz). 3. Szenerie (ein Satz). 4. Ansturm der Streitenden (ein Satz). 5. Gegenseitige Aktion mit der Lanze (ein Satz). 6. Reaktion davon auf beide (ein Satz). 7. Gegenseitige Aktion mit Wurfspieß und Streithammer sowie gegenseitige Reaktion (ein Satz). 8. Aktion des Gegners — Abwehr des Deutschen (ein Satz). 9. Gegenseitige Aktion mit dem Schwert sowie gegenseitige Reaktion (ein Satz). 10. Finale Aktion des Deutschen, Wirkung auf den Römer: Sieg (ein Satz). 11. Repräsentative Geste des Siegers (ein Satz). Diese Gliederung scheint von geringer Aussagekraft für die Darstellungsweise zu sein. Der Vergleich mit dem ‚Amadis‘ und dem ‚Herkuliskus‘ erweist jedoch die Phasen des Kampfes bei Lohenstein als betont rational gegliedert. Sie bieten sich nicht als einfache Aktion des Gegners und Reaktion seines Gegenüber. Aktion und Reaktion sind vielmehr innerhalb des syntaktischen Bereichs meist in ihrer Wechselwirkung gestaltet. Wie sorglos etwa noch Bucholtz Einzelvorgang, Wirkung und Gedanken ineinander fügt (Z. 20—25, 37—43) oder der Amadis-Erzähler (Z. 24—29), nimmt sich als primitive Struktur bzw. nicht gelungene Bewältigung der Vorgangsschilderung gegenüber Lohensteins scharf abgesetzten Phasen (auch syntaktisch) von rhetorischer Struktur aus. Das Wesen eines solchen Kampfes besteht in einem wechselseitigen Ineinander-Wirken der beiden gegenseitigen Streitaktionen, gerade dieses Phänomen bestimmt Lohensteins Gestaltung.

Darin müssen wir den Dichter als sorgfältig schildernden Epiker innerhalb der fiktiven Episoden erkennen. Dem ist aber nicht immer so. Mitten in der spannenden Vorgangsgestaltung kann der Erzähler aus dem szenischen Rahmen ausbrechen. Das führt dann u. E. zu einer eigenen Bauform, die wir *Erklärung* nennen und hier erstmals beschreibend charakterisieren wollen:

Ob nun zwar die Römer das ihrige thaten / so war doch der deutsche reisige zeug ihnen so wol an der Anzahl als Geschwindigkeit überlegen / und welches das ärgste war / so ging Fürst Marcomir mit seinen Usipetern / von den Römern zu den Deutschen über / nalso / daß die Römische
5   Reiterey gegen den muthigen Jubil nicht lange gestanden haben würde / wenn nicht *die Acarnanischen und Balearischen Schleuderer* ihnen zu hülff geeilet hätten.

Dieser ihr knechtisches Handwerk ist von Kind auf das Schleudern / und kriegen sie von der Mutter kein Brodt / das sie nicht
10   mit dem Steine getroffen.

Sie schlingen die eine Schleuder als eine Zierrath umb das Haupt / die sie in der Nähe brauchen / die andere als einen Gürtel um den Leib / welche etwas weiter schleudert / und die / welche am fernesten trägt / haben sie stets in der Hand und in
15   Bereitschafft.

122

Sie schwencken sie dreymal umbs Haupt / treffen mit einem
pfündigen Steine oder Bley sechshundert Füsse weit / was sie
wollen / und zerschmettern auch denen auffs beste Geharnischten
ihre Glieder.

20 Unter diesen waren auch *Achaische Schleuderer* / welche an statt der
Kugeln Spiesse und Pfeile mit grossem Nachdruck warffen. Aber auch
diese würden nicht lange gestanden seyn / wenn nicht das Römische Fuß =
Volck sich genähert und die Reiterey entsetzt hätte ... (Ar 55 l)

In den epischen Bericht während der Kampfhandlungen der Schlacht im
Teutoburger Wald schiebt der erzählende Dichter einen Passus ein, der
sich durch ein ‚besprechendes Tempus' vom ‚erzählenden Tempus'[155] des
Kontextes abhebt. Die *Erklärung* bricht damit aus der szenischen Fiktionalität der epischen Gestaltung aus. Wir müssen darin eine eigene Bauform erkennen, deren Funktion eindeutig von jener der Vorgangsschilderung abweicht. Während dieses Einschubs bleibt eine wichtige Phase der
Kampfhandlung, nämlich die Aktion dieser Schleuderer eigentlich ausgespart. Es wird nicht ein konkreter Vorgang erzählerisch bewältigt, sondern
ein Phänomen des Lebens aus dem fiktionalen Zeitablauf gelöst und
erklärt. Der Erzähler verläßt die epische Zeitgesetzlichkeit und liefert die
rationale Charakteristik einer Kategorie („die Acarnanischen und Balearischen Schleuderer"). Damit rückt die *Erklärung* als geschlossene Bauform in die Nähe anderer von argumentierender Art (Diskussion, Exempel-
sammlung usw.). Sie beruht der Sprachform nach auf Urteilen, die eine
gültige Kategorie des Menschlichen nach ihren Erscheinungsmerkmalen
charakterisieren.

Diese Erklärung etwa setzt sich aus folgenden Teilen zusammen: 1. Einführung des Namens einer Kategorie. 2. Merkmale: a) das historische
Werden der wesentlichen Eigenschaft („von Kind auf"); b) die rhetorisch
gegliederten drei Arten (Schleuder: 1. Haupt-nahe, 2. Gürtel-weiter,
3. Hand-am weitesten); c) die Wirkung als Resultat dieser Eigenschaft.
Die Zahlenangaben unterstreichen noch die rational-logische Prägung der
charakterisierend-messenden Sprachform.[156] Indem Lohenstein hier also
die Gattung (Kategorie) einer konkreten Erscheinung dieser Welt wesenhaft erfassen will, bricht er aus der szenischen Fiktion aus. Er entreißt ihr
damit das konkrete Einzelding und ordnet es, rational bewältigt (nach
Merkmalen und Wirkung) und wertend („knechtisches Handwerk"), in
den göttlichen Kosmos aller Erscheinungen als ein für alle Mal gültige

---

155 Vgl. Harald *Weinrich*, Tempus. Besprochene und erzählte Welt. Stuttgart
1964 (= Sprache und Literatur 16).
156 Es besteht ein grundsätzlicher Unterschied zwischen diesen Zahlenangaben
und jenen bei Bucholtz, auf die schon F. *Stöffler* S. 117 hinweist. Die pedantische Wirkung bei Buchholtz mag darin begründet liegen, daß es sich um
Zahlenangaben innerhalb der szenischen Fiktion handelt, während Lohenstein gelehrt disputiert.

Form ein. Diese ‚fiktionsstörende' Form wäre in Anton Ulrichs Romanwerk undenkbar. Sie tendiert aus der szenischen Fiktion hinaus, während dort alle Bauformen fiktionsbezogen sind. Als psychologisches Problem wäre noch zu prüfen, ob der kategoriale Einschub (gerahmt durch die Gattungsnamen, die noch in der Fiktion stehen) im Fiktionskontext die Funktion des konkreten Vorganges ersetzen kann, d. h. ob der Leser durch die Kontext-Atmosphäre die zeitlose Erklärung als zeitbezogenen Vorgang (innerhalb der Fiktion) aufnehmen könnte?

Eine Kampfszene aus Anton Ulrichs Romanwerk soll uns seine Eigenart dieser Bauform zeigen. Sie steht noch im Bereich des medias-in-res-Einsatzes der ‚Aramena' und schildert die Befreiung der Ahalibama von Seir durch Elieser und Ephron:

> Als sie sich demnach an die beide seiten eines holen wegs gestellet / und hinter den büschen verborgen lagen / sahen sie zuerst viel Camele mit gütern beladen fürbei führen; worauf ein haufe von ungefähr sechzig reutern kamen / und hiernächst ein verdeckter wagen / welchen Elieser für der Ahalibama wagen ansahe / und also mit den seinigen gleich auf denselbigen los brache. Indeme etliche die stricke den pferden verhieben / wolte er den wagen öffnen: wurde aber von einem ansehnlichen ritter davon abgehalten / der auf ihn sporenstreichs zugerant kame / und diese beute verfochte. Elieser / von eiversucht und grim ganz verblendet / hielte diesen unbekanten für den Tharsis / und meinete alsobald / Ahalibama wäre durch diesem glücklichen mitbuhler schon befreyet / wandte demnach mit unbeschreiblichen muht sich gegen seinen feind: dem er / ob er schon zu pferd war / so viel arbeit machte / daß er bekennen muste / er hätte mit einem ungemeinen widersacher zuschaffen. Eliesers leute / folgten immittels ihres herren tapferkeit treulich nach. Ephron aber / mit etlichen von den seinigen / risse sich von dem gefechte los / um die Ahalibama aus ihrem wagen in den ihrigen zu bringen. Solches verrichtete er auch glücklich / und fande darinn vier weibspersonen mit verdeckten angesichtern: unter denen zweye gutwillig sich heraus begaben / die anderen aber sich stark widersetzeten. Demnach auf der einen bitte / die Ephron in dem getümmel für die Fürstin von Seir hielte / liesse er die zwey alda / und brachte die anderen davon. Nachdem er selbige auf den wagen gehoben / und etliche / sie zu bewahren / bey ihnen gelassen / begabe er sich wieder in den streit / um / seinem bruder bey zuspringen: der seinen gegenpart tödlich verwundet / selbst aber mit vielen wunden auch also zugerichtet war / daß er nicht mehr zu fechten vermochte. Die frömden / ihren fürnemsten für todt haltend / gaben dem Ephron und den seinigen raum genug / den verwundten Elieser davon zubringen: mit dem er sich dann nicht säumete / ihn auf den wagen zuheben / welchen zu halten / er sich selbst hinauf schwunge / und damit eiligst fortjagen liesse.
>
> Aber wie groß ward seine bestürzung / als er / an stat der Ahalibama / eine ganz frömde / ihm unbekandte schönheit erblickete: die / unangesehen sie sehr erblasst und beängstiget war / ihren unvergleichlichen glanz doch nicht verbergen konte. Wo ist / ... (A I 10—11)

Zwei bedeutsame Gestaltungszüge treten hier überscharf heraus: 1. das hastige Erzähltempo des dynamischen Vorganges und 2. die strukturelle Integration. Die sprachlich-erzählerische Durchführung wird weitgehend von Anton Ulrichs Technik der *Erzählperson* bestimmt. Das Tempo des Vorganges ergibt sich primär aus der intensiven Bezogenheit der einzelnen Erzählteile (Phasen) aufeinander: *Elieser:* Anblick der Karawane / Losbrechen / Aktionen des Überfalls / Behinderung durch auftauchenden Ritter / Zweikampf mit dem Unbekannten. *Blickwechsel auf Ephron:* Befreiung ‚Ahalibamas' / Entfernung der Damen aus dem Kampfbereich / Rückkehr zu Elieser / Hilfe / und Flucht mit dem Verwundeten. Die strukturelle Verankerung dieses Einzelvorganges ist im Gegensatz zu den bisher behandelten Beispielen ein wesentlicher Gestaltungszug. Dadurch kann der Vorfall nie zu episodenhafter Abrundung gelangen. Er ist — im Erzählverlauf — nach vorne und rückwärts offen. Die sprachliche Form der strukturellen Integration erfolgt wieder durch die Beachtung der *Ausschnitte*. Diese läuft eigentlich der hastigen Dynamik des Vorganges zuwider. ‚Ereignisroman' und ‚Beziehungsroman' schieben sich in dieser Szene ineinander. Die *Ausschnitt*-Beachtung verlangt nämlich die sprachliche Gestaltung der Gedanken und Meinungen Eliesers und Ephrons. Sie beruhen auf dem Motivationszusammenhang des bisher Gestalteten. Vom Resultat her wird dann dieser Überfall noch zu einem Paradigma menschlichen Irrtums: sie befreien die falsche Dame. Daraus ergibt sich die Motivation des Überfalls und seiner einzelnen Phasen als Täuschung. Das Resultat aber bestimmt die weitere Komposition.

Als letzte Kampfschilderung im Reigen dieser Beispiele sei eine Stelle aus Ziglers ‚Asiatischer Banise' betrachtet. In diesem Werk ist bei sprachlichen Interpretationen besondere Vorsicht geboten, weil Ziglers Hang zur Bearbeitung fremder Vorlagen[157] den Interpreten leicht irreführen kann. Elisabeth Schwarz hat in ihrer Arbeit vor allem auch Kampfhandlungen herangezogen. Ihre besondere Fragestellung nach dem Theatralischen bedingt natürlich auch aspekthafte Ergebnisse. Wir wählen aus dem Romanbeginn Balacins Kampf mit den drei Bramanern (S. 16—17):

> Allein bei Endigung der letzten Worte ersahe er drei verwegene Bramaner, mit entblößten Säbeln, aus einem Strauche hervorgesprungen kommen, welche ihn sofort mit entsetzlichen Gebärden anschrien: „Und du bist der einige Verräter, welchem das rechtmäßige Verfahren unseres mächtigsten
> 5 Kaisers mißfallen, und sich, als ein Sklave, in Fesseln rächen will? Halt, dein Kopf soll uns tausend Pesos gelten!" Sofort wurde Balacin von ihnen ohne ferneres Wortwechseln überfallen, daß er kaum aufspringen, und den ins Gras gelegten Säbel ergreifen konnte. Weil sich aber zu allem Unglücke sein Riemen über das Gefäße geschlungen hatte, vermochte ihn
> 10 Balacin nicht auf den ersten Zug zu entblößen: dahero er von dem einem Bösewicht einen ziemlich Hieb in die linke Schulter bekam, daß sein himmelblauer Rock in kurzer Zeit mit Blute gefärbet war. Doch der Himmel, welcher diesen tapfern Prinzen noch zu etwas Größern aufbehalten, als daß er von so schnöder Faust liederlich verderben sollte, gab

---

[157] Vgl. dazu W. *Pfeiffer-Belli* S. 86 f., 92 f.

15 Gnade, daß er bald seines Säbels mächtig ward, und im andern Streich
den Täter so ungestüm an den Hals zeichnete, daß er gleich zur Erden
stürzte. Hierauf ersahe der Prinz sein Vorteil, und sprang, um den Rücken
zu versichern, an einen Baum: Da sich denn diese Schelmen über den Tod
ihres Mitgesellen dermaßen ereiferten, daß sie gleichsam als blind und
20 rasend einzulaufen sich bemüheten. Dahero sich auch einer den vorge-
haltenen Säbel des Prinzen unter der linken Brust dermaßen einlief, daß
er tot davon niedersank, und den vorgesetzten Streich nicht vollziehen
konnte. Es würde aber unseren Balacin noch ein größerer Unfall betroffen
haben, wenn nicht das Verhängnis selbst vor ihm den Streich ausgenom-
25 men hätte. Denn als er den Säbel nicht so geschwinde, wie es die Not
erforderte, aus dem Leibe des Eingelaufenen ziehen konnte, versuchte der
dritte durch einem grausamen Hieb, den Tod seiner Kameraden zu rächen,
und holte demnach aus allen Kräften aus, dem Prinzen den Kopf zu
spalten: welches ihm auch richtig gelungen wäre, wenn nicht ein treuer
30 und überhangender Ast den Streich aufgefangen hätte. Denn als der
Mörder vor Raserei den Ast nicht bemerkte, hieb er so grimmig hinein,
daß er nicht allein den Säbel mußte stecken lassen: sondern auch, als
Balacin hiedurch seinen Säbel wieder zu gewinnen, Zeit bekam, von selben
einen schweren Streich in die Achsel empfing, daß er sofort, wo er nicht
35 den andern beiden gleich werden wollte, das Reißaus spielen mußte:
wiewohl er leicht würde einzuholen gewesen sein, wann nicht Balacin
sowohl wegen der fernen Reise, als auch ziemlichen Verwundung dermaßen ermüdet, daß er vor Ohnmacht in das Gras niedersank, und sich
in ziemlicher Weile nicht zu entsinnen wußte, in was vor elenden Zustand
40 und gefährlichem Orte er wäre.

Elisabeth Schwarz (S. 4) sieht als wichtigstes Merkmal dieser Gruppe
von Vorgängen „die aufschäumende Erregtheit in der Gestikulation", die
für beide Gegner gleichermaßen gilt. „Erst die[se] Zielsetzung", „die Werthaftigkeit ihres Ziels" unterscheidet sie und ordnet sie durch den höheren
Bezug sinngemäß „dem Gehalt zu." Unsere Betrachtung steht im Sinn-
zusammenhang solcher Vorgänge bei verschiedenen Autoren, nicht einer
Szenengruppe des gleichen Autors. Als zwei wichtige Gestaltungszüge
erkennen aber auch wir: 1. eine intensive Steigerung des Vorfalls zu einem
Handlungshöhepunkt (Schwarz S. 5) und 2. die Wertunterschiedlichkeit
der Gegner, die an die Beispiele aus ‚Amadis' und ‚Herkuliskus' erinnert.
Mittel der Steigerung sind der affektive Wortschatz und die sich auf-
türmende syntaktische Struktur. Die alte Form der Reizrede wird zur
Beschimpfung und steht bedeutsam in der ethisch-sozialen Wertantithese
der Gestaltung (Prinz = „Sklave, Verräter"). Die syntaktische Struktur
ist nicht wie bei Lohenstein rational-rhetorisch gebändigt zur Gestaltung
der Kampfphasen. Bei Zigler ist die Struktur nicht logisch, sondern eher
affektiv ineinander geschachtelt. Aktion und Gegenaktion durchdringen
einander in erregter Steigerung und Verschichtung der syntaktischen
Elemente (Beispiel Z. 32—40). Die Grellheit des Ausdrucks gehört der
Steigerung und der Wertantithese gleichermaßen zu: Z. 2 und 3 „hervor-
gesprungen, sofort, mit entsetzlichen Gebärden, anschrien" usw.; Bewegung, Akustik usw. sind auf höchste Intensität getrieben.

Der alles bestimmende Gestaltungszug aber ist die antithetische Wertung der Streitenden in ethischer und sozialer Hinsicht. Übersteigert könnte man die Szene als Paradigma für die sich in diesem Werk begegnenden Phänomene des Schelmenromans und höfischen Romans betrachten. Schon der Beginn steht unter diesem Zeichen. Der Titelheld wird als einzelner von drei unbekannten Angreifern überfallen. Im hohen höfischen Roman werden solche Vorfälle im Motivationszusammenhang wohl erwähnt, meist aber nicht der erzählerischen Ausformung gewürdigt. Durch diesen räuberischen Überfall erweisen sich die Bramaner schon als unhöfisch, unritterlich und bübisch. Der wertvolle Fürst wird von wertniedrigen namenlosen Angreifern meuchlings überfallen. Von der verkehrten Wertung der schimpfhaften Reizrede her werden die Kämpfer bereits grundlegend unterschieden. Die drei ‚Buben' kämpfen um Geld („tausend Pesos"), der Überfallene im Dienste seiner Liebe. Überscharf stehen sich hier die Werte gegenüber. Die durchgehende Sprachform ist in der Bezeichnung der Streitenden antithetisch wertend (vom Erzähler aus) geprägt: (Z. 13: „tapferer Prinz", 23: „unseren Balacin") gegen (Z. 1: „verwegene Bramaner", 11: „Bösewicht", 16: „Täter", 18: „diese Schelmen", 19: „Mitgesellen", 31: „Mörder"). Glück und Unglück im Gewoge des Streites ist in der Sprachform auch stark werthaft ausgebildet: Balacin: Z. 8: „zu allem Unglücke", 17: „ersahe der Prinz sein Vorteil", 23: „noch ein größerer Unfall", 27: „grausamer Hieb" (gegen Balacin), 29: das schöne Beispiel des „treuen und überhangenden Astes"! Auf Seite seiner Gegner: 15 „schnöder Faust liederlich." Das zeigt die parteiische Wertung des Erzählers, der in dieser Tendenz noch weiter geht: Er läßt über seinem Prinzen den Glanz und die Planhaftigkeit der göttlichen Vorsehung aufleuchten (Z. 12—15 und 24). Das rasche Erfassen von Einzelheiten unterstreicht die Dynamik und Wirksamkeit dieser Kampfschilderung, die spannend und wertend gestaltet ist.

Die behandelten Beispiele gehören einer Szenengruppe an, deren überreiche Tradition Übereinstimmungen garantiert und Unterschiede leicht übersehen läßt. Gerade der motivische Gleichlauf aber, den wir hier bewußt vernachlässigten, setzt die Eigenart der Sprachform und der epischen Vorgangsgestaltung von Beispiel zu Beispiel merklich voneinander ab.[158] Das Verhältnis dieser Szenen zur besonderen Romanstruktur könnte weitere Unterschiede präzisieren, die sich aus dem künstlerischen Wollen des Autors erklären lassen.

---

[158] Als Beispiel einer solchen motivischen Übereinstimmung führe ich den wiederkehrenden Gestaltungszug an, daß der Gegner knapp vor seiner Niederlage nochmals unter gewaltiger Kraftanstrengung zu einer Gefährdung des Guten emporsteigt; ein Moment, das zweifelsohne im Dienste der Spannung steht: vgl. dazu Amadis Z. 22 ff., Herkuliskus Z. 37 ff. und Asiatische Banise Z. 26 ff.

Die Kampfschilderung im ‚Amadis' stellt eine wiederkehrende Form der Handlungssteigerung dar. Sie steht unter ausgeprägter ethischer Relevanz, und zwar in allen Phasen, die im Rahmen typisierter und teils formelhafter Wendungen sprachlich gestaltet sind. Die Szene rundet sich erzählerisch zur abgeschlossenen Episode innerhalb einer mehr linearen Großstruktur des Werkes. Die Kampfschilderung im ‚Herkuliskus' vollzieht sich dagegen in einem völlig innerweltlichen Raum und steht vorderhand ganz im Banne äußeren ‚realistischen' Geschehens. Die Wertung wird vom Erzähler als moralische Abrundung der Episode vollzogen; sie entspricht wesentlich der moralisierenden Absicht des Autors. Die erzählerischen Konsequenzen werden zeitlich und örtlich raffend erledigt, wodurch sich der Vorgang zur Episode schließt. Die Sprachform differenziert nach Phase und Detail.

Die Kampfschilderung im ‚Arminius' zeigt eine auffällige rationale Gliederung der Phasengestaltung. Die Sprachform ist von einem bedeutsamen rhetorischen Grundzug geprägt. Neu ist die sprachliche Bewältigung der wechselseitigen Aktionen im Rahmen des Syntaktischen. Die Episodenhaftigkeit des Vorgangs ist von geringer kompositioneller und struktureller Auswirkung. Daß es sich dabei eben nicht in erster Linie um die Gestaltung einer geschlossenen szenischen Fiktion handelt, erweist das ständig mögliche Ausweichen in die beurteilende Bauform der *Erklärung*. Nicht die konkrete Schilderung eines einmaligen Vorganges entspricht dem künstlerischen Wollen, sondern die rationale Erfassung der Einzelerscheinung und ihre Einordnung in den geistigen Kosmos. Die Kampfschilderung in Anton Ulrichs Romanwerk ist keineswegs episodenhaft abgerundet, sondern in den Erzählablauf nach vorne und hinten offen. Wesentlich ist der szenisch-fiktionale Bezug aller Elemente der Schilderung, die intensiv strukturell und episch integriert sind. Die Dynamik des Vorfalles und das Moment menschlichen Irrtums und menschlicher Täuschung entsprechen der durchlaufenden Erzählweise.

Die Kampfschilderung in der ‚Asiatischen Banise' ist durchgehend von affektiver Steigerung geformt. Syntax und Wortformen tragen diese Steigerung ebenso wie die Phasengestaltung. Die ethische Wertung des Erzählers ist ein augenfälliger Gestaltungszug. Es geht Zigler mehr um die überraschende Darstellung eines Handlungshöhepunktes als um die kompositionelle Funktion eines solchen Vorfalles.

Alle Schilderungsweisen aber unterliegen — wenn auch in verschiedenem Grade — einer bewußten Stilisierung. Realistische Schilderungen sind in dieser Höhenlage des Romans undenkbar, obwohl sich bei Bucholtz und Zigler schon Sprachnuancen aufdecken lassen, die vom Gleichmaß des hohen Stils abweichen. Grundsätzlich erweist sich die Kampfschilderung als eine Vorgangsschilderung von geringer Raffungsintensität und relativer Neigung zum Detail. Als Bauform kann sie natürlich verschiedenste Themen zum gestalterischen Vorwurf haben.

Größere Raffungsintensität weist eine verwandte Bauform der Vorgangsschilderung auf[159]: der Bericht einer Romanperson. Da er meist aus einer Gesprächssituation herauswächst und strukturell in ihr verankert ist, wollen wir ihn bei den Gesprächsformen behandeln.

2. Die Formen des Gesprächs

a. Vorbemerkung

Die Eigenart des Gesprächs als erzählerische Bauform beruht auf zwei epischen Grundbedingungen: der Erzählhaltung und seiner vielfachen Spannung zu anderen Bauformen im Gefüge eines literarischen Werkes. Das erste Problem haben wir bereits erörtert (s. o. S. 18—31) und dabei eine neutrale distanzierte Erzählhaltung, die von höfischem Werten bestimmt ist, als Ergebnis gebucht. Die Werthaltung ergibt sich aus den speziellen Nuancen der Sprachform. Die weite Erzähldistanz und die gleichförmige Erzählhaltung haben zum Klischee der Objektivität geführt. Dagegen meldeten wir Bedenken an. Auch Käte Hamburger meint, es handle sich bei fiktionalem Erzählen weder um objektives noch subjektives, sondern um die Sicht von außen (Personen und Vorgänge werden als Objekte) oder von innen (Personen werden als Subjekte gesehen).[160] Der erzählende Dichter in Anton Ulrichs Romanwerken schafft aus gleichförmiger neutraler Haltung in seinem Erzählen die gesamte Fiktionswelt, ohne durch seine persönliche Meinung hervorzutreten. Wohl aber formt das Werten die ganze Gestaltung als Ausdruck der allgemeinen höfischen Norm. Das führt zu einer Annäherung von direkten und indirekten Darstellungsmitteln.[161] Der Dichter gibt demnach häufig das Wort an die Romanpersonen ab. Der Anteil der Gesprächsformen am gesamten Erzählvorgang ist somit sehr groß.[162]

---

[159] Der Vorgangsschilderung verwandt ist selbstverständlich auch die stark geraffte *epische Überleitung*. Sie deckt sich weitgehend mit dem Phänomen des Schauplatzwechsels durch eine *Erzählperson* (vgl. O II 363). Ihre Funktion haben wir beim Schauplatzwechsel erörtert (vgl. o. S. 109 ff.).

[160] K. *Hamburger*, Die Logik der Dichtung. Stuttgart 1964, S. 83.

[161] W. *Kayser*, Entstehung und Krise S. 9.

[162] Er beträgt in der ‚Argenis' etwa die Hälfte, im ‚Herkuliskus' etwas weniger als die Hälfte, in Anton Ulrichs Romanwerk vielleicht ein Drittel und im ‚Arminius' sogar mehr als drei Viertel. So problematisch diese groben Schätzungen aufgrund kleinerer Textstellen auch sein mögen, sie bestätigen jeden-

Die zweite epische Bedingung für die Eigenart eines Gesprächs besteht in seiner Spannung zu anderen Bauformen, etwa der Beschreibung, der Vorgangsschilderung, dem epischen Bericht usw. „Nicht nur, daß zwischen der Meinung der Person und der ‚wahren' Meinung des Erzählers oft eine Spannung besteht, die zur Analyse reizt – auch zwischen der Aussage der Person und dem Fortgang des Geschehens besteht eine natürliche Spannung."[163] Obwohl Eberhard Lämmert hauptsächlich Erzählweisen im 19. Jahrhundert untersucht, gilt seine Beobachtung auch für das barocke Erzählen. Seine ‚erste' Spannung zwischen der Meinung von Romanperson und erzählendem Dichter spielt auch da eine bedeutsame Rolle. Im höfischen Barockroman bestätigt seine grundsätzliche Beobachtung unsere These von der strukturellen Relevanz der *Ausschnitte*. Nur begreifen wir unter *Ausschnitt* nicht nur die ‚Meinung' im fiktiven Augenblick, sondern auch die Motivationszusammenhänge, die sie gestalten. Ergänzen müssen wir für die Erzählweise Anton Ulrichs, daß in seinen fiktiven Enthüllungsprozeß noch die ‚Meinung' des immanenten Lesers als Strukturprinzip miteingebaut ist (vgl. o. S. 31—36). Das kausale Beziehungsnetz allen Geschehens verlangt die ordnende ratio des olympischen Erzählers, der den gesamten Stoff beherrscht. Von seinem Wissen unterscheidet sich die Meinung der Romanperson häufig als Irrtum und Täuschung; der Leser unterliegt nur manchmal diesen Strukturen. Die Spannung zwischen Gespräch und Vorgangsschilderung ist jener Bereich, wo diese Bezüge besonders faßbar werden. (Lämmerts ‚zweite Spannung'). Das Geschehen ist an den zeitlichen Ablauf gebunden, die Aussage der Rede keineswegs. Sie kann sich mit vergangenen, gegenwärtigen oder zukünftigen Vorgängen befassen und sich zur zeitlosen Feststellung erheben.[164] Das Gespräch steht also in zwei Spannungsfeldern: dem strukturellen der Meinungen von Autor, Leser und Romanperson und dem zeitlichen von Redeinhalt und Geschehen. Beide Spannungen bestimmen die von Werk zu Werk wechselnde Gesprächsstruktur im höfischen Barockroman. Der Vorwurf wiederholend umständlichen Erzählens hat sich meist daran entzündet. Auf die inneren Gründe einer derartigen Fehlbeurteilung

---

falls den großen Anteil der Gesprächsformen am Erzählvorgang dieser Romane. — Auf das Problem der häufig gebrauchten indirekten Rede kommen wir noch zurück. Sie ist nur im Sinne K. *Hamburgers* zu sehen: als eine innerhalb der mimetischen Fiktion stehende Wiedergabe des Gesprochenen, die nicht durch den formenden Gesichtspunkt eines fiktiven Erzählers oder einer Erzählperspektive gebrochen wird. Das Problem wurde im höfischen Barockroman noch kaum untersucht.

[163] E. *Lämmert* S. 196.
[164] E. *Lämmert* S. 197—198 unterscheidet drei verschiedene Möglichkeiten des Spannungsbezuges zwischen Rede und Geschehen. Davon ist es besonders die erste und die dritte (etwa Lohensteins *Disputations*-Form). Wichtig erscheint uns, daß sich die beiden durch ihren Fiktionsbezug unterscheiden.

haben wir hingewiesen (s. o. S. 46–53). Die sprechende Auseinandersetzung mit dem Geschehen bezieht diese Bauform auf die geschlossene Fiktion der Werke. Diese theoretischen Vorbemerkungen wollen wir nun an einem x-beliebigen Gespräch aus der ‚Aramena' veranschaulichen: (Text A I 4–5, s. o. S. 20 f.).

Die fürstlichen Brüder Elieser und Ephron belauschen das Gespräch zweier ihnen unbekannter Männer. Sie und der Leser deuten die menschlichen Beziehungen, die in diesem Gespräch enthüllt werden, von ihrem identischen *Ausschnitt* her. Der Leser weiß, daß sie Eliesers Geliebte Ahalibama von Seir aus den Händen des canaanitischen Königs Beor befreien wollen. Das Gespräch zwischen Tharsis und Hadat macht sie nun glauben, daß der in Ahalibama verliebte Tharsis diese ebenfalls entführen will. Die plötzliche Entdeckung eines vielleicht sogar begünstigten Nebenbuhlers ist für den barocken Helden ein fürchterliches Erlebnis; sein auf treue Beständigkeit gegründetes Weltverstehen sackt zusammen. Beachten wir nun die Sprachform und die Spannungskurve dieses belauschten Gesprächs. Seine innere Struktur führt in Schritten zur Analogie zweier Modelle von menschlichen Beziehungen. Die Belauscher und der Leser empfinden die Analogie schließlich als Gewißheit. Dieser Vorgang bildet die innere Gesprächsstruktur und beruht auf den sorgsam gewählten Nuancen der Sprachform der dialogischen Aussagen. Folgende sprachliche ‚Schritte' führen zur Analogie: *Die Fürstin* („große schönheit — gute Prinzessin — braut — braut eines andern"). Der letzte Schritt zwingt Elieser, die Gleichung (*Fürstin* = *Ahalibama*) zu vollziehen. Die Spannungsstruktur liegt im zunehmend schärferen Benennen einer Person vom allgemeinen Ausdruck („schönheit) bis zu einer Kategorie menschlicher Beziehung („braut eines andern"). Parallel dazu enthüllt sich der Aktionswille des Tharsis in steigender Präzision („mühe / ihr zu gefallen — aus Canaan kommen — entführen — ohne gegenliebe entführen"). Der sprachliche Parallelvorgang erreicht aber nur modellhafte Kongruenz, zur endgültigen Identität fehlt der Name der betroffenen Dame. Diese Analyse erweist die sprachliche Dialogstruktur als bewußt im Spannungsdreieck von Autor, Leser und Romanperson stehend.

Das Gespräch ist aber auch eingebettet in die konkrete Erzählung, richtet sich verwertend auf zeitlich Vergangenes (Tharsis' Zusammentreffen mit dieser Dame) und planend auf zeitlich Zukünftiges (seine Absicht, sie zu befreien). Manchmal erhebt sich die Aussage auch zur zeitlosen Feststellung: „Hadat! du bist ein schlechter hofmann / wenn du dich scheuest / dem frauenzimmer zu willen / alles ungemach auszustehen." (A I 4) Die Dimension dieses Gesprächs reicht von der Verwertung der Vergangenheit über die aktuelle Gegenwart in die Zukunft. Informationen, Kommentar und Plan bilden seine Spannungsphänomene. Sie sind in ihrer Wirkung gleichermaßen auf Lauscher und Leser bezogen. Die Belauschungssituation und die lebhaft aufgelockerte Form der Dialogpartien zeugen von seiner epischen Integration. Die Bauform bildet darüber hinaus eine dichte Stelle struktureller und kompositorischer Elemente.[165] Darin beruht seine eigentliche Funktion als Spannung zwischen Rede und Geschehen. In deren verschiedenen Gestaltungsweisen heben sich die einzelnen Vertreter des höfischen Romans voneinander ab.

b. Die thesenhafte Erörterung als Beispiel für Struktur und Sprachform des Gesprächs

Zur Illustration wählen wir diesen Typus, weil bei ihm naturgemäß die Beziehung zum Geschehen geringer scheint. Gerade bei diesem Sonderfall erhebt sich die Aussagestruktur in verschiedenem Grade zur zeitlosen Feststellung. Die Unterschiede zeigen sich besonders in der Sprachform, der Dialoggestaltung, der szenischen Vergegenwärtigung und der inneren Gedankenführung. Das Thema der gewählten Gespräche kehrt als Kernfrage der höfischen Barockdichtung häufig wieder: Liebes- oder Staatsheirat? Das Arsenal der verfügbaren Argumente stand dem Gebildeten des 17. Jahrhunderts freizügig zu Gebote, sodaß eine formale Betrachtung hier berechtigt anzusetzen ist. Es geht nämlich nicht um die Originalität des Gedankens, sondern um die sinnreiche Variation aufgrund der besonderen erzählerischen Veranlassung.

Als erstes Beispiel wählen wir ein Gespräch aus der ‚Argenis' von Barclay-Opitz (1626), 20. Kapitel, S. 564—566:

> Derwegen beruffte er [Meleander] seine Tochter / [Argenis] vnd fragte
> sie / was jhr dann an dem Radirobanes dermassen mißfiele. Privatpersonen / sagte er / pflegen Heyrath nach jhrer Zuneigung oder Gleichheit
> der Sitten zu treffen; Wir hergegen müssen solche Anmutigkeit fahren
> 5   lassen. Dann der Könige Zustandt erfordert / daß sie jhnen baldt vnwürdige vnd feindselige Personen durch die heilige Pflicht der Heyrath verbinden; baldt mit einer grausamen Notwendigkeit alle Gesetze der Verbindnüsse vnd Blutsfreundschafft hindan stellen.
> Derjenige pflegt vns am liebsten zuseyn / der vnsere Macht mit Nutzen
> 10 sonderlich stärcket; vnnd diese Verwandtschafften werden für die fürnembsten gehalten / welche das Reich am meisten befestigen.

---

[165] Ihm eignet eine starke Handlungsfunktion, obwohl sich die verwirrende Analogie als wirksames Verdopplungsprinzip Anton Ulrichs aufklärt. Der Dichter beginnt den medias-in res-Einsatz seines Romans eben nicht mit der Entführung *einer* Prinzessin durch *einen* Prinzen aus der Macht eines wollüstigen älteren Königs, sondern mit der Entführung *zweier* Prinzessinnen (Ahalibama, Aramena) durch *zwei* Prinzen (Elieser, Tharsis) aus der Macht dieses Herrschers (Beor von Canaan).

Hette ich mehr Kinder / so köndtet jhr vermeinen / ich trüge dißfals nicht so sehr für euch Beysorge als für mich selber. Dann ich weiß daß offtmals Könige jhre Töchter vnnd Schwester denen zu vergeben pflegen / welche sie
15 vnter dem Schein einer Freundtschafft betriegen / oder auff eine Zeitlang begütigen wöllen; vnnd machen hernach / vnangesehen das Pfandt jhres Geblüttes / noch daß jenige was sie versprochen haben / Krieg oder Friede nach der Zeit gelegenheit vnnd jhrem belieben.
Ihr aber seydt meine Einige; die Natur vnnd die Nachfolgung im Regi-
20 mendt vereiniget alle Zuneigung deß Vatters vnnd deß Königes in euch alleine. Rahtet derhalben euch selber / oder lasset mich euch rahten.
Argenis gab zur Antwort: Herr / einer Jungfrawen gebühret rechenschafft zu geben wann sie auff einen die Gunst zum Heyrahten geworffen hat / nicht aber / wann sie eine Person vnter den andern nicht lieben kan / es
25 sey gewisser Vrsach wegen / oder auß Schamhafftigkeit / welche auch einen jedwedern zu lieben außschlagen solte.
Ich köndte aber den Radirobanes vieleicht nicht hassen / wann er mich mehr begehrte auß Liebe / als auß Einbildung daß man mich jhm zu geben schuldig were. Solche thörichte Hoffart kan ich nicht vertragen. Ihr selber /
30 liebster Vatter / wöllet euch das vbrige was euch an jhm mißgefällt / für Augen stellen. Eben diese Sachen sindt es / welche mich von treffung der der Verbindung / nebenst ewerem / Siciliens vnd letztlich meinem Vntergang zurück halten.
Der König als er jhre Verstockung sahe / ließ er sie von sich / gewisser
35 Meinung / seinem Gebrauch nach / sie wider jhren Willen nicht zu nötigen . . .

Der sizilianische König Meleander sieht sich aus Furcht vor Radirobanes gezwungen, dessen Werbung um seine Tochter Argenis mit dieser einmal grundsätzlich zu diskutieren. Diese Erörterung unterstreicht die didaktische Absicht Barclays augenfällig. Kategorisch und rhetorisch stehen sich die Äußerung von Vater und Tochter als gelehrt-humanistische Miniatur-Traktate gegenüber. Die Stelle entbehrt der szenisch-personellen Auflockerung von Dialogführung und gestischer Dialogbegleitung; die Situation ist episch wenig ausgestaltet. Der Übergang von der Frage zur Antwort (Z. 19—21) und der Abschluß der Antwort (Z. 32—33) scheinen die einzigen Stellen zu sein, die szenisch auf den Partner bezogen sind. In geschickt rhetorischer Gedankenführung entwickelt der Vater seine grundsätzliche Meinung. Obwohl er keinen Zwang ausüben möchte, spricht er doch für die Staatsheirat, wie es ihm nach Alter und diplomatischer Weitsicht zukommt. Der beruhigenden Behauptung („Privatpersonen . . .") stellt er die königliche Maxime („Wir hergegen . . .") kontrastierend gegenüber. Das „Wir" schließt Sprecher und Angesprochene im zwingenden Kreis dieser Pflicht zusammen. In rhetorischem Parallelismus („baldt-baldt") entfaltet er weitere Begründungen seiner Behauptung. Damit schafft er sich gleichzeitig die argumentative Voraussetzung für die königliche Maxime seines Themas („Derjenige . . ."), die er wieder in eindringlichem Parallelismus („liebsten-fürnembsten") gestaltet. Rhetorisch klug baut er einen möglichen, aber nicht ausgesprochenen Einwand der Zuhörerin ein („Hette ich . . .") Damit entkräftet er eines der in der Literatur des 17. Jahrhunderts stereotyp wiederkehrenden Gegenargumente, daß nämlich die Staatsheiraten, ohne Rücksicht auf die Blutsbande, zu diplomatisch bedenklichen Aktionen genützt werden. Aus der Entkräftigung dieses Einwandes entwickelt sich dann steigernd die direkte Hinwendung zur Zuhörerin: ihre Situation verlange eine Entscheidung, bei welcher er als Vater und König mitraten könnte.

Die Antwort der Angesprochenen wird durch eine übliche Inquit-Formel eingeleitet. Sie entstammt nicht primär dem überzeugt persönlichen Ich der Königstochter, sondern erscheint sprachlich als Ausdruck einer Kategorie („einer Jungfrawen"), deren Verhalten hier als Casus erörtert werden soll. Die persönliche Stellungnahme („Ich . . .") erzwingt dann erst die Betrachtung des konkreten Falles („Radirobanes"). Die negative Antwort der Tochter wird von der gleichen raffinierten Rhetorik gemildert, die schon Frage und Äußerung des Vaters zum humanistischen Traktat werden ließ. Grundsätzlich betrachtet, handelt es sich um keine Situation, die von einer Jungfrau eine Entscheidung verlange. Die minimalste Voraussetzung für eine Staatsheirat (Radirobanes nicht hassen) wäre vorhanden, wenn dieser sie nicht als Gegenleistung für politische Dienste beanspruche. Sie spricht den Vater auf seine kritischen Einwände gegen den Bewerber hin an und steigert ihre Antwort in die rhetorische Trias vom dreifachen Untergang (Meleanders, Siziliens und ihrem).

Zwei grundsätzliche Reden stehen sich hier als runde Äußerungen zum Thema konträr gegenüber. Das Wesentliche an diesem Gespräch ist die thesenhafte Erörterung des Themas, die nach rhetorischen Gesetzen durchkonstruiert ist. Die erzählerische Integration ist relativ gering, von einer szenisch gestalteten Situationsbildung ist sprachlich kaum zu reden. Sie besteht eigentlich nur darin, daß die persönlich-repräsentative Schicksalskurve der Titelheldin diese Entscheidung eben hier verlangt. Der Sprachform nach lassen sich These und Anwendung auf die Situation der Königstochter trennen. Die Argumentation bleibt sprachlich weitgehend im Bereich abstrakter Behauptung und exempelloser oder -armer Durchführung.

Ähnlichkeiten mit Anton Ulrichs Gesprächsgestaltung klingen an, die aber charakterisierende Unterschiede nicht ausschließen. Die Entwicklungslinie zwischen diesem frühen höfischen Barockroman, den Martin Opitz mit sicherem Griff für die Bedeutsamkeit der Gattungen als episches Literaturmuster verdeutlichte, und dem Romanwerk des Braunschweiger Herzogs, die Günther Müller[166] gezogen hat, können wir erzähltechnisch vielfach bestätigen. Man kann sie sogar noch in der Behauptung verstärken, daß dieses Romanmuster alle späteren Möglichkeiten der konkreten dichteren Entfaltung (besonders Lohenstein und Anton Ulrich) als Ansatzpunkte in nuce schon enthält. Nur verschiedene Akzentuierun-

---

[166] G. *Müller*, Barockromane S. 1 ff.

gen und ihre spezielle erzähltechnische Durchführung haben zu den beson-
deren Strukturen geführt. Die Frage nach der Gattung des höfischen
Barockromans müßte unbedingt bei den gestalterischen und strukturellen
Eigenheiten dieses Werkes ansetzen.

Als Beispiel des thesenhaften Gesprächs über das Problem Staatsheirat
contra Liebesheirat in Anton Ulrichs Romanen wählen wir eine Stelle aus
der ,Aramena' (A II 651–655), ein Gespräch zwischen Delbois von Ninive
und Delbois von Tyro, zwischen (vermeintlicher) Tante und Nichte. Die
beiden Gesprächspartner gehören bezeichnenderweise wieder verschiedenen
Generationen an:[167]

Hierauf verließe sie dieser verliebte Prinz [Baleus] / und funde sie die gute
Königin von Tyro sehr betrübt und übel zufrieden: wovon sie alsofort anlaß
name / sie üm dessen ursache zu fragen. Liebste Delbois! (anwortete sie ihr/)
eure verwunderung / mich trauriger als sonst zu sehen / rüret daher / daß mein
liebster Amraphel todt ist / mein Tiribaces aus ungereimter liebe schwerlich
krank liget / meine Lantine / wie es scheinet / dem Baleus nicht beschert ist /
und uns ein gewaltiger krieg drohet. Solches alles ist mir zwar heute nicht
erst kund worden: allein / wir stellen uns unser leiden und anligen nicht allemal gleich groß und schwer für / und was einmal unser freier sinn kan gering
achten / das kan uns zur andern zeit desto unerträglicher fürkommen. Mit
diesen wenig worten hatte die Königin von Tyro soviel auf einmal gesaget /
daß die schöne Delbois anstunde / welchem leiden unter diesen sie zu erst mit
trost begegnen solte. Endlich aber sagte sie:

Die grosmut der Königin von Tyro kan allemal die traurigkeit überwinden /
wan sie betrachtet / daß der König Amraphel in höchstem ruhm wegen seiner
dapfern thaten gestorben: daß der Prinz Tiribaces / durch ein einziges trost-
wort von seiner frau mutter / genesen kan; daß die Lantine Königin von Elam
bleibet / und also ein mächtiges reich zu beherrschen hat / wann gleich der
Assyrische thron nich (sic) dazu kommet; und daß dieser fürstehende krieg
dem Assyrischen hause nichtes schaden wird / obschon Syrien davon ab- und
seine rechte Königin wieder bekommen solt. Dann / viel Königreiche machen
nicht reich / sondern das / was man mit recht besitzet.

Es machte ja der krieg / (gabe die Königin von Tyro zur antwort) meinen
bruder zum rechtmäsigen herrn des reiches Syrien! Wiewol ich bekennen
muß / daß ich mein unglück / so mich der himmel an meinen kindern erleben
lässet / als eine straffe annehme: die ich darmit verdienet / daß ich ehmals mit-
ratgeberin zu dem blutigen krieg in Syrien gewesen. Ja / liebste base! ich
habe mich an dem frommen König Aramenes und dessen unvergleichlicher
gemalin versündigt: daher ich nun fülen muß / was meinem mutterherzen
wehe thut.

Hiemit verwehrten ihr / die viele tränen / ein mehrers zu reden / und sagte
die schöne Delbois:
Ich bedenke bei mir selber / wie das leiden / so der Tiribaces und die Lantine
der Königin von Tyro verursachen / zu vermitteln wäre. Wie dann / liebste
base? fragte jene ganz begierig.

---

[167] Daß Anton Ulrich als regierender Fürst lange Jahre seines Lebens auf das
Zustandekommen einer solchen Staatsheirat verwendete, sei hier nicht ohne
Bezug angemerkt. Vgl. dazu W. *Hoeck.*

E. Maj. beliebe / (gabe Delbois zur antwort/) nicht ferner die gemüter zu zwingen / und ihren kindern die freie wahl in ihrer liebe zulassen. Was grosses unglück hat der zwang der eltern schon öfters ausgerichtet? Sihet man nur an / die klägliche begebenheit des Amraphel und der Indaride / so ist der zwang einig und allein die ursache / daß E. Maj. iezt diesen sohn beweinen. Ich kan die stats-ursachen so wenig loben / als ich sie nützlich finde / die da gebieten / sonder liebe / üm anderer absehen willen / sich zu verehlichen: da doch die vergnügung im menschlichen leben / allen andern betrachtungen vorzuziehen ist; und ist der Prinz oder die dame wol unglücklich / die sich dem gutdünken des stats unterwerfen / und nicht der jenigen freiheit genießen müssen / die auch schäfern und hirtinnen erlaubet ist.

Königliche personen sind halbe götter / (antwortete die Königin von Tyro/) und müßen nicht gemeiner menschen gedanken haben. Die betrachtungen / ihre reiche und ihre macht zu ergrößern und zu stärken / muß ihnen lieber seyn / als eine schnöde liebesregung / die ihrer so viel unglückhaft machet.

Hätte der gute König Aramenes von Syrien dazumal mehr den stat / als seiner liebe gefolget / er möchte noch wol diese stunde herr von Syrien / und vieleicht auch von Ninive / seyn: massen ihme gnug an die hand gegeben worden / die Ninivitische Erb-Königin Naphtis / eure frau mutter / zu ehlichen / als man die häftige liebe eures herr vattern zu der schönen Philominde verspüret.

Was unruhe und verwirrung würde Orosmada zu Tyro anrichten / wann ich dem Tiribaces seine liebe guthieße? Und da der große Prinz von Assyrien iezt seiner so gar vergisset / eine gemeine jungfrau einer Königin fürzuziehen: müßet ihr nicht bekennen / daß er darinn unweißlich handele?

Wann mir erlaubt ist / (sagte die schöne Delbois) meine gedanken frei zu eröffnen / so muß ich bekennen / daß ich weder dem König von Syrien / noch dem Prinzen Tiribaces / noch dem Baleus / abfallen kan / daß sie mehr ihren ehrlichen und keuschen zuneigungen gefolget und noch folgen / als anderen zwangursachen. E. Maj. sagen / wir sind götter: so sollen wir dann unser gemüte frei haben / und seine vergnügung und zufriedenheit allen dingen in der welt fürziehen dörfen. Die Königin von Elam hat niemals den Assyrischen Prinzen geliebet / und da / auf E. Maj. anregen und befehl / ich mit ihr von dieser heurat / die man so sehr zu Babel wünschet / geredet / habe ich wol soviel gespüret / daß ihr nicht der Assyrische thron / sondern die freie wahl / gefiele. So stimmet dann diese auch mit ein / (fiele ihr die Königin von Tyro ins wort /) mich unglücklich zu machen? O ihr götter! Ich maße zuvor dem Prinzen von Assyrien allein alle schulde bei: und nun höre ich / daß auch Lantine mein unglück mit verursachet. Ach liebste Delbois! der himmel hat euch großen verstand gegeben: ach! wendet solchen an / meine unartige kinder auf den rechten weg zu bringen / und nicht mich zu überreden / daß ich nicht unglücklich sei / und daß meine kinder recht haben.

Ich unterstehe mich nicht / (sagte die schöne Königin/) wider E. Maj. etwas zu verfechten. Ich finde mich aber auch untüchtig / iemanden eine andere meinung beizubringen / als die ich selbsten behaupte.

Solte wol eure tugend (fragte die Königin von Tyro) zugeben können / daß ihr euren eltern ungehorsam würdet / und daß ihr / einer blinden liebe zu folge / ehre / würde / nutzen / ja alles hintan setzet?

Keines wegs! (antwortete die Königin von Ninive) Ehe ich denen / gegen die mir Gott und die Natur den gehorsam anbefihlet / solte ungehorsam werden / lieber wolte ich sterben. Wann ich aber / mit ihrer bewilligung / meiner wahl im lieben folgen dörfte / wolte ich sonst nichtes ansehen / und bei mir mehr meine neigung / als andere stats-ursachen / herrschen lassen / sonderlich / wann die nicht der tugend zuwider laufet. Und eben dieser / kan ich die liebe des Tiribaces nicht entgegen finden. Wann auch der Baleus einen ehrlichen zweck haben solte / in seiner liebe gegen meiner Aramena: so wäre ja sein thun nicht zu tadeln / weil es nicht lasterhaft ist. So ist auch endlich die Königin Lantine so wol erzogen / daß / wan sie ja lieben solte / ich versichert bin / daß ihre wahl edel seyn würde.

Es ist mir schon ein sohn (sagte die Königin von Tyro) durch die närrische liebe ümgekommen: darüm wil ich trachten / die übrigen bei zeiten zu versorgen / damit sie nicht in gleiches elend gerahten. Lantine / sol den Baleus haben: und Tiribaces / die Jaelinde. Die erste heurat / befihlet mein bruder / und wird dadurch das Assyrische bäste befördert. Die andere / ist des Königs von Tyro meines gemals verlangen: weil er den Prinzen von Achusath ihren herr vattern so wehrt hält / und darüm dessen tochter für seinen einigen sohn bestimmet hat. Ich beschwere demnach euch / im namen aller götter : gebrauchet hierinn mir zum trost und bästen / euren hohen verstand / und helfet es in diese wage richten ; dadurch der König von Assyrien euer herr vatter / euer gesamtes haus / und ich / merklich können erfreuet werden.

Die schöne Delbois / so bereits ein anders diesen verliebten verheisen hatte / wolte die alte Königin nicht ferner betrüben / noch weniger sie mit widersprechen erzürnen. Demnach brache sie dieses gespräche ab / ... (A II 651—655)

Das eigentliche Thema wird im Ablauf des Dialogs erst allmählich auftauchen; seinen Ansatzpunkt bildet die kummervolle Betrübnis einer Romanperson. Nach dem Prinzip der Fülle sind es gleich vier verschiedene Sorgen, die Delbois von Tyro quälen. Sie scheinen mit unserem Thema (Staats- contra Liebesheirat) wenig zu tun zu haben. Wir nehmen aber gleich vorweg, daß sie nach der epischen Integration intensive Spiegelungen des Themas darstellen. Entscheidend ist nämlich die Deutung der alten Königin Delbois I von Tyro: Ihre vier Sorgen haben, ihrer Meinung nach, den übereinstimmenden Grund darin, daß jemand einer vernünftigen Heirat aus Standesursachen eine unvernünftige aus Liebe vorgezogen hat. Das bedarf einer weiteren Erklärung. Ihr Sohn Amraphel ist wegen seiner ‚närrischen' Liebe zu Indaride gestorben (Beispiel I). Der bevorstehende Krieg (Beispiel IV) ist eine Folge der Liebesheirat zwischen Aramenes und Philominde, die Belochus von Assyrien liebte. Dieser letztere ist der Bruder der Sprecherin. Tiribaces (Beispiel II) und Lantine (Beispiel III) sind die Kinder der alten Königin; auch sie neigen gegen den Willen ihrer Mutter zu einer Liebesheirat. Damit erweist sich die innerfiktionale szenische Betrübnis der Delbois I in ihren vier Ursachen als effektvolles Präludium des eigentlichen Themas. Weiter erwächst die allgemeingültige Thesenhaftigkeit solchen Erörterns zwanglos aus der episch-illusorischen Situation. Dem normhaften Besuch der jüngeren Königin Delbois II von Ninive tritt die Betrübnis der älteren gleich als Anstoß zur Gesprächseröffnung (Frage) entgegen.

In symmetrischer Spiegelung der rhetorisch-syntaktischen Struktur der Antwort spendet Delbois II ihrer Partnerin Trost, indem sie die vier Ursachen vom höfischen Kodex aus einfach positiv deutet. Das erscheint uns wichtig. Das der eigenen Romanwelt entnommene Modell kann von verschiedenen Aspekten (*Ausschnitten*) aus verschieden (hier konträr) gedeutet werden. Das historisierende Exempel dagegen ist eindeutig. Anton Ulrich nimmt die Beispiele als menschliche Beziehungsmodelle aus der reichen Fülle seiner Fiktionsstruktur.[168] Die abstrahierende Sprachform macht sie untereinander vergleichbar. So eignet auch beiden einleitenden Gesprächspartien der Zug ins Allgemeine, der bei Delbois II sogar unaufdringlich zur Sentenz tendiert.

Nach dem breiten Portal des beispielreichen Dialogbeginns verengt sich die Argumentation der älteren Königin auf das vierte Beispiel des Krieges. Diese scheinbare Verengung macht das Gesetz intensiver epischer Integration offenbar. Delbois II von Ninive ist die Titelheldin Aramena. Sie hält sich für die Tochter des Belochus von Assyrien und seiner Gemahlin Naphtis. In Wahrheit entpuppt sie sich später als Tochter des Aramenes von Syrien und der Philominde. Naphtis und Philominde arrangierten als Schwestern diese Kindesunterschiebung, um Aramena zu retten. — Delbois I von Tyro ist, wie gesagt, die Schwester des Belochus von Assyrien. Ihre Kinder sind Amraphel (hier totgeglaubt), Lantine von Elam und Tiribaces. Manche dieser Beziehungen sind dem Leser hier noch nicht durchschaubar. Sie enthüllen aber den scheinbar abstrakten Thesendialog als hintergründiges Spiel um die persönlichen Probleme der beiden Gesprächspartnerinnen, besonders der Delbois II. Die epische Integration ist von kaum überbietbarer Intensität: Delbois II befürwortet als Kind einer Liebesheirat nur diese Form der ehelichen Verbindung. Delbois I gehört der Vorgeneration zu, welche durch ihr starres Gesetz der Staatsheirat die Verwirrungen der Romangeneration entstehen ließ. Die Ausnahme bildet die zentrale Figur des Aramenes von Syrien und sein Schicksal. Die Harmonie des Romanschlusses, die in Einklang mit der göttlichen Vorsehung steht, entwickelt sich aus der konsequenten Neigung aller prominenteren Romanpersonen zur Liebesheirat. Diese Beobachtungen heben die Bedeutung des thesenhaften Gesprächs.

Die zweite Phase bringt dann mit Tiribaces und Lantine das Thema konkret zur Sprache. Delbois' II Fürsprache für die Liebesheirat gipfelt bewußt in der Sprachform einer ständischen Antithese („Prinz / dame" = Singular / „schäfern / hirtinnen" = Plural). Dieser Provokation entgegnet die alte Königin mit der These von der Staatsheirat und deren hohem Anspruch, den die Form des Behauptungssatzes sentenzartig unterstreicht: „Königliche personen sind halbe götter ... und müssen nicht gemeiner menschen gedanken haben."

---

[168] Die teilweise Verschlüsselung eines solchen Romans oder einiger seiner Lebensgeschichten stellt hiezu kein Gegenargument dar. Auch B. L. *Spahrs* jüngste Auflösung verschlüsselter Personen des Wolfenbütteler Hofes in A V zeigt, daß die Anverwandlung ohne Bruch der Fiktion vollzogen wird. Nach den diesbezüglichen Ergebnissen von P. *Zimmermann* und B. L. *Spahr*, Aramena ist hier nur durch neue Dokumentenfunde weiterzukommen.

Der These folgt erläuternd und bestärkend die dreifache Exempel-
reihung, wobei Aramenes (Beispiel IV) besonders betont wird. Konditionalsatz und doppelte Frage entsprechen ebenso der Position zur These wie
die besondere Werthaftigkeit der Sprachform. Diese zeigt sich auffallend
im Bereich des Adjektivs („schnöde liebesregung, blinde liebe, närrische
liebe"). Das Phänomen wird von Delbois II völlig konträr gewertet („ehrliche und keusche zuneigung; wahl edel, nicht lasterhaft"). Auch die Argu-
mentationsführung erfolgt nach Parallele und Kontrast, indem das Un-
glücklich-Werden als Resultat einmal ursächlich auf die Liebesheirat (Delbois I), einmal auf die Staatsheirat (Delbois II) bezogen wird.

Die Antwort der jungen Königin auf die These der alten bedient sich
erneut der einmal gewählten vier Beispiele, indem nun Beispiel III besonders betont wird. Das letzte Gegenargument der Königin von Tyro ist der
im Höfischen hohe Wert des Gehorsams gegenüber den Eltern. Delbois
bekennt sich grundsätzlich zu ihm, weicht aber in die Akzentuierung ihres
positiven Standpunktes der Liebesheirat aus. So gleitet also die Diskussion
des Schlußteiles in raschem dialogischen Wechsel in ihre fast thesenhaft
verdichtete Formulierung von der echten Liebesneigung, die als keusche
Liebe dem Prinzip des Gehorsams wohl frommen könne. Dagegen setzt
abschließend die alte Königin ihren festen Plan, der dieses Gespräch als
Impuls in den Bereich der Aktionen richtet. Die Formulierung des Planes
ist der gesamten Gesprächsführung in ihrer rhetorisch-rationalen Gliederung angepaßt. Am negativen Exempel von Amraphels Tod entzündet
sich als kausale Folge die notwendige Staatsheirat ihrer beiden übrigen
Kinder, zu der es natürlich im Bereich einer solchen Fiktionswelt nicht
kommen wird. Die Gehorsams-Gründe („bruder befiehlt, meines gemahls
verlangen") reichen als Motivation dazu vollkommen aus. Sie belegen
erneut das wichtige Formprinzip der menschlichen Beziehungen in diesem
Romanwerk. Zudem verlangt die Königin von Tyro noch von ihrer Gesprächspartnerin, daß sie ihr bei der Ausführung dieses Planes helfe,
obwohl sich Delbois I bereits gegensätzlich verpflichtet hat. Anfang und
Schluß verklammert die emotionale Reaktion der alten Königin in entsprechender Antithese („betrübnis-freude").

Das Gespräch klärt also in Position und Gegenposition eine höfisch
relevante These. Die Redestruktur ist rhetorisch geprägt und rational
gegliedert, aber keineswegs vom übrigen Erzählverlauf isolierbar. Die
starke Integration dieser Bauform erweist sich: a) im lebhaften Wechsel
des Dialogs, seiner unterschiedlichen Gesprächspartien und szenischen
Auflockerung durch die kontrapunktierende Gestik, b) in der starken
intentionalen Richtung der Redestruktur in den Bereich der erzählerischen

Aktionen, c) in der Auswahl der modellhaften[169] Beispiele aus der Fiktionsstruktur des Romans. Dieser intensive Fiktionsbezug deckt sich mit den Beobachtungen zur Vorgangsschilderung und ist bei Lohenstein, Bucholtz, Barclay usw. nicht so stark ausgebildet.

Die thesenhafte Erörterung des gleichen Themas in Lohensteins ‚Arminius' ist in Malovends Erzählung von den „zwölff obersten Feldherren Deutschlands" (Ar I 87 r — 185 r) eingebettet. Sie gehört demnach nicht in den Bereich der Haupthandlung, sondern in jenen der Lebensgeschichten. Die Funktion einer Romanperson als Erzähler dieser Geschichten führt notwendig zur Brechung des Dialoges in der indirekten Rede. Nun aber zur konkreten Situation unseres Thesengespräches.

> Marcomir aber antwortete ihnen mit ernsthaffter Geberdung: Sie sollten
> entwerffen, was sie der Vollkommenheit zweyer so grosser Fürsten für
> Mängel auszustellen hätten: Sie könnten beyde des Hertzog Friedebalds
> nicht fähig werden, der einen Zuneigung aber müste nicht zu der andern
> 5 Unvergnügen ausschlagen. Gemeinen Leuten müste man das Joch ihrer
> Unterthänigkeit dadurch verzuckern, daß sie nach wohlgestalter Bildung,
> nach gleichgesitteter Art und ihrem Triebe heyrathen möchten; Königen
> aber würde es so gut nicht, und Fürstinnen müsten nach dieser Süßigkeit nicht lüstern werden, sondern sich diesen Kützel vergehen lassen.
> 10 Die Wohlfahrt des Reichs erforderte mehrmals, einer Helena einen ungestalten Zwerg, einer klugen Penelope einen albern Träumer durch dieses
> heilige Band anzutrauen. Der wäre der schönste Bräutigam, welcher der
> Staats=Klugheit gefällt, und die festeste Schwägerschafft, die das Reich
> befestigt. Olorene begegnete Marcomirn mit einer hertzhafften Bescheidenheit: Es wäre nicht ohne, daß Könige ihren Töchtern und Schwestern
> 15 insgemein niemals gesehene, weniger beliebte Männer aufzudringen
> pflegten, und sie zu Pfeilern und Riegeln ihres Staats, oder auch zu
> Hamen frembde Länder zu fischen, ja zuweilen wohl zu Larven ihrer
> verborgenen Feindschafft brauchten. Alleine sie erlangten dadurch selten
> 20 ihren Zweck, stürtzten aber hierdurch ihr eigenes Blut in ein ewiges
> Qval=Feuer. Sintemahl das Band der Anverwandnüß viel zu schwach
> sey, die Aufblehungen der Regiersucht zu dämpffen, und die Schwägerschafften, welche nur wenig Personen verknüpffen, den Staats=Regeln
> zu unterwerfen, daran so viel tausenden gelegen ist. Sie verhüllten zwar
> 25 auf eine kurtze Zeit die Abneigungen, wären aber viel zu schwach, den
> zwischen ein und anderm fürstlichen Hause eingewurtzelten Haß auszurotten. Wie vielmahl hätten die Cheruscer und Catten zusammen geheyrathet, die hierdurch zugeheilten Wunden wären aber alsofort wieder
> aufgebrochen, und der Ausgang hätte gewiesen, daß nur ein Haus auf
> 30 des andern Länder Erb=Ansprüche, und dadurch Ursachen zu neuen
> Kriegen zu überkommen gesucht, also Gifft für Artzney verkaufft hätte.
> Rhemetalces brach hier ein und sagte: Olorene hätte sicherlich wahr und
> vernünfftig geurtheilet, und ihre Meynung bestätigte die Vorwelt mit

---

[169] Die Vergleichbarkeit konkreter Fälle der Romanfiktion beruht auf einer vorherigen modellhaften Fassung der Vorkommnisse und Beziehungen. Vgl. dazu das Prinzip modellhafter Gestaltung bei Anton Ulrich s. u. S. 352 ff. Die Dialogführung ist ausgesprochen ungelehrt und unhistorisch.

vielen Beyspielen. Seine Nachbarn die Melossen beklagten noch, daß
Philipp König in Macedonien ihrem Könige Arrybas seiner Gemahlin
Olympias Schwester nur zu dem Ende verheyrathet habe, wormit er ihn
einschläffte, und seines Reichs beraubete. Und wie lange ist es, daß
Antonius dem Kayser Augustus mit Vermählung seiner Schwester
Octavia ein Bein untergeschlagen, seine betrügliche Schwägerschafft ihm
mit seinem Leben bezahlen müssen? Malovend fuhr hierauf fort in der
Rede Olorenens: Die Staats=Klugheit hätte zwar unterschiedene mahl
das verborgene Gesetze des Verhängnüsses meistern, und eine Vormün-
derin über die göttliche Versehung abgeben wollen, wenn Könige ihre
Töchter für ihrer Verlobung angehalten, aller Erb= und Reichs=An-
sprüche sich eydlich zu begeben: Allein der Ehr=Geitz habe hernach aus
einer so heiligen Betheurung einen Schertz oder Gelächter gemacht, die
erkaufften Rechts=Gelehrten aber sich nicht geschämet durch öffentliche
Schrifften zu behaupten, daß solche Entäusserung für eine ungültige
Nichtigkeit zu halten sey. Und es stünde so denn nicht in der Gewalt
einer Fürstin, die Farbe und Liebe ihres Geschlechts und Vaterlands zu
behalten. Denn es glückte selten einer Fürstin, wie jener tiefsinnigen
Spartanerin, welche ihren zusammen kriegenden Vater und Ehe=Mann
dadurch zur Versöhnung gezwungen, daß sie sich allezeit zum schwächsten Theile geschlagen. Ich will aus unserm eigenen Hause, fuhr Olorene
fort, ein einiges Beyspiel zum Beweise, daß das Verhängnüß mit den
menschlichen Rathschlägen und staats=klugen Heyrathen nur ihr Gespötte treibe, anführen. Keiner unsers Geschlechts hat mehr durch seine
Ehe, als Hunnus a) mit des Königs Dinnfareds b) Tochter, gewonnen.
Ihr Vater meynte seine Britannische Reiche seinem einigen Sohne Nojanes
c) hierdurch zu befestigen, seine Tochter aber auf den Stul der Glückseligkeit zu setzen. Das Rad aber schlug in beyden Absehen gantz umb.
Britannien d) sahe diesen Fürsten kaum anfangen zu leuchten, als er in
Staub und Asche verfiel. Hiermit wuchs dem Hunnus nicht allein der
Muth, seiner Gemahlin e) ältere Schwester, f) die dem Könige der glück-
seligen Eylande vermählet war, von dem Erb=Theile Britanniens abzu-
schippen; sondern solches auch dem noch lebenden Dinnfared auszuwinden. Er zwang seine Gemahlin, daß sie nebst ihm zu Kränckung ihres
Vaters sich eine Fürstin über Britannien ausruffen ließ; er schloß seinen
Schweher=Vater vom dem Frieden aus, den er mit den Galliern einging;
er kam wider seinen Willen in Britannien, machte von ihm seine Räthe
und Unterthanen, welche von der untergehenden Sonne meist die Augen
gegen die aufgehende richten, abtrünnig: er forderte von ihm mit Unge-
stümm die Abtretung Caledoniens, a) das ihm seine Gemahlin Betisale
b) zugebracht hatte; er verstattete mit genauer Noth und mit schimpf-
lichen Bedingungen seinem Schweher=Vater eine einstündige Zusammen-
kunfft; und wie sehr diesem gelüstete einmahl seine Tochter zu schauen,
durffte er sich doch nicht erkühnen nur nach ihr zu fragen. Ob wohl auch
dieser grosse König für der Zeit und Noth die Segel strich, und seiner
Tochter Caledonien abtrat, war Hunnus doch hierdurch weder gesättigt
noch besänfftigt. Seine Gemahlin, die alles, was sie ihm an Augen ansahe,
thät, die gleichsam von seinem Anschauen lebte, und aus seinen Neigun-
gen ihr eitel Abgötter bildete, gerieth wegen seiner blossen Abwesenheit
aus übermässiger Liebe in eine wenige Gemüths=Schwachheit. An statt,
daß nun Hunnus mit ihr Mitleiden haben sollte, rieff er diese Blödig-
keit für eine gäntzliche Unvernunfft aus, verschloß sie in ein Zimmer,
und verdammte sie zu einer traurigen Einsamkeit; ja, er ließ sie nicht

allein seine Reichs=Stände in öffentlicher Versammlung für blödsinnig und zur Herrschafft untüchtig erkennen, sondern zwang auch ihren Vater,

90 daß er diese schimpfliche Erklärung selbst unterzeichnen, und dem Hunnus das Hefft alleine in den Händen lassen muste. Diese seine Grausamkeit ward nach seinem Tode vollkommentlich offenbar. Denn als er in der Blüthe seines Alters durch Gift umbkam, und seine Gemahlin sich in der Freyheit befand, erwiese sie nicht allein ihren voll-kommenen Verstand, sondern auch ein Muster einer unvergleichlichen

95 Liebe. Denn sie führte seine eingebalsamte Leiche allenthalben mit ihr herumb, umb selbte alle Tage in dem Sarge zu betrachten, und mit Seuffzern und Thränen seine von ihr so brünstig geliebte Asche anzu-feuchten; machte auch hierdurch vom Hunnus die Weissagung wahr, daß er länger nach, als bey seinem Leben reisen würde. So verwirret ging es

100 diesem staats=klugen Könige, und so elende dieser vollkommenen Fürstin. Nicht besser traff es der oberste Feldherr Alemann, c) der durch Vermählung seiner Tochter d) an den mächtigen König der Gallier Lucosar e) sich nicht wenig zu vergrössern dachte. Denn diese Verknüpff-fung ward zu einem Zanck=Apfel, und Lucosar verstieß sie aus keiner

105 andern Ursache, als daß er mit der Fürstin Nana f) die Armorichschen Länder g) erheyrathen könnte. Ja, sein Nachfolger Gudwil h) verstieß aus gleichem Absehen Lucosars Schwester, i) umb nicht so wohl der verwittibten Nana, als ihres Heyraths=Guts fähig zu werden. Diß sind die traurigen Ausgänge der Ehen, die die Ehrsucht stifftet, und die

110 Eigennutz, nicht aufrichtige Liebe zum Grund=Steine haben. Marcomir hörte Olorenen mit höchster Geduld an, antwortete aber: Er hätte alles reifflich überlegt, und nicht ohne wichtige Ursachen diesen Schluß gefast. Oefftere Zusammenheyrathungen unterhielten gute Verständnüß der anverwandten Häuser. Man versiegelte mit ihnen die Friedens=Schlüsse,

115 man zertrennte dadurch gefährliche Bündnüsse; da sie nicht selbst den Knoten der Eintracht machten, so befestigten sie ihn doch. Er habe durch diese Entschlüssung nicht allein auf die Vorträglikeit seines Reichs, sondern zugleich auf ihre Vergnügung gezielet. Sie meynten zwar beyde solche mehr in dem Besitz des Fürsten Friedebalds zu finden. Wie aber

120 diß an sich selbst unmöglich wäre, also sollten sie erwegen, daß Klodo-mir und Astinabes an Tugenden dem Friedebald gleich, an Macht und Ankunfft aber ihm weit überlegen wären. Nun hätte das Cheruscische Haus ja allezeit von solcher Art Pflantzen gehabt, welche für niedriger Vermählung Abscheu getragen, und ihr Antlitz keinem andern Gestirne,

125 als Sonnen nachgekehret hätten. Die Palm=Bäume würdigten keine unedlere Staude ihrer Nachbarschafft und Verknüpffung, und die Ma-gnet=Nadel liesse sich keine andere himmlische Strahlen von dem so herrlichen Nord= und Angel=Sterne abwendig machen. Wie möchten sie sich denn durch Erwehlung eines ungekrönten Hauptes so tieff

130 erniedrigen, die aus einem Geschlechte entsprossen, das so wenig ge-wohnt wäre Kinder, als der Granat=Apffel=Baum Früchte ohne Purpur und Kronen zu haben? Alles dieses sollten sie behertzigen, und nach-dencken, ob sie dem, der zeither für sie mehr als ein schlechter Vater und Bruder gesorgt, etwas übels zutrauen könnten, und ob sein für

135 beyden Fürsten eröffneter Schluß sich ohne seine höchste Ehren=Ver-letzung, für welcher ehe alles müste zu trümmern gehen, verändern liesse. Mit diesen Worten entbrach er sich ihrer, und ließ Riamen und Oloren in höchster Gmüths=Bestürtzung. Beyde mischten allhier ihre Thränen zusammen, welche kurtz vorher einander mit so scheelen Augen

angesehen hatten. Also hat die Gemeinschafft des Jammers diese seltzame Krafft, daß selbte zertrennte Gemüther vereinbart. Und diese Eintracht erhärtete, daß die Hände des Unglücks stärker, als die Klauen der Eyfersucht sind..." (Text nach der 2. Auflage Leipzig 1731: AR I 153 r— 156 l). — Originaltext: Ar I 159 r—163 l.

Erklärende Fußnoten nach der 2. Auflage: S. 154: a) Philipp, König in Castilien. b) Ferdinand Catholicus, König in Spanien. c) Johannes, Ferdinands Sohn. d) Spanien. e) Johanna. f) Isabella, so erst an Alphonsum den VI. nachmahls an Emanueln, beyderseits Könige in Portugall, verheyrathet worden. S. 155: a) Castilien. b) Isabella, Infantin von Castilien, König Ferdinandi Catholici Gemahlin. c) Kayser Maximilian I. d) Margaretha. e) Carolus VIII. König von Franckreich. f) Anna, Herzogin von Bretagne. g) Bretagne. h) Ludwig XII. König in Franckreich. i) Johanna.

Marcomir und seine Schwester Olorene führen diese Diskussion. Marcomir will sie und seine Tochter Riame zu politischen Heiraten zwingen. Die äußere Struktur des Gesprächs sieht so aus: 1. Nach der einführenden Situation antwortet Marcomir auf die Tränen der beiden unglücklichen Heiratskandidatinnen, die beide in Herzog Friedebald verliebt sind, mit der kategorisch vorgetragenen These pro Staatsheirat (indirekte Rede: Z. 1—14). 2. Olorene widerspricht zuerst thesenhaft mit einer Beispielreihe (indirekte Rede: Z. 14—32). 3. Lohenstein unterbricht dann die zweite Fiktionsebene der erzählten Geschichte, indem er die erste Fiktionsebene der Erzählsituation (Haupthandlung) einblendet. Bedeutsam unterbricht Fürst Rhemetalces die von Malovend erzählte Rede der Olorene und ergänzt ihren Gedankengang durch eine Fülle von Beispielen. Man hat den Eindruck, als ob der Dichter durch diesen Aspektwechsel die Reihe seiner Belege erzählerisch verteilen wolle (Z. 32—40). 4. Olorene setzt ihre Argumentation allgemein fort (indirekte Rede: Z. 40—54). Dann illustriert sie ihre Replik gegen die Staatsheirat mit zwei anekdotisch erzählten Exempeln (Hunnus: Z. 54—101; Alemann Z. 101—110). 5. Trotzdem schließt Marcomir den Disput zugunsten seiner These (der Staatsheirat) ab (indirekte Rede: Z. 111—137). Der gesamte Komplex wird von Malovend, der mit dem unterbrechenden Rhemetalces auf der gleichen epischen Fiktionsebene der Erzählsituation steht, seinen Jagdgefährten erzählt.

Die Situation der fiktiven Romanpersonen bildet den Brennpunkt und Marcomirs Handeln den Ausgangspunkt der ganzen thematischen Erörterung. Sie verdichtet sich in einem konkret durcherzählten Vorgang in der Verkündigung dieses „Urteils" (AR I 154 l). Die Anwesenheit der beiden für Olorene und Riame bestimmten Bräutigame Clodomir und Astinabes verhindert die Auflehnung der beiden gegen Marcomirs Spruch. Erst als die Herren sich entfernt haben, fließen ihre Tränen. Auf ihr Bitten entwickelt Marcomir seine These von der Rechtmäßigkeit der Staatsheirat.

Marcomirs These erinnert in ihrer Gegenüberstellung des sozialen Unterschiedes („Gemeinen Leuthen Z. 5 ... Königen aber Z. 7 ...") an Meleanders Beginn in der ‚Argenis'. Nach zwei typisierten und extremen

Beispielen (Z. 10—11 „einer Helena einen ungestalten Zwerg, einer klugen Penelope einen albern Träumer") gipfelt seine Rede in einer sentenzartigen Zusammenfassung. Olorene widerlegt seine These durch die Betrachtung des Resultats einer solchen Handlungsweise. Die Bande der Verwandtschaft wären zu schwach, um den alten Haß zwischen politischen Gegnern ausrotten zu können. Nur die Cheruscer und Catten nennt sie als Beispiele. Da blendet sich mit der Unterbrechung durch Rhemetalces die Erzählsituation (erste Fiktionsebene) ein. Dieser stimmt den Äußerungen Olorenes zu und setzt die von ihr begonnene Beispielreihe aus der „Vorwelt" (Geschichte) fort. Dieses Einblenden einer bestätigenden Stimme aus der epischen Erzählsituation zerteilt den gewaltigen Gesprächsblock Olorenes und schafft Belebung durch Variation. Den Beispielen des Rhemetalces gegen Marcomirs These folgt nun weiter Olorene (zweite Fiktionsebene) mit einer tatsächlichen Beispielerzählung. Die Einleitung dazu weist diese Geschichts-Erzählung als Exempel für ein Argument aus: „Ich will aus unserm eigenen Hause / fuhr Olorene fort ein einiges Beyspiel *zum Beweiß* / daß das Verhängnis mit den menschlichen Rahtschlägen und Staats=klugen Heyrathen nur ihr Gespötte treibe / anführen" (Z. 54—57). Das Exempel soll also die Nichtigkeit all solcher menschlicher Ränke unter dem ewigen Gesetze göttlicher Lenkung bestätigen. Der Bezug zum Transzendenten darf hier nicht übersehen werden. Auf andere Weise klang dies bei Anton Ulrich an. Dort war es allerdings bezogen auf die Hierarchie der höfischen Tugenden, die in Gott gipfeln. Der Casus ist die Geschichte des Hunnus (= Philipp, König in Kastilien). Nach rhetorischem Verstande steht diese Erzählung der beweisenden narratio der Gerichtsrede nahe. Formal bemerkenswert ist, daß Olorene ihre Gegenthese in indirekter, die Beispielerzählung aber in direkter Rede erzählerisch wirksamer vorbringt. Der Abschluß ist im Sinne wirksamer Parteilichkeit fast epigrammatisch verwertet: „So verwirret ging es diesem staatsklugen Könige, und so elende dieser vollkommenen Fürstin" (Z. 99—101). Olorene steigert ihre rednerische Position durch eine zweite Beispielerzählung, die gleichfalls epigrammatisch-didaktisch abschließt: „Diß sind die traurigen Ausgänge der Ehen / die die Ehrsucht stifftet / und die Eigennutz / nicht aufrichtige Liebe zum Grund-steine haben" (Z. 108—110). Marcomir widerlegt alle Einwände Olorenes abschließend auf mehr metaphorische als argumentative Weise, vor allem aber durch die Behauptung, er sei durch die öffentliche Verkündigung dieser Ehen unabwendbar gebunden.

Lohenstein hat das thesenhafte Gespräch auf seine Weise in die ‚historisierende' Geschichte einer Romanperson integriert. Diese ist den Lebensgeschichten Anton Ulrichs weitgehend unähnlich.[170] Lohensteins

---

[170] Fast jede Lebensgeschichte Anton Ulrichs (Ausnahme etwa Solane O VI 163—195) gestaltet die Vergangenheit *einer Romanperson*. Lohenstein schildert hier durch Malovend die Geschichte Marcomirs, Olorenes und Riames.

Form ist kategorisch, gelehrt und in bewußter Historizität beispielreich. Der exemplarische Reichtum umfaßt nicht nur die Reihe der Beispiele, sondern ist wesenhaft in der Polyvalenz[171] seiner Darstellungsweise begründet, die etwa noch Luise Laporte[172] ausgesprochen negativ wertet.

Die Polyvalenz besteht darin, daß Lohensteins fiktive Romanpersonen historische Schlüsselfiguren sind. Ihre Bedeutsamkeit kann aber mehrfach wechseln. Manche Romanpersonen sind in verschiedenen Ereignissen verschiedene historische Personen, und manche historische Persönlichkeit spiegelt sich in mehreren Romanpersonen zu verschiedener Zeit. Dieses Formprinzip kann nicht vom Standpunkt kritischer Historizität abgewertet werden, das barocke Geschichtsdenken war vordringlich ein Denken in historischen Exempeln. Lohenstein verleiht seiner Geschichte durch dieses Formprinzip aber die Möglichkeit einer ständigen schöpferischen Beziehung zu großen menschlichen Vorbildern. Der Brennpunkt all des Erzählten und Diskutierten bleibt im Rahmen der szenischen Fiktion wohl der Fall Olorenes und Riames. Vom Standpunkt höchster zeitgenössischer Gelehrsamkeit aus wird der Fall argumentativ erörtert und einer Lösung zugeführt. Daß diese hier zugunsten der Staatsheirat (wenngleich mit konträrem Resultat) erfolgt, steht im Gegensatz zu Anton Ulrich und Barclay, wo es zur Liebesheirat kommt. Die gelehrte Argumentation verleiht dem konkreten Fall weltgeschichtliche Bedeutsamkeit, die Elemente der Romanfiktion bilden also nur den Anstoß zum spektralen Entfalten einer welthistorischen Beziehungsform. Anton Ulrichs epische Integration zielt in die *szenische Fiktion* hinein und damit ins modellhaft Überschaubare, Lohensteins epische Integration zielt dagegen aus der *szenischen* Fiktion hinaus ins bedeutsam Transzendente. Der Katarakt seiner Exempel und Bezüge schafft den Eindruck einer hymnischen Wiederkehr des Menschlichen, in dem sich der konkrete Fall sinnvoll findet. Anton Ulrichs Integration in den rational durchmotivierten höfischen Innenraum schafft im ausgeklügelten menschlichen Verhaltensmodell und seinen Schicksalszügen die minutiös vergleichbaren Formen einer en detail providentiellen Welt. Lohensteins Argumentationsform ist offen, beispielreich und weltumfassend, Anton

---

Diese Personen treten in der ersten Fiktionsebene seines Romans nicht auf, denn sie sind a) schon gestorben, b) aber Schlüsselfiguren für historische Persönlichkeiten (vgl. AR I S. 150 f.: Marcomir = Karl V; Olorene = Eleonora, vermählt 1519 mit Emanuel, König in Portugal; Riame = Maria, Kaiser Karl V. Schwester, Witwe Ludwigs, Königs von Ungarn. Lohenstein vermischt nach seinem Strukturprinzip der Polyvalenz die historische Gültigkeit seiner Figuren mehrfach. Lohenstein gestaltet hier also nicht eigentlich eine Lebensgeschichte, sondern eine ‚historisierende‘ Geschichte. Die Personen sind keine Romanpersonen innerhalb der Haupthandlung.

[171] Vgl. E. *Verhofstadt* S. 90, s. u. S. 154.
[172] L. *Laporte* S. 24.

Ulrichs Argumentationsform ist geschlossen, beispielarm und weltspiegelnd. Dem Gesetz des rhetorischen Überquellens bei Lohenstein steht jenes des rhetorischen Maßhaltens bei Anton Ulrich gegenüber.

Um die Erkenntnis dieser Bauform im Bereich des höfischen Barockromans noch durch eine weitere Variante zu bereichern, sei abschließend eine Erörterung aus Bucholtzens ‚Herkuliskus' beschrieben. Die sprachliche Gestaltung des Gesprächs offenbart nämlich auch hier eine andere Einstellung des Dichters. Mehrfach weicht dieses Gespräch von den Gepflogenheiten des höfischen Barockromans ab. Trotz des fürstlichen Arsenals und der aristokratischen Bezüge ist dieses Gespräch um einen Heiratsfall weniger höfisch als mehr bürgerlich-didaktisch. Im Blickpunkt der Erzählweise steht nicht ein genormter Casus höfischen Verhaltens, sondern ein unglückliches Mädchen, das sich von seiner Mutter brav von seiner Liebe ab und zu einer würdigen Vernunftehe bereden läßt. An die Stelle der großen Staatsursachen treten dabei Gründe der utilitas, die in ihrer konkreten Gestaltung in der speziellen epischen Situation gründen. Die Gesprächspartnerinnen sind eine Anwerberin und die eigene Mutter:

So bald die Mutter bey dem Fräulein sich allein befand / wolte sie von dieser Sache nicht anfangen zureden / sondern erwartete der Fräulein anzeige / welche aber sich dessen schämete / und doch endlich klagete / wie überlästig Fr. Statira jhr gewest währe / da sie dann auf der Mutter Befehl alles anzeigen muste. Welche darauf zur Antwort gab; Sie hetten sich dessen vielmehr gegen Frau Statiren zu bedanken / als sich über dieselbe zu beschweren / in Betrachtung / sie in der ganzen Welt keinen wirdigern Gemahl vor sie wüste / wann es nicht der älteste Fürst aus Frießland währe / der mit diesem in gleicher Wirde; dann wo hette man sonst junge Königl. Fürsten anzutreffen so Christliches Glaubens währen / als diese. Nun wüsten aber ausser Zweifel diese Fürsten ingesampt / daß Axel ihr seine Liebe zugewendet hätte / daher sie nicht gedenken dürfte / daß deren iemand ihn auszustechen / ihm unternehmen wolte. Uber das wäre derselbe von Leib und Leben / von Stand / Wesen und Tahten ein solcher Fürst / an welchem das vortreflichste Fräulein der Welt ein gutes genügen haben könte; derwegen hette man in Warheit bey so gestalten Sachen nicht zu schlaffen / sondern vielmehr das Glük mit beyden Händen zuergreiffen / damit die unzeitige Wahl nicht in eine späte Reue verkehret würde. Sie hette aber von Frau Statiren nicht ohn Verwunderung vernommen / daß sie vor diese ehrliche Anmuhtung nicht allein sich gar nicht bedanket hette / sondern sich beklagen dürfen / als wolte man härter mit ihr handeln / als Sapores gethan hette.

Sie solte sich gar wol bedenken / wie sie dieses Verbrechen bey Frau Statiren verbessern könte / und sich erinnern / wie mannich Gefahr jhnen noch bevor stünde / von welchen diese Fürsten sie mit vergiessung ihres Bluts würden loß zuwirken haben. Wolte man dieselben dann so verächtlich abweisen / wann sie zu unsern höchsten Frommen bemühet währen / das würde die gröste Unbesonnenheit von der Welt seyn / dadurch man allen schon erlangeten guten Nahmen auf einmal verschütten dürfte / und zugleich Gottes Gnade von sich hinweg treiben.

Das Fräulein ging auf diese unterweisung in sich / baht ihre Frau Mutter umb gnädige vergebung / und daß hernähst sie auf eine bessere erklärung sich besinnen wolte. Aber Gn. Fr. Mutter / sagte sie / was währe dann groß dran gelegen / ob ich Heyrahte oder nicht? finde ich meines gleichen nicht / so bleibe ich die ich bin. O mein liebes Kind / antwortete die Groß Fürstin / du bedenkest nicht ein einziges Wort von allen / welche du hie vorbringest. Gedenke / wann du diese wirdige Heyraht ausschlügest / und im Jungfern Stande bliebest / bey wem woltestu dich nach meinem und meiner Herren Bruder Tode aufhalten? Würde nicht der Teutsche / der Böhmische / der Friesische König dich hinweg weisen / und dirs täglich auf dem Brodte zu fressen geben / du hettest dein Glük nicht erkennen noch annehmen wollen? das würde dir unerträglicher als der Tod seyn. Ich bekenne / sagte das Fräulein / daß ich hieran nicht gedacht habe; aber es fält mir jezt ein / was Frau Statira gedachte / als wann Festus und Aurelius ihren Anteil schon hetten / und daher ihrem vertrauten Freunde Axel auch ein gleiches gönneten / solte es aber wol wahr seyn / sagte sie / daß diese junge Fürsten sich schon verliebet hetten? Die Mutter merkete sehr wol / worauf diese Frage angesehen wahr / wolte ihr derwegen alle unmögliche Hofnung benehmen / und gab zur Antwort: Je sihestu dann nicht / wie ohn alle Liebesbezeigung diese beyde Fürsten mit allem Frauen=Zimmer ümgehen / als ob sie schon jhre eigene Eheweiber hetten? Dieses geschihet in Warheit bloß zu dem Ende / daß sie ihren verlobeten Gemahlen die gebührliche Träue halten wollen. So habe ich auch bey Reichard mich dessen zu aller gnüge erkündiget / daß sie anderwerz sich versprochen haben / und einer des andern Frl. Schwester Heyrahten werde.

Doch hieran haben wir uns eigentlich nicht zu kehren / sondern unsers Glüks wahrzunehmen. Zwar ich habe mir vorgenomen / dich zu keiner Heyraht zu nöhtigen / aber mich auch zu bedingen / daß du mirs gar nicht klagen solt / wann du dein bestes verseumen wirst. Herzgeliebte Frau Mutter / sagte das Fräulein / ich wil meinen willen / wie in allen anderen Dingen / also auch in diesem / ganz und gar eurem Gehorsam untergeben; nur ists möglich / so versprechet mich niemand zur Ehe / bevor wir Teutschland werden erreichet haben. Ja mein liebes Kind / antwortete sie / wie wird solches in meiner Gewalt stehen? Wann die jungen Männer von der Liebe gepeiniget werden / wollen sie sich mit ungewißheit nicht lassen hinhalten / sondern Ja oder Nein haben. Nun wird in Warheit das Nein unser verderben seyn; daher werden wir das Ja müssen wählen; doch versichere dich / daß ich solches / so lange als Mensch und möglich seyn wird / auf dieser Reise hinterhalten wil / aber daß jhm zimliche gute Hofnung gemacht werde / mustu geschehen lassen.

Das Fräulein kunte der Mutter jhr Herz länger nicht verhehlen / und fing also an; Gn. Frau Mutter / damit sie sehen möge / daß in meiner Seele ich hinfüro nichts verborgenes haben wolle / welches ich ihr nicht vor Augen zu stellen willens währe / so bekenne ich derselben hiemit / daß ich mir grosse Hofnung zu Herr Festus Heyraht gemacht habe / als dessen Art und Frömmigkeit mir ob allen Mannesbildern dieser Welt wolgefället; dieweil ich aber sehe und spüre / daß mir Gott denselben zum Ehe Schaz nicht aussersehen hat / wil in dessen schickung ich mich gerne und willig finden / hoffe auch in kurzen mein Herz dergestalt zu bemeistern / daß es dieser einbildung bald müssig gehen sol. Ists möglich / liebes Kind / antwortete die Mutter / daß du mit mir einerley Gedanken gefasset hast? Ich hatte mir wol so starke Hofnung gemacht zu eurer beyder verheyrahtung / als du selbst nicht magst getahn haben / aber nun ich die unmögligkeit sehe / müssen wir fahren lassen / was wir nicht halten können / und nehmen was uns werden mag. Und verfuhr die Mutter mit ihrem Kinde sehr vernünftig / gewan sie auch dadurch ungleich besser / als wann sie dieselbe deßwegen angefahren oder verhöhnet hette. Dann die Liebe / welche die Keuschheit zum Grunde hat / ist eine solche bewägung / die ein Mensch von demselben gegenwurffe in seine Seele empfähet / welches ihm angenehm und wehrt ist; und ist in eines Menschen vermögen nicht / seine Liebe zu zwingen oder zu vergewaltigen / wohin ein ander sie haben wil / sondern wohin sie von dem Gemüht gekehret wird. Es finden sich oft unbesonnene Eltern / ... (Herkuliskus 419 r—421 l).

Aurelius (= Herkuladisla) und *Festus* (= Herkuliskus) überreden Frau Statira, bei Damaspia, der Tochter der Großfürstin Klara, für den königlichen Prinzen *Axel* (= Karl) zu werben. Damaspia lehnt das Ansinnen Statirens ab. Sie liebt nämlich heimlich Festus und hofft, ihn zum Gemahl zu bekommen. Damaspia gehört in diesem Roman zu den Personen von höchstem hierarchischen Rang, trotzdem erfaßt Bucholtz ihr Problem kaum unter höfischem Aspekt. Dort tritt die Liebe nämlich als übermächtige Kraft auf, die den ganzen Weltraum zu überspannen vermag, hier ist sie eine heimliche Neigung, die von christlichem Wohlverhalten gegängelt wird, obwohl der erzählende Dichter seine Leser versichert, daß sie keinesfalls durch Zureden von außen gemeistert und überwunden werden könne. Das erscheint uns der wesentliche Unterschied zu den behandelten Gesprächen zu sein, der entscheidend Struktur und Sprachform des Dialogs prägt.

In seinem ersten Teil gelangt die These von der Staatsheirat nicht zur Ausbildung. Die Mutter macht der Tochter sanfte Vorhaltungen wegen ihrer Ablehnung von Statirens Werbung. Sie stellt ihr Axel als einen der höchsten königlichen Fürsten christlichen Glaubens(!) vor, „derwegen hette man in Warheit bei so gestalten Sachen nicht zu schlaffen / sondern vielmehr das Glück mit beyden Händen zuergreifen / damit die unzeitige Wahl nicht in eine späte Reue verkehret würde" (419 r). Auf diese Weise rückt eigentlich das höfische Argument vom höchsten Fürsten als Klischee in einen utilitaristischen Bezug. Diesen verstärkt das folgende unhöfische Argument noch: Solange man sich auf so gefährlicher Reise befinde, sei es klug und nützlich, diesen tapferen Fürsten nicht durch die Absage zu ärgern, weil man seine Hilfe noch benötige. „Das Fräulein ging auf diese unterweisung in sich ..." (420 l). Prompt wirkt dieser Einwand der Mutter auf die Tochter.

Mit dem toposhaften Argument, sich zeitlebens der Ehe entschlagen zu wollen, hebt die nächste Phase dieses Gespräches an. An ihrem Höhepunkt gesteht Damaspia der Mutter ihre heimliche Liebe zu Festus. Auch die Mutter hat sich schon mit dem Gedanken an diese Verbindung getragen. Ihre Reaktion fällt aber völlig aus dem Rahmen des höfischen Argumentationsschemas: „Doch hieran haben wir uns nicht zu kehren / sondern unsers Glüks wahrzunehmen. Zwar habe ich mir vorgenommen / dich zu keiner Heyrath zu nöthigen / aber mich auch zu bedingen / daß du mirs gar nicht klagen solt / wann du dein bestes verseumen wirst" (420-l-r).

Das Motiv der späteren Reue besitzt im Bereich der barocken Constantia keine Geltung. Der höfische Mensch handelt nämlich nach Maximen, die immer bestehen. Je stärker ihn Schicksalsschläge treffen, umso stoischer beharrt er auf seiner tugendhaften Entscheidung. Auch seine Liebeswahl gehört dem Tugendbereich an. Das Motiv der etwaigen späteren Reue entstammt dem System bürgerlichen Wohlverhaltens. Es ist ein üblicher Topos in der Unterweisung der Kinder durch die Eltern. Mit der barock überhöhenden und weltgeschichtlich bedeutsamen Beispielreihe fehlt dem Dialog eine weitere geistige Dimension. War die Vorgangsschilderung schon im Banne des Äußerlichen befangen, so bleibt die utilitaristische Gesprächsstruktur im innerweltlichen Bereich. Dadurch fehlt diesem ‚Frauenzimmergespräch‘ auch die Auswertung der konkreten Situation als allgemein menschliches Phänomen. Der Erzähler zielt in diesem Dialog nicht auf die bedeutsame höfische Repräsentation des Themas (Staats- oder Liebesheirat?), sondern auf etwas anderes, wie die allmählich sich wandelnde Sprachform des Gesprächsschlusses zu zeigen vermag.

Nach dem behaglich versöhnenden Ende der entscheidenden Erörterung („... aber nun ich die unmöglichkeit sehe / müssen wir fahren lassen / was wir nicht halten können / und nehmen was uns werden mag ...“) gleitet die Sprachform in die typisierende Moralisierung des Vorganges über („Und verfuhr die Mutter mit ihrem Kinde sehr vernünftig / gewanne sie auch dadurch ungleich besser / als wann sie dieselbe deßwegen angefahren oder verhöhnet hette ...“). Die folgende Begründung ist nicht hohe rhetorische Prunkgebärde im aufgipfelnden Abschluß einer These, sondern beste einfache Tradition der Predigtsprache. Denn diese ‚Liebe‘, die Bucholtz hier beschreibt, ist im höfischen Barockroman Lohensteins und Anton Ulrichs nicht zu finden. Wäre sie es, blieben viele kunstvolle Verwicklungen der erzählerischen Komposition aus. Aber Bucholtz geht es in diesem thesenhaften Gespräch nicht um einen wie immer gearteten Liebesbegriff, sondern um eine Lehre:

> Es finden sich oft unbesonnene Eltern / die zu jhren Kindern / wann sie heyrathen sollen / zusagen pflegen; den oder den soltu lieb haben / und solt jhn aus rechter Liebe nehmen; gleich als wann sie der Kinder Willen / welcher frey gebohren ist / als einen leibeigenen Knecht zwingen könten. Verfahret nicht so unverständig mit euren Kindern / jhr Eltern / sondern beherrschet sie mit Vernunft / als dann werdet jhr deren Gemühter nach eurem Wunsch lenken / aber durch Zwang müssen sie krachen und brechen. (Herkuliskus 421 l)

Die Auswertung dieser Stelle erfolgt also im Rahmen der gewollten Verhaltens-Didaxe als Gegenbild eines Typus unbesonnener Eltern. Bezeichnend ist das Hervortreten des Erzählers an dieser Stelle in direkter Ansprache des Lesers. Die christlich-bürgerliche Auswertung in moralischer Hinsicht ist der sprachliche Grundzug dieses Romans. Deshalb kann er auch aus der Gestaltung einer typischen Szene von aktueller Problematik ein Lehrstück für das Wohlverhalten bürgerlich-christlicher Eltern formen.[173]

Was ergibt sich beim Vergleich je eines thesenhaften Dialogs aus den Romanen von Barclay, Anton Ulrich, Lohenstein und Bucholtz? Die untersuchten Gespräche unterscheiden sich in ihrem Verhältnis zur fiktiven Situation. Dieses bestimmt die Eigenart der szenischen Vergegenwärtigung und der Dialoggestaltung. Anton Ulrich und Bucholtz integrieren diesbezüglich am stärksten. Der Dialog wird in lebhafte Wechselrede aufgelockert, die Partner werden in Geste und Reaktion zum Gesprächsablauf gestaltet. Barclay und Lohenstein widmen der szenischen Illusion sprachlich kaum Beachtung. Das Wesentliche ist für sie die bedeutsame Gedankenführung des Dialogs. Aber auch Anton Ulrich und Bucholtz beachten die innere Gedankenstruktur. Bei allen ist sie rhetorisch gegliedert und geprägt. Barclay setzt die Aussagen von Vater und Tochter als erratische Sprechblöcke einander gegenüber. Kategorisch und humanistisch erörtert er die menschliche Entscheidung. Lohenstein häuft Beispiele für These und Antithese, die sich zur Exempelerzählung ausweiten können. Anton Ulrich erörtert die gewählten vier Beispiele von zwei konträren Aspekten aus. Die Vertreter von These wie Antithese berufen sich auf die Überzeugungskraft der gleichen Beispiele. Ihre gegensätzliche Interpretation macht sie aber erst zur Bestätigung des einen oder anderen Standpunktes. Die Beispiele stammen aus der fiktiven Komposition des Romans. Die Sprachform läßt sie aber zu höfischen Modellen werden. Die Argumentation bleibt also innerfiktional, Lohenstein dagegen greift in die ‚Historie' aus, obwohl auch er diese selbstverständlich ‚fiktionalisiert'. Aber er nimmt seine Beispiele nicht aus der Fiktionswelt des eigenen Romans. Bucholtz baut eine in sich geschlossene Szene, die stark ins Gesamtgefüge integriert ist. Der Sprachform nach gestaltet er keine barocken Paradigmen, sondern ein Erziehungsbeispiel für christliche Eltern und ihre gehorsamen Kinder. Die jeweilige Eigenart des Dichters führt also zu gestalterisch bemerkenswerten Variationen innerhalb des bestehenden typischen Rahmens.

---

[173] Noch ein Wort zur Dialogführung und zum Fiktionsbezug dieser Szenen. Bucholtz entfaltet die epische Situation in konkreter Anschaulichkeit, vor allem die psychologischen Regungen der Damaspia etwa bei Statirens Vortrag. Ihm fehlen aufgrund dieser eingehenden epischen Integration, die man beinahe als künstlerische Gegenbewegung gegen Lohensteins Ausweitung des konkreten Falles in transzendente Bezüglichkeit begreifen könnte, selbstverständlich auch die barocken Exempel. Das einzige des Persertyrannen Sapores wird aus der Fiktionswelt des Romans sozusagen als Fingerzeig gewonnen, ohne sich sprachlich zum casus argumentativus zu entfalten.

c. Übersicht über die Gesprächsformen im höfischen Barockroman

Nach der vergleichenden Beschreibung eines Dialog-Typus wollen wir abrißartig eine Bestandsaufnahme der möglichen Gesprächsformen versuchen. Wir gehen dabei von verschiedenen formalen und thematischen Gegebenheiten dieser Bauform aus:

aa. Anzahl der Gesprächspartner.

Die Zahl der Gesprächspartner läßt uns im höfischen Barockroman Monologe, Dialoge und Gespräche mehrerer Personen unterscheiden. Die Form der ‚Innenschau' wäre als unausgesprochener Gedankenmonolog noch zu erwähnen (A I 1–2, vgl. o. S. 19). Die traditionellen Klagenmonologe der Haupthelden werden sogar als direkter Einsatz der medias-in-res-Struktur verwendet (‚Herkuliskus', ‚Asiatische Banise'), weil sie als Vehikel einer lebendigen Exposition besonders geeignet sind. Ihre innere Affinität zum zeitgenössischen Theater ist wohl kaum zu leugnen.[174] Die vielen Dialoge und Gespräche nehmen ihren Ausgangspunkt meist aus der epischen Situation, die Stilhöhe ist (fast) durchwegs vorgegeben hoch. Beratungsgespräche mit vielen Partnern in wechselvoller Dynamik der Meinungen gestaltet vor allem Anton Ulrich in den heimlichen Zusammenkünften der Verschwörergruppen in der ‚Octavia'. Die diplomatischen Absichten der Sprecher werden dabei klar charakterisiert. Vielfach kommentieren und bereiten diese Gespräche nicht nur Handlung vor, sondern sie sind selbst Handlung.

bb. Situation des Gesprächs.

Die epische Situation kann die Form und Funktion eines Gesprächs entscheidend beeinflussen. Wohl bildet die Atmosphäre des höfisch Stilisierten eine gewisse Typik der Situationen aus, die etwa an die Typik der erzählerisch gestalteten Räume erinnert. So ordnet sich das repräsentative Gespräch dem großen Fest- und Empfangssaal zu, dem intimeren Innenraum (Cabinett, Frauenzimmer) dagegen das galante Gespräch. Bei Anton Ulrich eignet zwar fast allen Gesprächen eine gewisse Form der gesellschaftlichen Exklusivität. Das erklärt sich aus der existentiellen Werthaftigkeit der Informationen (vgl. o. S. 34). Wir wollen im weiteren den Variationsreichtum der epischen Gesprächssituation nicht katalogisieren, die Bedeutung der Situation für die Funktion des Dialogs mag der Sonderfall des belauschten Gesprächs zeigen. Anton Ulrich hat dessen raffinierte Funktionsmöglichkeiten erkannt, weil er der Komposition besonderes Augenmerk widmet. Diese Situation gestaltet der Dichter grundsätzlich aus der Perspektive der belauschenden *Erzählperson.* Das vergegenwärtigende

---

[174] Besonders in der ‚Asiatischen Banise' werden vielfach theatralische Effekte konstatiert (z. B. E. *Schwarz),* und nicht zufällig sind gerade in diesem Roman die Monologe besonders ausgeprägt.

Gestaltungsziel einer solchen Situation beruht über den Informationswert der Gesprächsinhalte hinaus in ihrer Wirkung auf den Lauscher. Der *Ausschnitt* einer Person macht sie zum Belauschen eben dieses Gespräches meist besonders geeignet. Entweder gehört sie selbst zum dargestellten Handlungsmodell oder dieses gleicht ihrer eigenen Situation so, daß sie unweigerlich in den Strudel falscher Analogien gerissen wird.[175] In beiden Fällen deutet der Lauscher das erlauschte Handlungsmodell aus der inneren kausalen Struktur seines *Ausschnittes* heraus. Das bedingt meist wieder Fehlkombinationen und falsche Zwecksetzungen. Die absolute Schlüssigkeit, mit der die Romanperson Unbekanntes aufgrund der ähnlichen Umstände auf Bekanntes bezieht, bildet ein Phänomen der Verhaltenstypik dieser Romanwelt.

cc. Redeweise (direkte oder indirekte).

Da alle Formen der ‚Erlebten Rede' im höfischen Barockroman fehlen, lassen sich von diesem Standpunkt aus nur Gespräche in direkter und indirekter Rede unterscheiden. Der Vorrang gebührt dabei, auch zahlenmäßig, Gesprächen, in denen beide Möglichkeiten zur Gestaltung gelangen. Der flüssige Wechsel von der einen zur anderen Redeweise im Ablauf eines einzigen Gesprächs verwehrt es uns, die Funktion der indirekten Rede im Sinne Eberhard Lämmerts (S. 234) zu sehen, dessen Erkenntnisse auch hauptsächlich auf Beobachtungen an späteren Erzählwerken beruhen: „Die indirekte Rede" „hebt die Personenaussage in den Erzählervortrag hinein." Aufgrund der Eigenart des Erzählers im höfischen Barockroman muß man die indirekte Rede nach Käte Hamburger (Logik der Dichtung) als Form der Fiktionalisierung erkennen, ohne daß dabei der Redeinhalt eine personale Brechung durch die *Person* oder *Perspektive* des Erzählers erfährt. Die indirekte Rede im höfischen Barockroman gibt also die Gespräche von Romanpersonen nicht durch ein Medium (Aussagesubjekt) gebrochen wieder, sondern unmittelbar referierend. Deshalb wechselt die Redeweise zwischen direkt und indirekt innerhalb eines Gespräches häufig. Meist gleitet der Erzähler aus der epischen Schilderung über den indirekten Gesprächsbeginn in den direkten Dialog (O II 335). Das soll aber nicht heißen, daß nicht auch abrupt mit der direkten Rede eingesetzt werden kann (O II 366). Ähnlich gleitet zu Ende des Gesprächs die direkte Rede meist wieder zurück in die indirekte. Allerdings verdichtet sich das Ergebnis des Meinungsaustausches abschließend häufig in einem Plan, der sprachlich in indirekter Redeweise gerafft wird. Das erklärt sich aus der dichterischen Absicht, verschiedene Meinungen in einer überschaubaren

---

[175] Wir erinnern uns an das Gespräch zwischen Tharsis und Hadat zu Beginn der ‚Aramena', das von Elieser und Ephron belauscht wird (A I 4—7). Die Belauscher beziehen Tharsis' Modell sofort auf sich selbst, erwägen wohl die Möglichkeit, daß es sich etwa um eine andere Prinzessin handeln könnte. Aber die Umstände gleichen sich auffällig, ergo auch der Fall!

Synthese sprachlich zu umreißen. Innerhalb des Gesprächs gleitet die direkte manchmal in die indirekte Redeweise über, wenn politisch-erotische Beziehungen wiederholt oder solche von minderer Bedeutsamkeit erzählerisch verknappt werden (vgl. etwa O II 9). Auch innerhalb des Gesprächs kann der Fall eintreten, daß verschiedene Meinungen überschaubar gemacht oder aufeinander vergleichend abgestimmt werden sollen, dann tritt gleichermaßen ein solcher Wechsel der Redeweisen ein. Alle diese Formen bleiben aber eindeutig in der Fiktionalisierung und lassen die Brechung der Rede durch ein Aussagesubjekt vermissen. Je mehr Personen mit widersprechenden oder nuancierten Meinungen erzählerisch zu bewältigen sind, umso öfter gestaltet die indirekte Rede den Gesprächsablauf. Nur handlungsmäßig, *ausschnitt*mäßig oder grundsätzlich höfisch bedeutsame Gespräche formt durchlaufend die direkte Rede. Sie vermag natürlich nicht gleichermaßen die stoffliche Materialität der beziehungsreichen Handlung zu bewältigen.

dd. Thema.

Vom Thema her unterscheiden sich in stereotyper Wiederkehr folgende Gesprächsformen, die im Einzelfall mehrfach ineinander verfugt sein können: Liebesgespräch oder galante Konversation, politisches Gespräch, repräsentatives Gespräch, Reaktionsgespräch [(A II 408—410) oder (O III 335 ff: Entdeckung Crisipinas als die unbekannte Geliebte des Artabanus)], Fürsprache in irgendeiner Sache, Streitgespräch, Zankgespräch. Damit sind gleichzeitig die wichtigsten Gesprächsthemen in allgemeiner Art genannt. Bei Lohenstein tritt die gelehrte Disputation als Sonderform des Gesprächs dazu, die bei Anton Ulrich fehlt. Bei Bucholtz könnte man noch die moralisch-religiöse Unterweisung und das Gebet (Andachtsübung) als Sonderform gelten lassen.

d. Die Disputation als besondere Gesprächsform Lohensteins

Das offensichtliche Mißverhältnis zwischen anschaulicher Handlungsschilderung und theoretischer Reflexion[176] hat mehrfach zur Verurteilung des von seinen Zeitgenossen hochgerühmten ‚Arminius‘ geführt. Sogar der morphologisch orientierte Barockspezialist Günther Müller behauptet deshalb, daß Lohensteins Schöpfung „eigentlich kein Roman“ sei (Barockromane S. 23). Solche Urteile basieren auf einem Romanbegriff, nach dem auch Robert Musils ‚Der Mann ohne Eigenschaften‘ die Gattungszugehörigkeit abzusprechen wäre. Das zwingt uns zu einer erneuten Überprüfung eines solchermaßen verdammten Sprachwerkes. Seine Struktur

---

[176] Ob als Reflexion des Erzählers oder der Romanperson, bleibt in diesem Falle sekundär.

muß sich auch von einem Detailaspekt her aufschließen lassen, umsomehr als wir die Diskrepanz zwischen Schilderung und Gespräch als den eigentlichen Ansatzpunkt der negativen Kritik erkannt haben.

Edward Verhofstadt hat kürzlich in dialektischer Methode versucht, in Lohensteins Werk „die literarische Bedeutung der Ideenfiguren zu ergründen" (S. 9). Dabei führt ihn die Erkenntnis beachtlicher Strukturformen zu einer Neuinterpretation des ‚Arminius', obwohl seine Fragestellung im besonderen auf das dramatische Werk gerichtet ist. Textlich legt er seiner Untersuchung des Romans eine ‚Geschichtsdarstellung' als besondere Form von Lohensteins Erzählweise zugrunde (= unsere Vorgangsschilderung). Der Verfasser erschließt darin vor allem das Phänomen der ‚Polyvalenz' (S. 90) als positive Struktur. Die Polyvalenz ist das Grundschema einer allegorischen Technik, nach der ein Wort mehrere Begriffe abwechselnd allegorisch vertreten kann (S. 87 f.). Weiter zeigt er Strukturen auf, die auch in unserer Beschreibung der ‚Disputation' anklingen werden:

1. die ungezwungene Bereicherung unseres Wissens, die sich einer epischen Bewegung anschließt. Hier gelangt vor allem das Verhältnis zwischen Schilderung und Reflexion zu positiver, weil strukturimmanenter Deutung.

2. das noch kaum historisch verbundene, dynamische Gedankenspiel (S. 102).

3. die Möglichkeit, unter dem Verhüllten das Bekannte zu entdecken (S. 101).

Wichtig erscheint uns zudem noch Verhofstadts Nachweis, daß Lohenstein eine „Autonomie der Gedankenstrukturen" entwickelt habe, auf die der Leser mit ästhetischer Regung antwortet (S. 11). Ausgerüstet mit diesen grundsätzlichen und neuen Erkenntnissen wollen wir uns nun folgender Textstelle widmen. Das Zusammenspiel von epischer Schilderung und Gespräch soll uns Lohensteins Sonderform der *Disputation* in einigen ihrer Strukturen erschließen. Eine an sich minder bedeutsame und allegorisch vorerst kaum polyvalente Jagdschilderung wird durch Gespräche der jagenden Fürsten mehrfach unterbrochen. Der einseitige ‚Epiker' wird die Schilderung nur mehr als dünnes Illusionsgerüst der äußeren Handlung sehen, die vom erzählenden Dichter zu Gesprächsansätzen degradiert wird. Dieser negative Ansatzpunkt möge als Provokation die Sinne des Interpreten schärfen. Der Text gehört offensichtlich zu den bezeichnenden Ursprungsstellen für das Urteil der verdammenden ‚Momi'. Der gelehrte Ballast der Disputationen scheint in einem Mißverhältnis zur episch-lebendigen Schilderung zu stehen.

Dieses Jagderlebnis der Fürsten erstreckt sich über ca. 20 zweispaltige Großoktavseiten[177] und steht im zweiten Buch des Romans (AR I 79 r— 95 l). Zwei grundsätzlich verschiedene Erzählweisen bestimmen den Aufbau des gewählten Abschnittes: a) die zeitlich relevante der epischen Schilderung und b) die zeitlich unabhängige der Gespräche. Ihrem Verhältnis zueinander und den besonderen Formen ihrer erzählerischen Verfugung gilt unser besonderes Augenmerk.

Den Jagdvorgang hat der Dichter in etliche kleine, aber abgerundete Erzählphasen gegliedert: a) Einladung der gefangenen Fürsten zur Jagd durch Herzog Hermann, b) Lob der Jagd als fürstliche Betätigung durch den erzählenden Dichter (79—80), c) Reiherbeize (80), d) Rehe und Auerochse (80), e) Hirsch (81), f) Wildschweine (88), g) Bär und Hunde (89), h) Wildsau (94), i) Einladung zum Mittagsmahl ins Jagdhaus des Herzogs (95). Die relativ kurzen Jagdschilderungen werden von zunehmend längeren Gesprächspartien unterbrochen, die sich thematisch am besonderen Jagdvorfall entzünden. Der Gesamtumfang der epischen Schilderung macht im Verhältnis zu den Gesprächsteilen innerhalb des Abschnittes 5 Spalten zu 26 Spalten aus: Verhältnis ca. 1 : 5. Ein ereignissatter Vorwurf wird in Lohensteins Erzählweise von Gesprächen um das Fünffache seines Umfanges überwuchert. Eine solche Darstellung verdient strukturell und stilistisch nähere Beachtung.

Der knappen Einladung zu diesem Vergnügen folgt vor der eigentlichen Jagdschilderung ein Lob der Jagd, das der Erzähler in rhetorischer Struktur präsentiert:

Daher nöthigte sie so wohl dieses höfliche Anbieten, als ihr eigener Trieb, und insonderheit die umb das schwartze Meer bräuchliche Landes=Art folgenden Tag noch der Morgenröthe fürzukommen, und mit allerhand nöthiger Anstalt in das hertzogliche Gehäge sich zu dieser den Fürsten gewöhnlichen und wohl anständigen Lust zu verfügen.
Sintemahl sie den Leib hierdurch zu allerhand Mühsamkeit abhärten, in Verfolgung des flüchtigen Wildes rennen, des hertzhafften fechten, des schlauen allerhand krummen Räncken und List mit List begegnen, und die Beschaffenheit eines Landes am besten kennen lernen. Welche Wissenschaft einem Fürsten nöthiger als die Kentnüß der Gestirne ist. Denn diese hat den bedrängten Sertorius mehrmals errettet, wenn seine Feinde ihn schon in Händen zu haben vermeynet. Die bey Verfolgung eines Wildes sich ereignete Verwirrung ist mehrmahls eine Weg=Weiserin des Sieges gewest. Weßwegen iederzeit die streitbarsten Völcker die Jagt geliebet, und die tapffersten Fürsten mit dieser männlichen Ergötzlichkeit ihre Herrschens=Sorge erleichtert. Denn auch ihre Erqvickungen sollen Bemühungen seyn. Darius hielt diese so ruhmwürdig, daß er auf sein Grab ihm als einen besondern Ehren=Ruhm schreiben ließ, daß daselbst ein fürtrefflicher Jäger begraben läge. Etliche

---

[177] Aus Bibliotheksgründen müssen wir auch hier nach der 2. Auflage Leipzig 1731 zitieren, die textlich mit dem Original übereinstimmt, nicht aber in allen orthographischen Einzelheiten. So verwendet sie anstelle der Virgel die auch heute üblichen Satzzeichen.

grosse Fürsten haben selbst diese Kunst mit ihrer eigenen Feder zu beschreiben sich nicht geschämet. Diesemnach denn die wider diese an sich selbst gute Ubung geschehene Einwürffe von schlechtem Gewichte zu achten sind, samb selbte das menschliche Gemüthe mehr wilde machte, als sie dem Leibe dienlich wäre, und ihre Annehmlichkeit einen Fürsten nöthigern Sorgen abstehle, sintemahl solche auf blossen auch den Kern der besten Sachen verderbenden Mißbrauch gegründet sind. Daß aber Saro der Gallier König sich über Verfolgung eines Hirschen ins Meer gestürzt, andere sich in Gebürgen verstiegen, oder von Gespensten verleitet worden, ist ihrer eignen Unvorsichtigkeit, oder andern Zufällen, welche auch in den löblichsten Unterfangungen die Hand mit im Spiele haben, nicht der Eigenschafft des Jagens zuzuschreiben. (AR I 79 r—80 l)

Das Thema dieser laudatio erweist die Sprachform bereits als bedeutsame These für das Kommende (Jagd = „Fürsten gewöhnliche und wohl anständige Lust"). Die Jagd als Fürsten-Vergnügen ist ein dem hohen Stil entsprechendes Thema.[178] Der erzählende Dichter entwickelt in dieser Lobrede nun die pro- und contra-Gründe zur These, wobei die Parteilichkeit der Sprachform keinerlei Zweifel aufkommen läßt über die Einstellung des Sprechers.[179] Folgende Aspekte verdichten sich zu einem ideellen Spektrum des Phänomens: Die Jagd ist ein körperliches und geistiges Training. Im Geistigen erfolgt eine Humanisierung tierischer Verhaltensweisen. Im Thema der ‚Kenntnis eines Landes' taucht ein wichtiges Bildungsziel der damaligen Zeit auf. „Wissenschaft" (79) und „Kunst" (80) sind Intellektualisierungen des Weidwerks; der Vergleich mit der Astrologie wird dadurch ermöglicht. (Könnte die geheime Korrespondenz zwischen diesen beiden Gedanken in der Kenntnis von Erde und Himmel bestehen?) Nach der Behauptung („Weidwerk nötiger als Astrologie") springt der Dichter in die beispielhafte Konkretheit des Falles (Sertorius). Das Phänomen der Verirrung („Wegeweisern des Sieges") steht gleichermaßen im Bereich eines literarischen Motivs wie eines historischen Faktums, das meist sagenhaft umwoben erscheint. Die fürstliche Deutung der Verirrung als Wegweiserin des Sieges verlangt weitere Begründung. Der superlativische Gleichlauf dieser zwei Kausalbezüge („streitbarste Völker — tapfersten Fürsten") belegt ebenfalls die Parteilichkeit des Sprechers. Die weitere Begründung ist ein gängiger Topos der Fürstenspiegel mit reizvoller Antithese. Das Exempel (Darius) ist getragen vom Interesse am Wissenswerten. In der Steigerung vereint sich die Tätigkeit des Schreibers mit jener der Fürsten. Die rhetorischen Einwände gegen dieses fürstliche Vergnügen werden schon im Keime erstickt. Dazu gehört auch der Schluß,

---

[178] Möglicherweise ließen sich in der Jagdliteratur der Zeit und ihren Vorbildern ähnliche Gedanken nachweisen.
[179] („den Fürsten . . . wohlanständigen Lust . . . (als) Wissenschaft einem Fürsten nöthiger . . ., dieser männlichen Ergötzligkeit, . . . diese Kunst . . . an sich selbst gute Übung, Einwürffe von schlechtem Gewicht, der besten Sachen, löblichsten Unterfangungen . . .")

daß alle negativen Umstände nur dem Zufall und der Unvorsichtigkeit zuzuschreiben seien, nicht aber dem Wesen der Jagd. Soweit also diese Miniatur-laudatio auf die Jagd. Sie bildet die rhetorische Einleitung zum epischen Thema. Man wäre beinahe versucht, die nun folgende Erzählung konkreter Vorfälle als rhetorische narratio, gewissermaßen als Exemplifizierung der These, zu verstehen. Denn schon der rhetorisch-repräsentative Einsatz legt nahe, daß die eigentliche Bedeutsamkeit des nun Folgenden nicht ausschließlich in seinem epischen Geschehnisablauf zu finden sein kann.

Die Einzelphasen dieser Jagdschilderung (c–i) sind auf den zeitlichen Ablauf[180] und auf kurz signalisierte Örtlichkeiten[181] bezogen. Sie bilden einzelne kurze Szenen nach unterschiedlicher Jagdart und verschiedenem Wildtypus aus. Die Darstellungsweise ist anschaulich und deutend zugleich. Die Syntax mit ihren vielen kausalen Formen wirkt primär argumentativ, erst sekundär beschreibend. Der erste Abschnitt (Phase Reiherbeize) soll uns die wiederkehrende Struktur veranschaulichen:

Den Anfang dieser Jagt machte der Graf von Uffen, des Feldherrn oberster Jäger = Meister, an einem sumpfichten Orte mit dem Reiger = Beitzen. Denn so bald dieser etliche mitternächtische Falcken ausließ, erhoben sich eine grosse Anzahl Reiger empor, welche allhier für den Hertzog gehegt zu werden, also daß sie niemand sonst bey ernster Straffe beunruhigen darf; wiewohl sonst das allgemeine Völcker = Recht, welches den Fang der wilden Thiere iederman gemein läst, in Deutschland unversehrt ist. Auf die aufprellenden Reiger wurden alsofort so viel Falcken, worunter etliche schneeweisse, welche bey denen Cimbern und Bosniern gefangen werden, ausgelassen. Diese mühten sich aufs eifrigste jene mit ihrem Fluge zu überklimmen, und hierauf stiessen sie schriemwerts mit vorgestreckten Klauen auf die niedrigen Reiger mit solcher Heftigkeit herab, daß ihr Abschiessen gleichsam ein Geräusche des Windes machte, und die Reiger gantz zerfleischt zur Erden fielen. Wiewohl etliche schlaue Reiger die allzu hitzigen Falcken mit ihren über sich gekehrten Schnäbeln nicht nur verwundeten, sondern gar tödteten. Diese Lust vergnügte den Hertzog Zeno so sehr, daß er sich heraus ließ: Plato hätte zwar die Fisch = und Vogel = Jagt, als etwas knechtisches getadelt, er befindete aber die Reiger = Beitze für eine recht edle Fürsten = Lust. Rhemetalces fing an: Die Thracier hätten für uhralter Zeit diesen Vogel = Krieg höher als keine andere Jagt gehalten, und ihre Könige bey der Stadt Amphipolis mit dem Habicht = Fange der Wasser = Vogel ihnen eine ungemeine Lust gemacht. Zeno pflichtet diesem Lobe gleichfalls bey, mit Vermeldung, daß die Indianer mit ihren abgerichteten Adlern ebenfalls das furchtsame Geflügel zu fangen pflegeten, aber ihre Lust käme der gegenwärtigen bey weitem nicht bey. (AR I 80)

---

[180] „Den Anfang dieser Jagt ... Hierauf kamen sie ... Hernach kamen sie ... und hiermit verfielen sie ... Unter diesem Gespräche brachten die Hunde ... Die Sonne war hiermit schon über den Mittags = Würbel gelauffen, als ..."
[181] „An einem sumpfichten Orte ... in den nechts daran liegenden Forst ... aus dem Gesümpfe herfür ... in das unfern gelegene fürstliche Jäger = Haus ..."

Der erste Satz führt die Person des Jagenden (Graf von Uffen) ein, nennt die Jagdart („Reiger-Beitze") und charakterisiert die Örtlichkeit („an einem sumpfichten Orte"). Nicht episch schildernd, sondern kausal („denn") ordnet sich der zweite Satz erklärend dem ersten zu, obwohl ihm als Sinn-Aussage die Darstellung eines Vorganges (Auslassen der Reiher) zukommt. Vier Nebensätze schließen sich dieser knappen Vorgangsschilderung an, die aus dem epischen Erzählablauf herausfallen. Sie steuern erklärende Umstände zur Lebensweise der Reiher bei („welche, also daß, wiewohl, welches"). Wir erkannten diese Bauform bereits als *Erklärung*.[182] Sie kehrt im Verlauf der weiteren Schilderung mehrmals wieder (etwa: „welche bey denen Cimbern und Bosnien gefangen werden"). Die weitere Schilderung der Reiherbeize verdichtet der erzählende Dichter in zwei syntaktisch komplexen Aussagen. Der Vorgang der Vogeljagd wird dabei in einzelne Phasen zerlegt („ausgelassen — mühten sich... zu überklimmen — stießen herab") und im Resultat erfaßt („zerfleischt zur Erde fielen"). Eine antithetische Variation des Vorganges wird der Schilderung syntaktisch abgerundet gegenüber gestellt. Mitten in dieser anschaulich-bewegten Schilderung (Anlaß) springt der Dichter plötzlich in die *Disputationsform*: „Diese Lust vergnügte den Hertzog Zeno so sehr, daß er sich heraus ließ..." Damit beginnt ein kurzes theoretisches Gespräch über die Vogelbeize. Man hat schon oft erkannt, daß Lohenstein in Gesprächen oder Reflexionen den konkreten Vorgang ins Allgemeine hebt. Zenos Ausspruch erscheint wie ein Paradigma dieser Überhöhung. Der Behauptung Platos zum Thema stellt er antithetisch seine eigene Erfahrung entgegen („knechtisch — recht edle Fürsten-Lust"), die der Leser nach einführender laudatio und beweisender narratio als Erfahrung teilt. Diesem markanten thesenhaften Einsatz folgen begründend zwei ethnologisch-historische Beispiele (Rhemetalces: Thracier — Zeno: Indianer), wobei das letztere vergleichend und steigernd auf den konkreten Vorfall bezogen wird. Die epische Schilderung und die ihr eingewobene Deutung des Vorganges vereinen sich mit seiner disputierenden Überhöhung zu einem sprachlichen Spektrum des Phänomens ‚Reiherbeize' als besondere Fürstenlust. Lohenstein wertet den geschilderten Vorgang durch die *Disputation* keinesfalls ab, sondern steigert ihn ins Allgemeine.

Der Jagdvorfall mit dem Auerochsen mag uns mit einer weiteren Möglichkeit dieser mehraspektigen Darstellungsweise Lohensteins vertraut machen:

> Hierauf kamen sie in den nechst daran liegenden Forst, darinnen ihnen alsofort unterschiedene Rehe aufstiessen, derer etliche sie mit ihren Pfeilen fälleten. Hernach kamen sie auf die Spur eines wilden Uhr=Ochsens, den sie

---

182 Die oben S. 122—124 angeführten Charakteristika dieser Bauform (besprechendes Tempus im Kontext des erzählenden, Kennzeichnung einer Kategorie nach Merkmalen und Umständen) kehren hier wieder.

auch alsofort ereilten. Zeno vermeynte mit seinem Bogen ihn alsofort zu erlegen, und schoß drey Pfeile hinter einander auf dessen Stirne, welche aber
alle ohne Verwundung absprungen. Dieser Fürst verwunderte sich hierüber
nicht wenig, meldende: Er wüste nicht, ob diese Ochsen sich mit Kräutern
feste gemacht, oder seine Armen alle Kräfte verlohren hätten. Malovend
lachte und sagte: Von Gemsen glaubte man zwar, daß, wenn sie die Dora-
nich = Wurtzel gegessen, sie mit keinem Geschoß verwundet werden könnten;
von dem Ochsen aber hätte er diß nie gehört. Rhemetalces schoß zwey Pfeile
dem Ochsen auf den Kopff eben so wohl vergebens, und dahero mit nichts
minderer Entrüstung. Da fing Malovend an: Sie suchten vergebens diß Thier
im Kopfe zu beleidigen, der so harte wäre, daß ein Geschoß ehe durch Ertzt,
als durch seine Hirn = Schale gehen würde. Hiermit traf er den rennenden
Ochsen mit einem Wurf = Spiesse so glücklich in die Seite, daß selbter in der
Brust vorging, und dieses Thier entseelt zu Boden fiel. Hierauf schoß er
einen Pfeil ihm durch den Kopff durch und durch. Welches beyden andern
Fürsten noch seltzamer fürkam, und mit dessen nunmehr leichter Durch-
schüssung die Krafft ihrer Bogen versuchten.

Malovend berichtete sie hierauf, daß mit dem Leben die Härte des Schädels
zugleich verschwinde, und hiermit verfielen sie auf einen Hirsch von ungemeiner Grösse ... (AR I 80—81).

Das Gespräch folgt hier nicht der epischen Schilderung des Vorganges,
sondern es wird in diese erklärend eingeschoben. Das Wesentliche läßt
sich aber treffender so formulieren: Lohenstein gestaltet den ablaufenden
Vorgang als innere Argumentationskurve einer These. Die sensationelle
These lautet: Die Hirnschale eines lebenden Auerochsen kann mit keinem
Pfeil durchbohrt werden! Die These darf man nicht als Absurdität eines
noch quizzfremden Jahrhunderts sehen, sondern als biologischen Lehrsatz, der für einen jagenden Fürsten existentielle Bedeutung hat. Die
‚Argumentation‘ beginnt als Vorgangsschilderung. Zwei Tiere werden
einführend sozusagen vor den Pfeil gebracht: Rehe und Auerochs. Diese
erzählerische Parallele dient der Steigerung, indem die Sprachform („Zeno
vermeynete ...“) die Erwartung miteinbaut. Die innere Strukturierung
entspricht damit also der wirksamen Entfaltung des Lehrsatzes: a) Erfolg-
reiches Erlegen der Rehe durch Pfeile, b) Zenos drei Pfeile prallen erfolglos
an der Stirne des Auerochsen ab, c) Kommentar dazu als Disputation
zwischen Zeno und Malovend, d) Rhemetalces' zwei Pfeile prallen ebenfalls ohne Erfolg ab, e) Malovend tötet den Ochsen durch einen Wurfspieß in die Seite und schießt f) dem toten Tier mühelos einen Pfeil durch
die Stirne, g) Malovend enthüllt den Jagdgenossen die veranschaulichte
These: Mit dem Leben verliert sich die undurchdringliche Härte dieses
Schädels. Damit sind wir an der conclusio dieser Gedankenstruktur ange-
langt. Die Phasen des erzählten Vorganges leiten als Schritte der Beweis-
führung das gedankliche Experiment, welches in der überraschenden Erkenntnis des biologischen Lehrsatzes gipfelt. Die eingestreuten Gesprächs-
teile schieben den Akzent bereits auf die Deutung des Vorganges. Erzähle-

rische Gestaltung und Deutung durchdringen einander in besonderer Intensität. Das rationale Grundschema des Vorganges ist die wirksame Darlegung eines Lehrsatzes.

Das Jagdabenteuer mit dem Hirschen, an dem die Jäger plötzlich ein Halsband entdecken, bietet uns eine weitere Möglichkeit der auswertenden Generalisierung eines an sich wenig bedeutsamen epischen Vorfalles. Das Moment des Historisierenden unter patriotischem Aspekt tritt hier besonders in Erscheinung. Diese ebenfalls in sich gerundete Jagdepisode beginnt mit der anschaulichen Schilderung von Verwundung, Flucht und Ende dieses prächtigen Tieres. Lohensteins Hang zur wesenhaften Verallgemeinerung in Kategorie („nach Art der Hirschen") und anthropomorpher Deutung („als ein Muster allzu leichtgläubiger Vertraulichkeit") durchsetzt auch diesen Abschnitt konkreter epischer Veranschaulichung als Gestaltungszug. Am getöteten Tier entdecken die Fürsten plötzlich ein Halsband mit der Aufschrift: „Als Julius Cäsar den Deutschen ein Gebiß anlegte, gabe er mir die Freiheit" (81 l). Daran entzündet sich ein Gespräch von beträchtlicher Länge (81 l—88 l). Das Halsband verwandelt die Jagdszene plötzlich zum Forum einer politischen Disputation. Die Erklärung dieser wundersamen Begebenheit veranlaßt Malovend zu einem Geschichtsbericht, an den sich lange Gespräche anschließen. Die bewegliche Intelligenz des Dichters läßt daraus ein reiches Gedankengebäude von besonderer Autonomie entstehen. Der historisierende Bericht weitet sich zu einem Spektrum von Thesen, dessen ästhetischer Reiz in einem dynamischen Gedankenspiel der beteiligten Diskussionspartner besteht. Seine vordringliche Struktur bildet ein zwangloser Wechsel zwischen allgemeiner Aussage und konkreter Beispielhaftigkeit.

Aus diesen Beispielen dürfte klar geworden sein, daß Lohenstein auch episch konkret darstellen kann. Bei der Schilderung dieser fiktiven Jagderlebnisse geht es ihm aber nicht um die realistische Darstellung äußerer Vorgänge, sondern um deren Überhöhung in eine beziehungsreiche geistige Sphäre welthafter Bedeutsamkeit. Die Schilderung der Jagd ist ein traditionelles Motiv der Literatur. Hadamar von Laber verfaßte zwischen 1330 und 1340 eine Minneallegorie ‚Die Jagd'. Gespräche der Jäger und weitläufige Reflexionen unterbrechen die allegorisch bedeutsame Jagdschilderung. Stehen die Jagdszenen in epischen Prosawerken auch meist unter Handlungsaspekten, die man als Begegnung mit relevant Neuem begreifen kann (etwa Verirren des Jägers[183], überraschende Begegnungen und Verwundungen der Jäger[184]), so bilden die Nachfolger Labers die

---

[183] Vgl. den Anfang des ‚Amadis'. Vgl. auch Lohensteins Hinweis auf dieses Motiv in seiner Miniatur-laudatio zu Beginn dieses Abschnittes.

[184] In der Verwundung Alfenslebens hat Lohenstein auch dieses Motiv im Rahmen dieser Schilderung gestaltet, es kommt ihm aber keine handlungsmäßige oder kompositionelle Funktion zu.

symbolisch oder allegorisch überhöhende Auswertung der Jagd als Tendenz der Literatur aus. Innerhalb der vom 13. bis zum 16. Jhdt. so beliebten Jagddichtungen wird diese Deutung des epischen Vorganges häufig gepflegt. Ohne Abhängigkeit konstruieren zu wollen, müssen wir Lohenstein in den Strom dieser besonderen Tradition stellen. Allerdings gestaltet er das Jagdabenteuer in seinem Roman nicht als geschlossene Allegorie. Er verwandelt es seiner grundsätzlichen Erzählweise an, indem er die anekdotisch gerundeten Jagdphasen durch *Disputation*, Reflexion und Exempelreichtum in ihrem Wesen erfaßt und als Phänomene normt. So rückt er auch scheinbar wenig gewichtige Vorgänge in kosmologische Bedeutsamkeit. Nicht der konkrete Vorfall fasziniert ihn, sondern das allgemeine Gesetz, unter dem er steht und das aus seiner Wesensbestimmung erst aufleuchtet.

Die besondere Darstellungsweise, um dieses Ziel zu erreichen, darf man nicht als Mißverhältnis zwischen Darstellung und Deutung verkennen, es ist vielmehr ein raffiniertes Zusammenspiel gewollter und in epischen Werken legitimer Sehweisen. Und schließlich eignet den Gedankenfiguren Lohensteins ästhetischer Reiz, wie Edward Verhofstadt nachweist (S. 129): „Das Gedankliche drückt in Lohensteins ‚Arminius' keine Gedanken aus — d. h. keine Gedanken, wie wir das von einem an rationellen Elementen überreichen Werke erwarten; keine Vorstellungen, deren Hauptziel es ist, in definitiver oder vorläufiger Abgeschlossenheit ein Gesamtverhältnis — sei es des Autors oder eines Romancharakters — zu der Außenwelt und der eigenen Existenz auszusprechen. Ein Gedanke ist im ‚Arminius' vielmehr eine geistige Bewegung, ein lebhaftes Hin und Her der Reflexion, oder eine eindrucksvolle Machtentfaltung erregender Argumente. Alle diese Wirkungen sind ästhetisch orientiert...". Diese Strukturen erheben sich in ‚Arminius' aber wesentlich auf dem Boden der vielgeschmähten *Disputations*form, deren epische Integration und Funktion unsere Analyse von verschiedenen Aspekten her zu beweisen versucht hat.

3. Die Formen der Beschreibung

a. Einführung

Unter ‚Beschreibung' verstehen wir die sprachliche Darstellung einer Person, einer Landschaft oder eines Bauwerkes innerhalb des Romanablaufes. Als Sonderformen seien noch die Gemäldebeschreibung und jene dekorativer Innenräume erwähnt, deren bedeutsame Tradition mehrfach erkannt worden ist.[185] Darin liegt ein methodischer Hinweis zur Beurteilung dieser Bauform: ihr Bewußtsein der Tradition. Die Formen der Beschreibung im höfischen Barockroman können nur aus ihrem traditionellen Ursprung recht verstanden werden, der weit in die Gepflogenheiten der antiken Rhetorik zurückreicht. So steht die Ortsbeschreibung in vielen Fällen in der lebendigen Tradition des locus amoenus und seiner literarischen Funktionen[186], die Personenbeschreibung dagegen im Bezugskreis des Herrscherlobs.[187] Die Gemäldebeschreibung reicht bis auf Achilles Tatios[188] zurück. Eine Analyse dieser Bauform muß sich demnach in hohem Maße der traditionellen Elemente vergewissern, um Originalität und Toposhörigkeit differenzieren zu können. Es bedeutet u. E. einen Fehlansatz, wenn man bei der Beschreibung der epischen Landschaften in der ‚Aramena' von der kühnen Konzeption eines *Aramena-Menschen* ausgeht[189], welcher die Landschaft so oder so sieht. Primär handelt es sich bei diesem epischen Phänomen stets um eine literarische Form mit reicher Tradition. Ein Detail kann belegen, daß die Beschreibung im höfischen Barockroman mit jener im 19. Jahrhundert wenig zu tun hat. Dort wird üblicherweise eine Person bei ihrem ersten Auftreten im Erzählraum beschrieben, im höfischen Barockroman geschieht dies aber fast ausschließlich an repräsentativer Stelle und in solcher Funktion. Die Beschreibung der Titelheldin in Anton Ulrichs ‚Aramena' erfolgt lange nach ihrem ersten Auftreten als bewußter laudatio-Auftakt zum herrscherlich-repräsentativen Einzug in Damaskus (A II 176). Die Titelfigur in Lohensteins ‚Arminius' wird erst beschrieben, als sie in glänzender Rüstung vor Romanpersonen und Leser zur Schlacht im Teutoburger Walde antritt. Denn durch dieses Heldenbild muß noch die Gestalt des Habsburger Kaisers Leopold I. (Herrscherlob) durchschimmern.[190] Scandor unterbricht in der ‚Asiatischen Banise' entzückt seine Erzählung, um seinen Zuhörern (und Lesern) das Bild der himmlischen Banise recht auszumalen (133—134). Ebenso hält Vasaces in seiner Geschichte mit dem Hinweis auf den Wunsch der Zuhörer inne, um ihnen das Tugendbild der Octavia durch die Darstellung ihrer äußeren Vollkommenheit zu preisen (O I 143—144). Daraus wird schon klar, daß die Personendarstellung im höfischen Barockroman unter rhetorischen Prinzipien erfolgt und daß sich inneres Menschenideal und

---

[185] Wir verweisen beispielhaft auf M. *Oeftering* und E. *Lindhorst*, hier besonders auf S. 97—99.
[186] Vgl. dazu vor allem E. R. *Curtius* ELLM S. 202—206 und S. 209 f.
[187] Vgl. ebenda S. 184—186 und S. 423—425.
[188] Vgl. E. *Lindhorst* S. 97.
[189] M. *Vollmary*.
[190] Zur Habsburg-Problematik in diesem Roman beachte die ausführliche und erhellende Arbeit von E. M. *Szarota* in: Colloquia Germanica 1 (1967), S. 263—309.

äußere Darstellung durchdringen. Auf welche Art dies in den einzelnen Fällen durchgeführt ist, mögen die folgenden Beispiele weisen.

b. Personenbeschreibung

Wieder einmal sei eine Stelle aus der ‚Argenis' des John Barclay an die Spitze dieser Belegreihe gestellt, die gewissermaßen in nuce alle später verwirklichten Möglichkeiten dieses Genres enthält. Auf den Vorbild-Charakter der ‚Argenis' für den höfischen Barockroman kann nicht eindringlich genug verwiesen werden:

> Zwischen solcher Rede vmbfiengen sie einander / vnd waren / nach so freundlicher Begrüssung / in Gedancken / nicht allein was / sondern auch mit wem sie beyderseits redeten. Es stallte jhm einer deß andern Gestalt für Augen / vnd stunden als bestürtzt vber solcher jhrer Beschawung. Der eine sahe in dem andern mit Verwunderung an / das / worüber sich der ander in diesem nicht minder verwunderte : die Jugend / das freye Gesichte / die Tracht / vnd die sonderliche Lebhafftigkeit / welche auß jhren Augen leuchtete. Sie waren in einem Alter / vnd auß vnterschiedenen Gesichtern blickete einerley Mayestät und Ansehen. Es war einem Wunder gleiche / daß sich die Stärcke mit solcher Schönheit vereiniget hette. Timoclee preisete das Glück nicht weniger / von welchem durch diß seltzame Abendthewr / ein so vollkommenes Paar zusammen gefüget worden. Sie that auch ein Gelübd / daß sie / wann es mit jhrem Willen were / eine Tafel / darauff beyder Bildnüß stünde / in der Erycinischen Venus Tempel auffhencken wollte. Wiewol sie aber / vieler Zufälle halben / jhren Vorsatz nachmals verschieben mußte / hat sie sich doch endlich dessen Gelübdes entlediget / vnd diese Verß vnter benannte Tafel setzen lassen:
>
>> So sehn die Wangen auß / so ist jhr Angesicht /
>> Ihr Haar / jhr roter Mund / vnd jhrer Augen Liecht.
>> Wilst du von Sterbligkeit der grossen Schönheit sagen?
>> Auch Phoebus scheint nit so / auff seinem göldnen Wagen /
>> Die Brüder Helenen / auff die zu Sturmes Zeit
>> Der bleiche Schiffmann rufft / die gläntzen nit so weit.
>> Du bist / O starcker Mars / so wol nicht außgerüstet /
>> Wann dich zur Venus hin zureisen gleich gelüstet /
>> Vnd thust dem Mulciber den grössesten Verdruß /
>> Der dir die Waffen gibt / vnd doch dich förchten muß.
>
> Poliarchus / als er wider zu sich selbst kommen / vnd die Schönheit deß Frembden nach gnügen betrachtet hatte / sahe er die Timoclee an / als eine / mit der er wol bekandt ware / vnd lachte jhres erschrockenen bleichen Gesichtes; fürnämlich aber / daß jhr die Haare auff die Seiten vnd hinder sich zerstrewet vnd verworren hiengen... (Argenis 1626, S. 6—7)

Die Stelle bildet den ersten Ruhepunkt der Handlung nach dem sich überstürzenden medias-in-res-Einsatz des Romans. Aus dem gefährlichen Gefecht kommend, treten die beiden männlichen Hauptfiguren Poliarchus und Archombrotus plötzlich einander gegenüber. Sie nehmen einander in diesem Augenblick überhaupt erst gegenseitig wahr und stehen überrascht vor „deß andern Gestalt." Das eigentliche Formprinzip dieser Szene beruht in der wechselseitigen Betrachtung der zwei Helden. Jeder erstaunt ob der Schönheit des andern. Die dritte in dieser Szene anwesende Person Timoclee verleiht dem Vorfall höchste innerweltliche Steigerung. In ihrer Entzückung über die heldenhafte Männlichkeit dieses Paares macht sie ein Gelübde, diese menschliche Schönheit als Bild verewigen und im Venus-Tempel aufhängen zu wollen. Barclay genügt dieser Hinweis auf die bildende Kunst zur Steigerung der Szene nicht, er bemüht noch eine weitere Bauform. Ein Gedicht verherrlicht das Bild, das fiktiv bereits diesen Augenblick der Begegnung zwischen Poliarchus und Archombrotus verherrlicht hat. Die Funktion des rhetorischen Herrscherlobes erfüllt sich hier am schönsten in der Verschlüsselung der beiden Helden: Poliarchus steht nämlich vollinhaltlich für Ludwig XIII. von Frankreich und Archombrotus teils ebenfalls. Diesem hat Barclay sein Opus gewidmet (Dedikation). Mit dem Blick auf die Geste des Poliarchus löst sich der Erzähler langsam aus der laudatio-Statik dieser Szene. Poliarchus' Lachen über Timoclees zerraufte Haare gehört mit in den Rahmen dieser ‚äußeren' Beschreibung; sie steuert das kurz aufleuchtende höfische Gegenbild bei, ohne es abzuwerten.

Welche sprachlichen Elemente der äußeren Beschreibung verwendet der Dichter in dieser Szene zur Darstellung zweier schöner Männer? Die Elemente der äußeren Anschaulichkeit sind erstaunlich gering. Zwei Männer jugendlichen Alters stehen einander gegenüber, Gesicht und Augen werden genannt, und beide tragen eine Tracht. Da dies überraschend wenig sprachlicher Aufwand für das rhetorische Pathos der Szene ist, scheint der Erzähler offensichtlich auf etwas anderes abzuzielen. Viel Sorgfalt verwendet er auf die Gestaltung des Einander-Anschauens und vor allem auf jene der Wirkung, welche die beiden aufeinander ausüben. Wir erkennen in zunehmenden Maße, daß die Steigerung dieser Szene hauptsächlich auf diesen Sprachformen beruht. Die rhetorische Grundstruktur liegt dabei in der eindringlichen Wiederholung desselben Gedankens: „für Augen stellen = Beschawung, bestürzt = mit Verwunderung ansehen = verwundern = es war einem Wunder gleiche! = diesz seltzame Abendthewr." Mit höchster sprachlicher Effektivität wird also der Eindruck bzw. die Wirkung des Eindrucks geschildert. Was die zwei Fürsten sehen, tritt aber nicht in lebendiger Anschaulichkeit hervor, sondern in wertender Abstraktion. Darin vollzieht sich die primäre Deutung des idealen Menschenbildes, ohne den sekundären äußeren Bezug. Abstrahierende Sprachformen („Jugend, Mayestät, Ansehen") bestimmen diese Beschreibung. Selbst das anschauliche Element der „leuchtenden Augen" wird als Abstraktum („Lebhaftigkeit") gefaßt. Zusammenfassend steigert sich die Deutung noch zur sentenzartigen Formel („Stärcke und Schönheit"), die

‚Verwunderung' noch zum ‚Wunder'. Hyperbolische Funktion kommt in der Szene der dritten Beschauenden zu. Der Erzähler bricht aus dem Augenblick aus und schildert Timoclees Betroffenheit in ihrem später realisierten Plane, das Bild dieser beiden Helden malen zu lassen. Das Gedicht bringt den Gipfel der Huldigung und Abstraktion dieses erzählerischen Augenblicks im lyrischen Lob.[191] Die Beschreibung macht eindrucksvoll klar, daß unsere Bauform auf rhetorischen Prinzipien beruht. Sie zielt nicht auf die Charakterisierung eines individuellen Menschen durch sein besonderes Äußeres, sondern beschwört mit allen Mitteln rhetorischer Aussage ein ideales Menschenbild. Die erstarrte Szene und das gleichförmige Aussehen der beiden offenbart die überindividuelle Typik des Heldenideals im höfischen Barockroman. Entscheidend für die Sprachform ist die Topik des ‚alten' Herrscherlobes und die sofortige Wertung schematischer äußerer Züge.

Die Personenbeschreibung findet sich in Anton Ulrichs Romanwerk spärlich, wie man schon oft bemerkt hat.[192] Je seltener allerdings ein solches Phänomen in einem Werke vorkommt, umso mehr Aufmerksamkeit muß man ihm vorerst aus methodischen Gründen widmen. Man kann gleich die Behauptung vorwegnehmen, daß nur hervorragende Romanpersonen einer Beschreibung ihrer äußeren Erscheinung gewürdigt werden[193]. Diese ist stets ins epische Geschehen integriert. Bevor *Delbois von Ninive* (= Aramena) in Damaskus einzieht, stellt sie der Dichter in ihrer Prachtkleidung als Gipfel herrscherlicher Frauenschönheit dar (A II 176). Die Beschreibung der drei „unbekannten schönheiten" in Elihus Erzählung erfolgt an ganz bestimmten Punkten des epischen Ablaufes mit funktionaler Bedeutung (A V 266, 270 und 275). Karin Hofter (S. 24 f.) rückt die Funktion der Personenbeschreibung allzusehr unter den bei ihr dominierenden Grundaspekt des Zweckes. Von unserer Sehweise aus, die aufgrund der Beschreibung der epischen Phänomene zusammenschauend Gestaltungsprinzipien dieser Fiktionswelt ergeben wird, stellt sich die Frage so: Im Zentrum allen Geschehens bei Anton Ulrich steht der Mensch in seinen Beziehungen zu anderen Menschen. Warum widmet der Dichter dann gerade der Personenbeschreibung so wenig Beachtung?

Diese Frage enthält bereits ein leicht provozierendes Urteil, welches es zu modifizieren gilt. Anton Ulrich gebraucht alle Formen der Beschreibung in seinem Romanwerk. Wie jedes traditionelle Element[194] unterliegt auch

---

[191] Dieses Huldigungsgedicht ist geprägt von der stereotypen Topik der lyrischen Sprache im 17. Jahrhundert.

[192] Tgl. dazu vor allem A. Cl. *Jungkunz.*

[193] Vgl. K. *Hofter* S. 24.

[194] Diese Tradition reicht bis in die Spätantike zurück. Die Beeinflussung läuft allerdings manchmal über zeitgenössischer Anregung. Anton Ulrichs Hang zur Gemäldebeschreibung dürfte durch den Einfluß des französischen Romans zu erklären sein. (*de Scudéry, La Calprenède*). Vgl. dazu E. *Lindhorst* S. 97 ff.

dieses der besonderen Gesetzlichkeit seiner epischen Gestaltungsweise. Er ordnet die Formen der Beschreibung, denen geringe kompositorische Relevanz eignet, quantitativ dem vielseitigen Handeln und Planen der Romanpersonen unter. Sie erfahren aber trotzdem eine starke epische Integrierung und unterstehen dem Prinzip der menschlichen Beziehungen. Die Eigentümlichkeiten der Sprachform werden dies erweisen. Die Beschreibungen von Esau (A II 307 f.) und Aramena (A II 176 f.) charakterisiert eine epische Übereinstimmung, die typisch für Anton Ulrichs Gestaltungsweise ist. Die erzählerische Perspektive ruht in beiden auf einer *Erzählperson*, in reizvoller Übereinstimmung ist diese in beiden Fällen Ahalibama. Der Leser richtet demnach den Blick auf das Äußere einer Romanperson vom Standpunkt einer anderen Person aus. Diese *Erzählperson* führt ihn schon in die besondere Situation des Betrachtens hinein. Dieses Phänomen der Perspektive eignet allen Beschreibungen Anton Ulrichs als übereinstimmende Form ihrer epischen Integration:

> Indem ihr hierauf / für dieses gewünschte anerbieten / die Ahalibama tausendfältig dankte / und sie ungefär den gang hinab auf den Königlichen platz sahen : kame der Ahalibama in die augen / ein dem ansehen nach fürnemer herr / der mit großer begleitung vieler bedienten auf das
> 5 schloß der Königin von Ninive zuritte. Seine gestalt und gutes wesen name sie so sehr ein / daß sie / begierig ihn zu kennen / ihn ganz genau betrachtete. Er war so majestätisch von person / als heroisch von gesichte. Sein haubt bedeckte ein köstlicher mit edelsteinen besezter bund / unter welchem sein liechtbraunes haar / welches in der sonne einen rötlichen
> 10 schein hatte / gar dick und kraus herfür hienge. Seine feurige blaue augen / gaben seinen hohen geist gnug zu erkennen. Seine bekleidung zeigte zwar / einen kriegsmann : dannoch ware sie so sauber und schön daneben / daß er dem frauenzimmer nicht misfallen kunte. Ahalibama ihn also betrachtend / rieffe der Timna und Aramena / daß sie kommen
> 15 und diesen frömden auch sehen solten; und als sie / in gar ämsigem gespräche begriffen / verweilten / sagte sie ferner in scherz: es würde sie gewiß gereuen / wann sie diesen wackern helden nicht gesehen hätten. Weil Ahalibama eine gar durchdringende stimm hatte / als fügte es sich / daß der frömde dieses hörete / und deswegen die augen hinauf warfe : da
> 20 er dann die schönheit deren erkennend / die ihn also gelobet / sich gar tief neigte / und das mit so angenemer art / daß er / in dergleichen höflichkeiten erfahren zu seyn / wol anzeigete. (A II 307—308)

So intensiv die Bauform im Romanablauf auch integriert sein mag, steht sie doch in einer langen motivlichen Tradition. Schon innerhalb der höfischen Dichtung des Mittelalters kehrt die Situation häufig wieder. Ein Ritter reitet auf ein fremdes Schloß zu, und eine Dame erblickt ihn von der Zinne aus. Meist stellt sich irgend eine Beziehung zwischen diesen beiden Personen her, wenn sie einander noch unbekannt sind. Dabei sind es nur Variationen, ob diese Dame den Ritter anspricht oder einen Umstehenden nach seinem Namen fragt. Auch die Eigentümlichkeit unserer Situation, in der der Ritter das Lob der Dame hört und galant dankt, ist bekannt. Die besondere epische Integration dieser Begegnung, gemäß Personenkonstellation und Handlungsgefüge, stellt aber die originelle Leistung des Dichters dar. Der ankommende Esau von Edom wird einer der glühendsten Verehrer Ahalibamas werden, die ihn zufällig als erste erblickt. Ebenso zufällig ruft die von der männlichen Erscheinung entzückte Fürstin Timna und *Aramena* (Dison von Seir) herbei. Timna kennt den Ankömmling gut. Sie ist nämlich Esaus Liebesanträgen mit seinem Sohne Eliphas entflohen, den sie inzwischen heimlich geheiratet hat. Alle drei aber (Ahalibama, Timna und *Aramena* sind Angehörige jenes Fürstenhauses (Seir), gegen welches Esau die Königin von Ninive um Kriegshilfe bitten will. Das scheinbar belanglose Aktivieren der auf Anton Ulrichs Fiktionsbühne herumstehenden Romanpersonen erhält damit Bedeutsamkeit. Die schicksalhafte Verkettung der zufällig Herbeigerufenen mit dem Ankömmling bestätigt die epische Integration dieser Beschreibung. Die Perspektive in die epische Situation ruht in Ahalibama, sie ist also die *Erzählperson* und der eigentliche Blickpunkt der Beschreibung (Z. 3 „kame der Ahalibama in die augen"). Die Sprachform der Beschreibung erinnert vielfach an die Opitzsche Übertragung der oben zitierten ‚Argenis'-Stelle von Barclay.

Die dem typischen Schönheits- und Tugendkodex des höfischen Ritters entsprechenden Erscheinungselemente werden undifferenziert und gereiht in kurzen Sätzen geboten: „Seine gestalt und gutes wesen..." Z. 5; „Er war majestätisch von person..." Z. 7; „Sein haubt..." Z. 8; „Seine feurige blaue augen..." Z. 10; „Seine bekleidung... Z. 11. Die selektive Art der menschlichen Schönheitsbeschreibung kehrt auch in der barocken Lyrik stereotyp wieder.[195] Die einzelnen Teile der Erscheinung (oder des Körpers der Liebenden) werden in summierender Reihung geboten. Über die Typik hinausgehend, tragen sie in dieser sprachlichen Form allerdings wenig zur Anschaulichkeit bei. Die Adjektivstruktur ist

---

[195] Wir belegen dieses Gliederungsprinzip durch
Hofmannswaldaus ‚Sonnet. Beschreibung vollkommener schönheit':
„Ein haar so kühnlich trotz der Berenice spricht /
Ein mund / der rosen führt und perlen in sich heget /
Ein zünglein / so ein gifft vor tausend hertzen träget /
Zwo brüste / wo rubin durch alabaster bricht /
Ein hals / der schwanen=schnee weit weit zurücke sticht /
Zwey wangen / wo die pracht der Flora sich beweget /
Ein blick / der blitze führt und männer niederleget /
Zwey armen / derer krafft offt leuen hingericht /
Ein hertz / aus welchem nichts als mein verderben quillet /
Ein wort / so himmlisch ist / und mich verdammen kan /
Zwey hände / derer grimm mich in den bann gethan /
Und durch ein süsses gifft die seele selbst umhüllet /
Ein zierrath / wie es scheint / im paradieß gemacht /
Hat mich um meinen witz und meine freyheit bracht."
(Text: Neudrucke deutscher Literaturwerke. Neue Folge 1. Hrsg. von Richard *Alewyn* und Rainer *Gruenter*. S. 88).

teils episch-anschaulich („liechtbraun" Z. 9, „rötlich"̄ Z. 9, „dick" Z. 10, „kraus" Z. 10, „feurige" Z. 10, „blaue"); teils wertend („gut" Z. 5, „majestätisch" Z. 7, „heroisch" Z. 7, „köstlich" Z. 8, „hohen [Geist]" Z. 11, „sauber" Z. 12, „schön" Z. 12). Die Wertung ist einseitig positiv zugunsten des Ankommenden.

Mit der Wertung trifft sich ein anderer Zug der Sprachgestaltung, nämlich die dargestellte Wirkung der äußeren Erscheinung auf die *Erzähl-person*. Diese beinhaltet gleich zu Beginn eine wertende Etikettierung des Ankommenden: Z. 3: „kame der Ahalibama in die augen ein dem ansehen nach fürnemer herr." Weiter dann: Z. 6: „name sie so sehr ein / daß sie / begierig ihn zu kennen / ihn genau betrachtete." Gewisse Formeln dieses Wirkungsstiles tauchen im Bereich des höfischen Romans immer wieder auf: Eine der markantesten und häufigsten ist: *„gaben seinen hohen geist gnug zu erkennen"* Z. 11. Das äußerlich-anschauliche Beschreibungs-Element wird transparent für die Wertung eines idealen Menschenbildes. Oder: das äußere Erscheinungsphänomen wird sofort auf die typische Wertungsnorm bezogen. Die Wirkung weitet sich abschließend auf alle „frauenzimmer" Z. 13 aus. Manchmal scheint sie sich gewisser-maßen zu einer Stellungnahme der *Erzählperson* zu verdichten, die aller-dings nicht individuell, sondern nur typisch relevant wird: „. . . und das mit so angenehmer art / daß er / in dergleichen höflichkeiten erfahren zu seyn / wol anzeigete" Z. 21. Man kann die bedeutsamen Stilzüge so zusammenfassen: In epischer Integration erfolgt die Beschreibung von der innerfiktionalen Perspektive einer *Erzählperson* aus. Der Sprachform nach werden in selektiver Art und einfacher Reihung die einzelnen Elemente der äußeren Erscheinung geboten. Durch den Adjektivbereich werden sie zugleich transparent und wertend auf ein höfisches Menschenideal bezogen. Das geschieht häufig in der Form der sprachlich gestalteten Wirkung auf den (die) Betrachter. Anschaulichkeit und Wertung durchdringen einander.

Dieser Beschreibung eines höfischen Fürsten stellen wir nun jene der Titelheldin gegenüber, um darin die Ergebnisse bestätigt und ergänzt zu finden:

Kaum war der morgen herfürgebrochen / da hörte man ferner von keiner trauer / sondern es hatte sich ein jeder auf das herrlichste und prächtigste herausgeschmücket.
Und obwol Ahalibama ihre betrübnis nicht ließe aus ihrem herzen kommen / so legte sie doch auch / der Königin zu ehren / ihre trauer ab / und begabe sich / nachdem sie ganz angekleidet war / nach deren gemach. Diese Königin in ihrem herrlichen schmuck ersehend / bliebe Ahalibama
5 über so himlischem glanze ganz verblendet.
Ihr silber-haar / das ihr die natur geringelt / bedeckte oben eine kleine aber sehr kostbare diamanten-kron / aus welcher ein großer busch von weißen straus-federn hervor gienge / der ihr / weil sie zu pferd sich wolte entfan-gen lassen / zugleich wider die Sommerhitze dienete / und ihr also reitend
10 eine zierd gabe.

Ihre brust umschlosse ein güldenes leibstuck / welches so dünn ausgearbeitet / daß es ihr nicht schwer zu tragen war: und sahe man in demselbigen / die vornemsten thaten der Königin Semiramis / erhoben scheinen.
Uber diesem hinge ihr ein purpur-mantel / der auf der einen achsel mit
15 einen großen diamantinenknopf gefasset / und auf der linken seite / unter
dem arme / auch mit einem solchen edelsteine angehäftet war.
Ihre arme waren halb entblößet / die zu oberst ein weiter dünner flor be-
deckete.
Ihr rock war in güldenen blumen gewirket / und reichlich mit perlen ge-
20 sticket.
Ihren zarten leib umschloße eine künstlich-gewirkte binde / die an der
einen seite fast bis an die erde hinge.
Ihr angesicht / welches so majestätisch als gütig / so verständig als from
aussahe / prangte mit den angenemsten schwarzen augen / dergleichen
25 iemals die natur einiger sterblichen person mogte verliehen haben.
Alle andere schönheiten in ihrem gesichte / neben der ansehnlichen länge /
ziereten ihre tracht meit (sic) mehr / als sie von ihr konten gezieret werden.
Alle die jenigen / so sie ansahen / wurden über ihre schönheit entzucket.
Ahalibama hatte vorher / die Cölidiane / und ihre Aramena / für die
30 schönsten gehalten: nun aber muste sie in ihrem herzen / dieser unvergleichlichen Königin / den sieg der schönheit zuerkennen; nach welcher
sie / weil sie von ihr selber nicht urteilen wolte / jene beide für die schönsten in der welt hielte / die ihres gleichen nirgend hätten. (A II 176—177)

Der erzählerische Einsatz mit dem traditionellen Morgentopos bildet
in weiter epischer Distanz den repräsentativen Rahmen, in dem sich der
Blick gleich auf die *Erzählperson* Ahalibama konzentriert. Mit ihr tritt der
Leser in die Beobachtungssituation. Wieder faßt der erzählende Dichter
aus der Perspektive der *Erzählperson* zuerst das Gesamtbild der königlichen Erscheinung und gestaltet deren Wirkung auf die Beschauerin. Die
Licht-Metaphorik vereint sich hiebei mit petrarkistischen Elementen. Dann
folgt wieder in fast anaphorischem Gleichlauf (Z. 6, 11, 17, 19, 21, 23,
und dazu 4, 26) das selektive Schema des barocken Frauenlobs. Der
synthetische Beginn mündet in eine analytische Reihe mit beinahe syn-
taktischem Gleichlauf. Die Beschreibung des Kleides ist hier genauer und
nuancierter durchgeführt als bei Esau. Auch das Edelstein-Vokabular entspricht den traditionellen Formen des Frauenpreises. Die ganze Beschreibung ist detaillierter als bei obigen Beispielen. Der Gestaltungszug der
Deutung verweist auf ein ideales Menschenbild, Z. 23: „majestätisch,
gütig, verständig, from."
Besonders augenfällig ist hier jene Tendenz des *Wirkungsstils* ausgebildet. Sie rahmt als Sprachform und strukturell die Analyse der Einzel-
beobachtungen (Z. 4 f. / 28). Anfangs gestaltet der Dichter sprachlich
die Wirkung auf die einzelne *Erzählperson,* nachher auf die Pluralität aller
Zuschauer (Steigerung). Diese wird noch überboten durch seine Rückkehr
auf Ahalibama. Sie vollzieht den Schönheitspreis der Königin, indem sie
der Dichter eine gedankliche Reihung (Trias) der schönsten Frauen der
Welt vollführen läßt (Z. 29—33): an ihrer Spitze steht *Delbois* (Ara-

mena).[196] Nicht zu übersehen ist auch der rational vernünftelnde Zug in der Gestaltung, den zwei Beispiele belegen. Der große Busch von Straußenfedern ist nicht nur dekoratives Schmuckelement, sondern er dient „zugleich wieder die Sommerhitze" Z. 9. Und das goldene Leibstück ist so dünn gearbeitet, „daß es ihr nicht schwer zu tragen war" Z. 12. Diesem rational-utilitaristischen Formzug werden wir bei den Landschaftsbeschreibungen Anton Ulrichs noch begegnen.

Wir fassen zusammen: Zwischen dem anfänglichen Gesamteindruck (Wirkung auf Ahalibama) und dem abschließenden (Wirkung auf alle und Steigerung durch Ahalibamas überbietende Reihung der Schönsten der Welt) wird die königliche Erscheinung selektiv in ihre Einzelphänomene zerlegt: Synthese — Analyse — Synthese. Die besonders gestaltete Wirkung der Titelheldin auf andere Romanpersonen gehört zum Darstellungsprinzip der menschlichen Beziehungen. Alles erzählerisch Gestaltete beruht primär auf diesem Gesetz. Petrarkistische Elemente und pretiöses Vokabular entstammen den Gepflogenheiten des Frauenpreises. Superlative und das Moment der Steigerung formen ebenso an der Beschreibung mit wie die rational-utilitaristischen Sprachformen. Die traditionelle Bauform der Beschreibung wird in Anton Ulrichs Romanen völlig seinem erzählerischen Duktus anverwandelt und episch integriert. Einseitig bleibt Karin Hofters These von der ausschließlichen Zweckgebundenheit der Beschreibung. Vielmehr dient sie der personalen Hierarchie (Z. 29—33: Der Preis der Schönheit geht vor Coelidiane und Aramena d. Jüngeren an die Titelheldin) und vor allem der rhetorisch-dekorativen Stilisierung des höfischen Menschenbildes. Daß es sich dabei um keine irgendwie individualistische Ausgestaltung einer Frauenperson handelt, daß zudem die Darstellungsweise und die Sprachform ausgesprochen stereotyp sind, mag die Beschreibung der zweiten Titelheldin von Anton Ulrichs Romanwerk belegen. Die Beispielreihe ermöglicht uns bereits eine Art vorläufiger Kodifizierung der prinzipiellen Merkmale femininer Schönheit. Die Beschreibung gibt Vasaces in Tyridates' Lebensgeschichte:

> Weil mein gutthätiger wirt hierzugegen / die beschreibung dieser vollkommenen schönheit / vieleicht verlangen wird / als will ich / soviel ein soldat sich auf die schönheit verstehet / kürzlich erzehlen / wie wir sie gestaltet befunden.
> 5 Ihr angesicht war etwas länglicht / aber in so vollkommener ordnung / daß deme nichtes kan verglichen werden.
> Ihre offenbare stirn / zeugete zugleich von redlichkeit und majestet: gleichwie / ihre dunkelblaue augen / die gütigkeit selber vorstellten.
> Und ob diese gleich groß und offenbar waren / so schlosse sie doch die-
> 10 selben mit den augenliedern etwas zu: als ob sie damit verhintern wolte / daß ihr gar zu großer glanz die anschauenden nicht blenden möchte.

---

[196] Auch die überbietende, steigernde Komparation entstammt der rhetorischen Tradition.

Ihre wangen schienen allemal von gleicher röte: also auch ihr mund / deme kein korall zu vergleichen ware.
Sie lächelte stäts mit diesem : das doch ihrem heroischen wesen kein
15 nachteil brachte.
Ihr haar / das man aschfärbig nennen möchte / ringelte sich von natur.
Ihr hals und brust / ihre arme und hände / waren mit ihrer überirdischen schönheit allerdings einstimmig: daß sie also / auser der sterblichkeit / keinen mangel hatte.
20 Sie ware von der vorteilhaftesten länge / und dabei soschmal vom leibe / daß man sie mit den händen hätte umspannen können. Wie nun auch ihr himlischer verstand mit der gestalt überein kame / als kan ich mit der warheit grund wol sagen / daß sie allein das volkommenste meisterstuck der natur gewesen wäre / wann ich nicht hier eine schöne Prinzessin vor
25 mir sähe / die ihr diesen namen bestreiten könte.
Ich masse mich dessen nicht an / (wiederredte Caledonia gar bescheidenlich) und weiß gar wol / was die schöne Neronia für einen vorzug vor mit (sic) hat / den ich ihr ganz gern gönne / und allein verlange / ihrem himlischen tugendglanz mich gleichförmig zu machen. (O I 143—144)

Der erste Eindruck bestätigt, wie sehr die kleinen Unterschiede die Typik und Toposhaftigkeit des beschreibenden Verfahrens hervortreten lassen. Auch hier finden wir eine mustergültige epische Integration. Den Anstoß zur Beschreibung bildet der Wunsch eines Zuhörers, den abrundenden Höhepunkt der galante Bezug auf die lauschende Prinzessin. Ihre Antwort rückt diese allerdings in dem von uns erkannten Sinne zurecht. Das höfische Tugendideal beruht nicht nur auf Schönheit, sondern auf Tugend. Caledonia schwebt die Beschriebene als nachzueiferndes Tugendideal vor.

Hier ist aber endlich der Punkt gekommen, wo wir diese Bauform und ihre Funktion der Gestaltung eines höfischen Idealmenschen unbedingt in den Blick der rhetorischen Tradition rücken müssen.[197] „Keine literarische Gattung hat größeren Bedarf an schönen Helden und Heldinnen als der Roman ... Beschreibungen schöner Männer und Frauen sind in der höfischen Dichtung obligat und werden nach Rezepten angefertigt..." meint Ernst Robert Curtius (ELLM S. 190) und faßt damit unsere Bauform als ein Grundelement höfisch idealisierender Dichtung. Die Beschreibung dient im Rahmen dieser Werke stets der Stilisierung eines Idealbildes vom Menschen, der im Laufe ihrer literarischen Entwicklung toposhafte Züge eigen werden.

---

[197] „Standes- und Lebensideale der Spätantike, des Mittelalters, der Renaissance und des 17. Jahrhunderts haben sich in die Schemata der Lobtopik gekleidet. Die Rhetorik trägt das Bild des Idealmenschen. Sie bestimmt aber auch für Jahrtausende die Ideallandschaft der Poesie." (E. R. Curtius ELLM S. 191) — Zu den Auswirkungen der Rhetorik auf die Landschaftsbeschreibung im höfischen Barockroman kommen wir später noch.

Das Formprinzip der vorliegenden Beschreibung ist eine analytische Aufreihung äußerer Phänomene und ihre sofortige idealisierende Deutung. Die anschaulichen äußeren Elemente unterliegen sprachformmäßig geringer Differenzierung. Die meisten sind sprachliche Grundvorstellungen: „angesicht, stirn, augen, wangen, mund, haar, hals, brust, arme, hände, leib, gestalt" usw. Jedes äußere Phänomen dient dem Erzähler dazu, die inneren Vorzüge durchscheinen zu lassen: „redlichkeit und majestet, gütigkeit, heroisches wesen, überirdische schönheit." Alle diese Eigenschaften lassen sich durch die Jahrhunderte als wiederkehrend kodifizieren; sie entstammen nämlich der Lobtopik. Einige besondere Topoi seien nach Curtius beispielhaft herausgegriffen. Curtius belegt im Rahmen der Schönheitsdarstellung den Topos „König Antiochus hatte eine bildschöne Tochter, an der die Natur nichts versäumt hatte, außer daß sie sie sterblich schuf" (ELLM S. 190). Dieser Topos taucht als Variation (ohne Hinweis auf die schaffende Natur) in unserer Beschreibung auf: Z. 17—19: „überirdischen schönheit ... daß sie also / auser der sterblichkeit / keinen mangel hatte." Die älteste Version dieses Topos reicht bis ins 3. Jahrhundert zurück. Auch Z. 23 „das volkommenste meisterstuck der natur" gehört einem bekannten Topos an, für den Curtius (ELLM S. 189) Belege anführt. Das Schönheitsideal des länglich-ovalen Gesichtes und der schlanken Länge der Figur, die natürlich geringelten Haare usw. treten hier auch wieder auf. Diese Bauform steht also eindeutig in der Tradition höfisch idealisierender Dichtung. Aber Anton Ulrich verwandelt die traditionellen Elemente und Topoi in bezug auf Komposition und epische Integration seiner Fiktionsgestaltung an.

Alle Beschreibungen verraten, der Sprachform und dem Arsenal ihrer Strukturen und Argumente nach, rhetorischen Ursprung. Die Idealisierung des Menschenbildes bedingt schon die rhetorische Parteilichkeit der positiven Gestaltung. Das Gliederungsprinzip ist selektiv-rational und erfaßt vom Angesicht über Hals, Brust, Arme und Hände die ganze Gestalt. Als besondere rhetorische Struktur liegt fast allen Beschreibungen die Steigerung zugrunde, die auch als galante Wendung in die fiktive Erzählsituation einmünden kann (O I 144). Auch die *Nicht-Vergleichbarkeit* beruht auf dem Prinzip *Steigerung durch Negation*. Der Korallenmund als petrarkistisch-rhetorisches Element braucht kaum noch erwähnt zu werden. Die auffallende Ausführlichkeit der Gesichtsdarstellung versteht sich aus dem beabsichtigten Tugendgemälde, weil dieser menschliche Körperteil am intensivsten seelische Qualitäten zu spiegeln vermag. Variation und Wiederkehr des bereits Erkannten bezeugt ein Beispiel aus Lohensteins ‚Arminius', und zwar die Beschreibung des Titelhelden, als er strahlend zur Schlacht im Teutoburger Walde antritt:

Hierauff senckten sie diesen Kriegs=Stuhl / womit er ab und zu Pferde
sitzen konte. Dieses war ein feuriger Hengst / welcher / nachdem er diesen
fürtrefflichen Helden auff sich bekommen / für Hoffarth den Erdboden
eintreten wolte / mit seinem Schäumen und hitzigen Sätzen seine Unge-
5   dult aber / daß es nicht schon in der Schlacht wäre / zu verstehen gab.
Hermanns Leib war mit einem gläntzenden und zum Theil vergüldeten
Harnische bedeckt / womit ihn Kayser Augustus beschencket / als er in
Armenien bey Einsetzung des Königs Artavasdes die Römischen Waffen
zu seinem Ruhm und des Kaysers Nutzen getragen hatte. In der rechten
10   Hand führte er eine Lantze / im lincken Arm einen länglichten Schilde /
auff welchem ein springendes Pferd geetzt war / welches die Cheruskischen
Hertzoge noch vom alten Hermion her / aus besonderer Liebe zu den
Pferden / zu führen gewohnt waren.
Um seine Lenden war ein mit Edelgesteinen versetztes Schwerdt gegürtet /
15   und an dem Sattel=Knopfe hieng ein eckichter Streit=Hammer.
Seine braunen und kringlichten Haare hatte er nach seiner Landes=Art
ihm über dem Häupte lassen zusammen binden; den Helm aber / über
welchem ein Habicht mit ausgebreiteten Flügeln zu sehen war / ließ er ihm
seinen Waffenträger neben bey tragen.
20   In solcher Rüstung stellete er sich gegen das in voller Schlacht=Ordnung
stehende Heer / und redete mit vermischter Freundligkeit und Groß-
mühtigkeit sie dergestalt an: ... (Ar I 31 l—r)

Diese Beschreibung konzentriert sich in in der äußeren Erscheinung
besonders auf Hermanns Rüstung, während er in stolzer Pose zu Pferde
sitzt. Auch sie entstammt den Grundgesetzen des Herrscherlobs und bildet
Kern und Blickpunkt dieser epischen Szene, in der Hermann zur traditionellen Ansprache an seine Kampfesbrüder vor den Augen des ganzen
Heeres erscheint. Die patriotische Rede stellt mit dem geheimnisvollen
Zweikampf (Thußnelda — Erato) den Auftakt zur eigentlichen Schlachtschilderung dar.

Die strukturelle Position der Beschreibung im Erzählablauf läßt ihren
grundlegenden Gestaltungszug funktional einleuchten. Auffällig bricht der
Erzähler aus der wieder selektiv geprägten Darstellung Hermanns in den
bedeutsamen Stilzug der *Historisierung* aus. Diesen bestätigen die Genese
des Harnisches (Z. 7—9) und der geschichtliche Ursprung des Wappens
im Schild (Z. 11—13). Zwei markante Gegenstände der Rüstung werden
durch ihre eigene ‚Geschichte‘ charakterisiert. Beide Gegenstände decken
durch diese *Historisierung* eine Beziehung zwischen Hermann und zwei
prominenten historischen Persönlichkeiten auf, nämlich dem römischen
Kaiser Augustus und dem Cherusker Fürsten Hermion (= Rudolf von
Habsburg). Damit vereint Hermann hier sozusagen als Erbe die patriotische Idee des römischen Reiches und der Habsburger (deutscher Nation).
Da Hermann in diesem Roman oft als Schlüsselfigur für Leopold I. von
Österreich gilt, wird die patriotische Bedeutsamkeit dieser Beschreibung
augenfällig. Die *Historisierung* erhebt Elemente der äußeren Rüstung zu
wichtigen hierarchischen Emblemen. Diese Beschreibung dient also nicht
dem anonymen Menschenideal der höfischen Dichtung, sondern durch den

relevanten Stilzug der *Historisierung* der patriotischen Grundidee des Werkes. Die veränderte Funktion beinhaltet aber keinen Mangel an epischer Integration, diese ist nur nicht gleichermaßen auf die szenische Fiktionalität bezogen wie bei Anton Ulrich.

Kehren wir nochmals zur typisierten Beschreibung der Frau im höfischen Barockroman zurück. Wir haben bislang nur von der Schönheitsdarstellung gesprochen. Das leuchtet ein, weil diese Werke grundsätzlich nur die höchsten menschlichen Werte gestalten.[198] Der Reiz dieser Darstellungen liegt in der Variabilität der einzelnen Formen eines literarisch ererbten Schemas. In Ziglers ‚Asiatischer Banise' gestaltet der Dichter als Gegenbild zur Schönheits- auch bereits die Häßlichkeitsdarstellung. Dadurch unterscheidet sich dieser Roman von anderen des hohen Idealstils. Anton Ulrich kennt wie die hohe Barocktragödie wohl fürstliche Bösewichter und ihre intriganten Berater, und er kennt auch die lasterhaften und kompositorisch wichtigen weiblichen Gegenspieler der Tugendideale (etwa die Römerin Crispina).[199] Keine von ihnen aber würdigt er einer Beschreibung. Sie sind vielmehr in der idealisierten Atmosphäre des Höfischen unausgesprochen ebenso mit Schönheit ausgestattet wie die Tugendhaften. Allerdings werden sie in der erzählerischen Gestaltung ihrer Gedanken, ihres Verhaltens, also ihrer Aktionen und Reaktionen gegentypisch erkennbar. Das weibliche Personal in der ‚Banise' bietet keine bösen und intriganten Verkörperungen im höfischen, wohl aber häßliche im sozial niedrigeren Bereich. Das ist bemerkenswert und unterscheidet diesen Roman nicht nur von anderen Vertretern des Genres, sondern spiegelt auch geistige Entwicklungen. Man könnte agressiv formulieren: Die Dienerschaft ist im Vormarsch! Der Erzähler widmet sich diesen Personen mit einer Sorgfalt, die sonst im Rahmen des hohen Stiles nicht üblich ist. Das beweist einmal das Eindringen von Elementen des Schelmenromans in die Gattung des höfischen Barockromans.[200] Zum andern läuft die erzählerische Bedeutsamkeit dieser Figuren (Scandor, Lorangy, Eswara) parallel mit dem Vordringen eines neuen Gestaltungsaspektes, nämlich jenem des Humors. Dieser setzt einen schärferen Blick für die Wirklichkeit voraus, welcher der idealisierenden Höhenlage des hohen Stils widerspricht. Die vereinzelten Ansätze zum Humor bei Bucholtz belegen unsere Erkenntnis, daß dieser Dichter manchmal von der höfischen Gestaltung abweicht. Wohl sprechen die Diener bei Zigler auch weitgehend in jener gemäßigten Stilhöhe, der sich der Dichter durchlaufend bedient. Im Munde eines Dieners kann diese Sprachform des hohen Stils aber plötzlich eine Brechung erfahren, indem die Diskrepanz zwischen Sprechen und Stand blitzartig erfaßt und humorvoll

---

[198] Vgl. dazu R. *Alewyn*, Der Roman des Barock S. 24.
[199] Vgl. zur Charakteristik der Frauengestalten etwa in Anton Ulrichs ‚Octavia' E. *Erbeling*.
[200] W. *Pfeiffer-Belli* S. 107 u. ö. hat schon darauf verwiesen.

verwertet wird. Diesen Zusammenhängen müßte man im Verhältnis zwischen Sprachform und geistiger Haltung einmal eingehender nachgehen. Im sozialen Bereich der Dienerfiguren, in dem sich Züge des Humors entfalten, taucht auch die Häßlichkeitsbeschreibung auf. Sie ist nicht allein aus der europäischen Geltung eines Systems und Anti-Systems[201] zu erklären, sondern auch aus dem Einströmen wirksamer Gestaltungseffekte aus dem Arsenal des nichthöfischen Romans. In diesem Sinne wollen wir abschließend der Beschreibung der Titelheldin Banise jene der Lorangy und Eswara vorausstellen. Dabei begegnet uns die barocke Häßlichkeitsbeschreibung hier in zwei Abstufungen (Lorangy und Eswara) sozialer Art. Beide werden in effektvollem Vergleich an dem Prinzen Balacin und seinem Diener Scandor gemessen. Die hierarchischen Beziehungen unterstreichen diese Abstufung noch: Scandor wird von Eswara mit aufdringlicher Liebe verfolgt, heiratet aber schließlich Lorangy, nachdem diese den ihr unbekannten Balacin unter Einsatz aller weiblichen Schlauheit in ihre Netze locken wollte:

> Sie [Lorangy] war sonst von gemeiner Schönheit, mehr lang und stark, als wohl gewachsen, blasser Farbe, verliebter Augen, etwa 24 Jahre alt, und endlich einer standesgleichen Liebe noch wohl würdig: Außer, daß man einigen Mangel, des sonst dem Frauenzimmer anständigen Verstandes, an
> 5 ihr verspürte: indem sie die Flammen ihrer Begierde durchaus nicht verbergen, noch sich in allzu heftiger Liebesbezeugung mäßigen kunnte.
> Und solches ließ sie auch hier dermaßen merken, daß es schiene, als ob sie durch des Prinzen Gestalt ganz bezaubert wäre. Dennoch aber ließ sie hierinnen einen Funken ihres Verstandes, in Urteilen der Liebe, so weit
> 10 blicken, wenn man saget, daß sie in der Wahl ihrer Liebe nicht geirret habe.
> Denn, zu geschweigen des hohen und ihr unbewußten Standes, so war er eine wohlgewachsene, mehr lang als kurze Person.
> Sein Haupt war mit kastanienbraunen und von der Natur gelockten
> 15 Haaren umgeben.
> Er hatte schöne große und graulichtblaue Augen, woraus nichts als Anmut und ein hoher Verstand blitzte.
> Dem schönen, wiewohl itzt etwas blassen Munde, stund ein freundliches Lachen und Reden über die Maßen wohl an; und aus der wohlgestalteten,
> 20 in der Mitte etwas erhabenen Nase, kunnte man dessen Großmütigkeit erkennen.
> Seine freie und ungezwungene Anständigkeit der Gebärden wollte immer seines Standes Verräter sein.
> In summa: Leib, Verstand und Gemüte war mit einer solchen Vollkom-
> 25 menheit begabt, daß seine Person die Abbildung eines vollständigen Prinzen sattsam vorstellen kunnte.
> In solche Leibes- und Gemütsgaben war nun Lorangy nicht unbillig verliebt, und hatte hierinnen mit einer Prinzessin etwas Gemeines, daß sie gleichfalls ihre Liebe, wiewohl mit Unterscheid des Irrtums, einem Prinzen
> 30 widmen wollte. (27—28)

---

[201] Zu dem hier gemeinten Petrarkismus vgl. H. *Pyritz* und zum Anti-Petrarkismus J. U. *Fechner*.

Die Beschreibung zweier Personen steht schon im Traditionsbereich der erkannten Stilzüge. Die selektive Gliederung gipfelt sogar in einer sprachlichen Zusammenfassung ("In summa:..."). Die anschaulichen Elemente werden sofort im Sinne eines vorbildlichen Menschenideals gedeutet. Vergleichen wir aber Balacins und Lorangys Beschreibung mit dem symmetrischen Idealbild der höfischen Helden Poliarchus und Archombrotus rund 70 Jahre früher, so müssen wir im unterschiedlichen Vorwurf schon die besondere Funktion und Gestaltungsweise Ziglers erkennen.

Balacin und Lorangy sind von verschiedenem sozialen Rang. Dieses Faktum macht der Erzähler zum speziellen Gestaltungsprinzip dieser Beschreibung, das durchlaufend die Einzelelemente bestimmt. Hinter seiner Dominanz tritt die eigentliche Beschreibung fast etwas zurück, wie die Struktur des Abschnittes zu belegen vermag: Z. 1—2: knappe Beschreibung des Äußern der Lorangy, Z. 3: soziale Deutung ("einer standesgleichen Liebe noch wohl würdig") Z. 3—8: Mangel ihres Verhaltens (sozial: typisch unhöfisch: die höfische Dame wird sich nie zur drängenden Liebesbezeugung hinreißen lassen), Z. 8—11: ironische Entschuldigung zum standesgemäßen Lobe des Prinzen ("Wahl ihrer Liebe nicht geirret"), Z. 12—26: Beschreibung Balacins als "Abbild eines vollständigen Prinzen", Z. 27—28: ironischer Vergleich Lorangys mit einer Prinzessin, wodurch wieder das Moment des Standesunterschiedes sprachlich als "Irrtum" Lorangys auftaucht. Z. 29—30: Bezug auf den eigentlichen Gestaltungszug des Standesunterschiedes.

Die Beschreibung des männlichen Haupthelden ist ständig auf das Verhalten eines Mädchens bezogen, das durch seine aufdringliche Liebe den ihm unbekannten Prinzen belästigt. Man könnte dabei Lorangy am treffendsten als Vertreterin des sozialen Mittelstandes charakterisieren, denn Eswara steht noch einige Stufen tiefer im sozialen Rang. Lorangy wird durch die Beschreibung aber nicht entwertet, sondern nur wertend am Prinzen abgestuft. Sie soll auch nicht den Prinzen heiraten, sondern seinen pfiffigen Diener. Trotzdem hat Zigler hier ein Gegenschema zum Grundbild der höfischen Liebe entworfen. Die Liebesaktivität ist prinzipiell vertauscht: der Prinz wird mit Liebe verfolgt, statt selbst aktiv zu lieben. Am ironisierend auftauchenden Gegenbild der "Prinzessin" wird Lorangy in ihre Position geschoben (Z. 4, 6, 8, 12, 27, 30). Das entscheidend neue Charakteristikum in der vergleichenden Gestaltung dieser Personen ist also der soziale Bezug. Das Neue liegt nur im Hervorkehren des Standesgemäßen: Z. 3: "standesgleichen Liebe", Z. 12: "des hohen und ihr unbewußten Standes", Z. 23: "seines Standes Verräter", Z. 25 f.: "Abbildung eines vollständigen Prinzen", Z. 29 f.: ironischer Vergleich Lorangys mit einer Prinzessin — "einem Prinzen widmen." Eine solche Form ist grundsätzlich bei Anton Ulrich und Lohenstein kaum denkbar.

Eswaras Beschreibung und Figur ist nur aus dem Bereich der barocken Häßlichkeitsbeschreibung und ihrer Ansiedlung im Raum des pikarisch Schwankhaften[202] verständlich. In keinem anderen höfischen Barockroman wäre diese Person und ihre relativ breite erzählerische Entfaltung denkbar. Sie und ihr Bezug zu Scandor weisen eindeutig auf Wandlungen innerhalb dieses Roman-Genres bei Zigler hin. Sie ist ein legitimes Kind des nicht-höfischen Romans, obwohl sich ihre Schilderung in das allgemeine System barocker Beschreibung fügt.[203] Zwei Stellen bilden die Charakteristik dieser Romanfigur aus: die Beschreibung (S. 129), die Scandor mit Rücksicht auf seine Zuhörer abbricht[204], und sein Schäferstündchen mit ihr, das durch den schwankhaften Auftritt ihres Gatten gestört wird (S. 135). Ihre Beschreibung verleiht ihr einen bestimmten Rang in der Personenkonstellation des Werkes. Da Schönheit in diesem Bereich eine Reflexion der Tugend ist, kann man sich die Funktion und Bedeutsamkeit der Häßlichkeit wohl vorstellen.

> Der Endzweck ihres Diskurses aber lief auf eine Liebe zwischen uns beiden hohen Personen hinaus; indem sie sich nicht scheute, zu sagen, wie sie den ersten Augenblick, als sie mich gesehen, eine Gelübde getan, mich ihrer Liebe würdig zu machen.
>
> 5 Ob mir nun zwar nichts weniger in Sinn gekommen war, als daß ich eine solche häßliche Schönheit lieben sollte: so dauchte es mich doch sehr ersprießlich vor meinen Prinzen zu sein, wenn ich mich mit jemand von seiner geliebten Prinzessin Frauenzimmer bekannt machte.
>
> Denn, sie nicht zu lieben, war dieses die Ursache, daß es zu beklagen ist, 10 wenn die verliebtesten Herzen öfters mit den häßlichsten Angesichtern begabet sein.
>
> Sie war endlich dem Wachstum nach gut gnug: allein wie ihr Gesichte vermittelst breiter überhangender Stirne und spitzigen Kinnes einen rechten Triangel machte; also war sie so unvergleichlich mager, daß ich vermeinet 15 hätte, es wäre unmöglich, daß sie vom Fleisch und Blut einige Anfechtung haben sollte.
>
> Ja ihr Angesichte hätte einen Maler zu Vollkommenheit seiner Kunst verhelfen können, angesehen er die Vertiefungen aus denen Gruben ihrer gedörrten Wangen, die Schattierung aber aus ihren Farben, da sich 20 Gelbe in Schwarzbraun verlor, sattsam lernen können. Durch Beschreibung des übrigen will ich meinen hochgeehrten Zuhörern keinen Ekel erwecken... (Banise 129)
>
> ... indem mich dieser kleine Mohr durch die Schloßpforte nach einer Stiegen und dieselbe hinaufführte, fiele mir die Eswara um den Hals, und 25 versetzte mir einen solchen Kuß, welcher noch durch bloßes Andenken

---

[202] Das Schwankhafte ist grundsätzlich nur ein Gestaltungsphänomen des Schelmenromans, dessen Gestaltungsweise sich Zigler allerdings mehrfach bedient.

[203] Im Bereich der Lyrik ist die Häßlichkeitsbeschreibung weitgehend legitim. Vgl. Georg Greflinger ,An eine sehr häßliche Jungfrau'.

[204] Diese Form der epischen Integration sehen wir beinahe als eine negative Variation des Unsagbarkeitstopos (vgl. dazu E. R. Curtius ELLM S. 168 ff.).

einen Aufstoß bei mir verursachet: denn weil ihr viel Heimlichkeiten der Liebe in dem Magen mochten verfaulet sein, so empfand ich aus ihrem Halse einen solchen Geruch, welcher auch die *Japoneser* zum Abfall hätte zwingen können. Hierüber erschrak ich nun nicht wenig, sie aber lachte

30 so freundlich, daß man den wenigen Vorrat ihrer Zähne gar deutlich sehen kunnte, welche einer alten Mauer mit Schießscharten nicht unähnlich schienen.
... Sie aber fuhr fort, und sagte: ,Verberget es nur nicht vor mir, mein Engel!' und bei diesen Worten versetzte sie mir wieder einen solchen

35 Schmatz, daß mir Hören, Sehen und Riechen verging, und mir der balsamierte Geifer ins Maul lief ... (135—136)

Manfred Windfuhr charakterisiert die Funktion der barocken Häßlichkeitsbeschreibung: „Es geht nicht um die Darstellung der metaphysischen vanitas, sondern um ein Panoptikum menschlicher Unregelmäßigkeiten, das von einer gesellschaftsbezogenen Position aus überscharf beleuchtet wird ... Außerdem soll der Leser mit den stärksten Mitteln belustigt werden ... Durch ihre bewußt komische Wirkung unterscheidet sich die groteske Bildlichkeit auch vom Schwulststil" (S. 292). Zigler will die komische Wirkung zu höchstem Effekt steigern. Das Gesellschaftsbezogene liegt darin, daß sogar der Diener diesen Ausbund an Häßlichkeit nur aus dem ehrlichen Antrieb, seinem Herrn zu helfen, überhaupt ertragen kann. Der sprachliche Eingang zur Beschreibung typisiert Eswara bereits durch den Begriff „häßliche Schönheit" (Oxymoron) und die Antithese „verliebteste Herzen — häßlichste Angesichter." Die analytische Reihe der Einzelelemente steht nicht unter dem üblichen Summationsschema von oben nach unten[205], sondern wird von der höchstmöglichen sprachlichen Wirkung bestimmt. Sie läßt den Blickpunkt vom Detail zum Ganzen mehrfach wechseln. Die Elemente dieser Beschreibung sind besonders aus dem Arsenal der Häßlichkeits-Topoi des Barock gespeist: Die vergleichsweise Verbildlichung des Gesichtes (Z. 13: „breite überhängende Stirn — spitzes Kinn — Triangel") entspricht ähnlichen Deutungen etwa bei Weckherlin.[206] Auch der Grundriß[207] übergroßer Magerkeit ist ein bewährter Topos dieser Bauform. Durch den Bezug auf die humoristische Deutung der erotischen Hemmungslosigkeit (Z. 14—16) wird das Phänomen der Magerkeit geschickt der Wirkung angepaßt. Auch die grobianistische Übersteigerung der Runzeln (Z. 18: „Gruben") und die Palette der häßlichen Farben (Z. 20: „Gelbe in Schwarzbraun") gehören den Topoi dieses Verfahrens zu. Aus der späteren Szene mit Eswara (S. 135 f.) stammen noch zwei wichtige Ergänzungen dieses Bildes: der Vergleich Zähne = „alte Mauer mit Schießscharten", und das Motiv des Mundgeruchs und Gestankes.[208] Humorvoll ist auch

---

[205] Vgl. zu diesem Gliederungsprinzip M. *Windfuhr* S. 192.
[206] Vgl. dazu M. *Windfuhr* S. 291.
[207] „Es läßt sich beobachten, daß häufig der Typ übergroßer Magerkeit ... den Grundriß der Häßlichkeitsbeschreibung bestimmt." (M. *Windfuhr* S. 291).
[208] Ebenda S. 292.

178

dessen Begründung (Z. 26 f.: „Heimlichkeiten der Liebe in dem Magen"),
die als Grundstruktur mit dem Verfahren in 15–16 übereinstimmt. Der
gelehrte historiographische Bezug (Z. 28: Japoneser mit Stellenbeleg aus
Francisci) bestätigt einen Gestaltungszug des ganzen Romans. Das Moment
des sozialen Ranges betonen Scandors Kommentare und die abwertende
Sprachform. Er setzt unverhohlen wertende Begriffe ein: „Ekel" (S. 129),
„mir höchstwidrige Reden" (S. 137), „Abscheu" (S. 137) usw. Hiezu
gehört auch Scandors komische Selbstaufopferung für die Sache seines
Herren, die mehrfach sprachlich auftaucht: „Ich ließ es meinem Prinzen
zum besten so dabei bewenden" (S. 136); „Hier raffte ich nun meinen
Prinz[209] zusammen und zwang mich äußerst, sie über Vermögen zu kares-
sieren . . ." (S. 136). Damit setzt sich Scandor komisch und sozial von
Eswara ab. Er erfüllt in dieser Schwankszene die ihm zustehende Funktion
des treuen Dieners.[210] Den Erzählstil bestimmt, besonders im Bereich dieses
Schwankes, die der Sache angepaßte niedrige Form, wie augenfällig Vergleich und Metapher beweisen: „Ich stellte mich so freundlich, wie eine
tote Katze . . ." (S. 136); „Hier saß ich nun wie die Gans über den Eiern"
(S. 138); „. . . hub das Rabenaas an zu bellen . . ." (S. 138).[211]
Erzählweise und Aufbau verwandeln diese Szene in einen komischen
Schwank, wie er im höfischen Barockroman sonst nicht zu finden ist. Das
Thema des betrogenen Ehemannes gehört dieser Kleinform ebenso an wie
die Erzählperspektive des Betrügers. Die Redeweise des Ehemannes weist
auch in diese Richtung: „Du altfränkische Kuppelhure!" (S. 137) sagt der
indische Oberelefantenwärter zu seiner ungetreuen Frau Eswara. Auch der
unverblümte Hinweis auf die erotisch verfängliche Situation ist echt volks-
tümliche Sprachform: „Es ist heutiges Tages eine verdächtige Sache, um
eine Frau, welche weiß, daß zwei Steine besser mahlen als einer" (S. 137).
Soweit also die Häßlichkeitsbeschreibung und vor allem die thematisch
benachbarte Schwankszene. Selbst als Episode bilden beide eine große
Ausnahme im erzählerischen Repertoire des höfischen Barockromans. Man
vergleiche etwa damit die ausgesprochen dezente Schilderung einer ver-
fänglichen Szene bei Anton Ulrich (A I 630–631).
Abschließend wollen wir diesen Beschreibungen noch jene der Titelheldin Banise gegenüberstellen; dies vor allem auch deshalb, weil Pfeiffer-
Belli (S. 93 f.) darin weitgehend Entlehnungen aus Lohenstein zu sehen

---

[209] W. *Pfeiffer-Belli* S. 110 weist auf diese Stelle hin, um die Doppeldeutigkeit
des Wortes *Prinz* zu unterstreichen. Hier heißt *mein Prinz* natürlich *mein*
Kopf.

[210] Eigentlich paßt er damit genau in eine literarische Tradition, wenn man an
jene Dramen denkt, in denen der Diener als Hanswurst agiert.

[211] „Dieser unzweifelhaft europäische Einschlag, der eine exotische Haupt- und
Staatsaktion so erfrischend belebt, ist ganz und gar Eigentum des deutschen
Dichters." (W. *Pfeiffer-Belli* S. 110 bezieht diese Aussage auch noch auf Bei-
spiele, die wir weiter unten auswerten).

glaubt. Er konnte an vielen Stellen solche Parallelen aufdecken. Sie müssen allerdings in diesem Jahrhundert des erlaubten Plagiats mit äußerster Vorsicht gegeneinander abgewogen werden. Scandor schildert die Rettung Banisens durch Balacin und gleitet dann aus Begeisterung über in ihre Beschreibung:

... Ach überirdische Schönheit! deren Glanz die Sterne übertrifft, und sich durch kein Gleichnis beschreiben läßt! Es erhellet nur eine Sonne den Himmel, und die Erde heget nur einen Phönix; also ist nur eine Gottheit in Asien, welche anbetungswürdig ist: so lasset mich demnach, o ihr
5   Götter, ihr Priester werden'.

Ich mußte hierinne in allem meinem Prinzen Beifall geben: denn gewiß, ich glaube, daß derjenige eine vergebene Arbeit tun würde, welcher in Asien sich eine gleiche Schönheit auszusuchen bemühen wollte.

Ich selbst wurde ganz verblendet, als nach überstandner Ohnmacht der
10   Purpur wiederum ihre Wange bekleidete: ja es kam mir fast unglaublich vor, daß eine solche Schönheit von sterblichen Menschen könne gezeuget werden.

Ihre Gebärden hatten so ein hohes und majestätisches Ansehen, daß man sie unmöglich, ohne in hohen Ehren zu halten, und sich über dieselbe
15   zu verwundern, ansehen konnte.

Sie hatte ein so freies und leutseliges Wesen, daß, ungeachtet ihrer mit einspielenden Ernsthaftigkeit, die sie stets im Gesichte behielte, in allen ihren Reden und Tun nichts als lauter Freundlichkeit und höchste Anmut zu spüren war.

20   Die Sonnen ihrer Augen spielten mit solchen Blitzen, wodurch auch stählerne Herzen wie Wachs zerfließen mußten.

Und wenn sie die schwarzen Augäpfel nur einmal umwendete, so mußten alle Herzen brennen, und die Seelen, welche sie nur anschaueten in volle Flamme gesetzet werden.

25   Ihre lockichten Haare, welche um ihr Haupt gleichsam mit Wellen spielten, waren etwas dunkler als weiß, und dienten zu rechten Stricken, einen Prinzen in das Garn der Dienstbarkeit einzuschlingen.

Ihre Lippen, welche einen etwas aufgeworfenen Mund bildeten, beschämten die schönsten Korallen, und bedeckten die wohlgesetzte Reihen der
30   Zähne, welche die orientalischen Perlen verdunkelten: ob man sie zwar sowohl in Reden als in Lachen wenig konnte zu sehen bekommen.

Die Wangen stellten ein angenehmes Paradies vor, in welchem Rosen und Lilien zierlich untereinander blüheten, ja die Liebe schiene sich selbst auf dieser weichen Rosensaat zu weiden.

35   Die wohlgesetzte Nase vermehrte die Proportion des schönen und runden Angesichts um ein großes.

Der mehr lang als kurze Hals, welchen der Adern subtiles Wesen zierlichst durchflochte, war nebst der andern Farbe ihrer Haut, so weit es die Wohlanständigkeit zu sehen erlaubte, so wunderschön, daß ich nicht
40   glaube, daß auch der kälteste Winter ihrer Purpurröte, welche sich mit der schneeweißen Farbe artlich vermischte, einigen Abbruch tun könnte. Ihre wohlgebildeten Hände luden durch ihre zarte Finger und weiße Haut jedweden Mund zu einem demütigen Handküssen: und daß ich den geballten Schnee mit Stillschweigen übergehe, so darf ich an die übrigen

45 Teile des Leibes, welche doch meinen unwürdigen Augen verborgen
    blieben, nicht einmal gedenken, wo ich mir nicht selbst die größte Qual
    verursachen will.
    Dieses war nun ein ziemlicher Gegensatz, wenn ich meine verliebte Eswara
    betrachtete.
50 Endlich so schien es, als ob sie sich wenig um einigen Zierrat oder Schmuck
    bekümmerte, indem sie sich nicht allzu köstlich gekleidet, sondern ihren
    wohlgewachsenen Leib einem gleichfalls grün und güldenen Leibrocke, wie
    mein Prinz aus wunderlicher Schickung trug, anvertrauet hatte, außer daß
    durch die Haare einige blitzende Diamanten spielten: ja ihre natürliche
55 Schönheit war ihr größter Schmuck, nicht zwar, daß, wenn sie angeputzt
    gewesen, nicht alles über die Maßen wohl angestanden, wo nicht gar ihre
    Schönheit vermehrt hätte; sondern sie verließ sich auf ihre schöne Bil-
    dung, und begehrte nichts von der Kunst zu entlehnen . . . (133—134)

Diese Schilderung steht eindeutig in der reichen Tradition der barocken
Schönheitsbeschreibung[212], wohl mögen einige Metaphern vordringlich an
Lohenstein erinnern. „Besonders die Schilderung Banisens, die echt barock
einen menschlichen Automaten aus einer Unzahl köstlicher materieller
Summanden zusammenfügt, vernichtet den Menschen als Form und macht
aus ihm eine ‚Ansammlung sinnlicher Erreger' (W. Pfeiffer-Belli S. 94).
In unsere Kenntnis dieser Bauform übertragen, die durch mehrer Vergleiche geschärft sein sollte, heißt das: Das selektive Summationsschema
bildet hier das Gliederungsprinzip, die bekannten Topoi werden verwendet. Die äußeren Elemente, die mit erstaunlicher Dynamik und Diffe-
renziertheit auftreten, dienen sowohl dem von uns erkannten *Wirkungsstil*
als auch der Deutung des idealen Menschenbildes. Der Vergleich mit
Eswara (Z. 48—49) verweist erneut auf den standesgemäßen Bezug äußerer
Schönheit. Die petrarkistischen Elemente sind, vielleicht durch den Einfluß
Lohensteins und der Schlesier, besonders auffallend. Als Beispiel mögen
dienen: Z. 20: „Sonnen ihrer Augen — stählerne Herzen zerfließen", Z. 22:
„Augäpfel — alle Herzen brennen — Seelen — in volle Flamme", Z. 25—27:
Haare dienen als Stricke, um den Geliebten zum Diener zu machen (Skla-
ven-Topos). Alle diese Topoi stehen im Dienste des *Wirkungsstils*. Die
Erscheinung wird sprachlich in der starken Ausstrahlung ihrer Teile auf
andere Menschen erfaßt. Dazu kommen noch die vielen Klischees des
barocken Frauenpreises: Z. 28: „Lippen — Korallen", Z. 30: „Zähne" —
„orientalische Perlen", Z. 32: „Wangen — Paradies, Lilien und Rosen —
Rosensaat", Z. 44: „der geballte Schnee" für Brüste usw. Auch die Beschreibung des Kleides, die sich raffiniert in den Topos ‚Natur-Kunst' fügt,
mit dem Edelstein-Vokabular gehört dem selbstverständlich verfügbaren

---

[212] Der Sinn der ausführlichen Zitate innerhalb dieses Abschnittes besteht auch
in dem methodischen Prinzip der *Anschauung als Evidenz* (vgl. zu diesem
Terminus E. R. *Curtius* ELLM: Einleitung). Gewisse Übereinstimmungen,
gewisse traditionelle Formen und Topoi ergeben sich aus der Lektüre dieser
ausgewählten Texte allein schon.

Arsenal der zutreffenden rhetorischen Ausdrucksmöglichkeiten an. Hinter dem Spiel der „sinnlichen Erreger" wird deutlich die eigentliche Darstellungsabsicht klar, ein ideales Bild höchster Frauenschönheit und Frauentugend zu zeichnen. Die sprachliche Durchführung konzentriert sich dabei weniger auf die äußeren Eindrücke als vielmehr auf die Wirkung. Daß dabei sprachlich das äußere Moment oft nur eine nicht weiter charakterisierte Grundvorstellung liefert vermag folgendes Beispiel zu zeigen: Z. 13 ff.: „Gebärden — hohes, majestätisches Ansehen, in hohen Ehren halten, verwundern." Manchmal überwuchert die idealische Deutung überhaupt die Beschreibung (Z. 16—19), während die folgenden Partien (Z. 20—21, 22—24, 25—27) wieder nach dem Prinzip ‚signalartiger äußerer Eindruck' und ‚sprachlich breit ausgemalte Wirkung' komponiert sind. Ein besonders treffendes Beispiel für den *Wirkungsstil* ist die magnetische Kraft der schönen Hände, die alle zum Küssen einladen (vgl. Z. 42—43). „Scandor huldigt also der Kaisertochter in Tropen und Bildern, deren Glanz Gemeingut des dichtenden Deutschland um 1680 war" (W. Pfeiffer-Belli S. 95). Die Anspielung Pfeiffer-Bellis auf die „Bekanntschaft des Kammerjunkers (= Zigler) mit dem gelehrten europäischen Poeten (= Lohenstein)" (S. 94) darf man also nicht so wörtlich verstehen. Sein Buch hat viele Bezüge aufgedeckt und vor allem Zigler als allseitigen Plagiator richtig erkannt. Im modernen Sinne müßten wir sagen, er war ein sehr belesener Autor in der Literatur seiner Zeit. Nicht folgen darf man jenen Textähnlichkeiten bei Pfeiffer-Belli, deren Übereinstimmung in gängigen Bildern und Topoi der Zeit sofort als Abhängigkeit gedeutet wird. Unsere Vergleiche haben gezeigt, wie stark gerade bei dieser Bauform die traditionellen Übereinstimmungen sind; sie sind natürlich auch weitgehend Übereinstimmungen in der Stilisierung des Menschenideals:

Majestät: ‚Argenis' Z. 8; ‚Aramena' Z. 7 (Esau), Z. 23 (Delbois); ‚Octavia' Z. 7; ‚Banise' Z. 13. Meist ist der Begriff mit „Ansehen", „hohem Ansehen" usw. verbunden.

Lockige Haare (bei Damen und Herren): ‚Aramena' Z. 10 (Esau: „dick und kraus"), Z. 6 (Delbois: „das ihr die natur geringelt"); ‚Octavia' Z. 16 f. („ihr haar . . . ringelte sich von natur"); Hermann Z. 16; ‚Banisc' Z. 14 f. (Balacin: „Sein haupt war mit . . . und von der Natur gelockten Haaren umgeben"), Z. 25 (Banise: „Ihre lockichten Haare . . .").

Schwarze oder (dunkel) blaue Augen: ‚Aramena': Esau Z. 10: „feurige blaue augen", Delbois Z. 24: „angenehmsten schwarzen augen"; ‚Octavia' Z. 8: „dunkelblaue augen"; ‚Banise': Balacin Z. 16: „graulichtblaue Augen"; Banise Z. 22: „schwarze Augäpfel."

Der antithetische Topos ‚Natur-Kunst' wird meist in der Form natürlicher Leibesschönheit und kunstvoller Gewandung oder erlesenen Schmuckes aufeinanderbezogen. Er bestimmt die Darstellung bei Delbois, Octavia und Banise. Bezeichnenderweise kommt dieser Topos gegentypisch auch bei Eswara Z. 17 f. vor.

Das *Gliederungsschema der Beschreibung* verläuft selektiv meist von oben nach unten. Die Konzentration auf die Phänomene des Angesichtes kehrt dabei ständig wieder. Häufige Grundvorstellungen sind: Augen, Haare, Wangen, Lippen, Hals und Brust; Stirne und Nase werden seltener gestaltet.

Alle Beschreibungen stehen unter der Etikette höchster typischer Schönheit (oder gegentypischer Häßlichkeit) und entsprechen damit der Werthaftigkeit dieser stilisierten Fiktionswelt. Die äußeren Phänomene bilden nur den Anstoß, die inneren Qualitäten eines idealen Menschenbildes durchleuchten zu lassen. Als besonderes Gestaltungsprinzip begegnet stets die *Wirkung der Erscheinung* auf den innerfiktionalen Beschauer, der die Perspektive hält (*Erzählperson*). In der Sprachform herrschen wiederkehrende Elemente vor, welche die Beschreibung als stereotype Bauform mit literarischer Tradition bestätigen. Besonders sprachliche Nuancen weisen in geringem Maße individuelle Unterschiede von Autor zu Autor auf.

Am stärksten integriert Anton Ulrich diese zur Isolation neigende Bauform in die kompositorische Gesetzlichkeit seiner Fiktionswelt. Trotzdem auch er bewußt in der sprachlichen Tradition toposhafter Formen steht, erteilt er dieser Bauform wichtige strukturelle Funktionen. Eines der schwierigsten Probleme des Dichters in der ,Aramena' ist, Abimelechs gleichzeitige Beziehung zu *Delbois* (= Aramena) und Coelidiane zu gestalten, ohne des Prinzen Tugend zu beeinträchtigen. Diese raffinierte Spannungsstruktur verdichtet sich in einem Detail der äußeren Beschreibung.[213] Abimelech schreibt ein Gedicht auf eine Dame mit „silber-haar" (A I 278).[214] Coelidiane und Melchisedech überraschen ihn dabei im Garten. Letzterer bezieht das „silber-haar" auf seine Nichte Coelidiane. Im Rahmen höfischer Verhaltenstypik wird Abimelech dadurch zur Verlobung mit Coelidiane gezwungen. Wie der Leser später erfährt, eignet dieses Merkmal des Silberhaares auch Delbois von Ninive (vgl. ihre Beschreibung o. S. 168, Z. 6). Abimelechs Ehrenrettung hängt damit an einem funktionalisierten Detail der äußeren Beschreibung einer Dame. Abimelech hat dieses Gedicht nämlich an seine Geliebte Delbois gerichtet. Als sich diese als seine verschollene Schwester entpuppt, heiratet er die treue Coelidiane.

---

[213] B. L. *Spahr*, Aramena S. 122—123 nennt dieses Detail als Argument für die frühe Anlage des komplizierten ,plots'. Erst in der Druckfassung P sei es dem Autor gelungen, dieses Problem ohne Beeinträchtigung von Abimelechs Charakter zu lösen.

[214] B. L. *Spahr*, Aramena S. 200—202 druckt die drei Fassungen dieses Gedichtes vollinhaltlich ab. Die früheste Fassung MS 2 hat noch „Das weiße Haar..." (vgl. auch u. S. 217 f.). — F. *Mahlerwein* S. 277 hat das „weiße Haar" mißverstanden.

Diese wesentliche Spannungsstruktur beruht auf weite Strecken hin auf der Ambivalenz des ‚Silberhaares'. Anton Ulrich funktionalisiert einen übernommenen sprachlichen Topos kompositionsmäßig.

Hier handelt es sich nur um ein Detail aus einer Beschreibung. Die Bauform kommt aber innerhalb eines Gespräches zwischen Coelidiane und Aramena der Jüngeren als Ganzheit zu kompositioneller Bedeutung. Diese vergleichende Beschreibung Abimelechs und Cimbers erinnert an jene Stelle Barclays (s. o. S. 163). Wir kehren mit diesem letzten Beispiel intensiver kompositioneller Integration zum vergleichbaren Ausgangspunkt unserer Untersuchung dieser Bauform zurück:

Ich [Aramena] kan nicht sagen / wie es komt / daß ich ein so gutes herz zu diesem Prinzen [Abimelech] habe / da ich ihn doch nicht gesehen.
Was würde meine schöne Prinzessin alsdann erst thun / (sagte Coelidiane/) wann sie ihn persönlich sehen solte: mir dörfte schier angst werden / ich
5 bekäme eine gefärliche mitbulerin.
Das hat keine gefahr / (antwortete Aramena/) wir können ihm beide ohne eiversucht gut seyn: die Prinzessin von Caphtor / als seine verlobte; und ich / als ihre freundin. Aber weil ich nun seines gemütes so gute wissenschaft habe / wolte ich auch gern die beschreibung der person anhören:
10 weil ich nicht besorgen darf / der Coelidiane damit beschwerlich zuseyn. Seine gestalt und person betreffend / (sagte Coelidiane) ist mir noch keine wackerer als die seinige vorgekommen: wann nicht der Teutsche Cimber ihm etlicher massen die wage hält.
Doch sind sie beide ungleicher schönheit / wann man anderst einen mann
15 schön nennen darf.
Der Abimelech ist bräunlich; hat lange braune haare / die ihm in grossen wolken über die schultern fallen; grosse schwarze augen / mit denen er sehr liebreich aussihet; eine etwas erhobene nase / und einen gar schönen mund.
20 Sein ganzes wesen / ist so majestetisch / als gütig.
Er ist mittelmäsiger länge / und so wackerer gebärden / daß alles ihm überaus wol anstehet.
Würde ich der Prinzessin Aramena fürtrefflicher schönheit keine verkleinerung anthun / dörfte ich schier sagen / ich fände eine gleichheit in ihrem
25 und dieses Prinzens angesichte.
Den Cimber betreffend / so ist derselbe sehr lang von person. Sein haar / ist licht von farbe; und seine ganze gestalt ist gar angenem.
Seine grosse offenbare augen / füren die hellste farbe des himmels / und schiessen ein solches feuer von sich / daß man den hohen scharfsinnigen
30 geist sattsam daraus kan erkennen.
Er ist von wesen sehr liebreich und freundlich: dabei aber erwecket er in denen / die ihn sehen / soviel furcht als liebe / und kan man aus seinem gesichte und allen gebärden eine hohe geburt urteilen.
Warlich / meine Prinzessin! (sagte Aramena hierauf / lächelnd) ich spüre
35 sattsam / das sie eine eiversucht auf mich geworfen: weil sie mir / nicht allein den Prinzen der Philister / sondern auch den Prinzen aus Teutschland beschreibet. Nimmermehr wäre Cimber von Abimelechs verlobtin so wacker abgebildet worden / wann sie nicht begehrete / jemand in ihn verliebt zu machen . . . (A I 295—297).

Diese Szene ist mehrfach aufschlußreich. Sie bildet ein Analogon[215] zu Poliarchus' (Cimbers) — Archombrotus' (Abimelechs) Beschreibung. Sie liefert uns die äußeren (inneren) Kennzeichen der zwei prominentesten Helden des Romans. Die epische Integration der Szene ermöglicht uns Aussagen über die gesamte Struktur des Werkes. Die Verfugung der Beschreibung mit der Bauform des Gesprächs führt zu Stellungnahmen der Partnerinnen zur Beschreibung, die uns deren Funktion erkennen lassen.

Die Beschreibungen sind in die Gesprächssituation und die Gesprächsstruktur integriert. Die dialogische Auflockerung — im Vergleich zur petrifizierten Statik bei Barclay — rückt die Bauform in die Spannung differenzierter *Ausschnitte*. Aramenas Zuneigung für Abimelech beantwortet Coelidiane mit aufkeimender Eifersucht und dem Hinweis auf „eine gefährliche mitbulerin" (Z. 5). Ihren Wunsch nach der „beschreibung der person" (Z. 9) erfüllt Coelidiane durch die vergleichende Beschreibung von Abimelech und Cimber. Darin findet Aramena die Eifersucht ihrer Gesprächspartnerin bestätigt. Die Ebenbürtigkeit der Beschreibungen („ihm etlichermaßen die wage hält" Z. 13) deutet Aramena zudem aus der ängstlichen Absicht Coelidianes, „jemand in ihn verliebt zu machen" (Z. 38). Die zwei Beschreibungen integriert Anton Ulrich also im erotisch-diplomatischen Gespräch der Prinzessinnen. Damit scheinen diese ihres Anspruchs auf verbürgte Objektivität beraubt zu sein, sie unterliegen offensichtlich zweckhafter Funktion. Coelidiane will durch Cimbers Bild ihre Zuhörerin von ihrem Geliebten ablenken. Selbstverständlich stellt dieses reizvolle Spiel keine Individualisierung in modernem Sinne dar, alle Formen des Verhaltens auch in dieser Szene unterstehen dem Gesetz der Typik.

Innerhalb dieser Typik wird allerdings die vergleichende Wertung Coelidianes bedeutsam. Sie entspringt in der Situation ihrer Eifersucht. Trotzdem stimmt sie wieder mit der Wertung des erzählenden Dichters und seiner Personenhierarchie überein. Beide Helden bilden gleichermaßen die Spitze der männlichen Personenkonfiguration. Deshalb darf kein Schatten auf einen der beiden fallen, und der Dichter läßt sich ihre Beurteilung nur scheinbar aus der Hand winden. Sie wird nur psycho-typisch von Aramenas *Ausschnitt* (ihrer Erwartung) her motiviert.

Über die Beschreibung hinaus erfolgt auch ein wichtiger Hinweis auf die personale *Tiefenstruktur* des Romans. Coelidiane findet scheinbar unmotiviert eine Ähnlichkeit zwischen Aramena und Abimelech (Z. 23—25).

---

[215] Poliarchus (Cimber) heiraten in diesen Romanen die Titelheldin. Ihr schärfster Rivale Archombrotus (Abimelech) entpuppt sich plötzlich als der verschollene Bruder der Argenis (Aramena).

Diese ist in Wahrheit nämlich seine Halbschwester. Daraus ist auch ihre Anspielung zu verstehen, daß sie Abimelech zugetan sei (Z. 1—2). Die äußere Ähnlichkeit ist der spontane Ausdruck der echten *Tiefenstruktur*-Beziehung zwischen Schwester und Bruder.[216]

Die eigentlichen Beschreibungen (Abimelech Z. 16—22 und Cimber Z. 26—30) münden nach knapper Angabe in die Wesensschau (Abimelech Z. 23—25 und Cimber Z. 31—33). Sie bilden innerhalb der Topoi gewisse Kontraste aus, im Wesen aber gleichen sich die beiden Helden, denn sie müssen dem Ideal entsprechen. Von der Erwartung Aramenas (ihrem *Ausschnitt*) aus gesehen, fällt die Beschreibung Cimbers zu vorteilhaft aus. So steht diese Bauform in einem kontrastierenden Doppel-Modell mitten im Spannungsbereich zwischen Autor (werthafte Gleichsetzung), Romanpersonen (Spiel der *Ausschnitte*) und Leser (kompositionelle Funktion). Anton Ulrich hat diese Spielart der Bauform in seine höfisch stilisierte Welt integriert. Er schöpft ihre funktionalen Möglichkeiten zugunsten des von ihm besonders betonten Phänomens der Komposition voll aus.

c. Naturbeschreibung

Die Rhetorik bestimmt „für Jahrtausende die Ideallandschaft der Poesie."[217] Die Belesenheit etwa Lohensteins in der Literatur der Antike, seine exotischen Schilderungen[218] u. a. legen die Beziehungen dieser Dichter zur Tradition, welche Ernst Robert Curtius in den europäischen Literaturen des Mittelalters noch stark spürt, in besonderem Ausmaße nahe. Er sieht drei rhetorische Anlässe zur Naturbeschreibung (Örtlichkeiten): „Man kann sie wegen ihrer Schönheit, wegen ihrer Fruchtbarkeit, ihrer Heilwirkung loben" (ELLM S. 200). Drei Anknüpfungsmöglichkeiten an konkrete rhetorische Systeme bestehen: a) Gerichtsrede, b) Lobrede und c) Figurenlehre. Dabei bilden sich gewisse Typen von Landschaften heraus: der Hain, der Lustort (locus amoenus) und die summarische Bezeichnung der Lokalität eines historischen oder fiktiven Geschehens, woraus toposhaft eine Art epischer Ideallandschaft entsteht. Dieser traditionellen Voraussetzungen und Zusammenhänge muß man bei der Untersuchung der Naturbeschreibung stets eingedenk bleiben.[219]

---

[216] Das Moment der auffallenden und unerklärlichen äußeren Ähnlichkeit gestaltet Anton Ulrich häufig als Ausdruck der wahren genealogischen Beziehungen. Vgl. dazu A. *Haslinger* in: Literaturwissenschaftliches Jahrbuch N. F. 9 (1968), S. 118 f.

[217] E. R. *Curtius* ELLM S. 191.

[218] Vgl. ebenda ELLM S. 191—192: ‚Exotische Fauna und Flora'.

[219] M. *Vollmary* spricht in ihrer materialreichen Arbeit immer vom Naturbild und Naturempfinden des *Aramena-Menschen*, ohne zu beachten, daß es sich hier um eine Form der epischen Darstellung handelt, die in besonderer Weise der vorbildschaffenden Tradition verpflichtet ist.

Manche Eigenheit der Beschreibung bedingt die Entwicklung dieses geistig-literarischen Traditionsbereiches, die wir hier kurz nach Curtius skizziert haben. Allerdings gelten seine Beobachtungen an der mittelalterlichen Literatur nicht ohne Einschränkung und Variation für jene des Barock. Im Rahmen dieses Abschnittes kann nur grundsätzlich auf die Bedeutsamkeit der rhetorisch-literarischen Tradition verwiesen werden, eine erschöpfende Behandlung der Naturbeschreibung unter dem Blickpunkt ihres Traditionsbewußtseins ist hier nicht zu leisten. Wir beginnen mit Beobachtungen zu Art und Funktion der Naturbeschreibung in Lohensteins ‚Arminius‘ und trennen dabei sachlich zwischen Formen der Landschaftsbeschreibung und jener von Bauwerken und Innenräumen. In der Annäherung an dieses Problem werfen wir einen Blick in das Register dieses Romans und wählen als konkretes Beispiel das Stichwort *Garten*[220]:

> Gärten vertreiben vielen Fürsten ihre Sorgen II.iii. 431 a. b. in Asien sind die ersten und schönsten; Gärten in Syrien / Arabien / Egypten / und Mohrenland. II.ii. 306.a.seq. Garten der Barden ist eine Taffel der Weißheit. II. v. 748. b. II. v. 750. b. einem Fürsten verglichen. II. v. 756 a. seq.
> Garten = Gewächse Lehrmeister allerhand Tugenden und der Staats = Klugheit. II. v. 751. b. seq.

Schon dieser Hinweis wirft ein Licht auf Lohensteins besondere Form der Naturbeschreibung. Sie ist — im Sinne der Zeit — geographisch-wissenschaftliche Erfassung des Phänomens *Garten*. Seine Beschreibungen im Roman liefern dazu die besonderen Aspekte. Das Moment des Seltsamen und Exotischen wird daraus schon spürbar. Die moralische Auswertung des Phänomens schließt sich ergänzend an. Die Naturbeschreibung ist wie andere Bauformen bei Lohenstein nicht der epischen Darstellung an sich untergeordnet. Sie verfolgt gleichrangig neben jener ebenso das Ziel, die Phänomene der äußeren Natur zu deuten und wesenhaft durchsichtig zu machen. Die Gartenbeschreibung besitzt als traditionelle Form der Naturbeschreibung für sich keinen erzählerischen Darstellungswert. Alle ihre Elemente und vor allem ihre Funktion zielen auf die geistige Durchdringung des landschaftlichen Phänomens ab. Wir machen die Probe aufs Exempel:

> Germanicus / welcher in einem laubichten Gange des Gartens dem Frauenzimmer unvermerckt genähert / und sich hinter das Bild des Bacchus gestellt hatte / hörete diesem allem begierig zu; und als ihn Zirolanes vorwitziges Auge ausgespürt hatte / trat er herfür / und fieng an:
> 5   Er hätte noch keine würdigere Liebhaberin der Gärten / als Thußnelden gehöret. Insgemein hielte man in ihnen nur den äußerlichen Schein und zwar unmäßig werth. Der Geist der Beschauer schwinge sich selten über

---

[220] „Register und absonderliche Anmerkungen“ sowie erklärende Fußnoten bilden in diesem Roman die Erläuterungen, die etwa den zeitgenössischen Gepflogenheiten bei der hohen Barocktragödie entsprechen. Im Roman finden sie sich nur bei Lohenstein und bei Zesens Altersromane ‚Assenath‘ und ‚Simson‘. Bei Anton Ulrichs Fiktionsgestaltung wären sie undenkbar.

ihre Blumen-Bäte; und die meisten hegten sie nur zum Zunder ihrer Eitel-
keit / und zu Haupt-Küssen ihres Müssigganges. Sie pflegten eines frembd-
10 den / wiewol unnützen Gewächses / sorgfältiger / als ihrer eigenen Kinder;
und giengen umb eine verwelckte Blume oder verfaulte Zwibel länger / als
Murena umb seinen Fisch / und ein ander Römer umb einen Raben im
Leide.
Wenn ein ander in seinem Garten was seltzamers hätte / gienge es ihnen
15 näher / als dem Sulla / da er nicht Stadt = Vogt / und dem Cato / da er nicht
Bürgermeister werden könte.
In diesem Schatten der Bäume vergrübe aber die Fürstin Thußnelde niht
ihre allzu hohe Gedanken; sondern ihre Garten = Lust wäre die Erleichterung ihres Gemüthes / und die Erbauung ihrer Tugend. Gott hätte alles
20 in der Welt nicht so wol zum blossen Anschauen / als zu unserem Unterricht und Nutzen geschaffen; und um unsere Schlafsucht zu ermuntern /
oder den Gebrechen unserer Ohnmacht zu rühmlichen Vorsatze anzu-
leiten / und auf die kleinsten Gewächse die gröste Kunst verwendet.
Also wäre kein Kraut so unansehnlich / keine Blume so ungestalt / welche
25 nicht eine Artzney so wol unser Seelen / als unser Leiber abgäbe; und
nicht weniger zu einem Spiegel des Lebens / als zu einem Hülffs-Mittel der
Gesundheit diente; welche aber niemand besser als Thußnelde anzuge-
wehren wüste.
Thußnelde antwortete: Es wäre eine angebohrne Höfligkeit: daß er über
30 ihre niedrige Gedancken eine so herrliche Auslegung machte. Dis aber
könte sie nicht läugnen: daß sie aus dem Buche der Natur Gott zu erkennen und sich zu erbauen jedesmahls beflissen hätte ... (Ar II 430 b —
431 a).

Das Beispiel liefert das Gegenargument zur These. Es ist keine Gartenbeschreibung, sondern ein rhetorisches Lob auf den Garten schlechthin!
Allerdings stellt ein solcher Text Lohenstein in jene rhetorische Tradition,
die wir anfangs angedeutet haben. Er bestätigt zudem seine Absicht bei der
dichterischen Gestaltung der Natur. Man könnte die Stelle geradezu als
sein künstlerisches Programm, zumindest für diese Bauform, auffassen und
interpretieren. Das Phänomen *Garten* steht hier nämlich für jede Form der
landschaftlichen Natur. Wir greifen einige wichtige Punkte dieses Pro-
grammes heraus:

1. Die Menschen sehen das äußere Bild und halten es für das Wesen
der Phänomene (Z. 6—7). Sie verlieren sich in die hegende Sorge des
Gartens und wenden sich damit nur einem Aspekt zu, ohne in dieser Ausschließlichkeit ihren Geist zu gebrauchen. Diese Einstellung wird wertend
verworfen (Z. 8: „Eitelkeit", Z. 9: „Müssiggang", Z. 6: „nur äußerlicher
Schein", Z. 14—16: Besitzgier und daraus entstehendes Mißvergnügen.

2. Dem stellt der Dichter Thußneldens Gartenbetrachtung als die positive
Einstellung zu den Phänomenen gegenüber, die sofort thematisch verwertet
wird. (Z. 19 „Erleichterung des Gemüthes / und die Erbauung der Tugend").

3. Die Begründung dafür liefert Gottes Absicht beim Schaffen der
Natur. Hier feiert das prodesse und delectare seine bedeutsame Bestätigung
als künstlerisches Prinzip. Z. 19—23 „ ... nicht so wol zum blossen An-

schauen / als zu unserem Unterricht" (erkenntnismäßiges rationales Erfassen des Wesens der Dinge) „und zum Nutzen" (leiblich: Genuß und Wohlbefinden — seelisch: Erbauung). Die kleinsten Dinge im Kosmos spiegeln den ethischen Schöpferwillen Gottes, den Menschen tugendhaft zu machen und geistig höher zu führen. Die Welt hat damit in all ihren Phänomenen einen sittlich-religiösen Auftrag an den Menschen. Dieser muß das nur erkennen. Thußnelda faßt in dem alten Topos von der Natur als Buch diesen Gedanken zusammen. Sie liest in der Natur Gottes Schrift als religiöse Erbauung. Das Programm Lohensteins, dem alle Formen seiner Naturbeschreibung zuzuordnen sind, ist damit entworfen. Die Abwertung des nur äußerlichen Scheins der Phänomene zugunsten ihres geistig-religiösen Aussagegehaltes bildet sein wesentliches Gestaltungsprinzip. In der Sprachform der Beschreibung führt dies zu einer Verfugung deskriptiv-gegenständlicher Elemente und abstrakt-deutender. Die künstlerische Form ist also kein Zufall, sondern sie vereint die traditionellen literarischen Voraussetzungen mit seinem speziellen Kunstwollen. Diesem Aspekt ordnen sich auch die vielen Beschreibungen von außergewöhnlichen Bauwerken, seltsamen Naturanlagen usw. in seinem Roman zu. Sie haben keinerlei Handlungsfunktion, sind aber durch das Prinzip episch integriert. Sie bilden detailreiche, gelehrte und programmgemäße Darstellungen besonderer Phänomene des Kosmos in der vielaspektigen Sprachform ihrer Wesensschau.

Von hier aus bietet sich eine direkte Verbindung zu Parthenias Beschreibung des Nymphenthales (O III 869—878). Da sich der lange Textabschnitt lückenlos bei L. Cholevius (S. 302—307) findet, beziehen wir uns auf diesen Abdruck. Grundsätzliche Erscheinungsformen der literarisch gestalteten Natur des Barock lassen sich hier aufzeigen, obwohl uns die ausgiebige Naturdarstellung schon über die Zeit hinauszuweisen scheint.[221] Wir greifen wieder einige Grundzüge heraus:

1. Die auffällig rationale Ordnung und Gliederung dieser Beschreibung. „Daß es sich hierbei stets und ausgesprochenermaßen um fruchtbarste Kulturlandschaft handelt, beweist, daß man allgemein den Triumph des Menschenwillens über die bloße Natur in solcher Überschau genießt."[222] Parthenia entwirft eine sorgsam gemäßigte Landschaft in dem friedlichen Idyll der drei Stoechadischen Inseln, die Ephigenia gekauft und zu ihrem Wohnsitze erwählt hat. Der Beobachtungsstandpunkt befindet sich nur in markanten Fällen, die einen großen Überblick genießen lassen (etwa vom Schloß aus), innerhalb der Landschaftsfiktion. Sonst wird die rational geordnete Landschaft von außen gesehen; sie steht gewissermaßen dem

---

[221] Vgl. Erika *Haas*, Die Landschaft auf der Insel Felsenburg. In: ZfdA 91 (1961/62), S. 63—84.

[222] W. *Flemming*, Naturgefühl S. 54 f.

Menschen gegenüber.[223] Alles ist regelmäßig und ordentlich gepflegt. Diese Ordnung spiegelt sich sogar im Strukturgesetz der ganzen Beschreibung, wie eine Übersicht zeigen soll:

1. Ephigenia kauft diese drei Inseln (3)
2. Übersichts-Topographie der mittleren Insel (= Nymphenthal)
3. Die Ringmauern dieser Insel (= Berge) und als Gipfel ihrer Anmutigkeit der stereotype Wasserfall[224]
4. Die drei Zugänge zur Insel bis zum Zentrum des Schlosses (3)
5. Das Schloß mit seinen vier Stockwerken (a Wintergemächer, b Frühlingszimmer, c Sommerräume und d Herbstgemächer) (4)
6. Die barocke Aussicht vom Schloß nach allen vier Seiten (a Morgen, b Mittag, c Mitternacht, d Abend) (4)
7. Der Garten a) Veränderung
               b) Magdalena — Weltabgeschiedenheit (religiös)
               c) Trachten Ephigenias und ihrer Schwestern (4)
               d) Grotten des Gartens
               e) die anderen Inseln — ihre Fruchtbarkeit
   Der Garten f) seine Ordnung nach den vier Elementen (4)
8. Ephigenias Gesellschaft: Zeiteinteilung und Satzungen
9. Idyllischer Ausklang mit religiösem Bezug.

Zeitgliederung und Ortsgliederung verstärken den Eindruck der Regelhaftigkeit und Ordnung dieser Landschaft und ihrer Schilderung. Dabei durchdringen sich Raum- und Zeitordnung vielfach. Das Schloß der Ephigenia ist nach den vier Jahreszeiten angeordnet, um jeweils die höchstmögliche Annehmlichkeit zu garantieren. Es besteht weiter für diese Natur keinerlei Möglichkeit, in irgend eine Unregelmäßigkeit oder Un-Ordnung auszubrechen. Sie befindet sich fest im systematisierenden Griff des Menschen, der ihr seinen Willen aufzwingt. Ordnung und Schönheit scheinen sich dabei als Prinzipien gegenseitig zu bedingen.

1. Dahinter liegt allerdings ein barockes Kunstprinzip. Die Natur ist nur dann schön, wenn sie vollkommen ist; vollkommen aber wird sie nur durch den geistigen Eingriff des Menschen. So sieht man die Natur vorwiegend als Kunstlandschaft. Man stellt sie sogar wertend gegen die Kunst. Diese aber strebt mit der Natur darin um die Wette, die Illusion des Wirklichen zu erreichen. Vollkommene Kunst erreicht den Illusionsanspruch der Natur. In Ephigenias Schloß sind so die marmornen Wände des Frühlingszimmers mit „allerhand ... eingelegter arbeit künstlich und dabei so natürlich von bunten steinen verfertigte blumen" ausgelegt, „daß man oft die-

---

[223] Vgl. ebenda S. 56.
[224] „Auch Anton Ulrich kommt ohne Wasserfall nicht aus, sowohl für die Königsaue in der ,Aramena', als für das Idyll der Insel Nymphenthal in seiner ,Octavia' ..." (W. *Flemming*, Naturgefühl, S. 56).

selbe hinweg zu nehmen bewogen und betrogen wird." Erreicht also ein Kunstwerk den Täuschungs- und Illusionsanspruch der Natur, so erregt es in dieser Vollkommenheit Bewunderung.

2. Neben der Anschauung der sinn- und sinnenhaften Natur tritt vor allem ihr Nutzen in der sprachlichen Gestaltung besonders hervor. „Diese berge sind mit den allergesündesten kräutern überall bewachsen, die nicht allein mit aufsteigendem winde einen angenemen geruch fast durch die ganze insel geben (delectare), sondern auch dem schaf- und rindviehe zu einer nuzbaren weide dienen" (prodesse). Der herrliche Garten wird ebenfalls von diesen zwei Aspekten her gesehen.[225] Das Nymphenthal ist also nicht nur ein idyllischer, sondern auch ein sehr ergiebiger Flecken Landes. Dieser utilitaristische Grundzug bestimmt sogar die einzelnen landschaftlichen Teile. Die Schönheit und vor allem die ,Lust', welche sie bei Einwohnern und Beobachtern zu erregen vermögen, sind weitere Aspekte dieser Gestaltungsform *(Wirkungsstil).*

3. Diese Wirkung auf den Menschen wollen wir an anderen Texten noch eindringlicher vor Augen führen.

4. Der ständige Bezug auf den Menschen verbindet sich hier zu einer Einheit von Landschaftsbeschreibung und Lebensform-Darstellung, wie bereits der skizzierte Aufbau zeigte. Die Ordnung der Landschaft unter raum-zeitlicher Perspektive greift zwanglos über in eine Ordnung der Lebensgewohnheiten und eine Schilderung der Lebensform dieser Frauengemeinschaft unter Ephigenias Leitung. Das führt fast zur Identität der idyllischen Geschlossenheit des Naturstückes und der autonomen idealen Lebensform seiner Bewohner. Daß bei Anton Ulrich die Form der Landschafts- und Inerieurs-Beschreibung ebenfalls fiktionsbezogen und stark integriert ist, sollen zwei abschließende Beispiele belegen:

Hemor / der wol sahe / wie der Aramena misfiele / daß er dieses gehöret / wolte die höflichkeit gebrauchen / ihr an dieser vorgenommenen lust nicht hinterlich zu seyn: name also seinen abtritt / ob er wol gern sie in den garten begleitet hätte ... (A I 307)

Die gefangene und gezwungenermaßen als Braut Hemors gehaltene Aramena erhält von König Beor die Erlaubnis, sich im Schloßgarten zu vergnügen. Es ist eine bedeutsame Geste, daß Hemor sie hierbei nicht stören darf:

Aramena ergetzete sich nicht wenig in diesem garten / der sehr prächtig und annemlich angebauet ware. Es ware früling / da die schöne baum-blüte / und die mancherlei-färbige blumen / den augen alle ergetzlichkeit gaben.

---

[225] „In diesem garten streiten nun lust und nuzbarkeit mit einander in die wett, und können sie nicht allein von den mancherlei blumen und kräutern ihre haushaltung, sondern auch alle apotheken in Massilien reichlich versehen;

Es entfinge sie zuvörderst ein sanfter wind / der ihnen den süssen odem
5   der Citronenblüte entgegen fürete / und sie auf das lieblichste damit anhauchete.
Sie gingen erstlich durch die blumen-beete / die mit vielerlei blumen-arten
in die wette prangeten.
In mitte dieses blumfeldes ware eine grosser runder teich / da das wasser
10   mehr als arms-dick / aus einem wallfischkopf / etliche ellen hoch in die
luft getrieben wurde / und mit einem starken und lautplatschrenden regen
hinwieder in den teich herunter fiele: worbei / in diesem hellen krystall /
die fische in grosser menge lustig spieleten.
Nach diesem öffneten sich ihnen die spazir-gänge: die ungeachtet der
grossen breite / dennoch an beiden seiten / die bäum-gipfel so hoch in die
16   luft schicketen / daß kein schein der sonne den boden jemals erreichete.
Die stämme der bäume waren so schlank und gerad aufgewachsen / daß
man unten allenthalben durch- und in die neben gänge schauen kunte:
welches dann den augen die angenemste entfernungen vorstellete.
20   An jedem ende eines spazirganges / stunde ein springbrunn / der mit
seinem gesausel die spaireznde (sic) ergetzte / und die luft erfrischete...
(A I 308)

Für die unglückliche Braut Aramena hat dieser Besuch des Gartens eine
signalartig bestimmte Funktion (Lust), welcher sie sich nur im gleichge-
stimmten Kreise von Freunden ungestört hingeben kann, deshalb ist es
gesellschaftliche Notwendigkeit, nicht nur höfische Etikette, daß sich Hemor
vorher zurückziehen muß. Das Moment der *Lust* charakterisiert jene zentrale Wirkung[226], welche der Barockmensch von der Natur erwartet.

Die gesamte Gartenlandschaft wird aus der Perspektive der *Erzählperson*
Aramena geschildert. Der Blickpunkt ist nicht statisch, sondern ändert sich
mit der Dame, welche den Garten durchwandert. Das bildet eine erstaunliche Übereinstimmung zwischen Literatur und Architektur. Dieses Durch-
wandern war als Formprinzip in den Gärten des Barock bereits angelegt:
„Meist nicht minder Motoriker als Augenmensch schafft der Architekt
aber keine tote Regelmäßigkeit; in steter Abwechslung schwingt ein
Rhythmus von Raumfolgen reich und kontrastvoll. Daher genügt das
bloße Sehen nicht, man wird zum Durchschreiten eingeladen: in der Muße
des Spazierens erst erschließt sich der Genuß.“[227]

---

wie auch von dem obst, außer dem, so sie selbst verspeisen, auf den wochen-
märkten in der stadt ein großes geld lösen. Sie haben in diesem garten auch
die herrlichsten teiche, mit einer mänge allerhand fische angefüllet, aus
denen sie ebenfalls geld machen..."
[226] M. *Vollmary* (S. 38 ff.) hat richtig darauf verwiesen: *„Lust* ist eines der
bezeichnenden Wörter für Anton Ulrichs Lebensgefühl. Lust ist es, was seine
Menschen im Grunde von der Natur erwarten und fordern". — Vgl. dazu
jene Szene, in welcher Dison den Landschaftsstreit entscheidet, indem er
„Syrien mehr pracht / Ninive mehr macht / und dem gebirge Seir mehr lust"
(A I 494) zuschreibt.
[227] W. *Flemming*, Naturgefühl S. 63.

Dem Gesamtblick der einführenden Sätze (Z. 1–3) folgen die Teilblicke des weiteren Weges[228]: Blumenbeete, Teich, Spaziergänge, Fernblick bis zum Brunnen: „Räumliche Vorstellungen liefern das gliedernde Prinzip."[229]

Die Beschreibung an sich, und damit gelangen wir von der kulturhistorischen Parallele wieder zum Problem der künstlerischen Gestaltung, ist keine objektive Bestandsaufnahme, sondern eine ständige Projektion der einzelnen Phänomene des Gartens auf die *Erzählperson*. Primär also nicht Anschaulichkeit der Erscheinungsformen, sondern vielmehr psychische Wirkung auf Aramena. Alles Geschehen und Sein bei Anton Ulrich, die ganze Natur ist auf den Menschen bezogen. Diesen Eindruck des *Wirkungsstiles* vermittelt auch die besondere Sprachform.

Die einzelnen Phänomene des Gartens sind in Bewegung erfaßt; Aramena kommen die Elemente der Natur sozusagen entgegen, als sie diesen Lustgarten durchwandert: Z. 4: „entfinge sie", Z. 5: „entgegen fürete" ..., Z. 5: „anhauchte", Z. 14: „öffneten sich ihnen ...", Z. 15: „bäumgipfel in die luft schicketen", usw. Andere Sprachformen des *Wirkungsstils* gestalten die psychischen Eindrücke auf Aramena: Z. 1: „ergetzete", Z. 2: „annemlich angebauet", Z. 3: „den augen alle ergetzlichkeit gaben", Z. 5–6: „aufs lieblichste damit anhauchete", Z. 12–13: „die fische lustig spieleten", Z. 19: „welches dann den augen die angenemste entfernungen vorstellete", Z. 21: „ergetzte ...."

Dynamische und psychische Wirkung belegt die Sprachform in ihrem Ineinander der Gestaltungszüge von Bewegung und Annehmlichkeit.

d. Beschreibung von Bauwerken und Interieurs

Die in diesem saal rund ümher an den wänden gestellte bänke / waren künstlich aus Elfenbein geschnitten / und stunden alle auf übergüldten füßen.

Der boden / mit dem hellsten geschliffenen marmor beleget / wider bildete das ganze gemach / als ein spiegel.

An beiden seiten des saals sahe man zween brunnen / die ein kaltes wasser in die höhe warfen / und mit angenemen geplätscher wieder aufffingen: wodurch nicht minder die ohren / als durch dem köstlichen bau / künstlich-hereingeleitete winde / und den überaus-angenemen geruch / die andere sinnen ergetzet wurden.

---

[228] „Der Ausgangspunkt ... gewährt den Überblick und betont damit die Einheitlichkeit der Anlage ... Ebenso ordnet sich dort dem Rückblickenden das inzwischen Gesehene zu sinnvoller Einheitlichkeit. ... Zwischen diesen beiden Überblicken erstreckt sich nun die eigentliche Handlung. Immer wieder gibt es etwas anderes zu sehen, stellt sich Neues zur Beschauung dar." (S. 63) — Die Übereinstimmung zwischen W. *Flemmings* Interpretation barocker Gärten und Anton Ulrichs Darstellung ist — der Gliederung nach — frappierend.

Hinter diesem brunnen waren zwei verborgene kleine zimmer / auch sehr
herrlich zugerichtet: darinn man schlaffen kunte / und also das gesäusel des
wassers nahe bei sich hatten / den schlaf üm so viel angenemer zu machen.
Weil die schöne Königin dieses gebäu nicht gnug bewundern können..."
(A II 487)

Die gestalterische Übereinstimmung zwischen Landschafts- und Interieursbeschreibung ist erstaunlich. Wohl treffen sich beide motivisch im
Ideal des *angenehmen Ortes* (etwa: angenehme Kühle, plätschernde Brunnen, Fehlen der Sonnenbestrahlung, Fächeln des Windes, Vielfalt der einzelnen Phänomene). Als vordringlicher Gestaltungszug wird wieder die
Wirkung des Ortes auf die Beobachter sprachlich Gestalt. Den Rahmen
durch die stereotype Bewunderung nennen wir zuerst. Schon beim Gesamt-
überblick folgt die konzentrierte Wirkung („alle sinnen einnemen und
ergetzen"). Von allen Seiten weht kühler Wind und macht den Raum
angenehm und durch Blumenduft wohlriechend. Zwei Brunnen plätschern,
die Ohren und andere Sinne werden durch dieses Wunderwerk ergötzt.
Die innere Gliederung ist wie bei der Personenbeschreibung selektiv, was
besonders Willi Flemming (Naturgefühl S. 63) als barocke Eigenart erkannt hat. Das repräsentative Moment vertreten die Edelsteine und Gemälde (Motiv aus dem spätgriechischen Roman). Farbreflexe und Kristall-
spiegelungen (Boden) kommen besonders zur Geltung. Man glaubt, die
spezielle Liebe des Herzogs für solche Dinge hinter der Beschreibung zu
spüren. Sein lebhaftes Interesse an Architektur und Innendekoration ist
vielfach belegt. Seinen Gestaltungswillen zeigte auch sein Lustschloß Salzdahlum, von welchem heute leider nichts mehr erhalten ist.[230]

Das pracht-aussehen der herrlichen gebäude / die in großer anzahl diesen
weiten platz in die vierkante ümschlossen / war so verwunderbar / daß nichts
schöners mogte gesehen werden. (A II 217)

Dieser willkürlich aus dem Text genommene kleine Passus scheint mir
ein Paradigma zu sein für die wichtigsten Elemente von Anton Ulrichs beschreibender Sprachform. Er bietet die gleichen Strukturzüge wie die Gar-
ten- und die Interieursbeschreibung, obwohl er im Kontext nur einen
knappen Hinweis auf den szenischen Hintergrund bildet:
Die anschaulichen Elemente („gebäude, weiter platz, vierkante") werden
von solchen der Wirkung auf den Beschauer und der Repräsentation durchdrungen. Der Wirkung entsprechen die Wendungen („pracht-aussehen,

---

229 *W. Flemming*, Naturgefühl S. 63.
230 „Schön' bezeichnet für diese Epoche keinen Grundwert, sondern nur einen
erfreuenden Sinnreiz materieller Art. Das ästhetisch Angenehme wird ‚lustig'
genannt". (*W. Flemming*, Naturgefühl S. 52). — Vgl. etwa: „... zu dem
ende sie sich gesamt zu wagen sezten / und ihren weg durch das lustige thal
vor Samosota / namen..." (A V 130).

verwunderbar"), während „herrlich" eindeutig der Repräsentation zugehört. Fülle („in großer anzahl") und Steigerung („daß nichts schöners mogte gesehen werden") ergänzen die sprachlichen Gestaltungsformen. Das wichtige selektive Moment kommt als Gliederung wegen der Kürze hier nicht zum Ausdruck. Funktional eignet der Beschreibung bei Anton Ulrich kein künstlerischer Selbstwert. Sie ist wesentlich auf den betrachtenden Menschen bezogen. Deshalb tritt die sachliche Darstellung in der Gestaltung hinter der Wirkung zurück.

4. Die Briefe im höfischen Barockroman

Die wörtliche Wiedergabe von fiktiven Briefen[231] in der erzählenden Literatur des 17. Jahrhunderts ist nicht nur im höfischen Barockroman üblich. Johann Beer etwa bringt in seiner Willenhag-Dilogie 29 an der Zahl, was Jörg-Jochen Müller neuerdings als „häufiges Auftreten" (S. 57) bezeichnet und in der Ich-Haltung des Erzählers begründet sieht. Umfangmäßig entsprechen dieser Relation aber die ca. 80 Briefe der ‚Aramena' des Anton Ulrich ziemlich genau, so daß der Quantität hier wenig Aussagewert beizumessen ist. Der Brief erfreute sich im Jahrhundert des Barock eben uneingeschränkter Beliebtheit, auch als Medium erzählerischer Gestaltung. Unsere Fragestellung zielt wieder weniger auf inhaltliche Kriterien (wie etwa Liebesbriefe, politisch-diplomatische, repräsentative, verleumderische, intrigante usw.), weil sich diese thematischen Möglichkeiten vielfach durchdringen und keinerlei wirksame Differenzierung bieten.

Aufgrund der allgemein distanzierenden Stilhaltung der typischen Wertung kann man in den Briefen dieser Romane keine psychisch-individuell gefärbte Diktion erwarten. Nicht einmal im — eigentlich intimen — Bereich des Briefes verliert die höfische Romanperson ihre Normhaltung. Deshalb ähneln diese Briefe einander in der Sprachform weitgehend. Inhaltlich gleiche könnten theoretisch ohne Bedenken füreinander eingesetzt werden. Das weist schon auf eine wesentliche Einstellung des erzählenden Dichters. Er hat im Brief die typische Ausdrucksform einer typischen Verhaltensweise oder eines typischen Zustandes in Sprache gesetzt. Ton und Diktion entsprechen bruchlos der hohen Stillage des ganzen Romans. Gleichförmigkeit

---

[231] Vgl. methodisch und sachlich dazu M. *Waller*, Wickrams Romane in ihrer künstlerischen Entwicklung unter besonderer Berücksichtigung der Briefe. In: ZfdPh 64 (1939), S. 1—20.

und Unpersönlichkeit sind ihre vordringlichen Kennzeichen. Ein Beispiel mag Stil und Sprachform veranschaulichen, Schreiber und Empfänger dieses Briefes sind Geschwister:

Schreiben des Königs Belochus von Assyrien / an seine Schwester die Königin von Tyro.

Herzliebste schwester! Ich sende hiemit zu euch / den Prinzen meinen sohn / den mich die gütigkeit des himmels wieder sehen lassen / nachdem sie ihn in der gefahr des Ophirischen kriegs behütet. Wolten die götter / daß es gleichermassen dem König eurem sohn ergangen wäre!

5 Nun aber der unerforschliche himmels-schluß ein anders verhänget / als unterstehe ich mich / in des Amraphels stelle euch den Baleus zu geben: den ich neben mir für glücklich achten werde / wann er die kron von Elam / mit der Lantine / eurer tochter / durch euer beider gütigkeit / erlangen kan. Habt ihr iemals euren bruder geliebet / so erweiset es hierinnen: dadurch

10 ihr die aufname meines reiches / und meine einige ruhe / befördern werdet.

Wann ich mit hülf der götter / innerhalb wenig wochen euch selber / liebste schwester! sprechen werde: sol sich eure verwunderung hierüber stillen /

14 warum ich die Lantine für die Delbois erwehle. Immittels haltet diese schöne in Damsco auf / und last nichtes ermanglen / Syrien ihr angenem zu machen.

17 Ich versichere euch nochmals zum überfluß / daß eures bruders leben an dieser sache hanget: werdet ihr also die so eiferig befördern / als lieb

19 euch ist euer bruder

Belochus König von Assyrien (A II 407—408)

Titel und Inhalt aller Briefe im Romanwerk Anton Ulrichs heben sich durch Schriftgröße und Typenvariation vom übrigen Kontext ab. Damit löst sich der Brief schon optisch als epische Sonderform aus dem Erzählablauf. Das mag die repräsentative Auffassung spiegeln, welche der Schreiber sich und dem Empfänger gegenüber zur Schau trägt. Wir wollen die gedankliche Struktur, die Besonderheiten der Sprachform und die epische Funktion der Bauform *Brief* an diesem konkreten Beispiel betrachten.

Die gedankliche Struktur (in Schritten): 1. Ich sende Euch meinen Sohn, der heil aus dem Kriege kam (Prämisse 1). 2. Bedauerlicherweise nicht Euer Sohn (antithetische Prämisse 2). Mein Sohn soll durch die Heirat mit Eurer Tochter König von Elam und damit auch Euer Sohn werden (Conclusio aus den Prämissen 1 und 2). 4. Mir liegt sehr viel an dieser Angelegenheit (rätselhafte Beteuerung des Briefschreibers). 5. Warum ich Lantine statt Delbois für ihn wähle, will ich Euch bei unserem baldigen („innerhalb wenig wochen") Zusammentreffen erklären (Aussicht auf Eröffnung der geheimnisvollen Gründe als epische Vorausdeutung). 6. Kümmert Euch inzwischen um Delbois. 7. Nochmalige Versicherung: Mein Leben hängt an dieser Angelegenheit, also handelt nach Eurer Liebe zu mir (zusammenfassende und steigernde Aufforderung, dem Wunsche des Schreibers nachzukommen). Grundzüge der Sprachform: Ungeachtet des scheinbar herzlichen Beginns gebraucht Belochus durchlaufend das formellere *euch* statt des möglichen *du*. Die Staatsursache des Inhalts mag, trotz des offensichtlich persönlichen Engagements, die öffentliche Form bedingen. Ihr entspricht auch die sprachliche Charakterisierung der anderen Familienmitglieder: Z. 2: „den Prinzen meinen sohn": Z. 4: „dem König eurem sohn." In stilistischer Parallele wird die verwandtschaftliche Bezeichnung dem aristokratischen Titel untergordnet. Das Gottesgnadentum des herrscherlichen Sprechens belegt der ständige Bezug auf Gott: Z. 2: „die gütigkeit des himmels", Z. 3: „Wolten die götter", Z. 5: „der unerforschliche himmels-schluß", Z. 12: „mit hülf der götter." Die in bezug auf barocke Briefe vielgeplagte ars oratoria tritt bei der sprachlichen Durchführung dieser Gedankenstruktur nicht markanter zutage als bei Anton Ulrichs üblicher Erzählprosa hohen Stils. Die Syntax ist von ausgewogener Einfachheit und rationaler Klarheit. Der geringe Grad uneigentlicher Redeweise muß im Jahrhundert der Metapher und Allegorie als schlicht empfunden werden. Die typisierte Grundhaltung des engagierten Schreibers, dessen Leben toposhaft an dieser Angelegenheit hängt, kommt adäquat zum Ausdruck, denn eine Romanperson bemerkt: „ . . . die art / wie er E. Maj. schreibet / gibt zu erkennen / es müße etwas großes für-seyn" (A II 409).

Funktional gesehen gehört das Beispiel zu den handlungsfördernden Briefen. Es schafft eine plötzlich neue Situation und überläßt den Leser wie die Romanpersonen dem Spiel eigener Vermutungen und Kombinationen, um deren Gründe zu klären. Belochus ist seit Beginn des Romans der eigentliche Förderer einer Vermählung zwischen Delbois und Baleus. Dieser Brief zerstört also plötzlich ein sicheres Modell der Komposition aus vorerst unerklärlichen Gründen. Sein Reiz besteht darin, daß die eigentlich Betroffenen (Delbois, Baleus, Lantine) weder Schreiber noch Empfänger sind. Das rückt ihn schon rein instrumental in den Bereich der höfischen Intrige. Die Erklärung dafür erhält der Leser und die entscheidende Romanperson [die Titelheldin *Delbois* (= Aramena)] erst an einem späteren Höhepunkt des gesamten Enthüllungsprozesses. Abimelech offenbart seiner Geliebten, daß sie nicht die Tochter des Belochus sei, er kennt aber ihre wahren Eltern nicht (A II 630). Damit ist die erste Stufe der wahren Abstammung dieser Königin enthüllt. Sie bildet eine Voraussetzung für das Verlangen des Belochus in obigem Brief. Durch diese Entdeckung hat sich der assyrische König in seine Nichte (wie er schon weiß!) verliebt, in der ihm seine einstige Geliebte, ihre Mutter Philominde, wiederersteht. Deshalb will er seinen Sohn als Nebenbuhler ausschalten. Von A II 407—408 bis A II 627 ff. unterliegen Romanpersonen und Leser völliger Ungewißheit in bezug auf dieses Faktum. Dadurch müssen sie notwendig dem Irrtum und der Täuschung über jegliche Konsequenzen aus dem neuen Tatbestand ausgeliefert sein. Das Modell des medias-in-res (= Belochus' Brief) eröffnet einen gewissen Spannungsbogen bis zur Aufdeckung der Gründe von Belochus' neuem Verhalten. Politisches Geschehen bildet dabei den Vorwand für erotisches Verlangen. Die Autorität des Herrschers korrigiert aus eigenen triebhaften Erwägungen das Plansystem der Staatsheiraten seiner Kinder. Belochus' triebhafte Liebe zu Philominde hat zur zentralen Verwirrung dieses Romans geführt. Er hat Syrien besiegt. Aramenes ist gefallen, und Philominde ist bei der Geburt ihres letzten Kindes gestorben. Die drei Kinder von Aramenes von Syrien sind verschollen. Als dem eigentlichen Bösewicht Belochus nun in seiner Nichte die Jugendgeliebte wiederersteht, setzt er sofort zur Intrige an, welche die weiteren Handlungszüge bis in den vierten Band des Romans hinein bestimmt. Der formell-repräsentative Brief stellt in den Händen Anton Ulrichs also kein rhetorisches Muster dar, sondern ein intensiv integriertes Spannungs- und Handlungsphänomen. Er ist mit genauem Absehen auf die *Ausschnitte* von Leser und Romanperson(en) in der Komposition des Ganzen verankert.

Häufig ist dabei die Handlungsförderung mit der Täuschung verbunden. Diese kann beim Wechsel des Briefes vom Schreiber zum Empfänger willentlich in der Informationsabsicht liegen, sie kann aber auch unwillentlich durch den Eingriff fremder Intriganten erfolgen. Ein Paradebeispiel für die intrigante Verwendung eines fremden Briefes gestaltet Anton Ulrich im zweiten Band der 'Aramena'. Delbois schreibt Baleus wohlmeinend einen Brief in den Krieg, um ihm in seiner Liebe zu Eldane zu helfen. Dieser wird vom assyrischen Hofe abgefangen und von Dalimire, der Mätresse des Belochus, gefälscht (die unveränderten Teile sind kursiv gesetzt):

A Delbois' Brief

Dalimire wird *beständig* von dem König *geliebet / und betrachtet sie weder* die Königin / *noch mich / noch ihren guten namen / so unrechtmäsige liebe auszuschlagen.*

B Dalimires Fälschung

Eldane ist nicht *beständig* / weil Abdeel sie *liebet: und betrachtet sie / weder* den Baleus / *noch mich / noch ihren guten namen / so unrechtmäsige Liebe auszuschlagen.*

Ihr müsset aber ihrer iezt in Ophir vergessen / damit keine widrige gedanken euer gemüte beschweren: welches euch hintern könte / dapfere helden-thaten zu verüben.[232]

Ich bin es *nicht allein / die den Himmel anruffet / für eurer wolergehen:* ihr *wisset /* weme mehr an den Prinzen *Baleus gelegen ist /* daß er sieghaft *bald wieder in Babel* sich *sehen* lasse.
(A II 151)

Ich ware es *nicht allein / die den himmel anruffet / für euer wolergehen.* Doch *wisset /* ob der Eldane nichts mehr am *Baleus gelegen ist /* daß ich / euch *bald wieder in Babel* zu *sehen /* verlange.
(A II 152)

---

[232] Dalimires Fälschung im sprachlich identischen mittleren Satz zeigt kleine Abweichungen, die auf Kosten des Setzers gehen können: „aber" ➤ „eben", „euer" ➤ „eur" und „hintern" ➤ „hinteren".

Die funktionale Sprachform dieser raffinierten Brieffälschung reiht Anton Ulrich unter die Manieristen seiner Zeit. Das Spiel der minutiösen Abweichungen ist intellektuell reizvoll. Zudem stimmen die Änderungen mit später näher zu beschreibenden Prinzipien von Anton Ulrichs Gestaltungsweise überein. Sie beruhen in ihrem Wesen auf dem Ersatz einer modellhaften Konstellation durch eine andere. Das erste Modell entspricht der Wahrheit und ist für den Empfänger glückverheißend, das zweite wird von politischer Intrige verzerrt und stürzt ihn in Verzweiflung. Drei syntaktische Gebilde genügen dem Dichter in subtiler Variation zu diesem Komplott. In A liebt Dalimire den König in unrechtmäßiger Liebe, ohne die Königin zu beachten. Dieses Modell ersetzt Dalimire durch das unwahre von Eldanes Liebe zu Baleus' Rivalen Abdeel. Die Sprachform bleibt weitgehend gleich, nur die Personen werden nach folgender Gleichung ausgewechselt: Dalimire = Eldane, König = Abdeel, Königin = Baleus. Die Parallelität des Triangelmodells dient der Intrige und gilt nach dem Prinzip der menschlichen Beziehungen doppelt; A = Mann zwischen zwei Frauen, B = Frau zwischen zwei Männern. Der zweite Satz des Briefes ist identisch belassen, weil kein sprachlicher Bezug auf die parallelen Modelle erfolgt. Der dritte dagegen unterliegt wieder demselben Schema des Personenersatzes. Damit wird auch die dezente Liebesandeutung (A) durch die eindeutige Liebesabsage (B) ersetzt. Wieder bleibt das syntaktische Schema unangetastet. Ein erzählerischer Vorgang erscheint somit als manieristische Form episch integriert. Die Sprachform A wird durch eine willentliche Intrige korrigiert; dadurch macht sich der Gegner die Mitteilungsfunktion des Briefes in der Sinnesumkehr B politisch zunutze.

Der Weg der Briefe im höfischen Barockroman ist demnach nicht nur abenteuerlich wie das Schicksal ihrer Schreiber und Empfänger, sondern ebenso von Gefahren bedroht. Oft gerät er Unbefugten oder Feinden in die Hände wie in diesem Beispiel. Manches Schreibers Absicht kann so ins Gegenteil verkehrt werden. Die Funktion der handlungsfördernden Briefe unterliegt eben auch den Gesetzen dieser labyrinthischen Welt, welche die launische Fortuna beherrscht. Rascher Wechsel von Wollen und Erfolg dient vordergründig der Spannung, hintergründig aber der abschließenden Verherrlichung der göttlichen Vorsehungs-Ordnung.

Einen erzähltechnischen Aspekt müssen wir, gemäß unserer Sehweise, beachten, nämlich die Stellung des immanenten Lesers zur Art des Mitteilungswertes solcher Briefe. Zwei unterschiedliche Grundformen zeichnen sich dabei für uns ab. Der Leser wird einmal gleichermaßen wie die Romanperson von der überraschenden Mitteilung eines Briefes betroffen (etwa A II 407—408); sein *Ausschnitt* deckt sich mit dem der Romanperson. Ist dies nicht der Fall, so kennt der Leser bereits die Fakten eines solchen Briefes. Dann aber registriert er aufgrund seines größeren *Ausschnittes* aus gewisser Distanz die Verwirrung der Betroffenen und vor allem ihre Versuche, die ihm längst bekannten Gründe eines solchen Umschlages richtig oder falsch zu lösen. Obwohl Anton Ulrich Umsturz und Überraschung als Handlungsmomente liebt, wird doch der Leser selten in den unmittelbaren Strudel der Ereignisse mit hineingerissen. Er beobachtet mittelbar und kann anhand der Darstellungsweise richtig werten. Neben der handlungsfördernden Funktion der Briefe kennt der höfische Barockroman eine illustrativ-ornamentale und eine vorbildlich-typisierende. Die erste Gruppe entfaltet sich in besonderem Maße bei Autoren, welche die erzählerische Integration nicht so intensiv durchführen wie Anton Ulrich. Briefe, die sich als Muster guten Stiles funktional erschöpfen, finden sich in seinen Romanen nicht. Die Möglichkeiten seines Ausdruckswollens schienen damit auch nur oberflächlich erschöpft.

Wesentlicher für Anton Ulrich ist die Typisierung eines bestimmten psychischen Zustandes oder einer zwischenmenschlichen Entscheidungssituation. Auch diese epische Sonderform zielt auf die Errichtung eines idealen Menschenbildes. Die Kontrastwirkung verlangt hier allerdings auch das höfische Gegenbild, das manche Briefe typisieren. Falsche Urteile werden über solche Briefe dann gefällt, wenn man sie — im Sinne späterer Literatur — als Ausdruck intimer psychologisch-individueller Vorgänge oder Zustände deuten möchte.

Die Briefe im zweiten Band der ‚Aramena‘ (19 an der Zahl) gliedern sich in drei Gruppen:

1. A II 113 (zwei), 115 (zwei) und 116 (einer). Sie alle beziehen sich auf das Triangel-Modell: Delbois — Abimelech — Baleus.

2. A II 696 (einer), 697 (einer), 699 (einer), 704 (einer) und 727 (einer). Diese beziehen sich auf das Triangel-Modell: Delbois — Abimelech — Coelidiane.

3. Einzelbriefe verschiedener Personen meist handlungsfördernden Charakters.

Den beiden ersten Gruppen liegen Liebeskonstellationen zugrunde, die modellhaft durch das Ereignisgeflecht des gesamten Romans hindurch in Variationen abgehandelt werden. Beide erhalten durch die Prominenz der beteiligten Personen großes Gewicht. Delbois ist die Titelheldin, die Abimelech (ihr späterer Bruder Aramenes) liebt. Ihr vermeintlicher Bruder Baleus (eigentlich ihr Vetter) stört sie durch seine Liebesanträge, die beider vermeintlicher Vater Belochus anfänglich unterstützt. Coelidiane, ein weibliches Tugendbild und die spätere Gattin Aramenes‘, glaubt in aller Unschuld Abimelech lieben zu dürfen. Wie verhalten sich Delbois und Abimelech in solchen Situationen? Diese Frage, an der alle zeitgenössischen Leser interessiert waren, wird in typisierten Episteln beantwortet. Schreiben und Antwortschreiben ergänzen sich in der vorbildlichen Lösung eines Problems. Wir greifen Gruppe 1 als Illustration der vorbildlich-typisierenden Brieffunktion heraus. Die Briefe unterliegen in Haupthandlung und Lebensgeschichte gleichen Gesetzen; unsere Beispiele der Gruppe 1 entstammen nämlich zur Gänze der ‚Geschichte der Königin Delbois und des Prinzen Abimelech' (A II 91—175). Die ganze Gruppe stellt die raffinierte Verdoppelung einer Korrespondenz (= Brief + Antwortbrief) dar, wobei die Rivalen an die gleiche Geliebte schreiben und von ihr je einen Antwortbrief erhalten. Die Schreiben des Baleus (A II 113) und des Abimelech (A II 113 f.) werden dem Leser ebenso in vollem Wortlaut mitgeteilt wie die zwei Antwortschreiben der Delbois (A II 115). Die umworbene Dame steht in einer Entscheidungssituation, die sich im Kontrast der Briefe dem Leser eindringlich zeigt. Baleus bekennt ihr seine Liebe und begründet sie mit dem für Damen ihres Standes verlockendem Angebot der herrscherlichen Vereinigung von Assyrien und Ninive. Der Brief entspricht dem Verhalten des höfischen Tugendkodexes, denn Baleus gehört zu den vorbildlichen Prinzen. Seine Werbung ist von diesem Aspekt her verlockend, aber sie wird kontrastiert von Abimelechs Werbung. Diese besteht ebenfalls in einem maßvoll gedämpften Liebesbekenntnis, aber ohne jeglichen politischen Bezug. Es kommt ihm also, sogar im Rahmen der Typisierung, der Charakter größerer Intimität zu. Zwischen beiden Liebesbekenntnissen muß die tugendhafte Delbois nun entscheiden und unterscheiden. Als Typ steht Baleus für die Standesheirat aus Staatsursachen, Abimelech dagegen für die reine Liebesheirat. Daraus erst läßt sich die Funktion dieser Briefe und der Antwortschreiben der Königin erkennen.

Dem Baleus antwortet sie, indem sie geschickt auf seine zwei wesentlichen Äußerungen eingeht. Seine unbrüderliche Liebe weist sie mit dem Bekenntnis echter schwesterlicher Zuneigung zurück. Seine politischen Prospekte macht sie durch den Wunsch für das Wohlergehen ihrer beider Frau Mutter zunichte, die jetzt noch den Thron in guten Händen habe. Mit korrekteren und höflicheren Argumenten ließe sich dieser Brief kaum beantworten. Das Gedankenschema des Schreibers und der darauf bezogenen Antwort ist typisiert, nicht aber im Sinne eines starren Schemas, sondern gewissermaßen aus der epischen Situation heraus.

Die Antwort an Abimelech verknüpft Delbois mit dem Briefwechsel an Baleus. Sie erteilt nämlich dem ergeben Liebenden den Befehl, ihrem Bruder die Liebe durch die Bekehrung auszutreiben. Denn nach dem wahren Gottesglauben könnten Bruder und Schwester nicht heiraten, nur nach dem assyrischen Gesetz. Selbst das Bekehrungsmotiv, das bei Anton Ulrich keine geringe Rolle spielt, erscheint integriert und nicht so penetrant moralistisch wie bei Bucholtz. Dort gehört es gewissermaßen zu den stereotypen Voraussetzungen für eine Heirat, daß sich der eine Teil erst zum wahren Glauben bekehren muß. Bei Anton Ulrich ist der Bekehrungsvorgang meist intensiv mit den Liebesbeziehungen verbunden und menschlicher gesehen. So verklammert etwa in Delbois Brief an Abimelech die Formulierung („in und aus meinem herzen") die beiden Vorgänge rhetorisch und kausal miteinander. Stil und Syntax sind schlicht und von klarer Gedankenführung.

Der zusätzliche Brief an Abimelech (A II 116) gibt dem Herzen schon rein äußerlich den Vorzug vor der unerwünschten Staatsheirat. Er ist handlungsfördernd; Delbois bittet darin ihren Geliebten, er möge sie von den Nachstellungen des Ninias befreien. Dazu kommt es in der Turnierszene, die wohl wieder einen Verwirrungskeim enthält, indem eben „zwei frömde ritter" hier plötzlich auftauchen. Der Brief weist also auf einen Handlungszug voraus, Anton Ulrichs Parallelmotivierung läßt diesen aber wieder der Rätselhaftigkeit verfallen. Dieser Briefwechsel dient der Verherrlichung maßvoller Klugheit und fraulicher Zucht. Vornehm stilisiert die gepflegte Sprachgebung das vorbildliche Verhalten der Titelheldin in einer als typisch erkannten Situation: Zwei Bewerber gestehen einer Frau ihre Liebe, und eigentlich weist sie beide in die Schranken des Erlaubten zurück. Die Regeln liefert die höfische Atmosphäre: Erlaubt ist, was sich ziemt.

Die Briefe in Anton Ulrichs Romanwerk stellen also weder stilistisch noch funktional fremdkörperartige Eigengebilde dar. Weder verschnörkelte rhetorische Figuren noch eine wuchernde Syntax bestimmen ihre Sprachform, eher die schlichte Vornehmheit einer rational gebändigten Ausdrucksweise. Sie dienen der Errichtung des höfischen Tugendideals (oder seiner Kontrastierung durch den Gegentyp). Sie formen vorbildliches Verhalten in typischer Situation oder typischer Entscheidung. Diese Typisierung wird weitgehend unterstützt durch die modellhafte Gestaltung der Handlungsstrukturen. Anton Ulrich läßt die Briefe nie zu epischen Sonderformen mit musterhafter Selbstgenügsamkeit werden, er integriert sie vielmehr ins Handlungsgefüge (handlungsfördernde Briefe) oder macht sie der Stilisierung und Wertung seines Menschenbildes (vorbildlich-typisierende Briefe) dienstbar. Die Häufigkeit ihrer Verwendung übersteigt nicht das zeitgenössische Normalmaß; sie bilden demnach kein hervorstechendes Strukturmerkmal seiner Werke, aber auf alle Fälle einen Strukturzug, der sich den anderen im Zusammenspiel der künstlerischen Kräfte als strukturbildende Form zuordnet. Sprachform und Funktion der eingelagerten Briefe fügen sich demnach harmonisch in den künstlerischen Gesamtplan seiner Romane.

Bleibt also die Frage offen, ob die Briefe in den anderen höfischen Barockromanen grundsätzlich noch andere Formen oder Funktionen haben; oder ob sie nur bei Form- und Funktionsänderungen sich dem vielleicht andersartigen Gesamtplan des jeweiligen Romans unterordnen.

Ein zeitlicher Rückgriff wird uns wieder die traditionellen Formen schärfer erkennen lassen. Barclay verwendet in seiner ‚Argenis' auch Briefe und bestätigt damit erneut seine direkte formale Abstammung vom spätgriechischen Liebesroman. Vor allem das schriftliche Dokument als glaubwürdige Lösung eines zentralen Spannungsknotens gestaltet er im Beleg über die überraschende Abkunft einer der Hauptpersonen. So läßt schon Heliodor in seiner ‚Aithiopika' die Haupheldin Chariklea durch die geheimnisvolle Inschrift (Mischung aus Brief und Orakel) auf ihrem Stirn-

band und das Andromedabild ihre Abstammung vom äthiopischen Königs-
hause beweisen (S. 291–294).[233] Ähnliche Funktion erfüllt in der ‚Argenis‘
der von einem Herold öffentlich verlesene Brief der Königin Hyanisbe von
Mauretanien (S. 1030–1036). Als knappe Zusammenfassung eines ganzen
Handlungsstranges enthüllt er die Abstammung des Archombrotus und
löst damit die Spannung zwischen den zwei Rivalen, indem sich einer als
der leibliche Bruder der von beiden Umworbenen herausstellt.[234] Das
gleiche Modell bestimmt die Personenkonstellation der Hauptpersonen in
der ‚Aramena‘. Endlich kann hier *Cimber* (= Marsius) seine geliebte
Delbois (= Aramena) heiraten, weil sich ihr langjähriger Bewerber und
Geliebter *Abimelech* als ihr leiblicher Bruder Aramenes entpuppt. Neben
dem schon genannten Armband bestätigt zudem noch ein Brief seiner
Wärterin Andagone (A IV 689) seine syrische Abkunft und unterstreicht
die Inschrift auf dem Band. Dieser Brief steht mit einem anderen derselben
Schreiberin in nicht unbedeutendem Zusammenhang (A IV 512). Wieder
wird daraus Anton Ulrichs Einfallsreichtum in der Ausgestaltung und
Funktionalisierung eines traditionellen Motivs im Dienste der Spannung
deutlich. Dieses andere Schreiben (A IV 512) langt als zerbrochenes Täfelchen bei Abimelech an, als er sich eben mit Aramena vermählen will:

Schreiben Der Prinzessin Andagone an den Prinzen Abimelech

So höchstnötig ich euch selber sprechen mögen.
ist es mir iedoch wegen ietziger unsicherheit . . .
ich euch durch diese zeilen wissen / daß ihr . . . . .
mit der Aramena von Syrien nicht vollziehen . .
dieser Königin . . . .
Aramenes von Syrien gehabt . . . .
euch zu bergen und glaubet . . . .
unwarheit euch berichten wil . . . .
verlanget . . . . /
(A IV 512)

In bezug auf die wichtige Mitteilung dieses Briefes sind der *Ausschnitt*
von Leser und Romanperson identisch. Beide unterliegen gleichermaßen
der Spannung, die er erregt. Das Täfelchen ist dergestalt zerbrochen, daß

---

[233] Im Rahmen der Beweise für die rechtmäßige Herkunft des Aramenes von
Syrien in der ‚Aramena‘ wird ebenfalls eine Art von Armband verwendet.
Dieses trägt eine heimliche Inschrift, die nur lesen kann, wer das Armband
zu öffnen vermag. Die Inschrift lautet: „Trage dieses band / zu deines vatters
Aramenes gedächtnis: bis dir der himmel dermaleins gönnet / dessen reich
einzunehmen“ (A IV 688). Dieses Band hatte der König von Syrien persönlich dem kleinen Abimelech in Gerar geschenkt, ohne daß dieser weiß,
daß er es von seinem Vater erhalten hat. — Dieses Motiv gleicht jenem
Stirnband der Chariklea weitgehend in Form und Funktion.
[234] Viele von Barclays kompositionellen Motiven tauchen bei Anton Ulrich
wieder auf. Häufig verdoppelt er sie auch in Parallele und Kontrast.

es wohl vor dem Vollzug dieser Hochzeit warnt, die eigentlichen Gründe dafür aber zu diesem Zeitpunkt noch geheimnisvoll bewahrt. Anton Ulrich übernimmt das traditionelle Briefmotiv, denn Andagone befindet sich in der Fiktion weit vom Ort der geplanten Vermählung entfernt. Durch einen einfallsreichen Trick macht der Dichter das Schreiben seiner Spannungs- struktur dienstbar und spart sich die Enthüllung noch ca. 180 Erzählseiten lang auf. Der Brief stellt also keine Lösung eines Handlungsknotens, son- dern vielmehr einen bedeutsamen und sehr wirksamen Verwirrungskeim dar.

Erst der Brief (A IV 689) enthüllt Abimelech das Rätsel seiner Geburt. Er entspricht jenem Hyanisbes in der ,Argenis', der die parallele Rivalität (Archombrotus-Poliarchus / Abimelech-Cimber) um die Titelheldin durch den gleichen Verwandtschaftsbezug löst. Barclay leitet damit das Finale seiner Romankomposition ein, während Anton Ulrich nur auf das Schein- finale des vierten Bandes hinführt. Der fünfte Band ist relativ unabhängig davon durch Mißverständnisse und Identitätsprobleme zwischen dem zentralen Liebespaar strukturiert. — Auch der Titelheldin Delbois (Ara- mena) wird ihre Herkunft durch Briefe ihrer Mutter Philominde und ihrer Tante Naphtis enthüllt und zugleich bestätigt (A III 466 f.). Wir wollen diese Funktion des abschließenden[235] Briefes nicht weiter verfolgen, das Motiv ist in der Trivialliteratur aller Zeiten weit verbreitet und beliebt.

Daneben nimmt Barclay in seinem Roman noch folgende Briefe in vollem Wortlaut auf: Lycogenes an Poliarchus (S. 230), Alcee an Selenisse (S. 472), Radirobanes an Meleander (S. 614), Selenisse an Meleander und Argenis (S. 629), Argenis an Poliarchus (S. 666) und Hyanisbe an Hiemp- sal (= Archombrotus) (S. 773). Allen eignet mehr oder weniger kompo- sitionelle Funktion. Keine der Personen tritt dabei als besonders häufiger Briefschreiber auf, auch die Gesamtzahl der Briefe bleibt etwas unter der später üblichen Norm.

Lycogenes' Schreiben an Poliarchus (S. 230—232) zeigt den Brief als Instrument finsterer Intrige. Im Ton heuchlerisch, dient er der Handlungs- förderung und soll die Schuld am etwaigen Tode Poliarchs dem König Meleander zuschreiben. Diese Absicht wird allerdings nicht verwirklicht. Auch der zweite (S. 472) steht unter dem Aspekt der Täuschung. Der als Theocrine verkleidete Poliarchus soll dadurch in die Gesellschaft der Argenis kommen, was auch vollkommen gelingt. Radirobanes' Brief (S. 614—617) fällt aus der höfischen Stilisierung als bewußter Gegentypus heraus. Inhalt und Sprachform sind dem Stande nicht gemäß; er dient der typisierenden Charakterisierung des Rebellen. Bei Selenisses Abschieds-

---

[235] *Abschließend* gilt sowohl für das gesamte Spannungsgefüge wie auch für einzelne seiner Teilstrukturen.

brief, den sie „mit zitternden Händ und bösen Buchstaben" (S. 629) schreibt, handelt es sich um das Geständnis eines unverbesserlichen Böse-wichtes weiblicher Natur. Die alte Dienerin entleibt sich nach Abfassung des Schreibens gleich selbst. Auch ihr Brief dient kontrastierend einem ganz bestimmten Menschenbild. Selbstverständlich bildet auch der Liebes-brief der Argenis an den entfernten Geliebten Poliarchus (S. 666—669) im Bereich des deutschen höfischen Barockromans gewissermaßen eine Tradition aus. Er stellt eine Verbindung mit des Radirobanes (S. 614—617) und der Selenisse Schreiben (S. 629) her. Argenis muß sich nämlich gegen die Anwürfe des wütenden Bewerbers verteidigen. Er bietet zudem be-trächtlichen Mitteilungswert und vereint u. E. verschiedene Funktionen in sich. Er ist handlungsfördernd, handlungsverbindend und enthält vor allem in seinem verzweifelten Schlußteil eine typische Einstellung, die im höfi-schen Barockroman viel Nachfolge finden sollte. Argenis droht ihrem Ge-liebten mit dem Selbstmord, falls er sie nicht bald von den Nachstellungen des Radirobanes befreie. Ihr Vater wünsche weiter, daß sie Archombrotus in zwei Monaten ehelichen solle. In ihrer verzweifelten Vision sieht sie sich schon im Grabe. Diese Todesgedanken zwischen Liebenden kehren als typischer Ausweg vor einer erzwungenen Heirat im höfischen Roman häufig wieder. Die Bauformen, in denen sie gestaltet werden, können neben dem Brief noch Dialog und Monolog sein; man vergleiche etwa den verzweifelten Dialog zwischen Elieser und Ahalibama (A I 118—119). Dem Brief Hyanisbes an ihren Sohn Archombrotus (S. 773—775) eignet starker Mitteilungswert, und er ist als epische Vorausdeutung handlungsbestim-mend. Das Geheimnis, worüber sie mit ihrem Sohn vor seiner Heirat mit Argenis unbedingt sprechen muß, bildet eine Spannungsstruktur aus, die sich für den Leser erst in Hyanisbes abschließendem Schreiben an Melean-der löst (S. 1030—1036). Diese Zusammenhänge erinnern an die verzögerte Enthüllung von Aramenes' Herkunft durch das zerbrochene Täfelchen Andagones (A IV 512). Die Briefe sind also innerhalb des gesamten Span-nungsgefüges erzählerische Medien, die untergeordnete Spannungsbogen ausbilden. Sie sind meist intensiv in die epische Fiktion integriert und funk-tional handlungsfördernd oder handlungslösend. Form und Funktion der Briefe in der ‚Argenis weisen in innerer Affinität auf jene reicheren Funk-tionsmöglichkeiten und formalen Ausgestaltungen bei Anton Ulrich voraus.

Der vorherrschende Brieftypus in Andreas Heinrich Bucholtzens Roman ‚Herkuliskus' dagegen ist neben jenem des Untergebenen an den fürst-lichen Herrscher der im weitesten Sinne familiäre (S. 1290: an den Vater; S. 279: an Schwester und Base usw.). Einem familiären Brief in der ‚Aramena' (etwa A II 407—408, vgl. o. S. 196) eignet primär politischer Be-zug und kompositionelle Bedeutung. Bucholtz formuliert seine Briefe, ent-sprechend der bürgerlich-moralischen Lehre seiner Werke, im Sinne christ-licher Erziehungsmuster. Die Beispiele lassen oft eine einheitliche Sprach-form insofern vermissen, weil in ihnen eine gewisse Spannung zwischen höfisch-repräsentativem Wollen und privat-bürgerlicher Durchführung spürbar wird; sogar Züge des Kanzleistils formen an der Sprachgebung mit. Ein Beleg soll die wesentlichen Merkmale aufzeigen:

> Allerdurchleuchtigste Gn. Fr. Mutter; In was Gefahr der Allerhöchste mich Anfangs hat fallen lassen / und wie ganz gnädig er mich durch einen unbekanten treflichen Held / Nahmens Festus / davon wieder befreyet / solches wird mein Ritter Biorn zu Prag und in Teutschland zuerzählen wissen /
> 5 von dannen es meinen lieben Eltern schon wird zugeschrieben werden.
> Dann auch / wie bald darauf mein gütiger Gott sich meiner Dienste / zu Beschützung einer hochbedrängten verlassenen Fräulein hat wollen gebrauchen.
> Ich habe das Glük annoch nicht gehabt / meinen Oheim Fürst Herkuliskus
> 10 anzutreffen / wo nicht derselbe unter fremder Benennung meines Lebens Retter gewesen ist / welches von ihm zuerfragen / ich weder Zeit noch Kühnheit gehabt.
> Jezt halte ich mich in Griechenland / unfern Athen auf / habe mit Biorn schon Abrede genommen / an was Ort und Ende er mich wieder antreffen
> 15 sol / und ist meine kindliche Bitte an meine Herzliebe Eltern / Sie wollen mir gn. erläuben / mich noch ein oder ander Jahr in der fremde ümzusehen / hoffe alsdann / dieselben durch meine Gegenwart wider zuerfreuen / als welche nicht unterlassen werden / nebest anderen frommen Christen / mich in ihr tägliches Gebeht mit einzuschliessen / wie ich dessen
> 20 hinwiederumb werde unvergessen seyn.
> Meinen Gnäd. Herr Vater / auch herzgeliebten Bruder und Fräul. Schwester Kind- und brüderlich zugrüssen / von eurem gehorsamen ganz ergebenen Sohn Karl / ietzo Axel genant. (Herkuliskus S. 244).

Axel, eine der männlichen Hauptfiguren neben dem Titelhelden, schreibt wie ein kleiner braver Junge an seine Mutter. Er ersucht sie in seiner „kindlichen Bitte" an seine „Herzliebe Eltern" (Z. 15) um die weitere Erlaubnis, noch ein oder zwei Jahre in der Fremde herumstreifen zu dürfen. Erlebt man diesen von kindlichem Gehorsam erfüllten zarten Jungen im Kampfe mit Seeräubern, so ist sein Bild völlig gewandelt. Der wagemutige Haudegen kämpft bis zum Äußersten. Der kühne Ritter, der im Notfall seine Feinde reihenweise tötet, wird von Buchholtz in diesem Falle in einen gut erzogenen Braven verwandelt. Diese Diskrepanz zwischen dem ritterlichen Wesen des jungen Fürsten und seiner kindlichen Naivität im Umgange mit seinen Eltern machte eine wesentliche Absicht des Autors klar. Der Brief dient als Lehrmuster des braven Sohnes und seines richtigen Verhaltens.

In Daniel Casper von Lohensteins ‚Arminius' treten Briefe in zweifacher Funktion auf.

a) *handlungsfördernd:* Ein Beispiel mag aufgrund des bei anderen Vertretern des höfischen Barockromans Gesagten hier genügen. Es stammt aus der Erzählung des Flavius (Ar I, 4). Dido berichtet Flavius in einem Briefe (Ar I 487) über ihre Schändung. Als Reaktion auf das unglückselige

Schicksal seiner Geliebten (= Information), brütet Flavius Rache an dem heidnischen Priester (= Plan), die er bald darauf in geplanter Weise verwirklicht (= Tat): er entmannt ihn. Lohenstein gestaltet hier die Beziehung zwischen Brief und epischem Handlungsverlauf nach der bei Anton Ulrich häufig auftretenden Struktur ‚Information — (Rat) — Plan — Tat'. Der Brief bildet, entsprechend der relativ kurzen Spannungsbogen Lohensteins, den sofortigen Anstoß zur erzählten Aktion. Das handlungsfördernde Moment kann natürlich auch mit anderen Funktionen verschränkt auftreten.

b) *argumentativ-metaphorisch:* In Didos Brief an Flavius (Ar I 470 b) greifen wir hier eine interessante Sonderform heraus. Thematisch handelt es sich dabei um einen Liebesbrief der werbenden Dame um den kühlen Herrn. Den exotischen Reiz des Schreibens erhöht die Eigenart der Liebesverbindung: Die schwarze Dido liebt den Römer Flavius. Dieser konkrete Fall verwesentlicht sich für Lohenstein, entsprechend seiner Gestaltungsweise, zum Grundproblem der Liebe zwischen schwarz und weiß. Präludierend wird dieses Thema und damit auch der Brief durch ein Streitgespräch (Disputation) der Rivalen Lucius und Flavius über den Vorzug weißer Frauen vor schwarzen effektvoll vorbereitet. Lohenstein führt damit sein Thema dialektisch ein. Es steigert sich im Erzählverlauf allerdings zu einer der unglückseligsten Liebesgeschichten des ganzen Romans. Mit einem Strauß weißer Blumen schickt die verliebte Dido dem Römer Flavius folgenden Brief (Ar I 470 b):

> Weil der weisse Flavius nichts minder ein Hertze /
> als ein Vaterland voller Schnee hat;
> bin ich genau zu glauben veranlaßt worden /
> daß alles weisse nicht nur unempfindlich /
> 5   sondern auch ohne Seele sey.
> Nachdem mir aber diese Blumen den
> letzten Irrthum benommen /
> habe ich mich verbunden geachtet
> ihn durch dieser Lebhaftigkeit zu erinnern /
> 10   daß nicht alles / was weiß ist / Schnee seyn müsse.

Sprachlich gesehen stellt der Brief ein raffiniertes metaphorisches Muster auf logischer Grundstruktur dar. Die rationale Zweiteiligkeit seiner Aussage ist von strengem Parallelbau geformt. Beide Teile bestehen aus einer Beobachtung zum Thema und einem kausalen Bezug (Begründung Z. 1—2, 6—7; Folgerung 4—5, 10), wobei die Folgerung als abschließende conclusio die herausfordernde Äußerung in einem reizenden Spiel einschränkt. Der ganze Brief wendet sich in dezent-lockender Aufforderung an den Angesprochenen und zwingt ihn damit zu einer Entscheidung irgendwelcher Art. Die geistvolle Äußerung erschöpft sich also nicht in ihrem ästhetischen Selbstwert, sondern wirkt — entsprechend der Briefform — in zwischenmenschliche Spannung. Ihre kompositorische Funktion ist aber, etwa im Vergleich mit Anton Ulrichs Verwendung von Briefen, wenig weitläufig und minder intensiv. Das entspricht der Grundhaltung von Lohensteins Darstellungsweise, denn er wollte nicht so sehr „Verwicklungen" darstellen als vielmehr „gleichnüsse" (vgl. o. S. 95).

Den ekstatischen Formen und theatralischen Umstürzen der Handlungsführung in der ‚Asiatischen Banise' entsprechend, sind auch die meisten dort mitgeteilten Briefe handlungsfördernde (etwas S. 388: Banise erfleht Balacins Hilfe bei einem heimlichen Ausfall, S. 394: Abaxar deutet auf Banisens Opfertod voraus und fördert die Handlung durch seinen Vorschlag, Balacin möge sich als verkleideter Portugiese in die belagerte Stadt schleichen).

Daneben finden sich diejenigen, die auf Täuschung der Empfänger abzielen. Sie entstammen grundsätzlich dem Wirkungsbereich des bösartigen Tyrannen Chaumigrem. Er stellt etwa Higvanama, Balacins Schwester, nach und schickt ihr einen gefälschten Brief ihres Verlobten Nherandi (S. 79). Dieser berichtet noch kurz vor seinem Sterben und legt ihr liebevoll eine Abschieds-Arie in vier kurzen Strophen bei. Die Empfängerin erkennt aber sofort die Handschrift Chaumigrems und vermutet dahinter seinen Anschlag. Keinerlei kompositorische Auswirkung zeigt dieser Brief, der sich im ersten Überraschungsmoment bereits voll erschöpft. Die Verbindung epistolarischer und lyrischer Formen verwendet Zigler auch im Schreiben Nherandis an Higvanama (S. 69—72), die Bauformen greifen also ineinander.

Die bei Zigler bedeutsamste dritte Form begegnet uns in Briefen, die Pfeiffer-Belli als „galante Episteln" (S. 99) bezeichnet. Diese Briefe gehören dem lyrischen Bereiche eher an als dem epischen. Sie stehen in einer wichtigen Gattungstradition, nämlich in jener der *Heroiden* oder *Heldenbriefe*[236]. Nach antikem Vorbild und Muster hat Hofmannswaldau diese Gattung „in je hundert verschränkt gereimten Alexandrinern zuerst in Deutschland" eingeführt[237]. Die Form sieht bei Hofmannswaldau so aus: Der Dichter erzählt in einer kurzen Prosaskizze die Liebesentwicklung, und zwar bis zu jener verzweifelten Situation, in der diese Briefe verfaßt werden. Dem folgen die beiden lyrischen Reimepisteln der Liebenden. Beide sind gleich lang und stellen eine Art von Verskorrespondenz dar. Meist sind die Liebenden Persönlichkeiten von historischem Rang[238]. Auch Zigler dichtete nach seinem hohen Vorbilde solche galante Episteln ‚Helden-Liebe

---

[236] Vgl. dazu: H. *Dörrie*, Der heroische Brief. Bestandsaufnahme, Geschichte, Kritik einer humanistisch barocken Dichtgattung. Berlin 1968.

[237] W. *Pfeiffer-Belli* S. 99.

[238] Vgl. als Beispiel: ‚Liebe zwischen Eginhard und Fräulein Emma / Keyser Carlns des Grossen Geheimschreibern und Tochtern' [A. *Schöne* (Hrsg.) S. 462—467].

Der Schrift Alten Testaments' (Leipzig 1691). Die äußere Form stimmt dort mit jener Hofmannswaldaus überein, sie bestimmt aber auch Balacins Brief in unserem Roman (S. 171 f.), den er an Banisen richtet (Situation zwischen Liebenden).

Diese antwortet kürzer und herzlicher, aber in der gleichen metrischen Form. Dadurch kommt diesem Briefwechsel, dessen Situation aus der Romanhandlung erwächst, vor allem vorbildlich-illustrativer Charakter zu. Er wirkt formal wie ein poetisches Muster für diese Gattung. Inmitten eines Prosawerkes also eine Art von poetischem Kleinod, was grundsätzlich der Verwendung solcher Einschübe bei Zigler nicht widerspricht. Die Beziehung zur Handlungsstruktur bleibt dabei von minderem Belang.

Zusammenfassend kann man die Verwendung von Briefen im höfischen Barockroman so charakterisieren: Sie finden sich bei jedem Vertreter dieses Genres von Barclay bis Zigler. Sie dienen in verschiedener Intensität einerseits dem Vorantreiben der Handlung als epische Spannungsmomente, andererseits der abschließenden Lösung kleinerer Spannungsbogen oder der gesamten Spannungsstruktur. Daneben oder verschränkt mit dieser Funktion treten sie auch als sprachliche Möglichkeiten auf, typische Verhaltenssituationen im Hinblick auf ein höfisches Menschenideal zu stilisieren. Anton Ulrich verarbeitet den größten Reichtum an Formen und Funktionen. Lohenstein neigt mehr ihrer metaphorisch-dekorativen Verwendung zu, die sich bei ihm als Sonderform entfaltet. Zigler ist der einzige, in dessen Werk die Form von Hofmannswaldaus *Heroiden* sich findet. Bucholtz fällt wieder einmal durch Sprachform und Sprechhaltung etwas aus den üblichen Normen, seine Briefe sind von moralisch-didaktischer Musterhaftigkeit bestimmt.

5. Die lyrischen Einlagen im höfischen Barockroman

Das Einfügen lyrischer Gedichte in den Ablauf romanhafter Prosa ist ein bekanntes literarisches Verfahren vieler Epochen. Im 17. Jahrhundert beschränkt es sich nicht auf die Höhenlage des höfischen Barockromans. Wir erinnern etwa an das Abendlied des Einsiedlers im VII. Kapitel des ‚Simplicissimus Teutsch'. Auch Johann Beer streut elf Gedichte in seine Willenhag-Dilogie ein, welche nicht durchwegs parodistischen Charakter zeigen, wodurch sie als Gegenbilder am höfischen Roman orientiert wären[239]. Der Schäferroman ist von Lyrismen durchsetzt, die meist direkt auf die szenische Situation der Erzählung bezogen sind. In der Literatur des Rokoko unterliegt die lyrische Einlage bereits wieder den Gestaltungsprinzipien eines gewandelten Naturgefühls[240]. Aber selbst innerhalb des höfischen Romanschaffens des Barockzeitalters zeichnen sich grundsätzliche Unterschiede von Werk zu Werk ab.

Daniel Caspar von Lohenstein verwendet ebenso wie Zigler eine Fülle lyrischer Einschübe der verschiedensten Art. Die im ‚Herkuliskus' „eingelegten Gedichte sind teils wertlose Gelegenheitsgedichte, teils Übersetzungen von Psalmen Davids" (Friedrich Stöffler S. 27). Daneben finden sich in beiden Romanen Buchholtz' noch eine Menge von Gebeten und geistlichen Liedern[241], die als ‚Anleitung für den guten Christen' der moralisch-religiösen Absicht des Dichters entsprechen. Bei Anton Ulrich ist das Thema der lyrischen Einschübe noch wenig behandelt worden[242]. Wohl hat Blake Lee Spahr in seinem Aramena-Buch durch die exakte Erforschung der handschriftlichen Vorlagen zur ‚Aramena' nicht nur deren erregende Genese, sondern auch die Verfasserschaft der meisten Gedichte in diesem Roman entdeckt. Das Problem gilt auch für die Behandlung der dramatischen Einlagen in diesem Werk. Anton Ulrich hat in vielen Fällen im MS durch ein „NB" oder eine kleine Notiz Herrn Birken in Nürnberg aufgefordert, das nun folgende Gedicht zu schreiben. Manchmal findet sich ein kurzer inhaltlich-gestaltlicher Abriß des Herzogs als Hilfe und Anregung dazu. Das ist der eine Fall neben dem andern, daß Anton Ulrich selbst das Gedicht verfaßt hat. Wie Spahr aufgezeigt hat, herrscht im fünften Band der ‚Aramena' das nürnbergisch-schäferliche Gestaltungsprinzip. Es besagt, daß in einem Werk auch Einlagen befreundeter Autoren aufgenommen werden. Anton Ulrich hat mit verschlüsselten Unterschriften sogar Gedichte seiner Schwägerin, Sigmunds von Birken, Catharina Reginas von Greiffenberg und des Fürsten Gottlieb von Windischgrätz[249] hier eingefügt. Interpreten könnten dadurch leicht irre gehen: man hat lange Zeit in der Anton-Ulrich-Forschung etwa Birkens Schäferspiel zur Deutung von Anton Ulrichs sprachlichem Stil herangezogen. Die Verfügung in die Situationen der epischen Fiktion aber bleibt des Dichters ausdrückliches Verdienst.

Das nämliche Problem besteht für die ‚Octavia'. Maria Munding[244] prüft die vielen handschriftlichen Fassungen zu diesem Roman und wird ihre Ergebnisse als Münchner Dissertation demnächst vorlegen. Sie unterscheidet in bezug auf die lyrischen Einlagen in der ‚Octavia' aufgrund reicher Handschriftenkenntnisse drei Gruppen von Gedichten (Verfasser-

---

[239] Vgl. J.-J. *Müller* S. 51—55.

[240] Vgl. dazu die grundlegende Arbeit von W. *Flemming*, Naturgefühl.

[241] Allerdings nehmen die im ‚Herkuliskus' gegenüber dem ersten Roman von Bucholtz zahlenmäßig bereits etwas ab. Vgl. F. *Stöffler* S. 96.

[242] Vgl. F. *Mahlerwein* und C. *Paulsen*.

[243] B. L. *Spahr*, Aramena S. 180—200 und 153—154.

[244] Maria *Munding* hat mir über viele Ergebnisse ihrer Arbeit brieflich Auskunft gegeben, vor allem in Fragen, die nicht direkt auf meinem Forschungsziel lagen, die aber meine Arbeit gefördert und bereichert haben.

schaft)[245]: 1. Anton Ulrich ist der Autor bzw. Übersetzer. 2. Die Gedichte stammen von den Mitarbeitern des Herzogs (Sigmund von Birken bis 1680 und Christian Flemmer)[246]: diese wurden durch ein „NB" zum Einsetzen eines Gedichtes veranlaßt. Munding unterscheidet hier zweckmäßig zwischen Gedichten, die eigens für diesen Anlaß gedichtet, und solchen, die aus dem Bestand der Bearbeiter eingesetzt wurden. 3. Gedichte, die Anton Ulrich gar nicht eingeplant hat. Sie wurden sogar von einem der Mitarbeiter eingeschoben. Wahrscheinlich hielt dieser mehr Poesie für nötig. Vielleicht noch eine Bemerkung zur Lagerung der lyrischen Einlagen in Anton Ulrichs Romanen. Während in der ‚Aramena' (in der pastoralen Atmosphäre des fünften Bandes) sich ein Reichtum lyrischer Einschübe entfaltet, nehmen sie in der ‚Octavia' zusehends ab. Der fünfte Band der ‚Octavia' etwa enthält nur ein lyrisches Gedicht (O V 293), das ist eine erstaunliche Relation zu seinen 1120 Seiten. Parallel dazu verringert sich auch die Zahl der dramatischen Einschübe (nur mehr zwei in O I), der Briefe und der Gesellschaftsspiele. Anton Ulrichs Romanstil scheint mit zunehmendem Alter zur ausgeprägten Kontinuität eines Prosatones zu reifen, der sich fast ausschließlich der episch engeren Bauformen (Schilderung, Bericht, Gespräch) bedient. Damit halten wir bereits an einem interessanten Punkt unserer Überlegungen:

Die lyrischen Einschübe werden grundsätzlich von dem kontinuierlichen Prosa-Erzählablauf unterschieden, und zwar nicht nur durch das optische Druckbild. Lyrische Gebilde sind durch ihre künstlerische Eigenart der abrollenden Temporalität der Erzählprosa entzogen: sie sind als solche zeitindifferent. Carola Paulsen (S. 123) trennt die technischen Mittel in zeitdeckende und zeitraffende und stellt die lyrischen Einlagen zu den ersteren. (Das wird aus ihrer zentralen Fragestellung nach dem Verhältnis von Erzählzeit und erzählter Zeit her verständlich). Die immanente Zeit-Indifferenz der lyrischen Gedichte wird aber dadurch nicht aufgehoben, sie gilt für die Gespräche in ähnlicher Form, was aber nicht heißen soll, daß die Aussagen nicht auf Vergangenheit, Zukunft oder Gegenwart bezogen sein können. Das Gesagte hebt also die lyrischen Einlagen aus der übrigen Romandarstellung heraus und weist ihnen als Bauform eine bestimmte Funktion zu.

Als erste methodische Annäherung an diese sprachlichen Gebilde versuchen wir inhaltliche Kriterien anzuwenden. Das Ergebnis überrascht kaum. Wie beim Großteil der barocken Lyrik stoßen wir auch hier überwiegend auf Themen der genormten Liebesproblematik. Der konkrete Anlaß zur lyrischen Äußerung entwächst — besonders bei Anton Ulrich — der fiktiven Romansituation. Diese ist damit meist als rhetorische Über-

---

[245] Brief vom 8. Mai 1968.
[246] Dieser Mitarbeiter ist eine Entdeckung Maria *Mundings*. (Brief vom 8. 5. 1968).

höhung eines typischen Zustandes zu verstehen. Äußere Anlässe wie etwa Naturstimmungen, die zur lyrischen Aussage führen, fehlen im höfischen Barockroman völlig. Grundsätzlich läßt es eben die normativ-rhetorische Poetik der Zeit nicht zu subjektiv-persönlichen Aussagen lyrischer Art kommen. Neben eigentlichen Liebesgedichten unterscheiden bereits Fritz Mahlerwein[247] und Carola Paulsen andere. Paulsen nennt Hymnen bei religiösen Feiern, Wahrsagungen meist epigrammatischen Charakters und Reimspiele (S. 125). Das bedarf allerdings einer eingehenderen Differenzierung:

Mit dem Hinweis auf die termini technici der lyrischen Situation möchten wir gattungsmäßig zwischen *Gedicht* und *Lied* unterscheiden; das erste wird in der Fiktion gesprochen, das andere gesungen. Der Romantext zeigt für das eine noch „reime, verse, gedicht, reim-gedicht, klinggedicht" fürs zweite nur „lied". Wichtig erscheint uns auch die Absonderung der vielen orakelhaften Spruchformen als eigene Art. Sie sind als Sprachform des lyrischen Einschubs ebenfalls ein traditionelles Element des spätgriechischen Romans[248]. Von dort her eignet dem Orakel eine stärkere kompositionelle Funktion. Betont epigrammatische Formen aber treffen wir besonders innerhalb der Gesellschaftsspiele (vgl. u. S. 236 ff.) an. Ihre Funktion wird im Sinne einer ganzheitlichen Erfassung dieser besonderen Bauform an entsprechender Stelle beleuchtet werden.

Aus dem Gesagten ergibt sich für uns folgende Gliederung:

a) *Gedichtformen:*

1) lyrische Gedichte der verschiedensten formalen Spielarten

    aa) gesprochen
    bb) gesungen (also eindeutig liedhaften Charakters)   } innerfiktional

2) religiöse Hymnen und Chorgesänge.

b) *Spruchformen:*

1) spruchhafte Orakelformen als Sonderart dieser Bauform

2) epigrammatische Formen innerhalb der Bauform des Gesellschaftsspiels, von dem sie funktional nicht zu trennen sind.

---

[247] F. *Mahlerwein* S. 387—396 behandelt die eingeschobene Lyrik im Romanwerk Anton Ulrichs nach der äußeren Form der Gedichte und nach den Anlässen ihrer Mitteilung. Er kommt dabei über eine reichhaltige stoffliche Erwähnung der Gedichte kaum hinaus. Auch die Frage der epischen Integration klingt nur am Rande an.
[248] E. *Lindhorst* S. 55 ff.

a. Gedichtformen und ihre Funktion

Die Gedichte in Anton Ulrichs Romanen zeigen eine erstaunliche Formen-vielfalt[249], die nicht nur durch das Prinzip der Pegnitzschäfer, auch Ge-dichte anderer Autoren ins eigene Werk aufzunehmen, begründet erscheint. Beispielhaft sei die Mannigfaltigkeit dieses formalen Reichtums in den lyrischen Einschüben des schäferlichen fünften Bandes der ,Aramena' ange-deutet. Dies vor allem auch deshalb, weil hier die Quellenlage durch Blake Lee Spahr eindeutig gelöst ist[250]. Das Widmungssonett Sigmunds von Birken ,Komt schon die Trefflichkeit vor das Gesichte nicht'[251] steht funk-tional außerhalb der eigentlichen Romanfiktion: es bildet eine verehrende Geste gegenüber Catharina Regina von Greiffenberg[252]. Diese war mit Anton Ulrich nicht persönlich bekannt („unbekante Freundin"), nahm aber durch Sigmund von Birken regen Anteil am Entstehen des Werkes. Die im Roman (besonders A V) eingestreuten Gedichte können der Haupt-handlung sowie den Lebensgeschichten angehören. In den letzteren er-füllen sie vorwiegend die Funktion, die höfisch relevanten Liebeszustände zu typisieren.

A V 74 steuert Sigmund von Birken (B. L. Spahr, Aramena S. 154) ein Huldigungsgedicht auf die neue Königin von Mesopotamien bei. Die epische Situation weist es als Chorlied aus („Insonderheit hörte die Köni-gin Aramena / ehe sie sich / der ruhe überließe / unten am schlosse / durch etliche schäferinnen / in den thon etlicher harffen / ihr dieses lied zu ehren singen"). Es handelt sich um ein kunstvoll gebautes sechsstrophiges Lied. Der jeweilige Strophenbeginn klingt mit dem Strophenende in einer der Lichtmetaphorik entstammenden Huldigungsformula („Aramena / unsre sonne!") zusammen. Die Sprachform mit ihren mythisch überhöhten Bildern und die huldigende Funktion weisen das Lied der antiken Tra-dition des rhetorischen Herrscherlobes[253] zu.

Das nächste ebenfalls aus Birkens Feder stammende Lied hat Bethuel auf seinen „zustand gedichtet" (A V 118). Das fünfstrophige Gebilde aus jambischen Dreitaktern spannt den für die epische Situation des Bandes wesentlichen Gegensatz von Hof- und Landleben in die Form des Liebes-liedes. Diese thematische Grundstruktur bildet in der barocken Lyrik ein traditionelles Schema von antithetischen Begriffen aus, die in Bethuels Lied folgendermaßen konkretisiert erscheinen: Hof: „verdrus, unglück,

---

[249] F. *Mahlerwein* S. 387—396.
[250] B. L. *Spahr*, Aramena S. 153—154.
[251] Da wenigen Gedichten — mit Ausnahme der Sammlung A V 235—246 — Überschriften beigefügt sind, bezeichnen wir sie durch die erste Verszeile.
[252] Vgl. L. *Villiger* und B. L. *Spahr*, Aramena. F. *Sonnenburg* konnte dieses Sonett noch nicht zuordnen.
[253] E. R. *Curtius* ELLM S. 184—186.

prächtiges elend (Oxymoron), ungemach, unruh"; Land: „feld, gut woh-
nen, ruh, zufriedenheit, glück, wonne". Das Traditionsschema wird hier
von der Haltung des leidenden Liebhabers überschattet und gipfelt in
intellektuellen Wortspielen antithetischer Art („unruh-ruh / mich fällt, was
mir gefällt"). Damit verdichtet das Lied den typisierten Seelenzustand
einer fiktiven Person zur gültigen Aussage.

Lose mit der erzählerischen Situation sind die Gedichte (A V 228—246)
verbunden, deren verschiedene Verfasser Blake Lee Spahr (vgl. o. A. 242)
mit germanistischer Raffinesse eruiert hat. Sie bilden zugleich Kernpunkte
des Phänomens der Verschlüsselung. Anton Ulrich kleidet hier engste
Familienbeziehungen und fremde Gedichte nach der Art des *roman à clef*
in die schäferliche Repräsentation seiner fiktiven Welt ein.

Leicht manieristisch muten die beiden „klinggedichte" von Elihu und
Bethuel in ihrer Lebensgeschichte (A V 264) an. Auch ihre Situation kehrt
stereotyp in der Barockdichtung wieder. Der erfolglos Liebende entschließt
sich, seine innere Ruhe durch die Abkehr von der Geliebten wiederzuge-
winnen. Es handelt sich dabei um ein Verhaltensmodell des Petrarkismus.
Der Mißerfolg dieser Anstrengung ist ebenfalls stereotyp. Anton Ulrichs
Neigung zur Verdoppelung von Motiven und Handlungsstrukturen führt
zur analogen Situation zweier erfolglos Liebender, die diesen Versuch
poetisch unternehmen. Beide Sonette gleichen sich thematisch, wiederholen
die Eingangsformel am Schluß und sind als ‚Liebesabsag' und ‚antwort'
aufeinander bezogen. Die Parallelität des amourösen Falles entwickelt sich
wenig später erneut zu einer korrespondierenden lyrischen ‚liebesentdek-
kung' der beiden. Ihre manieristische Übereinstimmung bis in den Reim-
klang betont sogar der erzählende Dichter (A V 288).

Solche Parallel- oder Frage/Antwort-Gedichte findet man als wiederkehrenden Strukturzug bei Anton Ulrich bestätigt. Schon Fritz Mahlerwein hat unter dem Begriff der *Verskorrespondenz* — allerdings rein inhaltlich — auf dieses Phänomen verwiesen, in dem wir eine besondere Integration dieser lyrischen Bauform erblicken (S. 394). Ein Beispiel aus der
‚Geschichte der Königin Delbois von Ninive und des Prinzen Abimelech'
(A II 91 ff.) soll seine Funktion beleuchten.

Diese Verskorrespondenz in drei Sprüchen steht in der Komposition an
thematisch bedeutsamer Stelle (A II 98—104). Abimelech führt seine geliebte Delbois im Alter von 14 Jahren aus dem irrigen Götzendienst zum
wahren Gottesglauben. Dieser Vorgang erscheint der Ich-Erzählerin im
Rückblick als „die erste staffel zu der liebe / die ich nachgehends dem
Abimelech in meinem herzen gewidmet" (A II 103). Die Integration von
erotischer und religiöser Thematik führt Anton Ulrich vielfach durch. Die
Ausgangssituation dieser Verskorrespondenz ist folgende: Delbois merkt,
daß Abimelech den Gebräuchen und heiligen Handlungen im Tempel ohne
Andacht beiwohnt. Als ihr eine Taube entflieht, bringt er sie zurück und
flüstert ihr dabei zu: „. . . es wäre ihm leid / daß er (ihr) in (ihrem)

irrigen glauben dienen müste" (A II 98). Als Delbois sich darauf einige Tage nicht sprechen läßt, schickt er ihr den ersten Spruch; sie antwortet ihm, indem sie seine „reime behält" (A II 100), und er schreibt ihr in gleicher Form nochmals zurück. Die drei Strophen lauten:

I   Abimelech:
     Hab ich zu viel gesagt? diß wolte meine *Pflicht.*
     Den himmel / muß man nur mit wahren gründen *ehren.*
     Mein himmel seit ihr mir: was ist doch eur *beschweren /*
     daß solch ein trübs gewölk bedeckt eur helles *Licht?*
     Durchstralet diesen dampf / der meine seele *plagt.*
     Strafwürdig wil ich seyn / hab ich zu viel *gesagt.*

II   Delbois:
     Ihr habt zu viel gesagt. Drum wil es meine *Pflicht /*
     ich sol nicht stimmen ein / den himmel zu *entehren.*
     Der himmel ist mir lieb: drum mus ich mich *beschweren /*
     daß man so spöttisch hält sein heilig=klares *Licht.*
     Durchstralet diesen dampf / der selbst die götter *plagt.*
     braucht bässer eure witz. Ihr habt zu viel *gesagt.*

III Abimelech:
     Ich habe recht gesagt: weil es wolt meine *Pflicht /*
     nicht zu stimmen ein / den himmel zu *entehren.*
     Der himmel ist mir lieb: drum must es mich *beschweren /*
     daß man nicht recht erkent sein ewig=wahres *Licht.*
     Durchstralet diesen dampf / der nur euch selber *plagt.*
     Nichts fehlet euch / als diß. Ich habe recht *gesagt.*

Das Thema der Bekehrung zwischen Liebenden ist ein häufig wiederkehrendes Motiv des höfischen Barockromans. Die Gestaltung in der Konstellation so prominenter Personen unterstreicht seine Bedeutsamkeit ebenso wie die poetisch-repräsentative Art der lyrischen Verdichtung. Formal weisen diese spruchhaften Strophen eine pointiert rationale Grundstruktur am Rande des Manieristischen auf. Das Beibehalten der Reimwörter und die antithetischen Satzinhalte erscheinen dabei als reizvolles Prinzip. Weitgehende formale Entsprechungen erhöhen das intellektuelle Vergnügen des Lesers. Dabei gibt der Dichter, denn Anton Ulrich ist höchstwahrscheinlich selbst der Schöpfer dieser lyrischen Einlage, stets der minimalen, aber sinnändernden Variation den Vorzug vor starrer Identität (etwa I, 3 — II, 3 — III, 3). Hier entspricht der zentralen Position das zentrale Kernwort dieser Diskussion („himmel"). Die Wirksamkeit des Anrufs (I, 5 a — II, 5 a —III, 5 a) wird durch die imperativische Gleichförmigkeit der Sprachform eindrucksvoll erhöht. In diesem Anruf sehen wir eine der wesentlichen Lebensregeln im barocken Schein-Labyrinth der irdischen Welt. Man könnte ihn sogar von der künstlerischen Absicht Anton Ulrichs her ebenso als Anrede an den Leser werten, die labyrinthische Komposition dieser Fiktionswelt bis zur Wahrheit des Romanendes zu durchdringen. Aber selbst hier modifiziert die nette Variation des Nachsatzes (I, 5 b — II, 5 b — III, 5 b) den syntaktischen Gleichlauf besonders durch den Wechsel der Objekte („meine seele, die götter, euch selber").

Die Reihe (I, 1 a — II, 1 a — III, 1 a) führt uns auf die Spur des Diskussionsthemas: Frage — (negative) Antwort — verstärkte Behauptung. Abimelech (also I und III) behält durch die Überzeugungskraft der weiteren Romanerzählung recht. Das Gefüge der Kernwörter mag uns weiterhelfen: „sagen — pflicht — himmel — himmel / ehren oder entehren — licht — dampf / plagen — sagen". Antithetische Strukturen bestehen darüber hinaus natürlich etwa in „himmel (ent)ehren — dampf durchstralen", in der Auffassung von „himmel" und „licht" usw. Interessant bleibt, daß Abimelech im Auftakt der ersten Strophe mehrfach das religiöse Vokabular auch erotisch auf seine Liebe bezieht (etwa „mein himmel" I, 3 „eur helles licht" I, 4). Die Gegenantwort der Delbois rückt die Diskussion durch den Ernst der Auffassung rein ins Religiöse. Der Ernst der Auffassung gilt allerdings auch als Basis für Abimelechs Liebesdiskussion. Die Begriffe bleiben auf seiten der Götzendienerin und des Rechtsgläubigen sprachlich die gleichen. Das reizvolle Spiel der Worte ist eigentlich eines der verschiedenen Wortinhalte. Der ‚Gegner' schafft nämlich sprachlich keine neuen Gegenbegriffe, sondern er füllt die gleichen aufgrund der neuen religiösen Einstellung mit einem neuen Inhalt. So versteht Delbois unter „himmel entehren" (II, 2 b) etwa Abimelechs Andachtslosigkeit und Freiheit im Tempel, er dagegen die Götzendienerei (III, 2 b). Die sprachliche Variation vervollständigt die poetische Diskussion, deren antithetische Struktur in einer solchen verschiedener Inhalte bei gleichbleibender Sprachform beruht.

Dieser Korrespondenz folgt ein Gespräch, in dem Abimelech den Irrglauben der Delbois zum Wanken bringt (A II 101). Und als er ihr den Priester zeigt, der hinter dem Bilde des Götzen Bel den Spruch in die Orakelröhre spricht, ist sie völlig überzeugt. Damit beginnt die erste „staffel" ihrer Liebe zu Abimelech. Ein wichtiger Schritt im inneren Aufbau der Beziehung zwischen Delbois und Abimelech ist damit vollzogen. Die lyrische Einlage hat ihn wirksam ausgestaltet.

Weiter[254] begegnen wir einem geistlichen Hymnus ‚Der Mensch hat wenig fug / viel auf sich selbst zu achten' von beachtlicher Länge (20 siebenzeilige Strophen, Reimschema aa b c bb c), dessen eventuelle Beziehungen zum protestantischen Kirchenlied noch zu untersuchen wären. Die Situation ist jene der religiösen Feierstunde (A V 408—412), wobei nach dem Verklingen dieses Liedes der erzählende Dichter es nicht unterlassen kann, die Wirkung (Stilzug) des Hymnus auf einzelne Personen besonders hervorzuheben.

---

[254] Wir lassen Sigmund von Birkens ‚Verachtung der welt / und verlangen nach dem himmel' (A V 270-272), ein zehnstrophiges Lied, aus, das in Bethuels und Elihus Geschichte eine der drei Schönheiten von einem Zettel absingt.

Somit verbleiben in diesem Band (A V) noch zwei weitere Liebesgedichte: ein Abschiedssonett des Tharsis an Eldane in seiner Lebensgeschichte (A V 571) und ein Gedicht des gefangenen Sinear an seine Geliebte Jemima (A V 832), das ihr ein Bote zustellt. Das letztere ist in seiner antithetischen Grundanlage eindeutig aus dem metaphorischen Arsenal petrarkistischer Liebestopoi gespeist. Zwei Kerker halten ihn gefangen: seinen Leib der Feind, sein Herz aber die Freundin. Die Fesseln des Gefangenen werden zu Liebesfesseln des Liebesgefangenen, worin auch der Schluß gipfelt:

> Laß / himmel! bald allhier die fässel ihn entlassen /
> und Sinear dafür Jemimen arme fassen.

Die Situationen des unglücklichen Liebesabschiedes und der zwangsweisen Entfernung von der Geliebten finden hier noch einmal ihre typisierende Ausformung. Der Spruch (A V 699) sei einer späteren Behandlung im Rahmen dieser Formen aufbehalten.

Die formale Vielfalt und die Variation innerhalb der Gestaltung typischer (Seelen-)Zustände mag aus den Beispielen dieses einen Bandes der ,Aramena' klar geworden sein. Alle zeichnet der bewußte künstlerische Wille zur strengen Integration in die Romanfiktion aus. Die motivierende Gestaltung des Anlasses, der zur Äußerung des Gedichtes in eben dieser epischen Situation führt, variiert stark und zeugt vom Einfallsreichtum des Dichters. Selbst die eingestreuten Gedichte anderer Autoren werden gesprächsweise in bezug auf den Anlaß (etwa Tod der Suriane, Trost für Ausicles und Eidanie usw.) fiktionalisiert und integriert. Hier verdichtet sich das Phänomen der Verschlüsselung in besonderer Weise, wie Blake Lee Spahr gezeigt hat: SUriane = Sibylla Ursula, Anton Ulrichs Schwester; AUsicles = Anton Ulrich; EIdanie = Elisabeth Juliane, Anton Ulrichs Frau[255]. Grundsätzlich wird jedes Gedicht in Anton Ulrichs Romanen im thematischen Gefüge und vor allem in der epischen Erzählsituation verankert. Der Grad des isolierten Selbstwertes der lyrischen Einlagen ist im Vergleich zu anderen Autoren auffallend gering.

Daß die Verfugung eines solchen lyrischen Gedichtes handlungsfördernden bis dramatischen Zweck haben kann, mag abschließend Abimelechs Gedicht (A I 278) zeigen. Die Situation und die Funktionalisierung der beschreibenden Elemente darin haben wir schon erörtert (s. o. S. 183). Durch die Epitheta („silberhaar" und „der schwarzen augen licht") bezieht Coelidiane dieses typische Gedicht auf sich. Anton Ulrich funktionalisiert die Sprachtopoi eines lyrischen Gedichts durch ihre dramatische Ambivalenz. Beide Phänomene gelten sowohl für Coelidiane als auch für Delbois.

---

[255] Vgl. B. L. *Spahr*, Aramena S. 153 zu diesen und anderen Verschlüsselungen.

Irgendwie ist auch hier ein Strukturgesetz von Anton Ulrichs Fiktionswelt wirksam: Der Gute ist immer aufgehoben in Gottes planender Hand. Abimelech handelt nämlich, trotz der verwirrenden Situation, dem göttlichen Vorsehungsplan entsprechend. Er schlittert, eben als Guter, in die noch rätselhaften aber rechten Gleise seiner Lebensbahn.

Neben der Integration in den erzählerischen Rahmen gestattet uns dieses lyrische Gedicht, seine Genese in drei verschiedenen Fassungen zu betrachten (MS 2 — MS 1 — P)[256]. Da sie Anton Ulrich persönlich gedichtet hat, wollen wir die sprachlichen Veränderungen analysieren. Die drei Versionen weisen keine Änderung der Sinn-Aussage, wohl aber der Sprachform auf. In der ersten Strophe (I) gesteht das lyrische Ich dem abwesenden Du, daß es erst durch die Trennung zur objektiven Erkenntnis von der Geliebten Wert gelangen kann. Die zweite (II) huldigt im Rahmen der bereitstehenden Topoi der äußeren Schönheit, die dritte (III) dem hohen und herrlichen Geiste der Geliebten. Die letzte (IV) erst konkretisiert dieses relativ allgemeine und typische Liebeslob durch die Namensnennung (Coelidiane), die allerdings von Melchisedech und seiner Nichte erzwungen wird.

Das Gedicht besteht aus vier Strophen zu je sechs Versen (Fünftakter, Sechstakter, Sechstakter, Fünftakter, Viertakter, Dreitakter jambischer Art): Reimschema aa b cc b. Während Reimschema und metrische Form in allen drei Fassungen unverändert bleiben, wandelt sich die sprachliche Form in bezug auf Wortwahl und syntaktische Fügung merklich. Die Wortänderungen sind rhetorisch, und zwar meist syntaktisch oder metaphorisch. Sie dienen grundsätzlich auch der steigernden Wirksamkeit des Ausdrucks:

MS 2 I, 5   „Daß ich dich schauend sahe nicht"
P   I, 5   „daß ich / dich sehend / sahe nicht"

Der Dichter hat in der Druckfassung die wirksame Wortfigur des Polyptoton gewählt und damit die semantische Opposition erreicht. Diese war bei der Gegenüberstellung von ‚schauen' und ‚sehen' noch nicht gegeben, weil diese Wörter sich auch semantisch unterscheiden: ‚schauen' ist noch nicht ‚sehen'.

Metaphorische Änderungen treten vor allem im Bereich der Topik des Frauenpreises (II und III) auf. Auch sie stehen selbstverständlich unter dem Strukturgesetz höchster rhetorischer Wirksamkeit. Das beweist das sorgsame Abstimmen der metaphorischen Änderungen auf den Bereich der Glanz- und Lichtmetaphorik, die — als wesentlicher Bestandteil von Liebes- und Herrscherlob — eine bedeutende Sprachschicht des Gedichtes bildet. Zu diesen Änderungen gehört etwa der Ersatz des Ausdrucks „der schwartzen augen glantz" (MS 2 und MS 1: II, 2) durch das stärker oxymoronartige „der schwarzen augen licht" (P: II, 2); Variation zu I, 3

---

[256] B. L. *Spahr*, Aramena S. 200—202 druckt die drei Fassungen von Abimelechs Gedicht ab.

mag wohl auch mitgewirkt haben. Das dreimalige „schön" von MS 2 (II, 1; II, 3; III, 1) wird schrittweise (zweimal) abgebaut und der Glanzmetaphorik dienstbar gemacht. III, 1: „Der hohe Geist, der diesen schönen Haus . . ." wird bereits beim Übergang zu MS 1 (III, 1) ausgelassen: „Der hohe Geist, der diesen bau regieret . . ." Das zweite Beispiel „die rosen schöne wangen" wird erst in der Druckfassung (P: II, 3) zu die „rosen-helle wangen" und wächst damit als weiterer Begriff dem metaphorischen Lichtbereich zu. „Die himmelsschön" (II, 1) bleibt durchlaufend gleich. Solche Veränderungen lassen die voluntas autoris als bewußtes Abstimmen auch pretiöser Metaphern auf metaphorische Bereiche im Sinne einer erhöhten Wirksamkeit der Aussage erkennen. Hieher gehört auch die manieristische Steigerung einzelner Metaphern: MS 2 und MS 1 (II, 3) „die stirnen heller schnee" zu „der stirne schnee-gewölb" (P: II, 3) oder der Wechsel von „Der Lippen Zierd" (MS 2 und MS 1: II, 4) zu „des munds rubin". Die Edelsteinmetaphorik ergänzt im Bereiche des petrarkistischen Minnesystems die herrscherliche und erotische (Geliebte = petrarkistisch ‚Gebieterin') Glanzmetaphorik. Sie wird von folgenden sprachlichen Bezügen als sprachlicher Bereich getragen: P: I, 2 „sehen", I, 3 „hellen glanz", I, 4 „geblendet mein gesicht", I, 5 „dich sehend / sahe nicht". Die optische Basis der ersten Strophe führt diese wichtige metaphorische Schicht unverkennbar und beinahe perspektivisch in das Gedicht ein. P: II, 2 „der schwarzen augen licht", II, 3 „der stirne schnee-gewölb; die rosen-helle wangen", II, 5 „das silber-haar", II, 6 „ich sehe prangen", III, 4 „ich sehe schon", IV, 2 „[welt] solte sehen", IV, 6 „aus ihr wir sehen scheinen". Der ausgeprägt optische Zug des Barockmenschen mag sich hier vielleicht als Anstoß mit bemerkbar machen. Die Veränderungen von MS 2 — MS 1 — P belegen jedenfalls den hohen Bewußtseinsgrad dieser Konzentration auf das sprachlich schärfere Herausarbeiten des metaphorischen Grundmusters.

Nun noch einen Blick auf die syntaktischen Veränderungen. Der fließenden, wenig pointierten syntaktischen Fügung von MS 2 steht in der Druckfassung eine Straffung[257] bei der Änderung der Prosateile des übrigen Romanes gegenüber (von MS 2 zu P). Der lyrische Einschub unterliegt also gewissermaßen eben jener stilistischen Gesetzlichkeit wie die Prosa. Der mögliche stilistische Eingriff Birkens bleibt hier im Übergang des lyrischen Gebildes von MS 1 zu P wohl auch nicht ausgeschlossen.

---

[257] B. L. *Spahr*, Aramena S. 75 ff. spricht von *simplification*. Wir haben für dieses von Spahr präzise beschriebene Phänomen den Ausdruck *Rhetorisierung* vorgeschlagen, um die rhetorische Grundstruktur dieser Prosa gebührend zu betonen. Vgl. A. *Haslinger* in: Literaturwissenschaftliches Jahrbuch N. F. 8 (1967), S. 337.

Auch das Gedicht zeigt die zweckmäßigere und rhetorisch wirksamere Ausformung der syntaktischen Grundmodelle. Dieser Stilzug kann sich verschieden äußern:

1. schärfere und bewußtere Partnerbezogenheit:

MS 2 I, 1:   „O himmlisch bild, die zierde der Natur",
P   I, 1:   „O himmlisch bild / *du* zierde *dieser* erden!"

Diese sprachlichen Signale schaffen von allem Anfang an die wirksame Sprechsituation zwischen huldigend Verehrendem und der geliebten Gebieterin. Im weiteren Sinne ließe sich auch die Änderung (III, 3) hier anreihen:

MS 2 III, 3:   „So dz die klugste welt, für dem unbillich schweiget"
MS 1 III, 3:   „dz selbst die klugste welt, für dem mit ehren schweiget"
P   III, 3:   „daß auch der klügste muß vor ihm verehrend schweigen."

Die schrittweise Durchführung des Partnerbezuges im Sinne der Grundhaltung des Anbetenden wird noch durch die konkrete Verpersönlichung („klugste welt — der klügste") unterstützt.

2. Abgrenzung des syntaktisch fortfließenden Gebildes und stärkere synsemantische Bindung der inhaltlichen Aussage. Das beweist die Änderung etwa in I, 5 (s. o. S. 218).

3. Bewußtere innere Ausformung syntaktischer Gebilde:

MS 2 III, 1–2: „Der hohe Geist, der diesen schönen Haus
                     Ist von der Tugend selbst dabey gezieret aus . . ."
MS 1 III, 1–2: „Der hohe Geist, der diesen bau regieret,
                     Ist von der Tugend selbst dabey so ausgezieret . . ."
P   III, 1–2: „Der hohe geist / der diesen bau regiret /
                     ist von der weißheit selbst und tugend ausgezieret:"

Die stufenweise Straffung und Rationalisierung dieses syntaktischen Gebildes ergibt sich aus der Evidenz der Anschauung. Der Relativsatz erlangt erst in MS 1 ein Prädikat und die richtige Casus-Bestimmung, wenn es sich bei „diesen schönen Haus" nicht um einen Druckfehler bei Spahr handelt[258] (vgl. allerdings auch die Änderung in II, 6 „Dich-dir"). Die umständlichen Füllformen („dabey so") werden erst im dritten Anlauf unter dem Gesetz der Rhetorisierung wirksam ersetzt. Der Übergang von „Haus" zum allgemeinen und dem hohen Stil eher entsprechenden „Bau" ist auch ein rhetorischer Vorgang, wenn man an die Stilebenen denkt.

---

[258] Kleinere Druckfehler der Version P (bei *Spahr*) gegenüber dem Original von 1669 sind: I, 1 nach „erden!"; II, 2: „die lieb und *furcht gehären*" (sic), II, 6 „an dir ich *sehe* prangen", III, 5: „seelige", IV, 2 „sehen/", IV, 3 Coelidiane."

Es ergeben sich also folgende Stiltendenzen bei der Entwicklung eines lyrischen Gebildes von MS 2 bis zur Druckfassung[259]. 1. eine bewußte Rhetorisierung, die im Wortbereich (I, 5) und im Satzbereich (etwa III, 1—2) Straffung und Rationalisierung im Sinne eines höchstmöglichen Effektes erstrebt und erreicht. 2. das Einpendeln der verschiedenen Metaphern auf einen geschlossenen Metaphernbereich (Licht — und Glanzmetaphorik), der in Übereinstimmung mit dem Thema und der künstlerischen Absicht eine tragfähige Grundstruktur entfaltet.

b. Spruchhafte Orakelformen und ihre Funktion

Die Orakel finden als Motive im höfischen Barockroman vielfach Verwendung. Sie stehen in einer reichen Tradition „spätgriechischen Ursprungs"[260] und nehmen als Spruch mehrmals die komplizierte Grundstruktur der gesamten Romanhandlung vorweg. Für den deutschen Barockroman sei hiezu als Vorstufe auf Heliodors ‚Aithiopika' verwiesen, wo die Delphische Pythia das Schicksal des Theagenes und der Chariklea vorhersagt:

> Achtet auf sie, die erstens die Anmut und dann auch den Ruhm hat,
> Delphier, und dann auf ihn, der einer Göttin entstammt. Meinen
> Tempel verlassen sie, teilen die Wogen des Meeres,
> Erreichen das dunkle Land, das die Sonne durchglüht.
> Dort dann finden sie reichlichen Lohn für ihr rechtliches Leben,
> Ein weißleuchtendes Band um die schwärzliche Stirn.
> (Aithiopika S. 79).

Grundzüge der Handlung im weiteren Schicksalsweg, geheimnisvolle Hinweise auf Requisiten und die völlige Undeutbarkeit des dunklen Spruches gehören dieser Bauform hier schon funktional zu. Ein Katalog dieses Motivs im deutschen Roman müßte an erster Stelle Philipp von Zesen nennen; die Bedeutung des Orakels etwa in seiner Verdeutschung von de Gerzans ‚Sophonisbe', die zudem die verbreitete Verwendung dieses Motivs im französischen Roman der Zeit belegt. In der ‚Assenat' spielt das Orakel in bedeutsamer Nachbarschaft zu Josefs Fähigkeit der Traumdeutung eine wichtige Rolle. Potifars Tochter Assenat, die Hauptheldin

---

[259] Eine etwaige Mitwirkung Birkens zwischen MS 1 und P muß auch hier als wahrscheinlich angenommen werden, selbst wenn die Ausfertigung des Gedichtes vom Herzog selbst stammt.
[260] Vgl. W. *Pfeiffer-Belli* S. 61.

dieses Buches, wird als kleines Kind im Tempel des Sonnengottes dargestellt, und ihr Vater fragt die Götter nach ihrem Schicksalsweg. Der dunkle
Spruch lautet:

> Imfal man dieses Kind mir heiligt straks itzund:
> so wird es / wan der Niel ist zwanzig mahl gestiegen /
> in eines Fremden arm aufs höchst erhöhet liegen.
> Egipten / schikke dich zu ehren beider mund.
>
> (Assenat S. 26)

Auch hier ist auf ihre hohe Zukunft im Verein mit einem Ausländer
(„Fremden") angespielt und die Zeit („zwanzig Jahre") genau vorherbe-
stimmt. Im Hinblick auf die allgemeine Kenntnis der biblischen Begebenheit bedarf es keiner detaillierten Andeutung. Diese aber ist in einem so
fiktiven Werke wie in Ziglers ,Asiatischer Banise' als Vorausdeutung auf
die weitere innere Romanstruktur in einem sybillischen Götterspruch
gegeben:

> Zeuch hin, betrübter Prinz, dir winket Pegu zu,
> Errette deinen Feind aus seines Feindes Händen:
> Es wird ein fremdes Bild so Aug als Liebe blenden:
> Doch endlich findet man die eingebildte Ruh.
> 5 Schau! Dein Vergnügen liegt in Schrecken, Furcht und Ketten:
> Drei Kronen müssen erst die vierte Krone retten.
> Das Opfer krönet dich als einen Talipu.
>
> (Banise S. 107)

In diesem Spruch verschlüsselt Zigler die wesentlichen Schritte der
folgenden Romanhandlung; ihre erzählerische Realisierung läßt das Orakel
rückblickend als Vorwegnahme der prästabilierten Harmonie einer sich
entfaltenden Welt erscheinen[261]. Wir analysieren die Schritte der Handlungsstruktur. Das endgültige Ziel (Z. 1 Pegu) wird nach dem impera-
tivisch fordernden Beginn sofort vorweggenommen. Z. 2: Als Balacin
dem Feind seines Vaters (König Xemindo von Pegu) begegnet, rettet er
diesen vor einem Anschlag des Rebellen Chaumigrem. Z. 3: Aus Dank-
barkeit will Xemindo dem Unbekannten die Prinzessin von Saavady anver-
mählen, die schon einen andern liebt[262]. Z. 4: Die kurze Zeit der Liebe
mit der von Balacin aus den Händen eines Panthers geretteten Prinzessin
Banise. Z. 5: Der Bösewicht und Tyrann Chaumigrem hält Banise in Pegu
gefangen. Z. 6: Der Usurpator Chaumigrem wird von Balacin, Nherandi
und Zarang belagert. Z. 7: Den Höhepunkt der spannenden Handlung

---

[261] Vgl. W. *Pfeiffer-Belli* S. 61—62.
[262] Zur epischen Struktur dieses Beziehungskomplexes, der durch das Bildnis-
Motiv ausgestaltet wird, vgl. A. *Haslinger* in: Literaturwissenschaftliches
Jahrbuch N. F. 9 (1968), S. 90.

bildet die Szene im Tempel von Pegu, wo der als Priester (Talipu) verkleidete Balacin seine geliebte Banise opfern soll. Das happy ending der ganzen Geschichte ist bereits in Z. 1 vordeutend ausgesprochen (Herrschaft über Pegu).

Selbstverständlich gebraucht auch Lohenstein in seinem ‚Arminius' die Weissagung in Spruchform. Es handelt sich dabei häufig um eine Art rhythmisierter Prosa, die sich durch eine andere Schriftgröße drucktechnisch von der übrigen Erzählprosa abhebt und optisch um eine gedachte Mittelachse angeordnet ist. Zwei Gruppen von Prophezeiungen lassen sich in Lohensteins Werk unterscheiden: 1. die auf die szenische Fiktion bezogenen (etwa um das zentrale Liebespaar) und 2. die historisierenden.

Hermann ist nach der schematischen Schicksalslinie des zentralen Liebespaares von Thußnelda lange getrennt und weiß nicht, ob sie noch lebt. In tiefer Besorgnis wendet er sich an die „heilige Asblaste", seine Mutter, die ihm in ihrem Spruch einen harten Schicksalsweg mehr metaphorisch als kompositorisch verkündet, ohne ihn über den glücklichen Ausgang auch nur im geringsten in Zweifel zu setzen:

...
Doch traue dem Himmel /
daß die Erde
euch beyde nach Wunsch vereinigt werde wieder sehn.
Diejenige soll dich
wohlvergnügt in ihre Arme schliessen /
die du ohne Ursach beweinet hast,
und die dich ohne Ursach beweinen wird.
Dein Begräbniß = Tag
giebt dir und deiner Allerliebsten
ein neues Leben.
Darumb
sey zufrieden /
weil die Linien in dem Buch deines Verhängnisses
zwar wunderbar unter einander lauffen /
gleichwohl allerseits
dein bestes zum Mittelpunct haben.
(Ar II S. 1540—1541)

Nicht die Verschlüsselung einer erregenden Erzählstruktur bestimmt die Gestaltung dieses Orakels, sondern eher die philosophische Aussage über die rechte göttliche Ordnung in der verwirrenden Welt. Gleiche Sprachform und Funktion eignet dem Orakel, das viceversa Thußnelda von Asblaste empfängt (Ar II S. 1624). Lohensteins epische Stärke liegt nicht in der intensiven Verwicklung und Verwirrung der Komposition, denn diese Orakel finden sich in Thußneldens Lebensgeschichte knapp vor dem Schluß des Romans. Ihre Funktion kann aufgrund dieser strukturellen Position vorausdeutend keine kompositorische mehr sein. Das Entscheidende ist eine repräsentative Verselbständigung der Bauform, selbst in ihrer eigentlich fiktionsbezogenen Art. Funktional ist sie auf die philosophische Äußerung der Gottgeborgenheit des guten Menschen gerichtet. Das Problem klingt innerfiktional in einem Gespräch Eratos mit Thußnelda unverkennbar an. Es ist die Frage nach der echten göttlichen Weissagung und dem Mißbrauch dieses Mediums durch böse Intriganten, die Schemata ihres boshaften Planes unter ein höheres Gesetz rücken wollen und dabei zwangsläufig scheitern müssen (vgl. Ar II. S. 1635—1636). Thußnelda konstatiert: „Zukünftige Dinge wissen ist zwar eigentlich ein göttlich Werck" (Ar II S. 1635). Der direkte Bezug auf eine wichtige Struktur des Sinngehaltes dieser Romane, nämlich auf die Darstellung der göttlichen Vorsehung, bereichert die Funktion dieser Bauform bedeutsam. Die Verschiedenheit der epischen Integration, die besonders die kompositionelle Funktion der Orakelsprüche zeigt, unterscheidet die einzelnen Vertreter des Genres wieder.

Zu Lohensteins historisierenden Orakel(sprüche)n zählen wir etwa folgende aus seinem ‚Arminius': Ar II S. 1274 a (über das Reich der Langobarden), Ar II S. 1287 b (über den Untergang des Markomannen Reiches: ein Zweizeiler), Ar II S. 596 b (über die Zerstörung des Tanfanischen Heiligtums), Ar II S. 975 a (über des Augustus Enkel), Ar II S. 1625 a (über den Untergang des Germanicus). Alle diese Weissagungen sind sprachlich teils in Prosa, teils in kurzen Spruchformen; sie können formal kein besonderes Interesse beanspruchen. Auch funktional gehören sie im weiteren Sinne Lohensteins Exempelhaftigkeit zu und dienen kaum besonderen kompositorischen Aufgaben. Grundsätzlich können sich nämlich diese Orakel auf einen bestimmten klar umgrenzten Handlungszug beziehen oder sinnbildhaft die Deutung des wesentlichen Romangefüges darstellen. Meist ist die sprachliche Form dunkel oder reizvoll doppeldeutig. Besonderer Vorliebe erfreuen sich hier auch kürzere epigrammatische Formen.

In der ‚Aramena' und der ‚Octavia' des Anton Ulrich finden sich vielfach Orakel und Prophezeiungen. Auch diese Bauform verwandelt Anton Ulrich seiner fiktiven Welt und ihrer kompositorischen Gesetzmäßigkeit funktional an. Die Prophezeiungen sind meist sorgsam in die fiktive Situation hineinmotiviert, und alle rätselhaften Äußerungen gewinnen mehr oder weniger weittragende[263] kompositionelle Funktion. Eine Differenzierung etwa, die uns bei Lohenstein als Diskussionsthema begegnet, nämlich jene zwischen echter göttlicher Gabe der Prophezeiung und intriganter Absichtsgeladenheit eines beeinflussenden Spruches, erlangt bei Anton Ulrich funktionelle Relevanz. „Anton Ulrich unterscheidet in seiner ‚Aramena' teilweise zwischen heidnischen Orakeln und Andeutungen des wahren Gottes. Wie bei der Scudéry sind die Götzenorakel auch bei ihm

---

[263] Vgl. dazu das Kapitel: ‚Spannungsstruktur und Spannungsstrukturen' o. S. 64—80.

eitler Schwindel, der bald durchschaut wird; hingegen spricht aus dem orakelnden Chaldäer der Wille Gottes."[264] Das ist eine bedeutsame Aussage über Anton Ulrichs künstlerische Eigenart in der sinnvollen Gestaltung seiner Fiktionswelt. Der bei Lohenstein im gelehrten Diskurs (vgl. auch Ar I S. 263 a: über den Mißbrauch von Weissagungen) bewältigte Unterschied wird im Rahmen von Anton Ulrichs Integration zu einem Ausdrucksmittel seiner epischen Komposition.

Die markanteste Weissagung in Anton Ulrichs ‚Aramena' gibt der Chaldäer Nebozar über Syrien (A III 467-471). Sie bildet kompositionstechnisch einen Höhepunkt des gesamten Enthüllungsvorganges. Soeben hat die Titelheldin erfahren, daß sie die ältere Tochter des verstorbenen Königs Aramenes von Syrien und seiner Frau Philominde ist. Ihre Tante Naphtis hat sie am assyrischen Hofe als Tochter erzogen. Die Weissagung gehört nicht zu den Spruchformen; sie ist in 13 Prosa-Artikel gefaßt. Alle Artikel werden durch handschriftliche Erläuterungen des Aramenes von Syrien kommentiert: darin bestätigt sich die Absicht des Dichters zur kompositorischen Integration. Es scheint nicht notwendig, alle Artikel im Wortlaut anzuführen. Die Prophezeiungen der ersten sind dem Leser längst als Erzählstoff der Lebensgeschichten geboten worden. Er ist demnach imstande, die Wahrheit dieser Weissagungen zu erkennen. Die Anmerkungen des syrischen Königs zu diesen Vorfällen sind monologische Klagen kleineren Formats (Artikel 1—5). Das Unglück Syriens wird in Artikel 6 erstmals als beendigt verkündet. Artikel 7 modifiziert das Ende genauer mit dem Ende seiner 24 jährigen Knechtschaft: „Die vier und zwanzig jahre sind nun eben verflossen..." (A III 471). Syrien wird dann wieder den „rechten erben" zukommen. Artikel 8 bezieht sich auf das Schicksal Abimelechs:

Jezt ist deine freude verschwunden. Dein einziger Prinz / des ganzen reiches hofnung / ist in deinen gedanken todt und verloren. Es wird dir ihn aber / zu seiner zeit / das land von mittag wieder geben / den du nun beweinest.

Aramenes Kommentar dazu lautet:

Dieser Prinz wird / meinem vermuten nach / aus Gerar seyn / deme / in den vorhergehenden worten / die besitzung von Syrien profezeiet worden / und den dir / ô Aramena! zweifelsohn der himmel zum gemal auserkoren.

(A III 469)

Anton Ulrichs Spiel mit den *Ausschnitten* von Leser und Romanperson bestimmt auch diese Bauform. Die Prophezeiung des Chaldäers ist die Offenbarung der göttlichen Ordnung dieses Problems. Abimelech wird sich als der echte syrische Erbprinz herausstellen, der verschollen war und heimlich als Prinz von Gerar erzogen worden ist. Das kann an diesem Punkt der Komposition aber weder Aramena nach der Leser durchschauen.

---

[264] E. *Lindhorst* S. 55.

Sie überbewertet von ihrem *Ausschnitt* her die bestehende Wahrheit, die sich aber als *Oberflächenstruktur* erweisen wird. Hier liegen für Anton Ulrich viele Spannungsenergien verborgen. Allzu leicht ist Aramena geneigt, der irrtümlichen Spezialisierung des rechten Chaldäerausspruchs im Kommentar zuzuneigen. Der Kommentar liefert eine in diesem Augenblick der Entwicklung äußerst glaubwürdige Möglichkeit der (irrtümlichen) Deutung; diese gehört der *Oberflächenstruktur* zu. Anton Ulrich täuscht durch die Meinung des verstorbenen Syrierkönigs Leser und Romanperson und bringt sie auf eine falsche Spur. Das geschieht gleich nach der bemerkenswerten Verwirklichung eines vorher höchst unglaubwürdigen Spruches des Chaldäers in der Dison-Aramena-Hochzeit (s. o. S. 88—90). Anton Ulrich integriert also das Orakel nicht nur als erzählerische Vorausdeutung, sondern er verwendet es darüber hinaus als Medium der Täuschung. Die unzulässige Simplifizierung, in seinem Romanwerk einfach vom Phänomen der Täuschung schlechthin zu reden, wird daraus wohl endgültig einleuchten. Die Täuschung ist als Erscheinungsform der voluntas autoris entweder auf Romanperson oder Leser oder auf beide gleichermaßen bezogen. Sie bildet primär eine Form der erzählerischen Spannung, kann aber auch eine Aussage über die Sinnstruktur der gestalteten Fiktionswelt bedeuten.

Diese mehrfache Funktion der Prophezeiung belegt unser Beispiel. Weissagung und Kommentar sind raffiniert auf die *Ausschnitte* von Romanperson (besonders Titelheldin) und Leser bezogen; die ansprechende, manchmal aber irrtümliche Ausdeutung der Prophezeiungswahrheit erfüllt der Kommentar. Abschließend faßt in visionärem Ausblick der Artikel 13 nochmals die wesentliche hierarchische Grundstruktur des Romanschlusses zusammen. Der Kommentar des Aramenes steigert sich zum Gedicht, dessen Grundempfinden stoische Großmut ist:

Sei dan zufrieden / ô Aramenes!
du vatter dreier mächtiger Könige!
welche über Celten / Syrien und
Ninive regiren sollen. Tröste dich
dessen / daß zwar Syrien unter-
gehen / mit deinen kindern aber /
zu viel größerer herrlichkeit / nach
bestimter zeit der vier und
zwanzig jahre / wieder erstehen
und ewig blühen werde.
(A III 471).

Wolan! muß dan in leid ich
meine jahre schließen:
So laß der himmel freud die
meinigen genießen.
Ich sterbe für mein land /
gleichwie der Fönix thut.
Auf daß mein same leb / so
schütt' ich hin mein blut.

Der Romanschluß erfüllt die Weissagung: der ,Celte' Marsius wird die Titelheldin Aramena heimführen, Aramenes wird mit Coelidiane über Syrien herrschen, und Aramena die Jüngere wird an der Seite ihres Gatten Dison von Seir über Ninive regieren. Damit sind die prominentesten Paarungen des gesamten fürstlichen Personals vorweggenommen, vor allem die glücklichen Vermählungen der drei verschollenen Kinder des Aramenes von Syrien. Das ist der Kern des weitläufigen ‚plots' der ‚Aramena'. Das Widmungsgedicht stellt auch Aramenes in eine prominente Position; er ist einer der wenigen unschuldig Leidenden der Vorgeneration. Belochus von Assyrien hat aus eigennützigen Motiven (vor allem Eifersucht und Neid) das Glück dieses syrischen Königs zerstört und damit unter Mithilfe anderer die verwirrte Situation des Romans geschaffen, an der die eigentliche Romangeneration vielfach leidet.

Daß diesen Weissagungen (Scheinhochzeit und Syriens Geschick) noch viele kleinere zur Seite stehen, versteht sich aus dem Prinzip der Fülle von selbst, das Anton Ulrichs Romanwelt bestimmt. Natürlich finden sich hier auch Prophezeiungen, die überraschende Handlungsfunktion haben. Die Inschrift auf den kupfernen Tempeltafeln (A V 772) etwa beendet den Streit zwischen den Hirten und den Chaldäern augenblicklich durch eine glückliche Weissagung. Einen Höhepunkt in der dramatischen Handlungskonstellation des fünften Bandes der ‚Aramena' bildet auch der ‚Ausspruch des Teraphim (A V 637), durch den der als Schäfer verkleidete Cimber im Tempel entdeckt wird. Die Tumultszene führt mit der Gefangenschaft Cimbers zu einer plötzlich neuen Handlungssituation, die erst wieder seine Befreiung (A V 681) löst. Die Prophezeiungen des Teraphim sind keine göttlichen Orakel wie jene des Chaldäers, obwohl er gerade in bezug auf Cimbers Leben oder Tod noch mehrmals befragt wird (etwa A V 654). Allen kommt die Funktion der epischen Vorausdeutung zu. Durch die Differenzierung in göttliche Orakel und heidnische, die sich in der *Tiefenstruktur* der Komposition nicht erfüllen müssen, sind sie auch in das Spannungsdreieck zwischen Autor — Romanperson — Leser eingespannt. Sie werden also über die stereotype motivische Verwendung hinaus von Anton Ulrich auf verschiedene Weise funktionalisiert[265].

6. Die dramatischen Einlagen im höfischen Barockroman

Dramen in erzählenden Prosawerken sind in der deutschen Literatur nicht nur auf den höfischen Barockroman beschränkt. Wir erinnern etwa nur an Goethes ‚Wilhelm Meister', Jean Pauls ‚Titan', Arnims ‚Gräfin Dolores',

---

[265] F. *Mahlerwein* S. 312—314 (‚Aramena') und S. 159 (‚Octavia') führt — mit allerdings teils falschen Seitenangaben — viele solche Orakel und Weissagungen stofflich an, ohne sie jedoch in irgendeiner Weise funktional zu bestimmen.

Mörikes ‚Maler Nolten' und Doderers ‚Die Merowinger'. Die Funktion solcher dramatischer Einschübe wechselt aber nicht nur von Epoche zu Epoche, sondern von Werk zu Werk. Anton Ulrich schiebt in seine zwei Romane auch solche Dramen ein.

In der ‚Aramena' bietet ihm vor allem der schäferliche Abschlußband mit seiner Atmosphäre hiezu besondere Gelegenheit. In der ‚Octavia' sind es ebenso ein Schauspiel und ein Ballet im ersten Band, gleichermaßen im Rahmen barocker Hoffestlichkeiten. Als Marginalie sei dabei nur an Anton Ulrichs Tätigkeit als Dramatiker, Regisseur und Schauspieler am Wolfenbütteler Hof verwiesen. Lohenstein gestaltet, seinem Darstellungs-typus entsprechend, mehrmals im ‚Arminius' kürzere allegorisch-mytho-logische Szenen mit festlich-repräsentativer Funktion. Zigler verherrlicht die abschließende Vermählung von Balacin und Banise in seinem theatra-lischen Roman mit der Aufführung einer italienischen Oper, deren Text er nach einer Übersetzung von Hallmann versifizierte. Inwieweit kommt es nun zu einer thematischen oder gar sprachlichen Integration dieser Dramen im betreffenden Roman?

Es ist das Verdienst Blake Lee Spahrs, die Integration der dramatischen Einlagen in der ‚Aramena' erforscht zu haben. Seine Ergebnisse dienen der folgenden Darstellung weitgehend als Grundlage. Spahr sieht im fünften Band dieses Romans als Repräsentation der pastoralen Technik folgendes verwirklicht: „ ... the baroque device of the double mirror image (in one notable instance rendered in perhaps four reflections) — the play within the play"[266]. Das bedarf einer weiteren Erklärung anhand der drei Spiele, die in der ‚Aramena' dargestellt werden: 1. ‚Streit der Grosmut und Liebe' (A V 306—322), 2. ‚Der tugend und laster lohn' (A V 421—439) und 3. ‚Schäferspiel von Jacob / Lea und Rahel' (A V 461—487). Spahr beweist die Autorschaft Sigmunds von Birken für das dritte, die beiden ersten dürfte Anton Ulrich selbst gedichtet haben.

Die Spiele gelangen in der schäferlichen Atmosphäre dieses Bandes zur Aufführung. Sie werden als Rätselmodelle im Bereich des für die Barock-zeit so zentralen Identitätsproblems[267] integriert. Dabei ergeben sich ver-schiedene Identitäts-Ebenen. Die Personen, welche die Titelheldin Aramena in ihr neues Königreich Mesopotamien geleitet haben, sind fiktive Per-sonen des Romans (erste Namens- und Identitäts-Ebene). Viele von ihnen nehmen in diesem Lande schäferliche Namen und schäferliche Kleidung an (zweite Ebene). Manche spielen dann Rollen (dritte Ebene) in den drei aufgeführten Stücken. In der Handlung dieser Spiele stellen sie Aktionen dar, aus denen die Zuschauer die *wahren* historischen Vorbilder (vierte Ebene) erraten sollen (Bezugsdeutung auf die erste Ebene). Sollten diese

---

[266] Vgl. B. L. *Spahr*, Aramena S. 133.
[267] Vgl. B. L. *Spahr*, Protean Stability in the Baroque Novel. In: The Germanic Review 40 (1965), S. 253—260.

Vorgänge im Roman und in den Stücken (als Analogie) noch zudem Vorfälle des zeitgenössischen Hoflebens spiegeln, so wäre sogar eine fünfte Ebene zu beachten (Verschlüsselung). Dadurch werden die Akteure und die dramatische Handlung ins Romangefüge integriert. Die von den Schauspielern gewünschte Entschlüsselung der dramatischen Handlung, also ihre Deutung als Spiegelbild einer Handlung der Romanfiktion, stellt große kombinatorische Anforderungen an die fiktiven Zuschauer und auch an den Leser, der sich nach Absicht des Autors diesem Spannungsmoment unterziehen sollte. Meist kommt es im Rahmen der fiktiven Situation nach den Aufführungen zu Teildeutungen, die auf die eigentliche Intention des erzählenden Dichters schließen lassen. Der Leser soll also diese eingelagerten Dramen als Rätsel zwischenmenschlicher Beziehung deuten. Damit kann er ein raffiniertes rationales Spiel von Spiegel- und Bespiegelungs-Möglichkeit entlarven. Somit erweist sich auch diese Bauform in starkem Maße fiktionsbezogen. Mit dieser theatralischen Wiederkehr bereits im Erzählvorgang gestalteten Geschehens nimmt u. E. Anton Ulrich Formen späterer Jahrhunderte vorweg. Was bei ihm noch als typisiert analogiefähige Beziehung erscheint, wird später zur psychologisch-sprachbildhaften Integration[268].

Interessant ist noch der theatergeschichtliche Hinweis, daß der erzählende Dichter (A V 306) periochenartige Zettel austeilen läßt, die den Zuschauern den Inhalt des Spiels und die dramatis personae bekanntgeben[269]. Auch auf die Exklusivität der Zuschauer wird besonderer Wert gelegt, weil „hierdurch leichtlich / dem königlichen ansehen / einiger abbruch hätte wiederfahren können" (A V 305).

Diese szenischen Hinweise auf die Situation führen uns zu den dramatischen Einlagen in der ‚Octavia'. Kaiser Nero veranstaltet im ersten Band zwei theatralische Aufführungen: ein „danzspiel" mit dem Titel ‚Der siegende AEneas' (O I 896—924) und ein „traurspiel" mit dem Titel ‚Der sterbende Oedipus' (O I 977—1023). Bei beiden wirkt der Kaiser sogar selbst mit. Im Tanzspiel singt und tanzt er die Titelrolle, im Trauerspiel spielt er sie. Da der Kaiser funktional mit diesen Rollen verwoben ist, zeigt sich darin schon die tragische Bedeutung dieser Aufführungen für

---

[268] Einige Beobachtungen, die vielleicht pedantisch über *Spahrs* Interpretation (S. 133—137) hinausgehen, seien hier kurz notiert. Aufgrund von A V 322—325 lassen sich noch folgende Lösungen zum ersten Stück finden: Nacres wurde gespielt von Amosis und bedeutet Jethur, Jaboth wurde gespielt von Armizar und bedeutet Nebajoth. Beim zweiten Stück sind noch folgende Gleichungen über Spahr S. 135 hinaus zu ergänzen: Delbora = Andagone, Indaride = Aramena d. Ältere, Mehetabeel = Aramena d. Jüngere.

[269] Vgl. zur Perioche: A. *Haslinger*, Die Salzburger Periochen als literarische Quellen. Eine methodische Vorstudie zu einer Darstellung des Benediktinerdramas. In Festschrift Leonhard C. Franz. Besorgt von Osmund *Menghin* und Hermann M. *Ölberg*. Innsbruck 1965 (recte 1967), S. 143—158 (= Innsbrucker Beiträge zur Kulturwissenschaft Band 11).

ihn von vornherein. Mag Anton Ulrich auch nicht der Autor dieser dramatischen Einlagen sein[270], die funktionale Verklammerung mit der Romanstruktur ist eindeutig sein Verdienst. Ihr wollen wir nun unser besonderes Augenmerk widmen. Wir versuchen dabei, die szenischen Situationen und ihre Wirkung auf die Zuschauer zu veranschaulichen. Die Stücke stehen im Bereiche rebellischer Bestrebungen gegen Nero, welcher diese unterschwelligen Strömungen scheinbar zu spüren vorgibt oder tatsächlich spürt.

Mit dem rekonvaleszenten und sich vor dem Nero versteckt haltenden *Drusus* (= Italus) gelangt der Leser zum Tanzspiel, das „aus des berühmten Virgilius schriften genommen / die er von des Eneas leben hinterlassen" (O I 895). Präludiert wird die Ergötzlichkeit des Kaisers fürs Volk von einem kleinen bedeutsamen Vorfall. Nero schickt den Sicenna, der Drusus heimlich Unterschlupf gewährt, wegen eines Gerüchtes von Stund her in Verbannung.

> Welch eine schleunige veränderung ist doch dieses! sagte Drusus hierauf zu der Pythias. Sicenna war vor wenig stunden so gut Kaiserisch / und nun wünschet er des Nero untergang ... (O I 893)

Thematisch klingt damit eines der Vorzeichen für die Aufführungssituation an, nämlich die hemmungslose Ungerechtigkeit des Kaisers, der sogar seine Treuen durch ungeschickte Aktionen in Feinde verkehrt. Das zweite Thema ist Pythias' Nachricht, daß Nero auch Antonia, des Drusus vermeintliche Schwester, ermordet habe. Grausamkeit und Ungerechtigkeit des Tyrannen leuchten im Kontrastbild der repräsentativen Szenen des Tanzspieles nun besonders efektvoll auf; die *Erzählperson* ist Drusus.

Das Tanzspiel besteht aus in Prosa erzählter Handlung (Anton Ulrich) und Kennreimen zu bestimmten Personen, ihrer Einstellung und ihren Plänen (Sigmund von Birken oder Christian Flemmer). Das Spiel kann keinerlei künstlerische Ganzheit in strukturellem Sinne für sich beanspruchen. Wohl aber liegt seine künstlerische Funktion in der bedeutsamen Beziehung auf die Personen der Handlung. Einmal zielen die Masken mancher Darsteller spürbar auf fiktive Romanpersonen, und damit charakterisieren die Kennreime (die fiktiv teils von Nero selbst ver-

---

[270] Zur Verfasserschaft der Stücke zitiere ich eine Stelle aus einem Brief (v. 8. Mai 1968) von Maria *Munding*, die die Manuskripte hiezu eingesehen hat: „Für das Aeneas-Ballett hat Anton Ulrich nur den verbindenden Prosatext geschrieben, statt der Verse findet sich jeweils ein deutlich sichtbares Notabene („NB."). Die Verse wird wohl Birken eingesetzt haben, es käme aber auch Christian Flemmer in Betracht, neben Birken Mitarbeiter Anton Ulrichs in dieser frühen Zeit. Auch der ‚Oedipus' stammt nicht von *Seiner Durchlaucht*. Ich habe trotz vielen Suchens noch keine Oedipus-Bearbeitung finden können, die als Vorlage in Frage käme. Sowohl Birken als auch Flemmer wäre die Verfasserschaft zuzutrauen."

faßt wurden) Neros Einschätzung jener Personen. Da Macht und Urteil des Kaisers ein ausschlaggebender Existenzfaktor in dieser hochpolitischen Welt jähen Umsturzes sind, muß das Spiel die Zuseher mehr beunruhigen und beängstigen als vergnügen. Die politische Relevanz bildet die vordringliche Form der Integration dieses Tanzspieles. Eine weitere Möglichkeit bedeutsamer Interpretation gibt dann die Analogie zwischen Darsteller und Rolle. So ergeben sich etwa folgende Gleichungen zwischen Maskenbildung und Rolle: Faunus = Galba, Camilla = Octavia (897), Juturna Antonia (904), Eris = Agrippina (905), Aeneas = Nero (907), Latinus = Vologeses, Turnus = Gaius Julius Vindex (907), Ascanius = Vardanes, Tolumnius = Seneca / dargestellt von Eprius Marcellus (908), Achates, des Eneas Freund = Tyridates (910), Venus = Sabina Poppea (911), Lavinia = Statilia Messalina, des Kaisers derzeitige Gemahlin, Camers = Britannicus, Volusus = Burrhus, Venulus = Sylla, Ufens = Comitius Corbulo, Osiris = Rubellius Plautus, Archetius = Grassus Scribonius, Epulo = Lucanus, Talos = Barea Soranus, Tanais = Piso usw. (919). In den seltensten Fällen sind die dazugehörigen charakteristischen Reime gütig oder positiv, meist beunruhigen sie den Betroffenen sehr. Die gefährliche Atmosphäre dieser Aufführung vermag eindrucksvoll ihre Wirkung auf die Zuschauer zu vergegenwärtigen, die selbstverständlich der Wertung des erzählenden Dichters unterliegt. Diese Stellen ergeben zusammen eine erregende Kontrapunktik des abrollenden Bühnengeschehens. Nach der Schilderung des szenischen Schauplatzes und dem Beginn der Handlung entdeckt das Volk die Ähnlichkeit zwischen Camilla und Octavia, sowie Faunus und Galba: „Niemand konte anfangs / die deutung dieser fremden fürstellung / errahten: weswegen sie die ausgeworfene zettel besahen / und darinn diese erste verse lasen" (O I 897):

Faunus / mit den vierzig Wald=Göttern.

Wem bildt der kahle kopf / die krummen schenkel / ein /
daß einen feind an mir Eneas solte finden?
Doch wil sich mir das glück mit einem schwur verbinden:
so bald ein maulthier wirft / soll ich hier König seyn.

Der bittere Spott Neros über den aufrührerischen Galba und sein unvorteilhaftes Äußeres klingen hier mit ominös Orakelhaftem zusammen; die ungewisse epische Vorausdeutung stellt sich dabei noch als zusätzliche Funktion ein.

Camilla und die Volscer.

Man meint / Dianen hätt' ich keusch-seyn selbst gelehret.
Mein störrigs angesicht betraff nicht jederman.
Eneas hasset ich / weil ihn der himmel ehret':
ich hezte freund und feind auf diesen helden an:
doch schleunig ward mein weg der höllen zu gekehret:
wo ich mit Pluto selbst gemächlich buhlen kan.

„Hieraus finge man nun allmählich an / des Kaisers absehen zu ergründen" (O I 898). Bedenkt man, daß Octavia (= Camilla) die Titelheldin des riesigen Prüfungsromanes ist, so kommt dieser Aussage große Bedeutung zu. Die Verzerrung ihres Spiegelbildes ins Negative reflektiert Neros bösen Charakter, weil er nicht einmal vor der Beschmutzung dieses engelreinen Tugendbildes halt macht. Zusätzliche Beispiele aus den nicht von Anton Ulrich stammenden Teilen glauben wir erübrigen zu können; wir wenden uns der Analyse der konstitutiven Kurve der Zuschauer-Reaktion zu. Diese verdichtet sich im Falle der Maske Antonias für die böse Juturna in der Perspektive ihres vermeintlichen Bruders *Drusus*:

> Drusus konte seinen eifer kaum zwingen / als er gewar wurde / wie man die unvergleichliche Antonia hiermit noch verhönete: und mehrte sich hierbei sein schmerz über ihren tod dermaßen / daß er durch vielfältige seufzer sein anliegen zu tag legte. (O I 904 f.)

Als die Verschwörer die Maske für Agrippina erkennen, bekommen sie allmählich Angst, Nero würde auch sie satirisch abbilden (905). Die gespielten Gefangenen werden weiter „warhaftig niedergemacht" (909). Nero sondert sich feige von diesem „scharmützel" ab. Dann wird der Kaiser wirklich ohnmächtig, es gelingt ihm aber nach einer kurzen Labung, den Kampf gegen Turnus bis zum ‚siegenden Aeneas' durchzufechten. Der Schluß wird wieder betont durch die Wirkung auf die Zuschauer gerahmt: „Jederman begabe sich damit nach hause / mehr entrüstet als vergnügt / über das / so ihnen war fürgestellt worden. Gegen dem dritten tag des Monats Julius wurde das volk wieder eingeladen / um dem traurspiel zuzusehen / in welchem Nero selbst die person des Oedipus fürstellen wolte." (O I 924) Diese Bemerkung bleibt als Spannungshinweis aufrecht bis O I 977, weil dazwischen in den Erzählablauf noch die ‚Geschichte der Prinzessin Ephigenia' (O I 930—975) eingeschoben wird.

Zu Anfang des ‚sterbenden Oedipus' (977 f.) führt der erzählende Dichter genau an, wer welche Rolle zu spielen hat: im Zentrum steht bedeutsam Kaiser Nero als sterbender Oedipus. Die Struktur ist den Baugesetzen der hohen Barocktragödie verwandt. Den ersten Akt bilden fünf Szenen und ein abschließender ‚Reyen', den zweiten acht Szenen plus Reyen. In der zweiten Szene des dritten Aktes bricht das Spiel plötzlich ab, weil Nero im Text stecken bleibt. Als die Zuschauer zu lachen anfangen, schämt er sich und läuft von der Bühne. Der ominöse Schlußvers des Kaisers lautet:

> Ich komm / Ich komm / geschick! Ach weh! wohin sol ich?
> zur straff? zur ruhe gehn? O tochter! ich muß sterben:
> dann vatter / mutter / weib / begehren mein verderben...

(O I 1023)

Diese Unterbrechung bildet ein bedeutsames Signal für die weitere Handlung und ein eindeutiges für Neros bevorstehenden Tod. Ineinandergreifend motiviert Anton Ulrich: Aus Ärger über die Verachtung des Volkes läßt der Tyrann die Steuern für die Komödien erhöhen, worauf dann der allgemeine Aufstand ausbricht. Tanzspiel und Trauerspiel erfüllen also weitwirkende Funktionen in bezug auf Erzählspannung und Handlungsaufbau. Sie sind in verschiedenem Grade in die Struktur des Romans integriert. Keinesfalls sind sie nur repräsentativ-dekorative Passagen. Die Handlungsvorgänge auf der Bühne ebenso wie die Personen und ihre Identitätsspiegelungen reflektieren Strukturen des fiktiven Romangeschehens und seiner menschlichen Beziehungen.

Auch Lohenstein verwendet das Medium der dramatischen Einlage, und zwar besonders im vorletzten Buche des zweiten Teiles seines Romans (Ar II 1403—1456). Sie ist in die Liebesgeschichte um Adelgunde eingeschaltet, die von drei Fürsten Inguiomer, Britomartes und Bolesla umworben wird. Entsprechend der detailhaften und szenischen Breite von Lohensteins Darstellungsstil sind diese Einschübe, im Vergleich zu jenen der ‚Aramena‘ etwa, von gewaltigem äußerem Ausmaß. Ihr Grundduktus ist jener des opernhaften mythologisch-allegorischen Singspiels (vgl. dazu auch L. Cholevius' Andeutung S. 368). Breite Prosastellen veranschaulichen sorgfältig die szenischen Bühnenvorgänge:

Die einbrechende Nacht machte dem Spiele den Anfang / welche aber von zwölf tausend den Schau = Platz umringenden Fackeln / dem Tage das Licht zu nehmen schien: daß sie den güldenen und silbernen Kleidern / den Edelgesteinen und andern prächtigen Aufzügen desto mehr Glantz geben könte. Der sich öffnende Schau = Platz stellte den Himmel mit unzählbar hell = leuchtenden Sternen / die Erde in vereinbarter Schönheit des Frühlings / und der Fruchtbarkeit des Herbstes / das Meer mit sanfften Wellen / vielen Schiffen / und das Ufer voller Perlen und Korallen = Zincken für. Mit dem ersten Anblicke fiel den Zuschauern das gantze Siegs = Gepränge der Liebe in die Augen. Diese saß gantz nackt auf einer überaus grossen Perlmuschel / welche auf vier güldenen Rädern lag / und an statt der Schwanen von zweyen Adlern / zweyen Elephanten / zweyen Wasser = Pferden / und zweyen Drachen gezogen ward; Sie hatte einen Krantz von Sternen / die Erd = Kugel zu den Füssen / den Blitz in der rechten Hand / zwischen dem lincken Arme eine Dreyzancks = Gabel / in der lincken Hand die Schlüssel zur Hölle; um den Leib einen Gürtel von allen Edelgesteinen der Welt. Um den Wagen flogen zwölff Liebes = Götter derer Flügel von mehr Farben brennten / als sie Federn an sich hatten / und welche die Lufft so geschwinde als die Blitze zertheilten / mit ihren Strahlen aber gleichsam zwölff Schwantz = Gestirne abbildeten / und hinter sich eine Strasse von Feuer = Flammen liessen. Die Liebe ließ sich auf einem Berge nieder / und sätzte sich auf einen Königlichen Stuhl / welcher auf der einen Seite die Natur / auf der andern das Glücke aufwartete. Gegenüber stand ein Altar / welches von eitel Adler = Holtze und Zimmet loderte. Die Natur drückte die Gewalt der Liebe zu denen allersüssesten Seitenspielen in folgendem Gesange mit einer durchdringenden Stimme aus: ....

(Ar II 1403—1404).

233

Diese Beschreibung wirkt als kleines in sich geschlossenes Sprachkunst-
werk. Die Vorliebe des Dichters für das mythologisch bedeutsame Detail
und seine geistvolle Deutung bestimmt Sprachform und erzählerischen
Ablauf. Die Verbindung zum Geschehen der Haupthandlung bleibt lose.
Sprachliches Dekor und anschauliche Prachtentfaltung drängen sich als
Funktion eines solchen Passus direkt auf. Die Potenzierung repräsentativer
Vorgänge führt Lohenstein in einer Ballung von drei Spielen durch. Diese
werden vom Hofmann Vannius als bedeutsame Festlichkeiten inszeniert.
Dabei handelt es sich im modernen Sinne um drei Uraufführungen. Dem
ersten Spiel von Pelops und Hippodamia (Ar II 1403—1422) folgt das von
Atalanta und Hippomanes (Ar II 1423—1436). Des Vannius' drittes Schau-
spiel ist die Deutung der Liebesgeschichte zwischen Alceis und Barcas
(Ar II 1436—1456). Drei Liebesgeschichten könnten also mit drei Bewer-
bern um Adelgunde in bemerkenswerte Beziehung treten. Wir wollen
aber der Interpretation nicht vorgreifen und fragen uns nach der besonderen Form der Integration dieser Spiele, welche der Dichter mit äußerstem
sprachlichem Aufwand repräsentativ und prunkvoll vor den Augen von
Romanpersonen und Leser entfaltet. Interessant ist hiezu der Blick auf die
Reaktion der Zuschauer auf das jeweilige Spiel. Nach dem ersten Spiel
herrscht offensichtlich ziemliche Verwirrung ob der Deutung der Bühnen-
handlung:

> Die Scharfsinnigen aber müheten sich den geheimen Verstand / welchen der
> nachdenckliche Vannius unter diesem Schauspiele wol anzielte / zu erforschen.
> Ihrer viele machten daher diese Auslegung / daß unter dem Oenomaus König
> Maroboduus / unter Hippodamien Adelgunde / unter dem Pelops Vannius /
> und unter dem Myrtilus Adgandester mit seiner vermässenen Liebe / und
> seinem daher / theils rührenden / theils noch bevorstehendem Falle abgebildet
> würde. Andere deuteten es anders aus / also / daß hier ebenfals nicht weniger
> Urtheile filen / als Köpfe vorhanden waren / und jeder sich am tiefsten in
> frembder Gedanken Geheimnüsse zu sehen / sich bedüncken ließ. (Ar II 1422).

Mit dieser Auslegung vollzieht Lohenstein seine epische Form der Integration. Beiläufig wird eine Identitätsgleichung hergestellt, diese aber
sofort wieder durch ein Spektrum angedeuteter anderer Möglichkeiten der
Deutung relativiert. Eigentlich haben wir hier eine Andeutung von Lohensteins Grundprinzip der Polyvalenz. Die Darstellung auf der Bühne unterliegt somit ähnlichen Gesetzen wie die Strukturen der Romanhandlung.
Der generalisierte Fall kann in verschiedenen Deutungsmöglichkeiten konkretisiert werden. Die Personen können diese oder andere bekannte
menschliche Beziehungen dargestellt haben. Wie steht es nun mit der
Integration des zweiten Spieles durch die Meinung der Zuschauer?
Sie stimmen hier alle in der Gleichung Atalanta = Adelgunde überein.
„Aber weil noch niemand zu erraten wuste / wer das Glücke sie zu überkommen haben würde / konten sie über dem ungewissen Hippomanes

nicht einig werden." (Ar II 1436) Selbstverständlich wohnt dieser offenen Deutung ein Spannungsmoment inne, das erst der Kampf der drei Freier und der Sieg des Richtigen löst. Das dritte Schauspiel endet mit der Überwindung der Eifersucht durch die Liebe:

> Daß aber meine Gnad' jedwedem werde kund /
> So sollstu seyn forthin der Liebe Ketten = Hund.

Die Wirksamkeit des letzten Spieles reicht aber in intensiverer Integration in den Erzählablauf hinein. Vannius bittet neben den anderen Fürsten auch die drei Freier Adelgundens zu Tisch. Hier erfolgt die Integration dieses Schauspiels in der Bauform der Disputation. Die drei Bewerber um die Prinzessin beziehen das dramatische Modell auf ihre Schicksalskonstellation. Sie wollen nach Analogie des Bühnenvorganges ihr Glück bestimmen. Alle drei beabsichtigen, um Adelgunde zu kämpfen: dem Sieger gebührt die Prinzessin als Preis. Wie sehr die Sprachform dieses Gesprächs auf Identitätsgleichungen mit der dramatischen Konstellation des dritten Schauspiels beruht, sollen kurze Proben daraus beispielhaft zeigen:

> Er wäre erfreut / daß die tugendhaffte Adelgunde nicht minder tapffere Liebhaber als Alceis / und er noch fürtrefflichere Neben = Buhler als Barcas / sie alle auch die Eyversucht wie einen Ketten = Hund gefässelt hätten ... (*Ingviomer*)
> *Britomares* antwortete: Er bescheidete sich wol / daß mehr nicht als einer die unschätzbare Adelgunde besitzen könte / er bildete sich aber so sehr als iemand anders in der Welt ein / Barcas zu seyn ...
> *Boleßla* billigte nicht nur allein solches / sondern er ließ sich heraus: Die Liebhaber der Alceis hätten wol vom Gelücke zu sagen / daß sie nicht die Eigensinnigkeit des Antäus / sondern ihre eigene Faust zum Entscheider ihrer Liebes = Strittigkeit gehabt .... (Ar II 1457).

Die Struktur des mythologischen Spieles wird als Parallele zur eigenen Entscheidungssituation erkannt und liefert durch Analogie den weiteren Handlungsimpuls. Ingviomer trägt bei diesem Kampf um Adelgunde den Sieg davon und vermählt sich mit der Prinzessin. Lohenstein gestaltet seine dramatischen Einlagen also nicht ausschließlich als isolierte Bauform, denen nur die Lust an der sprachlichen Repräsentation und der Hang zur Verallgemeinerung eignet. Die Integration ist jedoch von anderer Art als bei Anton Ulrich. Lohenstein fordert von Zuschauer und Leser nicht den Bezug der Dramenkonstellation auf bereits bekannte Strukturen der roman-eigenen Fiktionswelt. Die Romanpersonen erkennen aber die Ähnlichkeit ihrer Situation mit jener des allgemeinen Spieles. Den vielen Identitätsebenen bei Anton Ulrich stehen bei Lohenstein nur zwei gegenüber, wovon eine ‚fiktionsfrei' ist (= die mythologische). Und sogar diese einmalige Gleichung kann der Polyvalenz einer relativierten Deutung verfallen. Dem Vorurteil, Lohensteins eingeschobene Dramen(szenen) dienten selbstgenügsam nur der typischen Prachtentfaltung bei höfischen Festen, widerspricht unsere Analyse. Sie beweist den integralen Bezug der Dramen auf die Personenkonstellation und das Handlungsgefüge dieser Romane. So scheinen alle dramatischen Einlagen im höfischen Barockroman integriert.

Allerdings muß man eine Ausnahme nennen: das abschließende Festspiel in Ziglers ‚Asiatischer Banise'. ‚Die Handlung der listigen Rache Oder der tapfere Heraclius' ist „ein venetianischer Operntext, der ‚Anno 1671, auf dem unvergleichlichen Grimanischen Schauplatze das Tageslicht zum ersten Mahl angeblicket', wie Hallmann, der erste und eigentliche Verdeutscher berichtet"[271]. Der Dichter war Nicol Beregan, der Komponist P. A. Ziani. Zigler dürfte kaum das italienische Original gesehen haben. Er hat lediglich die Prosaform des schlesischen Dramatikers Johann Christian Hallmann (um 1640—1704) in prunkvolle Verse umgegossen. Geringfügige Änderungen lassen nicht auf die Absicht der thematischen Integration schließen. Zigler hat dieses Werk einfach als repräsentative Festaufführung versifiziert und von einem anderen Dichter entlehnt. Es hat keinen Bezug zur Romanhandlung.

Die Dichter des höfischen Barockromans haben also selbstgedichtete oder andere Werke dramatischer Art in ihre Romanhandlungen eingefügt. Sie bilden dort prinzipiell keine Fremdkörper, sondern stehen in einem jeweils andersartigen Bezug zur Romanstruktur. Dieser beruht nicht auf unbeweisbarer Interpretation, sondern auf nachprüfbaren Analogien zwischen der Roman- und der Dramenstruktur. Darüber hinaus bemühen sich die fiktiven Romanpersonen meist um eine Deutung dieses Bezugs. Dieser übersteigt allerdings in vielen Fällen das Phänomen einfacher Identifizierung von Personen hier und dort nicht. Lediglich Anton Ulrich, besonders in der ‚Aramena', potenziert diese analogiehafte Integration zu einem raffinierten Spiel von manchmal vier möglichen Bedeutungs- und Identitäts-Ebenen von Personen und Handlung.

7. Die *Gesellschaftsspiele* als besondere Bauform bei Anton Ulrich

Die Ausgliederung des *Gesellschaftsspieles* als eigene Bauform ist keinesfalls unproblematisch, weil epische, lyrische und dramatische Elemente an seiner Sprachform mitwirken können[272]. Unter *Gesellschaftsspiel* verstehen wir jede Form spielhaften Verhaltens, das von der spielenden Gesellschaft

---

[271] Vgl. W. *Pfeiffer-Belli* S. 118.

bewußt angenommenen Regeln unterliegt. Dabei erweist es sich als sekundär, ob die Spielenden Reimverse dichten (lyrisches Element), eine Fortsetzungsgeschichte erzählen (episches Element) oder einfach im Rahmen dieser angenommenen Fiktion (zweite Fiktionsebene) handeln müssen (dramatisches Element: etwa beim Königsspiel). Der besondere Reiz der Anspielung durch Wort, Geste oder Handlung auf fiktive Beziehungen (der ersten Fiktionsebene) gilt dabei gleichermaßen. Dem Problem der nicht enthüllten Identität kommt bei solchen Anspielungen ein wirksamer Spielantrieb zu. Vor allem das Moment der Deutung von Analogie und Anspielung zwischen den beiden Fiktionsebenen wird funktional relevant. Die Neugier, das Geheimnis des andern zu erforschen, bleibt für alle Personen einer der Grundimpulse ihrer spielhaften Aktivität. Daß sich diese Bauform in der Funktion vielfältiger Spiegelung von Romanvorgängen der dramatischen Einlage nähert, wird beim Vergleich mit Blake Lee Spahrs subtiler Deutung der Dramen in der spielerisch-schäferlichen Atmosphäre der ‚Aramena' einleuchten. Aber auch für diese Bauform gilt der gleiche Vorbehalt, daß sich wie beim Drama nicht jede Anspielung wie in einem Rätselschema restlos auflösen läßt. Die Stellung des Gesellschaftsspiels im Erzählablauf ist durch partielle Lösung nach hinten und mögliche neue Verwirrung nach vorne charakterisiert. Aufgrund seines größeren *Ausschnittes* ist der Leser meist eher zur Auflösung befähigt als die einzelne Romanperson. Aus dieser Beziehung kann man die andeutende Aktivität des Autors erst recht verstehen. Der undifferenzierte Begriff von Täuschung und Irrtum ist auch hier unbrauchbar; man muß unterscheiden, wer getäuscht wird, wer einem Irrtum verfällt und in welcher Form das Spiel für Personenkonstellation und Spannungsstruktur relevant wird. Auf die Affinität dieser Spiele mit manchen Frauenzimmergesprächsspielen Georg Philipp Harsdörffers sei nur am Rande verwiesen. Diese entstammen ähnlichen Bedingungen, sind aber nicht in die übergreifende Struktur eines Romangefüges integriert. Auch dort unterwirft sich eine geschlossene Gesellschaft, geschlossen vielleicht nur aufgrund der gemeinsamen Bildungslage, einem Spiel-Reglement, das von jedem Geistesgegenwart und persönliche Schöpferkraft verlangt. Anton Ulrich wünscht für seine *Gesellschaftsspiele* vom Leser ähnliche Fähigkeiten. Er verlangt geradezu von ihm, daß er verschiedene Handlungsmodelle in Analogie oder Kontrast

---

272 Das hat schon zu seiner Verteilung auf verschiedene Bauformen geführt: C. *Paulsen* ordnet bei ihren ‚Erzählbausteinen' einerseits die ‚Reihenerzehlung von Moab und Ammi' (A I 496—530) den Spielen zu (S. 123), während sie die *Reimspiele* zu den *lyrischen Einlagen* zählt (S. 125). Wir beschreiben die Formen des *Gesellschaftsspieles* eingehend und werden dabei auch Übergangsformen, etwa zur Lebensgeschichte oder zum Theaterstück (play in the play) aufzeigen. K. *Hofter* stellt die *Gesellschaftsspiele* zu den Dialogformen, weil sie, gemäß ihrer zentralen Fragestellung, dahinter die gleiche Zwecksetzung sieht (S. 22 ff.).

vergleiche. Diese Modellhaftigkeit von Geschehen und zwischenmenschlicher Beziehung ermöglicht erst die richtige Deutung der Anspielungen, die sich hinter namenloser Verschlüsselung und typisierender Sprachform verbergen.

Erzähltechnische Vorbemerkung:

Wie fast jeder Bauform eignet auch dieser primär eine Fortsetzung des Erzählablaufes. Durch das gestaltende Erzählen vergrößert der Dichter den Wirklichkeits*ausschnitt* der fiktiven Personen und des immanenten Lesers. Der Reiz dieser Bauform besteht also auch in einem Zuwachs an Information über die fiktive Romanwirklichkeit. Dieser Reiz steigert sich intellektuell noch dadurch, daß Leser und Romanperson die im Spiel gemachten Aussagen (Informationen) kombinatorisch richtig beziehen und dadurch erst deuten müssen. Daraus ergibt sich (für den Leser) als Funktion des *Gesellschaftsspieles:*

a) ein Informationszuwachs unter selbständiger Kombinatorik des Lesers mit dem dieser innewohnenden Gefahr der Täuschung

b) die Möglichkeit der Lösung von Spannungsstrukturen bzw. des Neubeginns von solchen aus Verwirrungskeimen.

Die ständige Zuhörerschaft bei allen Lebensgeschichten stellt den Leser seiner Deutungsfähigkeit nach, die auf seinem größeren *Ausschnitt* basiert, weit über die Romanperson. Er kann die meisten Anspielungen kombinatorisch richtig verwerten, was aber nicht ausschließt, daß ihn der Dichter in manche Verwirrungsstruktur miteinbezieht. Die vielfältige Verstrickung mancher fiktiver Person fällt ihm dadurch sofort ins Auge. Reste der Anspielungen aber können für ihn ebenfalls Spannungsbogen bedeuten, die erst später im Erzählablauf eingelöst werden. Beinahe mottohaft wird die grundsätzliche epische Situation des *Gesellschaftsspieles* durch den Titel eines solchen ausgedrückt: ‚Die errahtung der verborgenen gedanken'. Sein Ablauf besteht sogar aus einer grundsätzlichen Struktur dieser Bauform:

1. Reiz zur Information.

2. Die Information wird in verschlüsselter Stilisierung gegeben.

3. Die Spielenden (und der Leser) reagieren deutend auf die stilisierte Äußerung.

Damit glauben wir das Grundmodell solcher *Gesellschaftsspiele* charakterisiert zu haben, und wir wollen es nun beschreiben und seine Funktion bestimmen.

‚Die errahtung der verborgenen gedanken (A II 490—504) beginnt mit einem kleinen szenischen Hinweis, der bereits bedeutsam zur Spielstruktur gehört, und endet nach dem Prinzip der Unterbrechung durch „ein großes geräusche auf der gassen" (A II 504), wodurch nach dieser handlungsverknüpfenden ,Pause' die Aktion wieder vorwärtsstürmt. Der Beginn lautet:

Nach der malzeit (Topos!) / und als die tafel hinweg genommen war / beschlossen sie ingesamt ein spiel anzufangen: weswegen sie sich verteilten / und ein jeder / wie er konte / *nach seiner zuneigung* ihme eine beisitzerin auswehlete. (A II 490)

Die Wahl der Herren bildet die erste Phase der Struktur eines Spieles, in dem alle Teilnehmer beabsichtigen, die heimlichen Liebesbeziehungen dieser Gesellschaft zu erraten (Titel). Nach dem äußeren Reglement nimmt das Spiel nun folgenden Verlauf:

1. Jeder männliche Teilnehmer wählt sich („nach seiner zuneigung") und („wie er konte") eine Beisitzerin: *Erste Zuordnung*.

2. Jeder Mann verschlüsselt seinen (Liebes-) Zustand poetisch in einen Vierzeiler, den er auf eine Wachstafel schreibt. Diese wird in einem Gefäß versenkt: lyrisches Element.

3. Ein neutraler Bedienter zieht die Vierzeiler im Auftrage einer bestimmten Dame heraus (losartig): *Zweite Zuordnung*.

4. Diese Dame beantwortet in einem Zweizeiler den Spruch des Herren und ordnet beides einem männlichen Mitspieler zu: *Dritte Zuordnung*.

5. Der Angerufene muß die Wahrheit bekennen. Als erratener Autor des Vierzeilers muß er ein Pfand abgeben, im negativen Falle aber die Dame.

6. Diese Pfänder werden im zweiten Teil des Spieles ausgelost. Dabei kann ein bestimmter Mann im Rahmen der Spielsituation die Strafe bestimmen: *Vierte Zuordnung*.

So ergibt sich also im Sinne des Themas („errahtung verborgener gedanken") eine vierfache Möglichkeit der amourösen Zuordnung aufgrund der heimlichen Liebesbeziehungen. Der Dichter strebt keine totale Lösung aller Beziehungen an, denn die spielende Gesellschaft ergibt keine vollständigen Paarungen. In mehreren Fällen ist der oder die Geliebte nicht mit von der Partie. Drei Tabellen sollen uns die Beziehungen während der Spielphasen vor Augen führen:

1. *Herr wählt Dame aufgrund seiner Zuneigung*

Cimber — Delbois (= heimliche Liebe des zentralen Paares)
Tiribaces — Lantine (= seine Schwester)
Baleus — *Aramena* (= Liebe) auf Seiten des Mannes
Esau — Ahalibama
Sinear — Ammonide
Eliphas — Jaelinde (Mann wählt absichtlich seine heimliche Frau nicht)

Hadoran — Timna (Mann wählt absichtlich nicht seine Geliebte)
Elihu — Tharasile (Mann wählt Frau seines Gönners: Pflichttanz)
Mamellus — Dersine
Ninias — Iphis
Zophar — Merone
Hus — Perseis
Nahor — Siringe

Manchen zwingt das Moment politischer Klugheit, nicht dem Herzen zu folgen, manchem fehlt seine heimliche Partnerin im Kreise der Spielenden. Kleine Abweichungen und Fehler dienen funktional dem Prinzip der Verwirrung.

2. *Dame zieht,*   *was schrieb der Mann,*   *und wählt den Mann*[273]
                                             (richtig = +)

Delbois ...	Cimber	Elihu	—
Lantine ...	Ninias	Ninias	+
Ammonide ...	Hadoran	Hadoran	+
Ahalibama ...	Esau	Esau	+
Jaelinde ...	? Hus	Mamellus	—
Tharasile ...	Sinear	Sinear	+
Timna ...	? Elihu	Hus	—
Perseis ...	? Mamellus	Eliphas	—
Aramena ...	Baleus	Cimber	
Dersine ...	Nahor	Baleus	—
Iphis ...	Tiribaces	Tiribaces	+
Merone ...	? Eliphas	Cimber	
Siringe ...	? Zophar	Nahor	—

3. *Das Auslösen der Pfänder*

Baleus — *Aramena*
Cimber — Delbois
Eliphas — Timna
Mamellus — Perseis
Hus — Jaelinde
Nahor — Siringe

Diese Tabellen veranschaulichen die Konstellation während des Spielverlaufes. Sie bilden keine vollkommene Lösung des ganzen Beziehungsgefüges, weil nicht alle Beteiligten ineinander verliebt sind, bzw. nicht nur Liebespaare an dem Spiele teilnehmen. So bleiben auch die Zuordnungen

---

[273] Es erscheint etwas großzügig und undifferenziert, wenn F. *Mahlerwein* S. 478 meint: „Sie treffen meist den Richtigen ... Das Ganze ist ein Liebesspiel."

in ihrer Gesamtheit unvollständig. Wir kommentieren einmal die Sitzordnung, um dies zu bestätigen. Hadoran wird durch Tiribaces von Lantines Seite verdrängt, oder er meidet sie aus diplomatischen Gründen. Eliphas wählt aus Klugheit nicht seine heimliche Frau Timna, weil sich sein Vater Esau mit im Spiele befindet, dem er sie entführt hat. Mamellus und Tharasile als bekanntes Ehepaar werden selbstverständlich getrennt. Ninias und Elihu müssen sich als Verehrer der schönen Delbois nach Cimbers Wahl mit einer anderen Dame der Gesellschaft als Beisitzerin begnügen. Diese gestische Zuordnung kann aber auch von anderen Zuordnungen her wieder bedeutsam werden; so wählt etwa Nahor die Siringe und diese wieder ihn (3. Zuordnung).

Die Vierzeiler der Herren scheinen nicht mit vollständiger Sicherheit identifizierbar. Vor allem Eliphas und Zophar bleiben durch weitere Hinweise ungestützt. Auch hier wird die höfische Hierarchie wirksam. Die Titelheldin *Delbois* (Aramena) wird von drei Herren verehrt (Cimber, Ninias, Elihu). Delbois weiß das allerdings nur von den zwei letzteren, wie der Spielverlauf bestätigt. Die männliche Hauptfigur Cimber wird ebenfalls dreimal bemüht; er wird zweimal falsch zugeordnet (von *Aramena* und Merone) und von Delbois nicht erraten. Als richtige Lösungen ergeben sich demnach nur folgende Kombinationen: Lantine — Hadoran, Esau — Ahalibama und scherzweise verwirrt Baleus — *Aramena*. Aufschlußreich ist noch die vierte Zuordnung beim Auslösen der Pfänder: Baleus — *Aramena*, Cimber — Delbois, Eliphas — Timna. Als Spiegelung tritt hier die Verbindung Hus — Jaelinde und Mamellus — Perseis auf, die umgekehrt zugeteilt haben (vgl. 2. Zuordnung). Neben diesen Beziehungen im Bereich der vierfachen Zuordnung wirkt vor allem noch die inhaltlich-typisierte Aussage des poetisch stilisierten Zustandes der Herren als lyrischer Schlüssel zu ihrem Schicksal und damit zu ihrer Identität. Den Pfänderspielen eignet das Moment der Handlungsförderung in besonderem Maße:

Auf des Baleus Frage an *Aramena* gesteht ‚diese‘ ihre Liebe zur Königin von Ninive und zu dem Ritter *Dison*. Cimbers modellhafte Frage an Delbois soll als Beispiel noch genau erörtert werden. Eliphas' Strafe für seine heimliche Frau Timna bewirkt eine kräftige Verwirrung. Timna verwechselt ihren Schwiegervater Esau mit ihrem Gatten Eliphas. Als sie ihm als „strafe" ihr größtes Geheimnis anvertrauen muß, verfehlt sie ihn in der Reihe der Umsitzenden und raunt Ahalibama ins Ohr: „Eure gehorsame tochter befindet sich schwanger". (A II 502) Da aber dieser Timnas heimliche Vermählung mit Eliphas unbekannt ist, gerät sie in größte Verwirrung und straft ihre Freundin plötzlich mit äußerster Verachtung. Merone zitiert auf Wunsch des Elihu einige Reime auf die Königin von Ninive, welche dieser selbst vor Zeiten auf diese Schöne gedichtet hat. Jaelinde enthüllt in ihrem Lied, das sie als Strafe singen muß, ihre unglückselige Liebe zu Cimber. Mamellus charakterisiert Struktur und Funktion dieses Spieles treffend, als er abschließend mahnt: „Ihr vergesset zusammen . . . daß wir spielen und nicht ernstliche dinge fürhaben." (A II 504) Dieses Hinweises für den Leser hätte es gar nicht bedurft, denn das Spiel hat auch für ihn längst den „funktions- und zweckfreien Spielcharakter" (K. Hofter S. 22) verloren.

Neben dem teils verwirrenden, teils enthüllenden Beziehungsspiel besteht die besondere Funktion dieser Veranstaltung in der Enthüllung und Bestätigung von Cimbers Liebe zur Königin von Ninive. Er wählt Delbois aus heimlicher Liebe sofort zu seiner Beisitzerin (1. Zuordnung). Bedeutungsvoll genug zieht sie auch seinen Vierzeiler, den sie allerdings dem Elihu zuordnet. Von ihrem *Ausschnitt* aus ist die (2.) Zuordnung richtig. Denn sie weiß um Elihus Verehrung, nicht aber um Cimbers Liebe. Für ihren Fehler muß sie ein Pfand abliefern. Belangvoll bestimmt der Pfandforderer Cimber zum Richter über dieses Pfand. Der Prinz stellt dabei seine Existenzfrage, „ob sie lieber wolte / daß sie ohne ihr wissen heimlich geliebet würde / oder ob sie solches / zu ihrer nachricht / lieber wissen mögte?" (A II 501) Cimber formuliert seine Frage modellhaft, so kann er sie in der Spielfiktion gefahrlos stellen. Sie bildet eine Verdichtung der vielen dezenten Andeutungen Cimbers, die der Leser längst als Verliebtheit erkannt hat. Delbois antwortet: „. . . Ob ich wol beides nicht begehre / daß nämlich jemand mich liebe / und ich solches wisse / so will ich dennoch / wan ich wehlen muß / es lieber nicht wissen und geschehen lassen / als kundschaft davon haben / und es nicht verwehren können." Damit ist Cimber durch höchstes Urteil zum Weiterleiden in seiner ausweglosen Situation verurteilt. Seine Reaktion auf Delbois' ebenfalls modellhafte Antwort wird im Rahmen des Spiels nicht weiter ausgestaltet, wenn wir von einigen Hinweisen absehen (etwa: „Ich muß bekennen / daß mich niemals ein spiel also in unordnung gebracht habe . . ." A II 498). Für Cimber hat aber dieser Vorgang den heiteren Charakter des Zeitvertreibs längst verloren. Er ist vielmehr zur ernsten Form geworden, den eigenen Schicksalsweg zu beeinflussen. Die Spielatmosphäre gestattet dem heimlich Liebenden auch, der Geliebten Stellungnahmen zu entlocken, ohne sich zu verraten. Die tiefe innere Wirkung dieser Antworten auf Cimber enthüllt sich, schon außerhalb der Spielsituation, in seiner Klageszene (A II 542– 545). Wir tragen zum Verständnis kurz nach:

Auf seinen Vierzeiler im Spiel

> Vergebens liebe ich / und denk ümsonst zu enden
> mein Leiden / weil ich leb. Solt meine pein sich wenden /
> würd meines freundes qual durch meine ruh entstehn.
> Drum / ihm zu lieb / wil ich der ruhe müßig gehn.
> (A II 491)

anwortet Delbois mit ihrem Zweizeiler:

> Hofft immer / in gedult! wer weiß / was der gedenket /
> der alles / wie er will / nach seinem rahte lenket?

Cimbers Vierzeiler verleiht seinem problematischen Verhältnis typisierten Ausdruck. Er steht zwischen Geliebter (= Delbois) und bestem Freund (= Abimelech), die einander verlobt sind. Würde dieser Vers im Spiel dem Cimber zugeschrieben, so müßte Delbois seine Liebe erraten. Das geschieht aber nicht, denn für das eigene Liebes- und Lebensrätsel sind Anton Ulrichs Figuren besonders blind. Ihre Antwort ist von allgemein gültiger Wahrheit geprägt; sie wirkt wie ein Hinweis auf das Strukturgesetz des gesamten Romans. Lange Zeit nach dem Spiel (ca. 50 Erzählseiten) wiederholt Cimber seinem Freunde Tubal in tiefer Traurigkeit die Reimantwort der Delbois:

> Auf! hoffet in gedult. Wer weiß / was der gedenkt /
> der alles / wie er will / nach seinem rate lenkt?
> (A II 544).

Der tröstende Hinweis auf die göttliche Vorsehung ist tief bedeutsam; die leichte Variation (Imperativ des Anfangs) scheint wie eine Deutung seiner gesteigerten Liebe. Das Spiel wird durch diese Wiederholung des Verses eindeutig in existentiellen Ernst verkehrt, denn der Betroffene schöpft später daraus noch Trost. Delbois' Antwort übersteigt für ihn die Spielfiktion und wird zur schicksalhaften Vorausdeutung. Das beweist, daß sich die Funktion dieser Bauform keinesfalls in der Atmosphäre des Spielerischen (zweite Fiktionsebene) erschöpft. Die einzelnen Phasen des Spielverlaufes beruhen zudem auf der Kongruenz (etwa Sinear — Tharasile, Iphis — Tiribaces, Ammonide — Hadoran, Lantine — Ninias) und Divergenz der *Ausschnitte* (etwa Timna — Ahalibama, Baleus — *Aramena*, Cimber — Delbois). Die Kongruenz dient dem Leser als Gedächtnishilfe, die Divergenz fördert die Handlung. Der künstlerische Reiz des gesamten Spieles liegt in der intellektuellen Kombinationslust des Lesers, die ihm die Anspielung erraten und deuten hilft. Ähnliche Funktion kommt auch dem Spiel ,Die Götter aussprüche' (A V 665—671) zu, während ,Der Gedichte-zuwurf' (A III 337—345) weniger ins Handlungsgerüst integriert erscheint. Es geht hier auch nicht um die wichtige Frage, heimliche Liebesbeziehungen aufzudecken. Die Vierzeiler arbeiten höfische Regeln (Typisierungen) für bestimmte Formen zwischenmenschlichen Verhaltens aus. Am Vorabend der Scheinhochzeit zwischen Dison und Aramena bildet das Spiel ein retardierendes Moment.

Auch in der ,Octavia' gestaltet Anton Ulrich Spiele, die allerdings eher dem Typus des Maskenfestes nahestehen. Sie sind nicht so ausführlich in Detail und sprachlichem Bezug ausgearbeitet wie in der ,Aramena'. Es handelt sich um zwei sogenannte ,Königsspiele' (O III 645 ff. und O V 1057—1060), das Spiel ,heimliche Frage' (O II 1070—1071) und ,blinde Liebe' (O II 279—280). Unter dem Terminus ,Gesprächsspiel' stellt Karin

Hofter (S. 22 f.) noch den sogenannten ‚novellistischen Rahmenzyklus'[274] in der Crispına Haus (O II 246 ff.) hierher. Mag der Zyklus auch unserer Definition des *Gesellschaftsspieles* recht nahe stehen, so müssen wir ihn der Bauform nach doch den *Lebensgeschichten* zuweisen. Die ‚Geschichten' zeigen nämlich alle Charakteristika eines Typs der eingeschobenen Erzählung. Neben dieser Übergangsform vom Gesellschaftsspiel zu einer *Reihe von Lebensgeschichten* (dem etwa dann auch Boccaccios ‚Decamerone' zuzuordnen wäre, obwohl hier der Bezug zur übergeordneten Romanstruktur fehlt), also dem *Erzählungen-Zyklus*, begegnen wir in der ‚Reihenerzehlung von Moab und Ammi' (A I 496—530) dem spielhaften Übergang zur einzelnen Lebensgeschichte. Im ‚Gedichte-zuwurf' wieder nähern wir uns lyrisch-epigrammatischen Einlagen, in den Maskenspielen dagegen den dramatischen Einschüben.

Das erste Königsspiel (O III 645 ff.) findet in der politisch gefährlichen Atmosphäre Roms zur Zeit Galbas statt. Piso und seine Gemahlin Verannia verkörpern das Königspaar, als Ausdruck der „beabsichtigten Erhöhung und des Todes des von allen beliebten Pisos". In dieser epischen Vorausdeutung erschöpft sich aber keineswegs die Funktion des Spieles, vor allem nicht seine kompositorische. Verschiedene Personen müssen nach dem Reglement des Spiels Befehle des Königs ausführen. Dabei erweist erstlich Piso „seinen hohen verstand so vollkommen, daß dadurch die hochachtung für seine person bei dem Kaiser um ein großes wuchse und zunahme" (O III 646). Galba faßt ihn aufgrund seiner Bewährung im Spiel für politische Aufgaben ins Auge (zweite epische Vorausdeutung). Die Spielsituation wird als Talent- und Charakterprobe gewertet. Kompositorische Funktion eignet Pisos Befehl an den Dichter Martialis, über einen Herrn und eine Dame der Gesellschaft „reime abzufassen". Der Poet wählt dazu die Liebesbeziehung zwischen Silius Italicus und Statilia Messalina. Als Sulpitia Prätextata dem Galba auf Pisos Geheiß einen Kranz überreichen muß, erklärt sie diesem (*Ausschnitt*) die Bedeutung von des Martialis' Versen. So bildet der spielerische Auftrag indirekt den Anstoß, eine Lebensgeschichte zu erzählen (‚Geschichte der Kaiserin Statilia Messalina und der Polla Argentaria', O III 651—701). Königsspiel und Lebensgeschichte verfugen und durchdringen einander: aus dem Spiel wird politischrealer Ernst. Das Rätsel von Martials Versen wird durch die epische Ausführlichkeit der Lebensgeschichte gelöst. Diese bringt dann Galba auf den Gedanken, Neros Witwe Statilia Messalina zu heiraten. Sein Plan treibt die Handlung somit kräftig weiter; Silius Italicus' Lebensproblem verfällt ärgster Verwirrung.

---

[274] Vgl. zu diesem Terminus K. *Reichert* in: Euphorion 59 (1965), S. 135 ff.

Das zweite Königsspiel (O V 1057—1060) kommt nicht zur Durchführung. Bei der Verteilung der Rollen wird nämlich *gemogelt*, sodaß allen Herren die sie hassenden Damen zugeteilt werden. Darüber entsteht ein neues Durcheinander. Die Handlungsimpulse erwachsen aus den Reaktionen der betroffenem Damen.

Die ,heimliche Frage' (O II 1070—1071) dient in ihrer kurzen Szenenhaftigkeit nur der Aussprache Ariaramnes' und Pisos im Rahmen der Verschwörerintrigen. Ihr Verhalten widerspricht also eigentlich dem Reglement des Spieles und ist total politisch. Die ,blinde Liebe' (O II 279—280) ist ein Kabinettstück der schlauen Zenobia und enthüllt ihre gefährliche Eifersucht. Sie findet sich in des Ariaramnes' Erzählung von ,Artabanus' und Zenobias Geschichte' (O II 273—317) bei Crispinas Gastmahl. Als man der kleinen Zenobia die Augen verbindet, kann sie durch einen Trick trotz ihrer Binde alles sehen. Sie muß nun nach den anderen Spielern haschen. Dabei faßt sie Istrine, auf die sie wegen ihres Artabanus sehr eifersüchtig ist, und zerrt ihr den hübschen Haarschmuck vom Kopfe, indem sie ausruft: „. . . ich halte euch / mein liebster Prinz Artabanus / ihr solt mir nicht entkommen" (O II 279). Ein zweiter Vorfall während dieses Spieles spiegelt in kontrastierender Steigerung die Schlauheit der kleinen Prinzessin. Als sie wieder an die Reihe kommt, ertappt sie Artabanus, küßt ihn und ruft dabei überlaut aus: „. . . liebste Istrine / seit ihr es / die mir das glück hat in die hände geliefert?" Beide Vorfälle rückt eine bedeutsame Bemerkung des Erzählers ins rechte Licht: „Ich erzehle diese kleine sachen zu dem ende / daß der Zenobia herrlicher verstand / der sich von kindsbeinen an bei ihr blicken lassen / daraus erhelle. Wie dann jederman es sinnreich befande / daß sie auf solche weise an ihrer mitbuhlerin sich gerochen / und ihrem Prinzen einen kuß abgestolen hatte." (O II 280)

Das Maskenfest der Cartismanda (O IV a 231—240) bildet ein Beispiel für den Typus der „mummerei", der besonders in der ,Octavia' beliebt ist. Die „mummereien" sind politisch und dienen meist dem heimlichen Nachrichtenaustausch der Verschwörergruppen. Aber auch unter dem Stern der Liebe kann so ein Fest stehen, wie unser Beispiel belegen wird. Der geschilderte gesellschaftliche Vorgang läßt sich in einzelne Phasen zerlegen, die eindringlich an die Konstellationen der zeitgenössischen Komödie erinnern. 1. Der römische Feldherr Vespasianus hält eine maskierte Indianerin für die von ihm heimlich geliebte Königin Cartismanda und entdeckt sich ihr. Hinter dieser Maske verbirgt sich aber Cartismandas Hausmeisterin Martagnis, wie der Leser weiß. 2. Plötzlich kommt Cartismanda gelaufen und bittet Martagnis dem ankommenden König entgegenzuziehen, der sie verfolge. Sie selbst bleibt bei Vespasianus, den sie für seinen Nebenbuhler Vellocatus hält. Sie erklärt ihm namentlich ihre Liebe, da nimmt Vespasianus die Larve ab. Cartismanda windet sich zur Zufriedenheit ihres Gesprächspartners raffiniert aus diesem Mißverständnis. 3. König Venutius, der Gemahl Cartismandas, erscheint nun als arabischer

König verkleidet. Er verdrängt etwas gewaltsam Vespasianus von der Seite der Königin. Diese hält ihn für ihren dritten Verehrer Didius, der diese Verkleidung zu wählen versprach. 4. Als ihrer Meinung nach nun Vespasianus auf sie zugeht, schickt sie Didius (= eigentlich ihren Gatten Venutius) weg. Wieder unterliegt sie selbst einer Täuschung, denn der Ankömmling ist ihr Verehrer Vellocatus. 5. Rückkehr des eifersüchtigen Venutius, Klärung aller Mißverständnisse und Ende des Maskenspieles. Wir greifen schematisch nochmals die Gesprächspartner dieser Szenenfolge heraus:

1. Vespasianus glaubt mit Cartismanda zu sprechen (= Martagnis)
2. Cartismanda glaubt mit Vellocatus zu sprechen (= Vespasianus)
3. Cartismanda glaubt mit Didius zu sprechen   (= Venutius)
4. Cartismanda glaubt mit Vespasianus zu sprechen (= Vellocatus)

Der modellhafte Kern dieser Szenen leuchtet ein: Ein Gesprächspartner irrt sich in der Identität des anderen. So glaubt Cartismanda etwa mit Vellocatus zu sprechen und offenbart sich ihm und erzählt ihm (= Vespasianus), was sie von Vespasianus denkt. Sie als die vierfach Umworbene täuscht sich dabei bezeichnenderweise gleich dreimal. Diese Irrtümer werden von Martagnis beobachtet, die eine Vertraute des Venutius ist und dem König alles mitteilt. Auftritte und Abgänge bestimmen die Phasen dieser Szenenfolge. Sie wird gekrönt von einer — außerhalb des Spieles liegenden — szenischen Begegnung der drei Liebhaber. In dieser Intrige beweist Martagnis, die eigentliche Ränkespinnerin, dem König Venutius die Liebe der drei zu Cartismanda (Vespasianus, Vellocatus und Didius). Das Grundprinzip des Maskenspieles ist eine intensive Spiegelung barocken Verhaltens in der fiktiven Welt dieses Romans. Irrtum und Täuschung verdichten die Atmosphäre dieser Maskenbegegnungen (Identitätsproblem) in einem Grundmuster der erregenden *Oberflächenstruktur.*

Ein weiteres ‚Königsspiel' in der ‚Octavia' hat die Anton-Ulrich-Forschung bislang noch nicht beachtet[275]. Das Spiel besteht nicht in einem einmaligen und abgerundeten erzählerischen Vorgang; es dauert Tage und wirkt wie ein Handlungsgefüge *zweiter Fiktion.* Erzählerische Hinweise markieren die Fortsetzung dieser Fiktion während der Saturnalien-Feierlichkeiten in ausgestalteten Spielszenen: O VI 38—44, 69, 76, 85 ff., 88 f., 127 ff., 134, 139, 141 und 148—151. Diese Tage stellen einen ziemlich gleichförmigen Strom von Szenen, Gesprächen, Plänen und Aktionen in den beiden Fiktionsebenen von Spiel und Romanwirklichkeit dar. Das Spiel verdichtet sich also nicht in wenigen wichtigen Szenen wie die bereits beschriebenen, sondern es wird zu einer eigenen Repräsentations-Ebene, in der sich die tatsächlichen (!) Personen in anderen gesellschaftlichen Rollen spiegeln. Sie bestimmen als hochpolitisch Festliches alles Romangeschehen während dieser Feierlichkeiten. Anfangs werden Crispina und

Vologeses für die Zeit des Festes zum Herrscherpaar des Königsspieles erkoren. Man sieht daraus, unter welchem Vorzeichen diese Ereignisse
stehen. Das Spiel stellt somit ein Grundmuster des bewußten Verwirrens
und boshaften Agierens politischer Intriganten dar. Seine Fiktion und deren
Anspruch spiegelt die handelnden Personen echt barock in ihnen fremden
Rollen.

Die *Gesellschaftsspiele* in Anton Ulrichs Romanen sind also keine
isolierten Einlagen ohne kompositorische Funktion, ihnen kommt keinerlei „zweck- und funktionsfreier Spielcharakter" (K. Hofter S. 22) zu. Sie
sind im Gegenteil intensiv in die Personenkonstellation, ins Handlungsgefüge und in die Spannungsstruktur integriert.

An den Leser stellen sie höchste Anforderungen, denn sie bieten in ihren
Informationen und Gesprächsstrukturen Lösungen von vergangenem Geschehen ebenso wie verwirrende Hinweise auf kommendes. Eros, als
zwischenmenschliches Phänomen, und Politik, meist in der Form raffinierten Intrigierens, bestimmen ihre Grundstruktur. Die Spiele in der
‚Aramena' stehen vordringlich unter erotischem Aspekt, die in der
‚Octavia' dagegen meist unter politischem. Als erzählerische Bauformen
erfüllen sie wichtige Funktionen, deshalb dürfen sie nicht als anspruchs-
lose auflockernde Szenen mißverstanden werden.

---

[275] Vgl. etwa K. *Hofter* S. 22 und F. *Mahlerwein*, der gerade stofflich-motivisch
viele Hinweise bietet.

D. FORM UND FUNKTION DER LEBENSGESCHICHTEN IM ROMANWERK ANTON ULRICHS

1. Terminologie und Begriff

Die wissenschaftliche Literatur kennt zwei Termini für die *eingeschobene Erzählung*[276] fiktiver Personen in den höfischen Barockromanen. Die von Cholevius (1866) eingeführte Bezeichnung *Episode* erfreut sich bis heute einiger Beliebtheit[277]; besonders die angelsächsischen Germanisten haben diesen Terminus übernommen[278]. Leider haftet ihm der Geruch des Nebensächlichen in der Form an, daß diese erzählerischen Gebilde dem Romanganzen nicht integriert erscheinen. Diese Bedeutungsnuance führte mehrfach zur Ablehnung dieses Terminus, obwohl er „in den Poetiken des 17. Jahrhunderts"[279] schon auftaucht. Die *Vorgeschichte* als die zweite Bezeichnung verdankt ihre weite Verbreitung Günther Müller und den unter seiner Anregung und Umsicht entstandenen Büchern und Dissertationen. Auch Günther Weydt und Wolfgang Bender schließen sich diesem Terminus in neuerer Zeit an. Ist es bei der *Episode* die beeinträchtigende Vielzahl von Bedeutungsmöglichkeiten, so betont die *Vorgeschichte* nur einen besonderen Aspekt, nämlich den des zeitlichen Verhältnisses der darin erzählten Ereignisse zu jenen der Haupthandlung. Hinter *Vorgeschichte* verbirgt sich aber auch noch ein begrifflicher Unterschied. Man versteht darunter sowohl die *Vorzeit* eines Romanganzen als auch die *Vorgeschichten*, die vor dem Leser die Ganzheit dieser erzählten *Vorzeit* entfalten. Wolfgang Bender löst das Problem einfach; er distanziert sich vom Terminus *Episode*, weil Anton Ulrich diesen nicht kennt (S. 70). Leider ist dem Dichter aber auch Benders Terminus *Vorgeschichte* unbekannt. Wir gehen dieser Anregung weiter nach. Welche Termini gebraucht Anton Ulrich zur Bezeichnung der *eingeschobenen Erzählung* in seinen Romanen?

Handschriftliche Entwürfe zu beiden Romanen[280] belegen fast durchlaufend die Bezeichnung „geschichte", obwohl sie Anton Ulrich gerne unter die Überschrift „Erzehlungen" setzt. Auch die Druckfassungen belassen in den herausgehobenen Titeln am häufigsten „geschichte" (von den 36 Erzählungen der ‚Aramena' sind es 29, von den 40 der ‚Octavia' 30). Die

Benennung „geschichte" bildet also zahlenmäßig die überwiegende Grundform. Daneben gebraucht Anton Ulrich noch folgende Termini: „Begebenheit(en), Begegnise, Lebensbegegniße, Lebens-geschichte, Erzehlung, Reihenerzehlung (allerdings als besonderes formales Phänomen) in diesen Überschriften. Sonderformen sind noch ,Geburt der Syrischen Aramena' usw. (vgl. die Übersichten zur ,Aramena' und zur ,Octavia' u. S. 251—261). Eine dritte Gruppe bilden die thematischen Titel. Diese *eingeschobenen Erzählungen* bezeichnet man in der Literatur als *Novellen*[281] oder *novellistische Einschübe*[282]. Zu ihrer formalen Sonderstellung beachte u. S. 266 f. Beim Versuch einer begrifflichen Abgrenzung zwischen „geschichte" und (vordringlich) „Begebenheit" (,Octavia') oder „Begegnise" (,Aramena') kann man diese dritte Gruppe einmal ausscheiden.

Der Vergleich der betroffenen epischen Gebilde zeigt dann, daß die „Begebenheit" häufig nicht die vollständige Lebensgeschichte bietet, sondern meist nur bestimmte Vorkommnisse aus dem Leben einer Romanperson, oft sogar unter eindeutig thematischem Aspekt. Dieser Unterschied zwischen *totaler Lebensgeschichte* und *Begebenheit* läßt sich besonders am Vergleich zweier Erzählungen aus dem Leben der Claudia verdeutlichen. ,Die Begebenheit des vermeinten Nero und der Prinzessin Roxolane' (O IV 192—241) behandelt nur ein Vorkommnis aus dem Leben der Prinzessin Claudia, deren Lebensgeschichte bis zum Einmünden in die Haupthandlung von einer Person bereits (O I 303—359) berichtet wurde. Der ganze Komplex wird nur im Zusammenwirken der ,Geschichte des Thumelicus' (O III 403—461) und der ,Lebensgeschichte des Pontischen Nero' (O IV b 436—490) mit den eben genannten unter dem Aspekt der Verkleidung allmählich klar. Da der Erzähler den pontischen Nero tot glaubt, könnte man subtil folgern: Anton Ulrich verwendet *Begebenheit* (oder *Begegnis*) für episodische Vorkommnisse, *Geschichte* für den Lebenslauf bis zum Erzählpunkt und *Lebensgeschichte* beim Tode der Hauptperson. Da sich die meisten Personen in bestem gesundheitlichem Zustand befinden,

---

[276] P. *Jacob* S. 5—6 unterscheidet zwischen „novellistischer Einlage" und „eingeschobener Erzählung". Der ersten kommt stofflich und formal eine Eigengesetzlichkeit zu, die zweite ist vollkommen ins Romangefüge integriert. — Wir verwenden den ausgezeichneten Terminus *eingeschobene Erzählung* hier für jede Form von Erzählung einer fiktiven Romanperson, vorderhand ohne Rücksicht auf die Intensität der formalen oder stofflichen Eingliederung.

[277] Etwa K. *Adel*, Die Novellen des Herzogs Anton Ulrich von Braunschweig. In: ZfdPh 78 (1959), S. 349—369.

[278] H. G. *Haile*, Octavia. Römische Geschichte. Anton Ulrich's Use of the Episode. In: JEGP 57 (1958), S. 611—632. — B. L. *Spahr* Aramena.

[279] W. *Bender* Diss. S. 70, A. 6.

[280] Zur ,Octavia' besonders Cod. Guelf. Extrav. 198, zur 'Aramena' vgl. B. L. *Spahr*, Aramena S. 173—175.

[281] Vgl. K. *Adel*.

[282] Vgl. K. *Reichert* in: Euphorion 59 (1965), S. 135—149.

sogar die Totgeglaubten oft später wieder auftauchen, kommt der Unterscheidung zwischen *Lebensgeschichte* und *Geschichte* keine Relevanz zu. Außerdem tragen die meisten *Geschichten* überhaupt die Grundstruktur des Lebenslaufes, somit also der *Lebensgeschichte.* Daß der Dichter alle diese Begriffe keineswegs konsequent verwendet, kann uns eine Stelle verdeutlichen, in der er die ‚Geschichte des Drusus' (O I 404) vorbereitet:

> Wie nun / in des Tyridates kammer / Vasaces und er allein beysammen waren / und von den wunderbaren *geschichten* / so ihnen bisher begegnet / sich besprachten / erwiese Tyridates ein großes verlangen / seines freundes des Drusus *wahren zustand* zu wissen: worüm Vasaces diesen Prinzen seiner zusag erinnerte / dem König seinen *lebenslauf* zu erzehlen. Drusus truge nicht allein kein bedenken / seinen freund hierinn zu vergnügen / sondern er befande auch solches zu seinem vorhaben dienlich / indem er dem Tyridates seinen anspruch zum Kaisertum eröffnen / und diese *erzehlung* notwendig vorhergehen muste. Er sagte ihnen aber / wiedaß seine und der Prinzessin Antonia *begegnise* also zusammen liefen / daß er unmöglich eine *lebensgeschichte* ohn die andere erzehlen könte: weswegen sie dann ihre ohren mit beiden zugleich müsten beschweren lassen. (O I 404)

Anton Ulrich gebraucht also die diskutierten Benennungen nicht nach streng begrifflichen Kategorien als literarische termini technici, sondern eher unter dem Gesetz der stilistischen Variation. Betonen die pluralischen Ausdrücke vielleicht das Leben einer Person mehr im Hinblick auf seine Abenteuerfülle, so steht es bei den singularischen eher unter dem Eindruck des Ganzheitscharakters. Über allem aber thront die verbindende Synonymie. Die häufigste Titelbezeichnung „geschichte" ist aufgrund ihrer Bedeutungsvielfalt als Terminus nicht besonders geeignet. Wir entscheiden uns nach Anton Ulrichs Auswahl für *Lebensgeschichte,* weil dieses Grundmuster den chronologischen Ablauf der *eingeschobenen Erzählungen* weitgehend prägt. Anstelle von Cholevius' *Episode* und Günther Müllers *Vorgeschichte* nennen wir die erzählten Lebensläufe im höfischen Barockroman *Lebensgeschichten.*

2. Erzähltechnische Vorbemerkung

Grundsätzlich unterscheiden sich die Lebensgeschichten von der erzählerischen Haupthandlung des Romans durch das chronologische Prinzip (*im weiteren Sinne*). Dem medias-in-res-Einsatz des Romans (und sogar der einzelnen Bücher) mit ihrem bis in die Antike (Heliodor und weiter bis Homer) zurückreichenden Grundmodell und der damit verbundenen komplexen, mehrsträngigen Handlungsführung steht in den Lebensgeschichten der Einsatz ab-ovo mit seiner fortspinnenden Chronologie gegenüber. Die erzähltechnische Beziehung stellt sich so dar. Die bei der medias-in-res-Anlage notwendigen Rückgriffe in die Vergangenheit (d. h. in die Zeit vor dem Beginn des Romans oder zumindest vor der Erzählsituation) liefern neben den informativen Elementen von Gespräch und etwaigem Botenbericht vor allem die chronologischen Lebensläufe der wichtigsten Romanpersonen. Daß die Geschichten nicht nur enthüllende, sondern auch verwirrende Funktion gleichzeitig haben können, hat Bender eindrucksvoll gezeigt. Damit stellen die Lebensgeschichten in bezug auf die fortschreitende Haupthandlung (chronologisch *im engeren Sinne* der erzählerisch gefüllten Tage) eigentlich ein retardierendes Moment dar. Sie unterbrechen die Zeit der Haupthandlung so lange, wie ihre Erzählzeit währt. Was inzwischen in der Haupthandlung geschieht, wird nicht erzählerisch gestaltet: einzig darin liegt das retardierende Moment. Die Lebensgeschichten brechen weiter aus der fiktiven Gegenwart des Romangeschehens aus und führen aus der fiktiven Vergangenheit einen Handlungsstrang chronologisch bis in den temporalen Punkt der fiktiven Erzählsituation herauf, womit dieser erzählte Vorgang in die Haupthandlung einmündet. Auf die Möglichkeiten von Ausbruch und Rückführung werden wir noch eingehen. Als allgemeines Ergebnis einer solchen strukturellen Anlage läßt sich aber hier schon eine beachtliche Blickerweiterung konstatieren, welche in zwei Richtungen zu bedenken ist: einmal wird diese den zuhörenden Romanpersonen zuteil, zum andern dem Leser. Auf letzteren ist auch die Wirkung der Gesamtstruktur bezogen. Der Autor muß diese zwei Aspekte bei der Lagerung seiner Lebensgeschichten und ihrer erzählerischen Information beachten. Sie wirken grundsätzlich auf den *Ausschnitt* der Zuhörer und auf jenen des Lesers. Der Leser aber ist der eigentliche Ziel- und Wirkungspunkt aller Strukturen eines solchen Werkes. Da der Erzähler der Lebensgeschichte selbstverständlich nicht identisch ist mit dem erzählenden Dichter des Romans ist ihm auch nur ein beschränkter *Ausschnitt* eigen. Damit sind alle Möglichkeiten des Irrtums, sogar des absichtlichen Verschweigens zum Zwecke der Täuschung usw. hier vorstellbar.

3. Zahl und Lagerung der Lebensgeschichten in Anton Ulrichs Romanen

Die eindeutige Zählung der Lebensgeschichten hat den Literaturwissenschaftlern offensichtlich gewisse Schwierigkeiten bereitet. Da dieses Problem nur auf der Grundlage einer wertenden Interpretation der einzelnen *eingeschobenen Erzählungen* zu lösen ist, sei hier das gesamte Material kritisch beleuchtet. Die Voraussetzung dafür bildet ein Überblick über alle epischen Einschübe in den zwei Romanen Anton Ulrichs, der sich in der Literatur noch nirgends findet. Unsere Angaben beziehen sich ausschließlich auf die u. S. 384—385 zitierten Erstausgaben:

a. *Die Durchleuchtige Syrerinn Aramena I Nürnberg 1669*
662 Seiten, davon 16 unpaginierte Seiten ‚Voransprache zum Edlen Leser' von Sigmund von Birken, 8 Lebensgeschichten

1. ‚Geburt der Syrischen Aramena' (A I 58—76)
   EZ: Thebah   (Er-Form)
   ZH: Beor, Hemor   Innenraum

2. ‚Geschichte der Ahalibama' (A I 82—140)
   EZ: Astale, Ahalibamas Vertraute[283]   (Er-Form)
   ZH: Aramena d. Jüngere, Ahalibama   Innenraum

3. ‚Geschichte des Apries und der Amorite' (A I 169—249)
   EZ: Ardelise, Schwester des Apries   (Er-Form)
   ZH: Ahalibama, Aramena d. Jüngere, Amorite   Reisewagen

4. ‚Die geschicht der Coelidiane' (A I 273—294)
   EZ: Coelidiane   (Ich-Form)
   ZH: Aramena d. Jüngere, Jaelinde   Innenraum

5. ‚Geschichte der Aramena / und beschreibung des Dianen-Tempels in Ninive' (A I 334—383)
   EZ: Aramena d. Jüngere   (Ich-Form)
   ZH: Ahalibama, (Brianes, Zimene)   Innenraum

6. ‚Die geschichte des Armizars und der Amesses' (A I 403—454)
   EZ: Armizar   (Ich-Form)
   ZH: Coelidiane, Amesses, Indaride   Innenraum

7. ‚Reihen-Erzehlung der Geschichte von Moab und Ammi'
   (A I 496—530)
   EZ: Die einzelnen Mitglieder der Gesellschaft um Königin Delbois von Ninive wechseln einander ab.   (Er-Form)
   ZH: Dieselben   Königs-Aue

8. ‚Die Geschicht des Esau / der Judith / Ada und Mahalaath'
   (A I 545—655)
   EZ: Hanoch, Esaus Freund   (Er-Form)
   ZH: Delbois von Ninive   Innenraum

Die Durchleuchtige Syrerinn Aramena II Nürnberg 1670
744 Seiten, 5 Lebensgeschichten

9. ‚Des Disons Lebens-begegnise' (A II 18—77)
   EZ: Dison (als *Aramena*)   (Ich-Form)
   ZH: Ahalibama   Innenraum

10. ‚Geschichte der Königin Delbois / und des Prinzen Abimelech'
    (A II 91—175)
    EZ: Delbois   (Ich-Form)
    ZH: Ahalibama   Innenraum

11. ‚Geschichte des Königs Amraphel und der Indaride'
    (A II 220—292)
    EZ: Hadoran, Amraphels Freund   (Er-Form)
    ZH: große Gesellschaft um Delbois von Ninive und Delbois von Tyro
                                                         Innenraum

12. ‚Die Geschichte des Tiribaces der Orosmada und Adonias'
    (A II 413—471)
    EZ: Iphis (413—457), Er-Form; Tiribaces (457—467), Ich-Form; Iphis
        (467—471), Er-Form.
    ZH: Delbois von Ninive, Lantine   Lauberhütte

13. ‚Die Geschicht der Königin Lantine und des Hadoran'
    (A II 549—573)
    EZ: Lantine   (Ich-Form)
    ZH: Delbois von Ninive   Innenraum

Die Durchleuchtige Syrerin Aramena III Nürnberg 1671
10 Seiten Widmungsgedicht von der *Unbekanten Freundin* (= Catharina
Regina von Greiffenberg), 716 Seiten, 5 Lebensgeschichten.

14. ‚Geschichte der vermeinten Syrischen Aramena' (A III 4—17)
    EZ: Milcaride   (Ich-Form)
    ZH: Elihu   Innenraum

15. a ‚Geschichte der Königin Mirina' (A III 46—149)
    EZ: Indaride (46—79, 90—123, 129—133)   (Er-Form)
        Baleus (79—90, 123—129, 133—149)   (Er-Form / Ich-Form)
    ZH: Delbois von Ninive   Innenraum

Vgl. dazu:

15. b ‚Verfolg der geschichte / der Königin Mirina und der Prinzessin Hercinde' (A IV 559—583)

16. ‚Geschichte der teutschen Prinzessin Hercinde' (A III 222—309)
EZ: Zameis   (Er-Form)
ZH: Delbois von Ninive, Baleus   Innenraum

17. ‚Die Geschichte des Königs Melchisedech und der Eurilinde'
(A III 487—527)
EZ: Eurilinde   (Ich-Form)
ZH: Jaelinde   Innenraum

18. ‚Geschichte des Eliphas und der Timna' (A III 662—693)
EZ: Timna   (Ich-Form)
ZH: Aramena d. Jüngere   Reisewagen

Die Durchleuchtige Syrerin Aramena   IV Nürnberg 1672
880 Seiten, 8 Lebensgeschichten

19. a ‚Die Arabische Geschichten' (A IV 16—96)
EZ: Coelidiane   (Er-Form)
ZH: große Gesellschaft um Delbois von Ninive[283a]   Parkwäldchen

19. b ‚Erfolg der Arabischen Geschichten' (A IV 100—125)
EZ: Coelidiane   (Er-Form)
ZH: Delbois von Ninive   Innenraum

20. ‚Die Geschicht der Ammonide' (A IV 141—164)
EZ: Ammonide   (Ich-Form)
ZH: Mehetabeel   locus amoenus

21. ‚Die Geschichte des alten Marsius / Königs in Celten und Basan'
(A IV 230—254)
EZ: Suevus   (Er-Form)
ZH: Delbois von Ninive, Cyniras   Grotte

---

[283] In MS 2 ist Ahalibama noch selbst die Erzählerin dieser Geschichte, dort also Ich-Form (vgl. B. L. *Spahr*, Aramena).

[283a] Um möglicher Verwirrung zu steuern, bezeichnen wir in dieser Übersicht die Titelheldin durchlaufend als *Delbois von Ninive*, obwohl der Dichter sie im dritten Band (A III 461—471) dem Leser und einigen Personen als Aramena, Erbprinzessin von Syrien, enthüllt.

22. ‚Geschichte der Hermione Königin von Kitim / und der Roma Königin der Aborigener' (A IV 280—325)
EZ: Hermione (Ich-Wir-Form)
ZH: Delbois von Ninive, Gesellschaft · Höhle

23. ‚Begegnisse des jungen Marsius / Königs in Basan' (A IV 349—374)
EZ: Cyniras (Er-Form)
ZH: Delbois von Ninive Innenraum

24. ‚Erzehlung des Prinzen Abimelech' (A IV 448—464)
EZ: Abimelech (Ich-Form)
ZH: Delbois von Ninive, Ahalibama, Arsas · Zelt

15. b ‚Verfolg der geschichte / der Königin Mirina und der Prinzessin Hercinde' (A IV 559—583)
EZ: Hercinde (Ich-Form)
ZH: Suevus Innenraum

25. ‚Die Geschichte der Coricide' (A IV 619—653)
EZ: Coricide (Ich-Form)
ZH: Suevus Innenraum

26. ‚Geburt-Geschichte des Syrischen Aramenes' (A IV 683—696)
EZ: Andagone (Er-Form)
ZH: Aramenes, große Gesellschaft Unterirdischer Gang

Mesopotamische Schäferey / oder die Durchleuchtige Syrerin Aramena V
Nürnberg 1673
880 Seiten, 10 Lebensgeschichten

27. ‚Die Geschichte des Nahors und der Aprite' (A V 28—52)
EZ: Nahor (Ich-Form)
ZH: Bethuel, Demas Im Freien

28. ‚Begegniße der Ahalibama / der Nefe Zibeons' (A V 77—113)
EZ: Ahalibama, die Nefe Zibeons (Ich-Form)
ZH: Sataspe, Megadostes Innenraum

29. ‚Die geschichte des Chersis und der Amphilite' (A V 153—178)
EZ: Sandenise (Er-Form)
ZH: große Gesellschaft um die Titelheldin Richtplatz im Freien

30. ‚Geschichte des Baalis und Daces' (A V 202—216)
    EZ: Baalis   (Ich-Form)
    ZH: Daces, Tuscus Sicanus   Beim Viehtrieb

31. ‚Die Geschichte des Sinear / Elihu und Bethuels / mit den dreyen unbekanten schönheiten' (A V 259—290)
    EZ: Elihu
    ZH: große Gesellschaft um die Titelheldin   Richtplatz im Freien

32. ‚Die geschichte des Tuscus Sicanus / Königs der Aborigener'
(A V 336—378)
    EZ: Midaspes   (Er-Form)
    ZH: Demas, Tuscus Sicanus

33. ‚Geschichte des Ariates Königs in Gibeon / und der Mehetabeel'
(A V 391—404)
    EZ: Ephron   (Er-Form)
    ZH: große Gesellschaft um die Titelheldin   Innenraum

34. ‚Die geschichte der drei Prinzessinnen Jemima / Kezia und Kerenhapuch'
(A V 519—538)
    EZ: ein alter Mann   (Er-Form)
    ZH: große Gesellschaft um die Titelheldin   Innenraum

35. ‚Die geschichte des Tharsis und der Eldane' (A V 551—577)
    EZ: Tharsis   (Ich-Form)
    ZH: große Gesellschaft um die Titelheldin   Schattiger Wald

36. ‚Die begebenheit der Rahabine und Zoroastra' (A V 692—715)
    EZ: Rahabine   (Ich-Form)
    ZH: große Gesellschaft um die Titelheldin   An einem Brunnen

b. Octavia. Römische Geschichte I   *Nürnberg 1677*
6 Seiten Widmungsgedicht, ‚Sonnet', 1091 Seiten, 9 Lebensgeschichten

1. ‚Die Geschichte des Vonones Königs in Meden / und der Prinzessin Sulpitia von Edessa' (O I 46—78)
    EZ: Vasaces   (Er-Form)
    ZH: *Drusus*, (Pomponia Gräcina, Caledonia)   Innenraum

2. ‚Die Geschichte des Tyridates Königs in Armenien' (O I 86—194)
    EZ: Vasaces   (Er-Form)
    ZH: *Drusus*, Caledonia, Pomponia Gräcina   Innenraum

3. ,Die Geschichte der Kaiserin Valeria Messalina' (O I 231—297)
EZ: Annius Vivianus (Er-Form)
ZH: *Drusus*, Jubilius, Vasaces „künstlich verfallene gemächer"

4. ,Die Geschicht der Prinzessin Claudia' (O I 303—359)
EZ: Popilia Plautilla (Er-Form)
ZH: Coccus Nerva (*Drusus* belauscht sie) Garten — Mondnacht

5. ,Die Geschichte des Prinzen Drusus und der Prinzessin Antonia'
(O I 406—467)
EZ: *Drusus* (Ich-Form)
ZH: Tyridates, Vasaces Innenraum

6. ,Geschicht der Acte / oder der Prinzessin Parthenia' (O I 550—608)
EZ: Abdon (Er-Form)
ZH: Tyridates, Vasaces Innenraum

7.a ,Die Geschichte des Königs Italus / und der Prinzessin Cynobelline'
(O I 698—775)
EZ: Agaricus (Er-Form)
ZH: Plautia Urgulanilla, Polla Argentaria Reisewagen

8. ,Die Geschichte der Prinzessin Caledonia' (O I 799—879)
EZ: Claudia Ruffina (Er-Form)
ZH: Gesellschaft Innenraum

9 ,Die Geschichte der Prinzessin Ephigenia' (O I 930—975)
EZ: Abdon (Er-Form)
ZH: Jubilius Dach eines Palastes

Octavia. Römische Geschichte II Nürnberg 1678
1234 Seiten, 12 Lebensgeschichten

10. ,Die Geschichte der Kaiserin Octavia' (O II 60—199)
EZ: Pythias, Vertraute der Octavia (Er-Form)
ZH: *Drusus* Gefängnis

Der novellistische Rahmenzyklus beim Gastmahl der Crispina:
11. ,Die Übelstiftende Schönheit' (O II 246—255)
EZ: Nimphidius Sabinus (Er-Form)
ZH: Gesellschaft

12. ‚Der erfüllte Wunsch' (O II 255—260)
    EZ: Flavius Sabinus   (Er-Form)
    ZH: Gesellschaft

13. ‚Die grausame Hülfe' (O II 260—263)
    EZ: Valerius Asiaticus   (Er-Form)
    ZH: Gesellschaft

14. ‚Die unglückliche Nachfolge' (O II 264—267)
    EZ: Salvia   (Er-Form)
    ZH: Gesellschaft

15. ‚Verwehrte Liebe / die eifrigste' (O II 268—272)
    EZ: Cingonius Varro   (Er-Form)
    ZH: Gesellschaft

16. ‚Die Geschichte des Prinzen Artabanus / und der Prinzessin Zenobia'
    (O II 273—317)
    EZ: Ariaramnes   (Er-Form)
    ZH: Gesellschaft   alle Innenraum (Festsaal)

17. ‚Geschichte der Locusta' (O II 418—476)
    EZ: Locusta   (Ich-Form)
    ZH: *Drusus*, Antonia, Caledonia, Flavia Domitilla, Domitia Paulina
                                   Raum in den Katakomben

18. ‚Geschichte der Prinzessin Valeria' (O II 591—687)
    EZ: Pudens Ruffus   (Er-Form)
    ZH: Neronia, Caledonia, Zenobia, Pomponia Gräcina, Helena, Claudia
         Ruffina   Raum in den Katakomben

19. ‚Geschichte des Aelius Adrianus und der Domitia Paulina'
    (O II 738—791)
    EZ: Ulpia   (Er-Form)
    ZH: *Drusus*, Antonia, Domitia Paulina, Locusta   Innenraum

20. ‚Geschichte der Flavia Domitilla und der Coenis' (O II 920—1015)
    EZ: Flavia Domitilla   (Ich-Form)
    ZH: *Drusus*, Vasaces, Domitia Paulina, Antonia, Claudia Ruffina
                                   Raum in den Katakomben

7.b ‚Fortsetzung der Lebens-Geschichte der Prinzessin Cynobelline'
    (O II 1046—1055) vgl. O I 698—775.
    EZ: Cynobelline   (Ich-Form)
    ZH: *Drusus*, Antonia, Coenis   Raum in den Katakomben

21. ‚Die Geschichte des falschen Nero' (O II 1154—1198)
    EZ: Claudia   (Er-Form)
    ZH: Neronia   Innenraum

3 Seiten ,Gruß- und Wilkomm-Gespräche zwischen Octavia und Ostinne'
Vor-Erinnerung 1 Seite, 1165 Seiten, 10 Lebensgeschichten

22. ,Geschichte des Julius Sabinus und der Epponilla' (O III 39—117)
    EZ: Julius Sabinus   (Ich-Form)
    ZH: Tyridates, Antonia, Ariaramnes, Cynobelline, Coenis, Epponilla,
        Pomponia Gräcina, Lucina   Raum in den Katakomben

23. ,Des Prinzen Ariaramnes Geschichte' (O III 160—201)
    EZ: Ariaramnes   (Ich-Form)
    ZH: Vasaces   Reisewagen

24. ,Der Neronia Geschichte' (O III 240—294)
    EZ: Neronia   (Ich-Form)
    ZH: *Drusus*   Unter Buchen im Schatten

25. ,Geschichte des Thumelicus' (O III 403—461)
    EZ: Thumelicus   (Ich-Form)
    ZH: *Drusus* (Italus) — *Italus* (Drusus)   Garten in einem Lusthause

26. ,Geschichte der Junia Calvina' (O III 503—571)
    EZ: Junia Calvina   (Ich-Form)
    ZH: Tyridates, Antonia, Cynobelline, Pomponia Gräcina, Helena
                                   Reisewagen

27. ,Geschichte der Kaiserin Statilia Messalina und der Polla Argentaria'
    (O III 651—701)
    EZ: Sulpitia Prätextata   (Er-Form)
    ZH: Galba   Festsaal

28. ,Die Geschichte der Salvia / und der Calvia Crispinilla' (O III 811—868)
    EZ: Piso Lucianus
    ZH: Acte, *Claudia* (= Pontischer Nero), Norondabates u. a.
                                   Auf dem Schiff

29. ,Geschicht des Norondabates und seiner drei frauen' (O III 909—918)
    EZ: Norondabates   (Ich-Form)
    ZH: Gesellschaft   Auf dem Schiff

30. ,Sieg der Freundschaft über die Liebe' (O III 920—930)
    EZ: Piso Lucianus   (Er-Form)
    ZH: Gesellschaft   Auf dem Schiff

31. ,Die begebenheit des Phraortes / Königes der Sedocheser'
(O III 1018—1032)
EZ: Phraortes   (Ich-Form)
ZH: Crispina, Daria   Innenraum

Octavia. Römische Geschichte IV a   Nürnberg 1703
Vier Seiten ,Vorrede eines gewissen Freundes an den Leser'
771 Seiten, 4 Lebensgeschichten

32. a ,Geschicht des Printzen Galgacus und der Vestalin Rubria'
(O IV a 26—119)
EZ: Orgalla   (Er-Form)
ZH: Claudia Ruffina (später Pudens Ruffus)   Innenraum

33. a ,Die Geschichte der Königin Cartismanda' (O IV a 226—284)
EZ: Florus   Innenraum
ZH: Otto   (Er-Form)

33. b: ,Den weiteren verfolg der begebenheiten der Königin Cartis-
manda und der Prinzessin Bunduica' (O IV a 328—388)
EZ: Bunduica   (Ich-Form)
ZH: Antonia und eine Gesellschaft   Innenraum

34. ,Die Geschichte deß Domitianus' (O IV a 537—570)
EZ: Dorpaneus Anses   (Er-Form)
ZH: Tyridates, Antonia, Caledonia, Epponilla, Coenis u. a.
                                                         Auf dem Schiff

35. ,Die Geschichte deß Prinzen Antiochus Epiphanes von Comagene / und
der Prinzeßin Helena' (O IV a 711—763)
EZ: Zeno   (Er-Form)
ZH: Dorpaneus Anses   Garten

Octavia. Römische Geschichte IV b   Nürnberg 1704
512 Seiten, 2 Lebensgeschichten

32. b: ,Fortsetzung der Geschicht des Prinzen Galgacus' (O IV b 64—83)
EZ: Galgacus   (Ich-Form)
ZH: Orgalla, Antichus Callinicus   Reisewagen

36. ‚Die Begebenheit des vermeinten Nero und der Prinzeßin Roxolane'
   (O IV b 192—241)
   EZ: Gratilda   (Er-Form)
   ZH: Thumelicus   Garten-Cabinett

37. ‚Die Lebens-Geschicht des falschen Nero aus Ponto' (O IV b 436—490)
   EZ: Antonius Primus   (Er-Form)
   ZH: Gesellschaft   Auf dem Schiff

Octavia. Römische Geschichte V   Nürnberg 1704
1120 Seiten, 2 Lebensgeschichten

38. ‚Geschichte der Prinzeßin Velleda und Bondicea' (O V 208—248)
   EZ: Bondicea   (Ich-Form)
   ZH: Octavia, Sulpitia, Cynobelline   Auf dem Schiff

39. ‚Die Begebenheiten der Töchter des Lucejus Albinus' (O V 662—707)
   EZ: Albina   (Ich-Form)
   ZH: Königin Susanna, Ephigenia, Artabanus, Antiochus Epiphanes
                                                     Innenraum

Die römische Octavia.   VI   Nürnberg 1707
5 Seiten: zwei Widmungsgedichte, 2 Seiten Vorbericht an den Leser, 8 Seiten ‚Danck-Opffer An den hohen Verfasser dieses Werckes / über den
glücklich geendeten Schluß' M. R. S. 1029 Seiten, 1 Lebensgeschichte

40. ‚Die Geschichte der Prinzeßin Solane' (O VI 163—195)
   EZ: Königin der Adorser   (Er-Form)
   ZH: Sulpitia Prätextata   Innenraum

4. Die Bedeutung von Erzähler und Zuhörer(schaft) für die strukturelle
   Lagerung der Lebensgeschichten in der ‚Aramena'

Dieser Roman enthält 36 Lebensgeschichten, die folgendermaßen in die einzelnen Bände des Werkes eingelagert sind: I 8, II 5, III 5, IV 8, V 10. Diese
Zählung beruht bereits auf einer Interpretation,[284] indem wir Nr. 19 a und

19 b (= ,Die Arabische Geschichten' und ,Erfolg der Arabischen Geschichten') und Nr. 15 a und 15 b (= ,Geschichte der Königin Mirina' und ,Verfolg der geschichte / der Königin Mirina und der Prinzessin Hercinde') als zwei Teile eines ganzheitlichen Handlungs- und Motivationskomplexes sehen. Diese Lagerung innerhalb der Bände läßt eine relativ gleichmäßige Verteilung der epischen Einschübe erkennen.

Wir wenden uns zuerst den *Erzählern der Lebensgeschichten* und ihrer möglichen funktionalen Aussage zu. Aus dem Wechsel des Erzählers innerhalb eines als einheitlich erkannten Komplexes legen wir hier die Annahme von 38 Erzählern zugrunde (vgl. etwa Nr. 15 a und 15 b). Dem entspricht die Tatsache, daß auch innerhalb einer durchlaufend erzählten Lebensgeschichte die Erzähler einmal (etwa Nr. 12) oder mehrmals (etwa Nr. 15 a) wechseln können. Von den 38 Erzählern bedienen sich 20 der Ich-Form und 18 der Er-Form. Die Anzahl der Er-Erzähler und der Ich-Erzähler halten sich also im ganzen Roman die Waage. Die Problematik der Ich- und Er-Form bei Anton Ulrich haben wir bereits im entsprechenden Kapitel (siehe o. S. 24—26 erläutert. Grundsätzlich besteht die Möglichkeit des Überganges zur anderen Form, wenn der Erzähler selbst direkt mit am Geschehen beteiligt war. Die Durchsicht der Erzähler-Namen beweist weiter, daß kaum bemerkenswerte Wiederholungen von Erzählern stattfinden. Eine wenig gewichtige Ausnahme bilden die drei Geschichten, welche Coelidiane erzählt (Nr. 4, Nr. 19 a und 19 b). Die Beanspruchung von Herren und Damen als Erzähler erfolgt ebenfalls zu fast gleichen Teilen. Die prominentesten Romanpersonen tauchen nur einmal auf, obwohl sich die Ereignisse ihres Schicksalsweges meist in mehreren Lebensgeschichten miteingewoben finden. Die Erlebnisse des Marsius etwa werden in folgenden Geschichten (mit)gestaltet: Nr. 3, 15 a, 15 b, 16, 21 und 23, obwohl sich nur Nr. 23 titelmäßig auf ihn bezieht. Ebenso werden Vorkommnisse aus Abimelechs Leben erzählt oder enträtselt in Nr. 3, 10, 24 und 26. Der Position nach sind diese beispielhaften Zusammenhänge auf die Bände I—IV verteilt. Grundsätzlich wählt aber der Dichter für die Funktion des Erzählers stets neue Personen, die relevante Bevorzugung einer Figur findet nicht statt. Diese gleichmäßige Aktivierung von Romanpersonen als Lebensgeschichten-Erzähler dürfte in dem von Madeleine de Scudéry übernommenen Gesetz der *vraisemblance* begründet liegen. Der Dichter wählt aus jedem Bereich der Handlungskonstellation jene Person aus, die mit größter Wahrscheinlichkeit die Authentizität des Erzählten verbürgt. Die traditionelle Floskel der *Zuständigkeits-Erklärung* (s. u. S. 296 f.) bestätigt diesen Gedanken. Als Erzähler treten allerdings auch Personen auf, deren handlungs- und spannungsmäßige Funktion sich weitgehend im Vortrag der Geschichte erschöpft (etwa Andagone, Iphis, Hanoch, Cyniras usw.); fast alle diese

---

[284] Zur Auseinandersetzung mit anderen Zählungen und zur Durchführung dieser Interpretation (!) vgl. u. S. 264.

Personen üben vermittelnde Diener- oder Berater-Funktion aus. Sie stehen, ihrem sozialen Rang gemäß, auch außerhalb des eigentlich höfisch-aristokratischen Kreises. Ihren Grundtyp bildet schon der französische Roman in der Figur des (der) Vertrauten aus, die Anton Ulrich in beiden Werken häufig verwendet.[285] Die Behauptung,[286] daß dadurch die Objektivität des Dargestellten gewahrt bliebe, widerlegt u. E. die große Anzahl der Ich-Erzähler in Anton Ulrichs Romanen von selbst.

Funktional aufschlußreicher als der Erzähler erscheint uns die *Zuhörerschaft der Lebensgeschichten*. Hier erfährt unsere These vom bedeutsamen *Ausschnitt* der Romanpersonen weitere Bestätigung. Die meisten Geschichten werden im Beisein der Titelheldin Aramena von Syrien und der seirischen Fürstin Ahalibama erzählt; das Verhältnis verschiebt sich von der Exposition bis zum Romanende allmählich zugunsten Aramenas. Als namentlich und exklusiv genannte Zuhörer treten also Aramena d. Ältere neunmal, Ahalibama sechsmal, Aramena die Jüngere dreimal, Jaelinde zweimal und die Herren Suevus, Demas und Tuscus Sicanus ebenfalls zweimal auf. Neunmal hebt die große Gesellschaft um Aramena d. Ältere die relevante Exklusivität im Phänomen der Öffentlichkeit auf. Die Titelheldin ist also bei 19 der insgesamt 38 Lebensgeschichten ausschließliche oder prominenteste Mitwisserin. Das bestätigt ihre überragende Funktion für die Handlung. Diese beruht, erzähltechnisch gesehen, in ihrem besonderen *Ausschnitt*, da die meisten Lebensgeschichten mit dem Anspruch um Hilfe oder Fürsprache in einer unglücklichen Situation erzählt werden. Aramenas *Ausschnitt* steht somit dem des Lesers größenmäßig am nächsten, denn dieser gehört bei allen Lebensgeschichten zur Zuhörerschaft.

Die bedeutsame Beziehung zwischen Zuhörerschaft und *Ausschnitt* vermag folgender Vorgang zu belegen: Coelidiane erzählt vor großer Gesellschaft den ersten Teil der ‚Arabischen Geschichten‘ (A IV 16—96). Deren ‚Erfolg‘ (A IV 100—125) aber erfährt nur die Eingeweihte Aramena; sie veranlaßt diese Exklusivität, um Coelidiane vor nachteiligen Enthüllungen zu schützen. Beachtet man noch das bedachtsame Einschließen während des Vortrages solcher Geschichten, so wird die Relevanz der begrenzten Zuhörerschaft vom kompositorischen (*Ausschnitt*) und handlungsmäßigen Aspekt her klar. Man erkennt dann diese scheinbar äußerlichen Details der namentlichen Zuhörerschaft als Phänomene von wichtiger epischer Funktion. Auffallend ist weiter, daß vorwiegend Damen die Zuhörerschaft bilden. Durch die Vergrößerung ihrer *Ausschnitte* sind sie im politisch-erotischen Gefüge den Männern dadurch weit überlegen. So kann etwa Ahalibama aufgrund ihres großen Wissens (Nr. 5 und 9) die politisch so weitwirkende Hochzeit zwischen Aramena und Dison inszenieren. Der Plan beruht wesentlich auf der Kenntnis der geheimnisvollen Lebensgeschichten

---

[285] Vgl. dazu E. *Lindhorst* S. 78.
[286] B. L. *Spahr*, Aramena S. 30 etwa vertritt sie.

der Brautleute. Ahalibama ist eben weithin der eigentliche erzählerische Mittelpunkt (am öftesten *Erzählperson*) in der breiten Exposition der ersten zwei Bände des Romans. Die Passivität der männlichen Helden im höfischen Barockroman bestätigt diese Beobachtung von einem anderen Aspekt aus (Menschenzeichnung). Grundsätzlich verweist das namentliche Nennen der einzelnen Zuhörer auf ein relevantes Strukturprinzip, das für die Personenkonstellation ebenso bedeutsam ist wie für die Handlungsführung.

5. Die Bedeutung von Erzähler und Zuhörer(schaft) für die strukturelle Lagerung der Lebensgeschichten in der ‚Octavia'

Dieser Roman enthält 40 Lebensgeschichten, die folgendermaßen in die einzelnen Bände des Werkes eingelagert sind: I 9, II 12, III 10, IV 6, V 2, VI 1. Auch diese Zählung beruht auf einer Interpretation, indem wir Nr. 7 a und 7 b, 32 a und 32 b wie 33 a und 33 b als zwei Teile eines je ganzheitlichen Handlungs- und Motivationskomplexes sehen. Unsere Zählung steht im Gegensatz zu denen von Leo Cholevius und Fritz Mahlerwein. Die folgende Tabelle soll die Unterschiede kurz veranschaulichen:

	I	II	III	IV	V	VI	Totale
Cholevius	9	13	9	8	2	1	42
Mahlerwein	9	9	9	8	2	1	38
Haslinger	9	12	10	6	2	1	40

Die Lebensgeschichten in den Bänden I, V und VI bedürfen keiner weiteren Diskussion. Besondere Beachtung aber verdient Band II. Die Unterschiede in den Zählungen lassen sich so erklären: Cholevius zählt die Fortsetzung der ‚Geschichte der Cynobelline' (O II 1046—1055) als eigene selbständige Lebensgeschichte, wir dagegen nicht (—1). Die Gründe für unsere Entscheidung tragen wir bei der Begriffsbestimmung der *Fortsetzungsgeschichte* gleich vor (s. u. S. 265). Mahlerwein erteilt den „fünf kurzen Episoden" nur eine Nummer (Nr. 11).[287] Wir glauben, daß eine solche Zählung nach den Arbeiten von Karl Reichert und Kurt Adel zu diesem Komplex nicht mehr haltbar ist. Die Fortsetzung der Cynobellinen-Geschichte zählt Mahlerwein aufgrund des eigenen optischen Titels ebenfalls als eigene Lebensgeschichte (Nr. 17). Seine Zahl 9 ergibt sich also aus folgender Überlegung: 12—4 (5 Episoden unter einer Nummer) + 1 (Cynobelline ff.) = 9.

---

[287] Vgl. dazu F. *Mahlerwein* S. 374.

Auch die Differenz in Band III läßt sich relativ einfach erklären. Cholevius und Mahlerwein fassen die beiden novellistischen Erzählungen des Norondabates (O III 909—918) und des Piso (O III 920—930) als eine Geschichte, während sie die ebenfalls auffallend kurze ‚Begebenheit des Phraortes' (O III 1018—1032) sehr wohl als eigene Geschichte rechnen. Der Zusammenfall der beiden Geschichten zu einer ist von ihrer erzählerischen Eigenart her und ihrer relevanten Spiegelung von Romankonstellationen (besonders bei Piso: beachte u. S. 312 f.) untragbar. Unsere abweichende Zählung in Band IV resultiert wieder aus dem Begriff der *Fortsetzungsgeschichte* (s. u.) Die Lebensläufe des Galgacus (O IV a 26—119 und O IV b 64—83) und der Cartismanda (O IV a 328—388 und O IV a 226—284) werden von Cholevius und Mahlerwein aufgrund der eigenen Überschriften wieder in zwei Teile (= zwei Lebensgeschichten) getrennt. In Band IV möchten wir noch eine reizvolle Variante der Lebensgeschichte[288] erwähnen: Orgalla erklärt der Titelheldin Octavia den Lebenslauf der Prinzessin Engilmundis anhand von 12 Gemälden (O IV b 337—340).[289]

Die Prinzipien unserer Zählung [290] beruhen auf einer Interpretation der *Fortsetzungsgeschichte;* sie sind demnach abhängig von bestimmten Gattungsbegriffen. Das epische Phänomen der *Fortsetzungsgeschichte* weist u. E. eigene formale Merkmale auf. Die Lebensgeschichte wird bestimmt durch den zentralen Helden oder das zentrale Liebespaar. Ihr eignen gewisse formale Bauelemente, die stereotyp in sprachlicher Variation wiederkehren. Die zeitliche Chronologie der Lebensgeschichten erstreckt sich von der Geburt des Helden bis zum Einmünden seiner Lebenslinie in die fiktive Gegenwart der Haupthandlung. Das vollzieht sich meist im Zusammenfall des (meist unglückseligen) Lebenszustandes des Erzählers mit dem fiktiven Augenblick der Erzählsituation. Damit wird das nicht abgeschlossene Schicksal dieses Helden mit in den Erzählbereich der fiktiven Gegenwart hereingenommen.[291] Sein weiteres Schicksal gestaltet der erzählende Dichter in diesem Bereich dann meist bis zur harmonisch-repräsentativen Verbin-

---

[288] Das Fehlen dieser interessanten ‚Begebenheit' in vielen Werken der Octavia-Forschung ist leicht darauf zurückzuführen, daß diese Curriculum vitae-Galerie nicht durch einen eigenen Titel hervorgehoben wird.

[289] Zum Galerie-Motiv vgl. A. *Haslinger* in: Literaturwissenschaftliches Jahrbuch N. F. 9 (1968), S. 115—128. Dort findet sich auch der Hinweis auf die Funktion dieser Galerie und außerdem sind Funktion und Form der sechs Gemälde über Neros Lebensstationen in der ‚Octavia' erwähnt (ebenda 122 ff.).

[290] Daß sich unsere Zählung allerdings nur auf die Octavia-Ausgabe 1675—1707 (*Benders* A und B kombiniert) bezieht, muß hier nochmals ausdrücklich betont werden, weil bereits P. *Zimmermann* S. 105—110 und 121—126 auf Geschichten hinweist, welche nur in der erweiterten Ausgabe von 1712 enthalten sind. Diese Ausgabe wird demnächst in einem Reprint mit einer Einführung von Maria Munding allgemein zugänglich sein.

[291] Vgl. das Problem der ‚Solane-Geschichte' (O VI 163—195) u. S. 343—346.

dung der beiden Liebenden am Romanschluß aus. Aus Gründen der erzählerischen Komposition kann der weitere Schicksalsweg dieser Person in der Haupthandlung vielleicht nicht ausgeformt werden. Meist treten in solch einem Falle bei seinem späteren Auftauchen im Geschehnis-Bereich der Haupthandlung andere Romanpersonen an ihn heran, um seine weiteren Erlebnisse bis zu diesem Zeitpunkt zu erfahren (= *Fortsetzungsgeschichte*). Eine solche Erzählung kann selbstverständlich nie eine echte Lebensgeschichte mit allen formalen Anforderungen werden. Sie muß notwendig eine Fortsetzung des schon Begonnenen bleiben. In diesem Sinne halten wir es für untragbar, (zudem meist äußerst kurze und formal auf echten Lebensgeschichten aufbauende) *Fortsetzungsgeschichten* als gleichrangige Lebensgeschichten aufzufassen, nur weil sie durch ähnliche Titel optisch aus dem Satzspiegel herausgehoben werden. Hier stehen wir in Opposition zu Cholevius und Mahlerwein. Wir zählen im Gegensatz zu ihnen die Fortsetzungsgeschichten der ‚Octavia‘ (Cynobelline O II 1046—1055; Galgacus IV b 64—83 und Cartismanda O IV a 328—388) nicht als eigene Lebensgeschichten, sondern betrachten sie als Anschlußteil ihrer ursprünglichen Geschichten, mit denen sie eine erzählerische und handlungsmäßige, weil personale Einheit bilden. Unsere *Fortsetzungsgeschichten* beruhen interpretatorisch auf dem Prinzip der Identität der Hauptperson. Auch in der ‚Aramena‘ kommen bereits solche vor (Mirina-Hercinde A IV 559—583 und Arabische Geschichten A IV 100—125), welche eben unter den gleichen formalen und kompositorischen Bedingungen stehen. Ein möglicher Einwand gegen unsere Deutung wären ‚Disons Lebensbegegnise‘ (A II 17—78). Die dafür in Frage kommende ursprüngliche Lebensgeschichte wäre jene der Ahalibama (A I 86—140). In dieser spielt aber Dison nur eine geringe Rolle, keines seiner Lebensprobleme wird angetönt, und er scheidet früh aus. Setzt seine Geschichte auch formal bei diesem Ausscheiden aus dem Erzählen (Entführung bei einem Überfall durch Räuber) ein, so beginnt sein innerer Lebensweg doch erst in der Begegnung mit der Dianenstatue. Fehlen also auch die üblichen einführenden Topoi, so widerspricht ihre thematische Konstruktion (Liebe zur Dianenstatue und zur leiblichen Schwester ihres Urbildes) grundlegend dem Typ der *Fortsetzungsgeschichte* ebenso wie der zwingend modellhafte Schluß. *Fortsetzungsgeschichten* lassen solche Eigenschaften aber vermissen. Sie tragen nur die notwendigen Ereignisse bis zur Erzählsituation nach, ohne daß sich dabei wiederkehrende Formen erkennen lassen. Auch fehlt ihnen der ganzheitliche Charakter. Deshalb nehmen wir sie aus thematischen und formalen Gründen mit ihrer Ursprungsgeschichte zusammen als erzählerische Einheit.

Die *Novellen* unterscheiden sich von den Lebensgeschichten in einem wesentlichen Punkt. Sie sind keine offenen epischen Strukturen, sondern geschlossene. Ihr Schluß weist nicht in die Haupthandlung hinein, in Richtung auf eine etwaige spätere Lösung, sondern auf ihren thematischen Titel zurück. Sie exemplifizieren in ihrer Struktur eine These. Diese präzisiert der thematische Titel: z. B. ‚Der Sieg der Freundschaft über die Liebe'. Ihre Funktion besteht vorwiegend, trotz der möglichen Integration ins Romangefüge, nicht im Einholen erzählerischer Vorzeit, sondern in der episodenhaften Exemplarität. Dadurch sind sie strukturell geschlossen: der behauptend-beweisende Schluß führt auf den Ausgangspunkt des thematischen Titels zurück. Grundsätzlich können in ihnen Personen auftreten, die keine fiktiven Romanpersonen sind und in der Haupthandlung keine Rolle spielen. Dieser Fall begegnet häufig bei Lohenstein. Anton Ulrich integriert allerdings auch diese *Novellen* stärker ins personale und handlungsmäßige Gefüge des Romans. Das hebt aber ihre episodische und exemplarische Funktion nicht auf, weil ihnen auch hier Merkmale einer geschlossenen Struktur eignen. Bleiben aber die darin handelnden Personen sogar bei Anton Ulrich außerhalb der engeren Romanhandlung, so verfolgt der Erzähler mit dem Vortrag dabei einen innerfiktionalen Zweck. Darin liegt etwa die vordringliche epische Integration des Novellenzyklus in der Crispina Haus.

Die *Erzähler der Lebensgeschichten* in der ‚Octavia' wechseln ebenso stark und unbedeutsam wie in der ‚Aramena'. Wenige nur (etwa Vasaces, Abdon und Piso) treten zweimal in dieser Rolle auf, und gerade sie spielen kaum wesentlich in der Handlung mit und gelten kaum als prominente Romanpersonen (mit Ausnahme Pisos!). Der Typ des (der) Vertrauten erfährt dabei manch eigenartige Variation (vgl. etwa den Topos der *Zuständigkeits-Erklärung* u. S. 296 f.). Orgalla z. B. erzählt als „Säugamme" und spätere „Wartefrau" des Prinzen Galgacus dessen Lebensgeschichte; oder Erzähler und Zuhörer bleiben vorderhand völlig unbenannt, während sie *Drusus* im Mondschein belauscht (O I 303—359). Die männliche Hauptperson Tyridates von Armenien erzählt überhaupt keine Geschichte, die Titelheldin dagegen eine von den dreien, die aspekthaft ihren Lebenslauf ausgestalten. Manche Person erzählt nicht die ganze eigene Lebensgeschichte, sondern erst ein späteres Begebnis (etwa Claudia O II 1154—1198) oder ihre Fortsetzung (Cynobelline O II 1046—1055, Galgacus O IV b 64—83). Grundsätzlich ergibt sich keinerlei beachtliche Funktion aus diesen äußeren Konstellationen. Man muß aber betonen, daß hier — ähnlich der ‚Aramena' — sehr viele Personen, meist geringer kompositioneller Relevanz, als Erzähler von Lebensgeschichten episch aktiviert werden. Das Verhältnis zwischen Ich- und Er-Erzählern hält sich im ganzen Roman ungefähr die Waage.

Etwas aufschlußreicher ist wieder die *Zuhörerschaft* bei diesen Vorträgen, welche gemäß der bedeutsamen Gruppenhaftigkeit der Verschwörer durchschnittlich zahlreicher ist als in der ‚Aramena'. Da die Gruppen zumeist identische Interessen im Kampf um die kaiserliche Thronfolge haben, sind ihre *Ausschnitte* in bezug auf gewisse Zusammenhänge weitgehend undifferenziert; außer es handelt sich um Verräter. Diese treten dann aus einer Gruppe mit ihrem besonderen *Ausschnitt* zur anderen über und besitzen im Bereich solchen Gruppenwissens oft eminent politischen Wert. Trotzdem ragen einzelne Personen als Zuhörer aus den übrigen Romanpersonen heraus, denn die Exkusivität dieser gesellschaftlichen Erscheinung zeichnet aus, wie wir schon in der ‚Aramena' gesehen haben.

Besonders sind es *Drusus* und Antonia, die vom erzählenden Dichter am häufigsten in dieser Rolle aktiviert werden. Das mag darin begründet liegen, daß Anton Ulrich offensichtlich sehr spät die Hauptrollen-Funktion dieses Paares verworfen hat.[292] Sie spielen innerhalb der ersten zwei Bände der ‚Octavia' eine bedeutsame, auch kompositorische Rolle.[293] Das scheint schon ihre dominierende Zuhörerschaft vorauszusetzen: *Drusus* erfährt in O I fünf, O II fünf und O III zwei Lebensgeschichten und auch Antonia ist bis in den dritten Band des Romans hinein bevorzugte Zuhörerin. Die männliche Hauptfigur Tyridates tritt dagegen nur zweimal in O I und zweimal in O III als Zuhörer auf. Am auffallendesten aber ist, daß die Titelheldin Octavia, zumindest anfangs, kaum jemals als Zuhörerin in Erscheinung tritt. Das mag mit dem Geheimnisvollen zusammenhängen, welches ihre Existenz und ihre Erscheinung umgibt, wobei im Sinne der Erzählspannung auch der Leser lange davon ausgeschlossen bleibt, ihr Identitätsrätsel lösen zu können. Das mag den Dichter dazu bewogen haben, Octavia in den ersten Bänden erzählerisch keineswegs in den Vordergrund zu schieben, obwohl viele und wesentliche Bezüge um das Rätsel ihrer Identität kreisen. Ihre Rolle scheint sich damit augenfällig von jener der Titelheldin Aramena zu unterscheiden, die sehr häufig bei Lebensgeschichten zuhört. Dieser Unterschied widerlegt aber keinesfalls unsere Beobachtungen zur ‚Aramena'. Das Grundprinzip der Entwirrung zielt auch hier auf die Herstellung einer Ordnung. Diese Ordnung manifestiert sich im *Ausschnitt* des Lesers. Der *Ausschnitt* der Titelheldin Aramena kommt erzählerisch relevant diesem am nächsten. Aramena krönt als Delbois von Ninive (in falscher Identitätsrolle) die hierarchische Personenkonstellation. An einem bestimmten Punkt der Struktur enthüllt sich ihre wahre Identität, und sie steht damit wieder an der Spitze der höfischen Personenhierarchie. Die Typik dieses erzählerischen Enthüllens auf der Basis der *Ausschnitte* gilt auch für die ‚Octavia', nur hat die Titelheldin hier eine andere Funktion. *Drusus*, Antonia, Tyridates bestimmen hier den *Ausschnitt* des Lesers vordringlich, während Octavia erst später beherrschend hervortritt. Man könnte auch den Unterschied in der jeweiligen Exposition dafür verantwortlich machen. Ahalibama ist in der weniger umfangreichen

---

[292] Zu Anton Ulrichs Schwanken zwischen Nero — Neronia, Antonia — Drusus und endlich Octavia — Tyridates vgl. nicht nur P. *Zimmermann* S. 91, sondern auch die frühen handschriftlichen Entwürfe des Herzogs in der Wolfenbütteler Bibliothek Cod. Guelf. Extrav. 198. Hier dürfte die Dissertation von Maria *Munding* vieles klären.

[293] Man beachte nur die Form, in welcher sie zu den beiden Hauptfiguren in Beziehung treten (Täuschungsstruktur s. o. S. 41—46).

Exposition der ‚Aramena‘ die wichtigste Erzählperson, die Exposition der ‚Octavia‘ verlangt schon wegen ihres ungeheuren Ausmaßes mehrere wichtige Personen, die für den Leser die übliche *Ausschnitts*-Vergrößerung plastisch tragen.

6. Die strukturelle Lagerung der Lebensgeschichten in bezug auf Personenkonstellation und Handlungsgefüge in der ‚Aramena‘

Den notwendigen Überblick über die Fülle der Ereignisse garantiert uns hier nur der Umriß der Kernhandlung und ihrer personalen Konfiguration. Da die Handlungsimpulse meist zwischenmenschlichen Beziehungen entspringen, ist ein solches Vorgehen methodisch legitim. Außerdem war für den regierenden Herzog das genealogische Denken von besonderem Belang. Den simplen Handlungskern des weitverzweigten Gefüges bildet der Aufstieg der verschollenen drei Kinder des Königs Aramenes von Syrien zu höchster herrscherlicher Würde. Drei Herrscherhäuser stellen die prominentesten Persönlichkeiten dieses Vorganges: 1. Syrien: *Delbois* (= Aramena d. Ältere), Aramena d. Jüngere und *Abimelech* (= Aramenes); 2. Celten-Basan: Mirina, Hercinde und *Cimber* (= Marsius); 3. Belochus und Baleus. Als analoge Modelle sind die Herrscherbeziehungen von Syrien und Celten anzusehen: Je einem Bruder stehen zwei Schwestern zur Seite. Das vielfach beschworene Grundschema von den durch Hindernissen getrennten Liebespaaren findet auch hier Ausgestaltung; es wird allerdings dem Handlungskern untergeordnet. Die vielen Vermählungen am Schluß der beiden letzten Bände des Romans sind Ausdruck der wiederhergestellten erotisch-politischen Harmonie-Ordnung. Das zentrale Liebespaar des Romans ist *Delbois* (= Aramena) und *Cimber* (= Marsius). Daneben bilden sich folgende Verbindungen innerhalb dieser zentralen Konfiguration heraus: *Abimelech* (= Aramenes) — Coelidiane, Dison von Seir und Aramena d. Jüngere, Baleus — Hercinde. Weitere personelle Ausstrahlung erhalten diese herrscherlichen Konstellationen durch Verehrer von allen Seiten, wodurch sich auch das Handlungsgefüge verdichtet und verkompliziert. Verehrer der Titelheldin sind zum Teil über weite Strecken des Romanablaufes hin: Abimelech, Baleus, Cimber, Belochus, Dison von Seir, Elihu sowie (scheinbar) Tuscus Sicanus und Marsius von Basan. Cimber wird von Amorite und Jaelinde verehrt und geliebt, und (scheinbar) von Hercinde. Gliedert man einmal die Lebensgeschichten aus, welche auf dieses Handlungszentrum und dessen Personenkonstellation Bezug haben, so bleiben noch teils einzelne, teils genealogische Gruppen (etwa Amraphel — Tiribaces — Lantine = drei Geschwister, Kinder der Delbois von Tyro, der Schwester Belochus‘ von Assyrien). Der Handlungskern setzt mit dem ersten Band zögernd ein; hier tritt Aramena d. Jüngere in den Vordergrund. Erst nach diesem Scheinmanöver, welchem Leser und Romanpersonen verfallen, erscheint die Titelheldin unter falschem Namen. Zwei Geschichten unterstreichen die Bedeutung Aramenas d. Jüngeren: Die erste (A I 58 ff.) enthüllt die vermeintliche Tochter des Mamellus als die syrische Erbprinzessin, die zweite (A I 334 ff.) ergänzt ihre weitere Vorgeschichte. Die Geschichte der Coelidiane (A I 273 ff.) beginnt die Verwirrung um Abimelech von Gerar, der sich in A II als Geliebter der Delbois von Ninive herausstellt. Beachtet man noch die strukturell äußerst wichtige Aussage der Liebe des jungen Marsius zur schönen Delbois in Amorites Geschichte (A I 169 ff.); so dient die Hälfte aller Lebensgeschichten im ersten Band dem zentralen Handlungskomplex.

Von den fünfen des zweiten Bandes gestalten ihn zwei weiter aus: Dison von Seir (A II 17 ff.) berichtet Ahalibama seine Erlebnisse. Das Seltsamste darunter ist seine Liebe zu einer Dianenstatue und zu Delbois, in deren Hofstaat er sich nun als verkleidete *Aramena* befindet. Die drei übrigen — neben Delbois' Lebensgeschichte (A II 91 ff.) — der Kinder der Delbois von Tyro schließen sich — wie gesagt — zu einer Art genealogischer Gruppe.

Von den fünf Geschichten des dritten Bandes gehören drei dem Handlungskern an. Sie betonen Baleus und seine wechselnde Verehrung für die keltischen Prinzessinnen Hercinde (A III 222 ff.) und Mirina (A III 46 ff.; vgl. dazu noch den ,Verfolg der geschichte der Königin Mirina und der Prinzessin Hercinde' A IV 559 ff.). Die erste Geschichte dieses Bandes dient der weiteren Klärung des Aramenen-Komplexes, indem sich die vermeintliche syrische Aramena als des Mamellus Tochter Milcaride entpuppt (A III 4 ff.). Außerdem wird in diesem Bande die wahre Identität der Königin Delbois enthüllt: sie wird dem Leser und (vorerst) einem bestimmten Kreis von Romanpersonen als die eigentliche Erbprinzessin von Syrien bekannt (A III 461—471).

Der vierte Band steht unter dem Gesetz weiterer Enthüllungen: *Abimelech* stellt sich plötzlich als Aramenes von Syrien heraus und scheidet damit als Bewerber um seine Schwester aus. Somit wird die Kernposition des erfolgreichen Anwärters auf die Titelheldin überraschend frei. Durch neue Verwirrung führt die Geschichte des jungen Marsius (A IV 349 ff.) nur zum Trugschluß, ebenso wie eine kleine, aber bedeutsame Szene zwischen dem zentralen Liebespaar. Der Dichter verzögert die endliche Vereinigung der beiden Liebenden bis ans Ende des fünften Bandes. Er führt aber durch die Enthüllung Abimelechs als Erbe von Syrien und Sohn des Aramenes einen Teilkomplex des Handlungskernes seinem harmonischen Ende zu. Aramenes heiratet seine treue Coelidiane. Vorher müssen aber seine *zwielichtigen* Beziehungen zu Aramena und Coelidiane geklärt werden. Das vollziehen, zwar eher verwirrend, Coelidianes ,Arabische Geschichten' (A IV 16 ff. und 100 ff.). Vom Verdacht, Ammonide einen Heiratsantrag gemacht zu haben (vgl. deren Geschichte A IV 230 ff.), läßt er sich durch das

Verwechslungsmodell des Titels („Prinz von Gerar' = Abimelech und Ahusaht) leicht entlasten. Den Trugschluß um *Cimber* (= Marsius) fördern die Geschichten (A IV 230 ff. und vor allem A IV 349 ff.). Aramenes' Lebensrätsel und Herkunft wird durch die Geschichte (A IV 682 ff.) endlich gelöst. Von den acht Lebensgeschichten dieses Bandes sind somit sechs direkt oder indirekt mit dem Handlungskern verknüpft.

Vom schäferlichen fünften Band, der handlungs- und personenmäßig vordringlich Nebenkomplexe ausgestaltet, wäre vielleicht noch Tuscus Sicanus' Geschichte (A V 336 ff.) als direkt darauf bezogen zu nennen.

Viele der Lebensgeschichten der „Aramena' dienen also dem zentralen Handlungskern und seiner Personenfiguration. Da genealogisches Schema und Handlungsimpuls ineinanderwirken, ergibt sich daraus mit den verwirrenden und enthüllenden Handlungsschritten des fiktiven Gegenwartsgeschehens ein inniger Zusammenhang.

Fritz Mahlerwein hat in bezug auf das hier Gesagte von „Episodenringen" und „mehreren Cyklen" gesprochen, wobei er auch meint, daß „in Personen und Begebenheiten" (= unsere Begriffe der *Personenkonstellation* und des *Handlungsgefüges*) mehrere Lebensgeschichten „eng zusammen gehören" (S. 383). Seine Gruppierungen weichen allerdings mehrfach von der methodisch vereinfachten Struktur unseres Kernkomplexes ab, weil er Einzelbezügen zu viel Augenmerk widmet. Kleinere Gruppen daneben lassen sich selbstverständlich noch bilden. Es taucht allerdings die Frage auf, ob man etwa Disons Geschichte (A II 17 ff.) nicht eher zum Hauptkern als zu Ahalibamas Geschichte (A I 86 ff.) stellen sollte. Wir glauben, daß gerade seine Liebe zur Dianenstatue und deren weitere Stationen als wichtige Schritte auf seine wesentliche Verbindung mit Aramena d. Jüngeren zuführen, wie sich ja im Bereich der Scheinhochzeit sprachlich nachweisen läßt.

7. Die strukturelle Lagerung der Lebensgeschichten in bezug auf Personenkonstellation und Handlungsgefüge in der ‚Octavia'

Aus dem überreich verzweigten Personengefüge und seinen genealogischen und erotischen Beziehungen wollen wir den eigentlich wichtigen Kern um das zentrale Liebespaar herauszulösen versuchen. Octavia entstammt dem Claudischen Kaiserhause. Sie hat demnach geschwisterliche Bezüge zu Claudia, Antonia, *Italus* (= Drusus) und Britannicus. Nimmt man die erotischen Beziehungen dieser rein familiären Gruppe noch hinzu, dann erweitert sich die Personenfiguration schon merklich. Allen voran ist Nero als wirksamer Verbindungspunkt zu beachten. Er hat seine Frau Octavia verstoßen und liebt die Freigelassene Acte, die sich als verschollene Schwester des Tyridates von Armenien entpuppt. Sie ist wieder mit *Jubilius* (= Beor) verheiratet, welcher die totgeglaubte Octavia noch immer liebt. Unter den Verehrern der *Neronia* (= Octavia) steht der männliche Hauptheld Tyridates von Armenien an erster Stelle; seine Rivalen sind neben *Jubilius* noch der parthische Prinz Ariaramnes und Otto. Claudia wieder liebt nach dem vermeintlichen Tode ihres treuen Thumelius ebenfalls Tyridates und möchte mit ihm den römischen Thron besteigen. Ihr Spiel als *Nero* führt zu Verwirrungen mit dem pontischen Nero, der dasselbe Verwechslungsspiel treibt. Dieser liebt wieder unter dem Namen der *Neronia* die Acte und entführt die Octavia. Antonia und *Drusus* (= Italus) lieben einander, glauben aber als Geschwister nicht an die Möglichkeit einer glücklichen Verbindung. Caledonia liebt den verschwundenen Britannicus, Cynobelline den *Italus* (= Drusus).

Versuchen wir dieses Strukturgefüge einmal genealogisch zu klären: Welche Herrscherhäuser sind vordringlich daran beteiligt? Die Nachkommen des Claudischen Kaiserhauses (s. o.), das morgenländische Geschlecht der Arsacier (Tyridates, Acte, Ariaramnes, Artabanus, Vonones, Vologeses usw.) und schließlich noch die (vermeintlichen) Germanen Thumelicus, *Jubilius* (= Beor) und *Italus* (= Drusus). *Drusus* (= Italus) und *Italus* (= Drusus) wurden als Kinder vertauscht. Jeder benimmt sich bis zur Enthüllung seiner wahren Identität gemäß den Anforderungen seiner Rolle (erster Name).

Aus diesem personalen Kern entstehen dann auch die wesentlichen Strukturen des Handlungsgefüges. Betrachten wir einmal die Lebensgeschichten des ersten Bandes der ‚Octavia‘, so stellen wir fest: Alle neun Lebensgeschichten handeln von Personen, welche diesem personalen und handlungsmäßigen Kern des Romanes zugehören. Die wesentlichen *Vorgeschichten* dieses Kernes müssen vor allem schon aus erzählerischer Ökonomie dem Leser enthüllt werden, damit er überhaupt den verwirrenden medias-in-res-Einsatz des Romans bewältigen kann. Auch die 10. und 24. Lebensgeschichte um die Vorgeschichte der Titelheldin gehören mit zum Kernkomplex.

Dem raffinierten Identitäts-Spiel um Nero dienen weiter folgende Geschichten, die sich aus verständlichen kompositorischen Erwägungen auf alle Bände verteilen: O I: Nr. 4 (Claudia), O II: Nr. 21 (falscher Nero), O III: Nr. 25 (Thumelicus), O IV b: Nr. 36 (vermeinter Nero-Roxolane) und Nr. 37 (falscher Nero aus Ponto). Alle Geschichten spielen allerdings nicht direkt in dieses von uns aufgrund der wichtigsten Personen herausgelösten Zentrums hinein, doch weisen auch sie mehrfache Verbindungen, zumindest randhaft, damit auf. Wenige zeigen keinerlei thematische oder personelle Integration, sicher aber nicht so viele, wie Fritz Mahlerwein glaubt.[294] Man muß nämlich bedenken, daß in unserer Kern-Konzeption

---

[294] F. *Mahlerwein* S. 360 meint, es wären zwanzig.

für die Handlung äußerst vitale Personen wie die falschen Kronprätendenten Sabinus Nimphidius (O II), Sulpitius Galba (O III) und Salvius Otto (O IV) als überwundene Fehlkombinationen fehlen. Gerade der aktuelle Bezug auf die jeweils andere politische Situation in diesen Bänden, deren Schauplatz vorwiegend Rom ist, politisiert manche scheinbar völlig von der Romanhandlung isolierte Geschichte durch die Erzählsituation und vollzieht damit die Integration. Man denke etwa nur an die politische Atmosphäre beim Gastmahl in der Crispina Haus, als die fünf novellistischen Geschichten erzählt werden: Nimphidius versucht in dieser scheinbar zwecklosen Unterhaltung durch eine solche Geschichte seinen Anspruch auf den Thron zu unterbauen, indem er sich darin als Nachkomme des Kaisers Caligula ausgibt. Man kann alle diese Geschichten, zu denen etwa auch Pisos und Norondabates' Erzählungen gehören, nur aus der kompositorischen und thematischen Relevanz der Erzählsituation und der Lagerung der Geschichte im Gesamtgefüge verstehen.

8. Die Erzählsituation der Lebensgeschichten

a. Charakteristika der äußeren Erzählsituation

aa. Topoi der Raum- und Zeitgestaltung

Traditionelle Topik und sinnreiche Variation formen die epischen Situationen, in denen Romanpersonen solche Lebensgeschichten erzählen. Es sei hier einmal grundsätzlich auf die typische Wiederkehr äußerer und innerer Merkmale dieser Erzählsituation hingewiesen. Die äußeren stammen vor allem aus der traditionellen Topik von Raum- (etwa locus amoenus) und Zeitstilisierungen (etwa Abendtopos) und gewissen motivischen Gestaltungskernen (etwa Reise zu Wasser oder zu Lande). Die inneren Merkmale leiten sich aus dem Spannungsverhältnis zwischen Erzähler und Zuhörer ab. Äußere und innere Charakteristika durchdringen einander selbstverständlich und formen bemerkenswert typische Erzählsituationen im Bereich des höfischen Berockromans aus.

Eine innere Grundhaltung der Zuhörer kennzeichnet alle Situationen als wesentliches Merkmal: Keine fiktive Person in den Welten des höfischen Barockromans würde nicht mit größtem „vergnügen" stundenlang dem Vortrag einer Lebensgeschichte lauschen. Die existentielle Relevanz der Information (vgl. o. S. 31—36) scheint dafür der Grund zu sein. Daneben ist die toposhafte *Lust* am Zuhören zu nennen. Bedenkt man unser interessiertes Ausgeliefertsein an alle Masseninformationsmittel, so kann man darin keine geheimnisvolle Absurdität des Barock-Jahrhunderts mehr erblicken. Als weitere Voraussetzung für das Erzählen einer Lebensgeschichte müssen zwischen den Partnern Freundschaft und (oder) politische Gleichgestimmtheit herrschen. Diese Gleichgestimmtheit zwischen Erzähler und Zuhörer(schaft) bedingt wieder eine Sphäre der Intimität. Diese kann sich in vielen Fällen zur bewußten Exklusivität gegenüber anderen Romanpersonen steigern. Als toposhaftes äußeres Gestaltungsmerkmal dieses Bestrebens findet sich allenthalben das Abschließen oder ängstliche Einsperren dieser Menschenschar (vor allem verständlich bei den verschiedenen Verschwörergruppen im neronischen Rom der ‚Octavia'). Selbst bei Beratungsszenen tritt dieses szenisch-gestische Verhalten in erhellender Analogie in Erscheinung. Ist es in der ‚Argenis' anfangs noch das sorgfältige Verschließen einer Höhle,[295] so verwandelt sich der Topos bei Anton Ulrich in ein höfisch-gesellschaftliches Phänomen: Die fürstliche Person erteilt dem Kammerdiener oder der Kammerzofe den Auftrag, niemand vorzulassen; sie läßt das Gemach versperren oder verriegelt es selbst. Anton Ulrich gehört zu jenen Autoren, die solche Exklusivität besonders betonen, und er nennt jeweils namentlich die Zuhörerschaft (vgl. o. S. 252—261). Denn es ist von Bedeutung, wer eine bestimmte Geschichte erfährt. Ihre Informationen verändern den *Ausschnitt* des Zuhörers und damit sein weiteres Planen und Handeln. Das scheinbar äußerliche Phänomen der Zuhörerschaft an sich stellt in der politischen Atmosphäre bereits einen politischen Wert dar. Der Leser aber muß in seinem bewußten Erfassen der Spannungsstruktur den daraus resultierenden Informationszuwachs der einzelnen Romanperson mitvollziehen.

Neben diesem Merkmal äußeren szenischen Verhaltens, das sich toposhaft zum Ausdruck bedeutsamer Exklusivität steigert, verdient noch der Zeitbezug besondere Beachtung. Die Erzählsituation gehört als episches Phänomen grundsätzlich der Haupthandlung an. Sie wird besonders zu Beginn und Ende des Vortrags sprachlich ausgestaltet. Durch die Unterbrechung der Zuhörer[296] oder durch die (gewaltsame) Störung von außen, die manchmal sogar den Abbruch der Erzählung erzwingt, kann sie ebenfalls dem Leser in Erinnerung gerufen werden. Für ihn bleibt während der Erzählung die Empfindung jener Zeit stets gegenwärtig, die inzwischen in der Haupthandlung verstreicht. Das leistet im schwächsten Fall der abschließende Zeitbezug der Schlußtopik. Auch hier waltet das Gesetz allgemeiner Stilisierung und Traditionsverbundenheit. Ihre sprachlichen Prägungen im

---

[295] „Hernach lehneten sie den Stein wider den Eingang / legten die Riegel für / und huben an sich zu berahtschlagen" (Argenis S. 48).

[296] Diese hat bereits John Barclay in der ‚Argenis' als Spannungsmittel verwendet. Vgl. des Gobrias Erzählung von Astioristes Leben.

höfischen Barockroman reichen in die Antike zurück. Wir verweisen etwa auf Ernst Robert Curtius' antiken Schlußtopos *Wir müssen aufhören, weil es Abend wird* (ELLM S. 100), der sich weit ins Mittelalter hinein belegen läßt. Wie Curtius richtig bemerkt, kann sich dieser Topos nur auf ein Gespräch im Freien beziehen. Der höfische Barockroman situiert die Erzählung aber selten im Freien, er bevorzugt die Innenräume. Auf die Natursituationen, die wohl in der Tradition des locus amoenus stehen, werden wir noch zu sprechen kommen. Trotzdem findet sich der Abendtopos im Barockroman nicht selten. Er ist allerdings den höfischen Gepflogenheiten anverwandelt. Er würde, als Abstraktion zweier Variationen, etwa so lauten: *Wir müssen aufhören, weil das Abendmahl serviert ist. Wir müssen aufhören, weil die Zeit zur Abendruhe naht.* Somit erweisen sich die Gestaltungskerne, welche sprachlich die zeitliche Ordnung tragen, als Phänomene der höfischen Etikette und des höfischen Tagesablaufes. Dieser ist selbstverständlich von gesellschaftlichen Konventionen bestimmt. In den konkreten Fällen können sich natürlich auch noch andere Merkmale der traditionellen Schlußtopik damit verschränken. „Die natürlichste Begründung für den Abschluß eines Gedichtes war im Mittelalter die Ermüdung."[297]

Einige Beispiele aus dem höfischen Barockroman belegen die Wiederaufnahme dieser traditionellen Topoi: Gobrias schließt seine Erzählung von des Astioristes Abenteuern mit der Aufforderung zur Nachtruhe, die Erzähler und Zuhörer unmittelbar danach auch antreten (‚Argenis' S. 752). Schon in Heliodors ‚Aithiopika' (230–250 n. Chr.) finden wir innerhalb unseres engeren Genres den Hinweis auf die Ermüdung des Erzählers: „Die Erinnerung an meine Erlebnisse greift mich an und macht mich müde" meint der Erzähler Kalasiris nach dem Vortrag der zentralen Liebesgeschichte (S. 126). Anton Ulrich gestaltet diese Topoi mehrfach; wir wählen ein Beispiel von bemerkenswerter Schlichtheit: „Nachdem man hierauf von einander gegangen und folgends der nacht-ruhe genossen..." (A II 473). Im folgenden Beleg aus Lohensteins ‚Arminius' durchdringen einander Abend- und Ermüdungs-Topos: „Hiermit beschloß Fürst Zeno seine Erzählung, und so wohl die Müdigkeit als der späte Abend beruffte sie allerseits zu der nöthigen Nacht-Ruhe" (Ar I 672).

Sogar im Rahmen dieser typischen Stilisierung weicht Andreas Heinrich Bucholtz, wieder im Sinne humorvoller Gegenständlichkeit und konkreter Integration, von den Vertretern des höfischen Barockromans ab. Er gestaltet den temporalen Hinweis auf das Abendessen bei Wolfheims Erzählung dreimal hintereinander in lebhafter Variation (Herkuliskus S. 1287, 1391, und 1421). Den gesamten Vortrag zerteilt der Dichter in vier verschieden lange Abschnitte. Toposhaft wird der Durst des Erzählers, der sich durch

---

[297] E. R. *Curtius* ELLM, S. 100. Obwohl diese Topoi sich meist auf das *Dichten* als Prozeß beziehen, haben sie eben auch für den *Vortrag von Dichtungen* Geltung: Der Dichter war als Vortragender bemüht, die mündliche Situation in der Formelhaftigkeit von Anfang und Schluß zu berücksichtigen.

den langen Vortrag steigert, mit Weingenuß und Weinfolgen assoziiert. Dieses Thema schließt alle Erzählsituationen ab und prägt sie zur Einheit. „Weil auch zur AbendMaalzeit das Zeichen gegeben ward / musten sie solchem Gespräch vor dißmahl die Endschaft geben / und das übrige versparen" (Herkuliskus S. 1287). Der Abendtopos in höfischer Form beendet hier nicht eine abgeschlossene Erzählung, sondern unterbricht eine begonnene. In der zweiten Variation verbindet sich der Topos mit einem kompositorischen Phänomen: „Es ware diese Erzählung zu spät angefangen / und durch ihr erstes kurzweiliges Gespräch verhindert; daher musten sie dißmahl abbrechen / und bey der Abendmaalzeit erscheinen" (Herkuliskus S. 1391). Das wiederkehrende Rahmenmotiv des Weins[298] und der Abendtopos verschränken sich zu einem humorvollen, aber unhöfischen Scherzgespräch: „Aber gn. Fräul. sagte Wolfheim zum Beschluß zu Frl. Damaspien / habe ich vor dißmahl meinem Durst nicht rechtschaffet zu steuren gewust? Ja freylich antwortete Sie lachend / Ihr habt gewißlich heut keinen Hering gessen; nahme jhn mit nach dem Esse-Saal / und muste er daselbst / seiner GEwohnheit nach / bey jhnen das Vorschneider-Ampt verrichten" (Herkuliskus S. 1421). Konkret anschauliche Aussage und humorvolle Gestaltung widersprechen hier der vornehmen Stilisierung des höfischen Barockromans; sie betonen wieder einmal die Sonderstellung von Bucholtzens Gestaltungsweise.

Anton Ulrich mag abschließend nochmals als Beispiel dienen: „Nachdem Coelidiane mit ihrer erzehlung bis hieher gelanget / kame der Fürst Barzes / und meldete an / wie daß es zeit zur malzeit wäre: worüber die ganze gesellschaft sich verwunderte / die sich dunken ließen / daß sie kaum eine stunde der schönen Coelidiane zugehöret hätten" (A IV 96). Die Schlußtopik bringt hier eine weitere typische Gestaltungsform: Das Vergnügen, einer Geschichte zu lauschen, läßt die faszinierten Zuhörer die Zeit vergessen. Diese typisierte Reaktion auf die Einladung eines Fürsten zum Abendessen erschöpft noch nicht die Funktion dieses Topos. Die Unterbrechung (Spannungsstruktur bleibt bestehen) ermöglicht es Delbois, Coelidiane vor dem öffentlichen Ausplaudern ihrer Liebesgeschichte mit Abimelech zu bewahren. Denn die Gesellschaft weiß, daß Abimelech der Verlobte von Delbois ist. Soweit also einige typische Formen der Raum- und Zeitgestaltung im Bereich der Erzählsituation von Lebensgeschichten. Die Variationen können nicht darüber hinwegtäuschen, daß hier traditionelle Formen (Topoi, typisierte Einstellungen usw.) teils sogar aus der Literatur der Antike fortleben, doch werden sie dem speziellen Darstellungsstil angepaßt funktionalisiert und jeweils neu episch integriert.

---

[298] Das Motiv wird leider aus diesen knappen Textbeispielen zur Schlußtopik nicht so klar, wie es durchgeführt ist. Es handelt sich bei unserem dritten Beispiel nicht um einen ersten Hinweis darauf, sondern bereits um eine mehrfache Wiederkehr.

bb. Die Lebensgeschichte als *Zeitvertreib*

Die Zeitlichkeit der äußeren Erzählsituation läßt sich von ihrer Räumlichkeit nur methodisch trennen, trotzdem kann es zu einer Dominanz entweder des Temporalen oder Lokalen kommen. Viele Geschichten in Anton Ulrichs Romanwerk werden zum *Zeitvertreib* erzählt. Das scheint über den Begriff des äußeren Charakteristikums hinauszugehen, denn wir geraten damit schon in eine Handlungs- oder Spannungsstruktur des Romangefüges. Zum *Zeitvertreib* heißt nämlich: Romanpersonen erzählen Geschichten, um während eines bestimmten Zeitablaufes der Haupthandlung beschäftigt zu sein. So spart Anton Ulrich zum Beispiel die Beschreibung einer Wegstrecke aus.[299] Während dieser Zeit sind die Reisenden meist zu Untätigkeit verurteilt. Zudem erweckt die lange Erzählung im Leser unweigerlich den Eindruck einer langen Reise. Es gibt aber noch andere Situationen, die Romanpersonen zur Untätigkeit zwingen. Typische und wiederkehrende Formen solcher Erzählsituationen wollen wir nun betrachten:

1. Die Reise zu Lande oder zu Wasser

An sich ist der Vortrag von Geschichten während einer Reise ein altes Motiv. Die geographisch großzügige Abenteuerwelt des höfischen Barockromans bietet ihm viele Möglichkeiten der Entfaltung. Grundsätzlich kann es sich dabei um jede Stilisierung einer damals üblichen Reiseform handeln. Neben der Reise zu Lande (Wagen, Pferd) versteht sich die Schiffsreise aus der übereinstimmenden Motivik mit dem spätgriechischen Liebesroman. Der Langeweile der Reisenden entspricht ihr grundsätzliches Desinteresse für die Erscheinungsformen der Landschaft. Der Blick dieser Gestaltungsweise ist ausschließlich auf den Menschen und die Variation seines Schicksals gerichtet.

Vier Damen kommen in der Exklusivität ihres Reisewagens ins Gespräch (Aramena d. Jüngere, Ahalibama, Ardelise und Amorite). Aus ihrem Plaudern entwickelt sich die Erzählsituation: „Wir werden / den verdriesslichen weg nach Salem nicht bässer hinbringen können / als mit anhörung einer so seltsamen begebenheit" (A I 169). Mit dem Ende der Geschichte und mit dem Gespräch, das sie abschließend rahmt und in ihrer thematischen Aussage wertet (vgl. u. S. 289 f.), wird das Ziel der Fahrt erreicht. Die Reise mit ihrer Langeweile und die Abgeschlossenheit des Wagens schaffen eine ähnliche Exklusivität wie ein verschlossener Innenraum. Auch die ‚Geschichte des Eliphas und der Timna' (A III 662 ff.) erzählt die Ich-Erzählerin ihrer Freundin Ahalibama im Reisewagen. Mehrmals gestaltet Anton Ulrich diese Erzählsituation auch in der ‚Octavia' (O I 698 ff.; O III

---

[299] K. *Hofter* S. 22 wies schon auf diesen Gestaltungszug hin.

157 ff.; O III 503 ff.; O IV a 64 ff.). Die Illusion der inzwischen im Rahmen der Haupthandlung verstreichenden Reisezeit schafft einen engen Zusammenhang zwischen den beiden grundsätzlichen Erzählformen. Welche Lebensgeschichte allerdings auf welcher Reise erzählt wird, erhellt aus ihrer Funktion im Rahmen der Gesamtkomposition. Die Reise als Erzählsituation reicht weit in die Tradition zurück, sie ist auch keineswegs ,standesgebunden', wenn man etwa an die Rahmenfiktion des ,Rollwagenbüchleins' (1555) von Jörg Wickram denkt.

Eine Sonderform dieses Situationstyps bildet die Schiffsreise, deren erzähltechnische Funktion sich von der Reise zu Lande prinzipiell nicht unterscheidet. Anton Ulrich verwendet sie mehrmals, aber nur in der ,Octavia'. Im dritten Band werden drei Geschichten auf der Fahrt nach „Capree" erzählt: eine auf der Hinfahrt (O III 811 ff.) und zwei einander ergänzende auf der Rückreise nach Italien (O III 909 ff. und O II 920 ff.). Als Anzeichen seiner funktionalen Erhöhung vor seinem Tode tritt dabei Piso Lucianus zweimal als Erzähler auf. Daß die Geschichten darüber hinaus noch integriert sein können, beweist folgender Umstand: Salvius Otto reist absichtlich auf dem Schiffe der medischen und parthischen Gesandten zurück, denn dieses führt in den Frauengemächern die Prinzessinnen Acte und Claudia mit. Als er sich halb berauscht den Frauenzimmern nähern will, weist ihn Norondabates höflich, aber bestimmt zurück, weil man orientalische Frauen nicht in ihren Räumen besuchen dürfe. Daraus entsteht ein szenisch iniziertes Gespräch über die Vielweiberei. Der Morgenländer Norondabates will durch das Exempel seines Lebens diese als wichtiges Modell zwischenmenschlichen Zusammenlebens beweisen: ,Geschicht des Norondabates und seiner drei frauen' (O III 909—918). Dieser Beispielerzählung[300] stellt dann Piso Lucianus seine differenzierend und ergänzend zur Seite: ,Sieg der Freundschaft über die Liebe' (O III 920—930). Er beweist damit, daß Freundschaft stärker als Liebe sein und jemand gleichzeitig zwei Personen (sein eigenes Lebensproblem!) lieben könne. Während die Beispielerzählung des Morgenländers wenig Verbindung mit der zentralen Personen-Konfiguration des Romans aufweist, verschlüsselt Piso in seinem Exempel das Schicksal der Sulpitia Prätextata mit den drei Römern Pactius Africanus, Aquilius Regulus und Vibius Erispus (O III 931). Hauptperson und Thema der Geschichte sind mit dieser Reise zudem eng verknüpft. Galba sandte die Reisenden zu Neros Witwe Statilia Messalina nach „Capree", um sie zu einer Heirat mit ihm zu bewegen. Sulpitia Prätextata, die den Kaiser indirekt auf diesen Ge-

---

[300] K. *Reichert* und K. *Adel* stellen diese beiden Beispielerzählungen ebenfalls zu den *novellenartigen Einschüben* im Werk Anton Ulrichs. Allerdings könnte man einen sukzessiven formalen Übergang insofern feststellen, als die erste noch stärker dem Lebensgeschichten-Schema verpflichtet ist als die zweite. Zum Problem der Barocknovellen vgl. neuerdings, vor allem bei Georg Philipp von Harsdörffer: V. *Meid* in: Euphorion 62 (1968), S. 72—76.

danken brachte, ist einem Orakelspruch verfallen, wonach sie einen alten Kaiser heiraten werde. Sie glaubt, Galba sei in sie verliebt. Piso enthüllt für den Wissenden nun die Vorgeschichte der Sulpitia Prätextata. Thema, Position und Funktion dieser Erzählung greifen ins Romangefüge ein. Die äußere Reisesituation wird noch durch funktionale Integration gestützt; sie stellt keine Verlegenheitslösung eines Autors dar, der nach einem bekannten Topos greift. Anton Ulrich hat wieder einmal das traditionelle Moment als Künstler seiner aussagestarken Komposition anverwandelt[301].

2. Untätigkeit durch Krankheit oder Gefangenschaft

Diese beiden Gründe zwingen einen Menschen, mehr oder weniger untätig in einem Raum zu bleiben. Mit der unausgefüllten Zeit ist stereotyp die Langeweile verbunden. Sie versteht sich aus dem Idealbild des aktiven Barockmenschen. Meist eröffnet ein Besuch die Erzählsituation, seltener sind es Mitkranke oder Mitgefangene. Der Erzähler oder Zuhörer setzt sich dabei in stereotyper Gestik aufs Bett des Kranken oder Verwundeten (vgl. O I 46 ff. und O I 86 ff.). Selbstverständlich ist der Besuch nicht irgend ein Zuhörer, sondern er steht in handlungsmäßiger (erotischer, politischer oder genealogischer) Beziehung zur Titelperson der Lebensgeschichte. So stellt sich die Dienerin des gefangenen *Drusus* als die einstmalige Kammerzofe Pythias seiner (vermeintlichen) Schwester Octavia heraus und erzählt ihm deren Schicksal und Ende (,Geschichte der Kaiserin Octavia' O II 60—199). Die Exklusivität des Raums verbindet sich in dieser Situation meist mit dem vergnüglichen Zeitvertreib des Zuhörers. Auch Aramena und Ahalibama erzählen einander als Gefangene König Beors ihre Lebensgeschichten (A I 82—140 und A I 334—383).

3. Die Zwangssituation des Wartens

Auch diese epische Szene bestimmt in ähnlicher Weise die Charakteristika der ungenützten, untätigen Zeit. Allerdings ist hier der Bezug auf die ablaufende Zeit spannungsmäßig potenziert, weil die epische Vorausdeutung auf einen bald eintretenden Vorfall (= Warten auf ...) eine (temporal terminierte) Erwartungsstruktur über den Ablauf der Erzählung spannt. Die Illusion der Erzählsituation überwölbt dadurch das Spannungsgesetz des Wartens auf ein bestimmtes Ereignis. Die Schlußtopik wird dann vom eintretenden Ereignis mitgestaltet. Das Prinzip der Unterbre-

---

[301] Dieser Situation verpflichtet sind weiter noch O IV a 537 und O IV a 436, wo eine kleine Gesellschaft auf einem Boot ins abendliche Meer hinausfährt, um sich dort ungestört dem Vortrag einer Lebensgeschichte widmen zu können. Darin sehen wir eine besondere Form der Exklusivität der Zuhörerschaft.

chung verfugt den Schluß der Erzählung mit dem Ereignis. Dem Warten unterliegen nicht immer nur Untergebene, wie der Rahmen der ‚Geburt-Geschichte des Syrischen Aramenes' (A IV 682—696) zu zeigen vermag. Die Gesellschaft will sich durch einen unterirdischen Gang auf die Kemuelsburg begeben. Da meldet man plötzlich, der Gang sei durch einstürzende Erdmassen verlegt; bis zur Freilegung des Weges müsse man warten: „Weil sie nun die zeit nicht bässer zu verwenden wusten...[302]" fügt Anton Ulrich diese Geschichte hier ein. Auch in der ‚Octavia' begegnet uns diese Erzählsituation mehrmals:

> und da sich die ankunfft des Königs Agrippa / wie auch des Ulpius Trajanus eine weile verzog / brachte Florus auf die bahn / ob dem Kayser nicht gefiele / mehrere umstände von der Cartismanda sonderbahren begebenheiten zu vernehmen / die ihm ausser dem angenehmen zeitvertreib / den er davon haben könte / dieser Königin sonderlichen verstand und listiges gemüht / so nicht auszuforschen noch zu ergründen wäre / kund machen würde. (O IV a 225 f.)

Aber nicht nur diese Geschichte, sondern auch ihre Fortsetzung wird von der Zwangssituation des Wartens geprägt (‚Den weiteren verfolg der begebenheiten der Königin Cartismanda und der Prinzessin Bunduica') (O IV a 328 ff):

> ... wäre es nun nicht thunlich / daß mittlerweile sie allhier auf der Claudia Ruffina rückkunfft warte / man die zeit dahin verwende / diese und zugleich der Britonischen Prinzessin begebenheit umständlicher zu vernehmen?
>
> (O IV a 327 f.)

Auch hier sprachliche Toposhaftigkeit und motivische Wiederkehr; doch stehen die traditionelle Elemente jeweils unter dem besonderen Gesetz der epischen und kompositionellen Integration.

4. Die belauschte Lebensgeschichte

Diese Situation ähnelt funktional jener des belauschten Gesprächs. Während jenem durch das Fehlen der Namen modellhafte Funktion eignet, beruht der Reiz dieser Erzählsituation in der unerlaubten Zuhörerschaft einer nur dem Leser bekannten Person. Bei Anton Ulrichs intensiver Integration nimmt es nicht wunder, daß der Belauscher in relevantem Zusammenhang zu den Hauptpersonen der Geschichte steht. Die Erzählung ist nicht für ihn bestimmt, sie betrifft aber seine höfische und menschliche Existenz. So belauscht *Drusus* den Lebenslauf seiner (vermeintlichen) Schwester Claudia (O I 303—359). Die Wirkung der Erzählung kommt für den Leser im Belauscher zur Gestaltung, denn mit ihm als perspektivische *Erzählperson* geriet er in diese Situation. Bei Anton Ulrich kann sogar die

---

[302] Eine der häufigsten Sprachprägungen für das Phänomen des *Zeitvertreibs*.

Situation des Belauschens noch unter falschen Voraussetzungen stehen: Der Leser glaubt mit *Drusus* die Enthüllung der Lebensgeschichte seiner Schwester zu erleben. Der Dichter zieht ihn damit in eine Täuschungsstruktur hinein: *Drusus* ist nämlich gar nicht Claudias Bruder wie er später erfährt (O III 230 ff.); er wurde in seiner Kindheit mit *Italus* vertauscht.

cc. Der lokale Aspekt der Erzählsituation

Neben den stärker temporal bestimmten Erzählsituationen wenden wir uns nun den lokal besonders ausgeprägten zu. Grundsätzlich ist der höfische Barockroman relativ arm an breiten Naturbeschreibungen (siehe o. S. 186–195). Die meisten Formen stehen in der reichen rhetorischen Tradition[303]. Der Erzähler setzt statt einer breiten Landschaftsschilderung meist nur die sparsamen Merkmale eines stilisierten Ortes, die sprachlich-rhetorischer Herkunft entstammen. Im Sinne der höfisch-stilisierten Atmosphäre werden auch die natürlichen Bestandteile des *locus amoenus* (Baum, Wiese, Quell, Bach) durch die Elemente der barock gebändigten Gartenkunst-Landschaft ersetzt. Besonders häufig finden sich diese Erzählsituationen im Freien in der schäferlichen Konzeption des fünften Bandes von Anton Ulrichs ‚Aramena':

> ... und ginge also / ... wieder zurück an das äusserste des waldes / da sie das gesichte gegen der wiesen frei behielte. Wie sie nun unter einen schattichten baum sich niedergesetzt ... (A V 153)

Oder die Erzählerin muß sich neben die Titelheldin an „den rand des brunnens[304] setzen" (A V 692). Sogar die schäferliche Szenerie wird ins Naturbild genommen, wenn etwa die ‚Geschichte des Baalis und Daces' (A V 202 ff.) erzählt wird, während die Hirten ihre Herden aufs Feld treiben. Aber auch in den anderen Bänden der ‚Aramena' finden sich an rhetorische Tradition anklingende Örtlichkeiten: „Ammonide begabe sich / folgenden tags / mit frühem morgen / in den spazierwald von Aroer", wo sie sich mit ihrer Freundin Mehetabeel „unter einen schattichten Cederbaum zusammengesetzet" (A IV 141), um dieser ihre Geschichte zu erzählen. Manchmal ist es auch eine „lauberhütte"[305], in deren Umkreis sich die Zuhörer ins Gras niederlassen (A II 413).

Gestaltzüge der idealisierten Landschaft beeinflussen etwa auch die Bootsfahrt einer Gesellschaft im aufgehenden Mondlicht (O IV b 436) bei der ‚lebensgeschichte des falschen Nero aus Ponto'. Der herrliche Ausblick

---

[303] Vgl. das Kapitel ‚Die Ideallandschaft' bei E. R. *Curtius* ELLM S. 191–209.
[304] Zwei Aspekte scheinen uns für das Phänomen des *Brunnens* bedeutsam zu sein: die Tradition der biblischen Szene und die Metamorphose des natürlichen *Bächleins* in den künstlichen *Brunnen*.
[305] *Brunnen* und *Lauberhütte* sind u. E. durch biblische Topik mitbegründet.

über Rom vom Dache eines Palastes reizt Abdon und Jubilius zum Verweilen und zum Austausch einer Lebensgeschichte (O I 928—930). Fassen wir das Ergebnis also zusammen: Alle Geschichten, die im Freien erzählt werden, versammeln die Zuhörerschaft durchwegs an einem angenehmen Ort. Schatten, Ruhe, Gras, Wald, Wiesen, Brunnen und Lauberhütte gehören ebenso dazu wie der barocke Fernblick in die Landschaft. Alles bleibt nur skizzenhaft angedeutete Kulisse. Die Landschaft wird in keinerlei Bezug zur Geschichte oder zu den Personen funktionalisiert; sie ist eben primär variatio toposhaft wiederkehrender Sprachformel, deren Typik auf rhetorischen Ursprung weist. Ein Blick auf die Tradition des *locus amoenus* bestätigt diese Verbundenheit wirklich. Grundsätzlich war der *locus amoenus* (Lustort)[306] eine stilisierte Landschaft mit dem toposhaften Arsenal von Baum, Wiese, Quell, Bach usw. Bei den formelhaften Kurzsignalen landschaftlicher Art, die unsere Erzählsituation eher andeuten als effektiv beschreiben, genügt natürlich die einfache Übereinstimmung und Wiederkehr weniger Merkmale. Allen ist das Phänomen des „angenehmen ortes" gemeinsam. Quelle und Bach werden in der geordneten höfischen Gartenlandschaft durch den Brunnen ersetzt. Der einzelne Baum wird dem hohen Stil entsprechend gerne zur Zeder[307]. Elemente des Hains vermischen sich damit. Der Lufthauch des *locus amoenus* entspricht dem Erscheinungsphänomen der kühlen Morgenfrühe (etwa A IV 141). So leben also traditionelle Elemente in weitgehend integrierter Form fort. Die spärliche Verwendung der einzelnen Phänomene entspricht der grundsätzlichen Kürze und Seltenheit der Naturbeschreibung in Anton Ulrichs Romanwerk.

b. Charakteristika der inneren Erzählsituation — Formen der zwischenmenschlichen Beziehung zwischen Erzähler und Zuhörer(schaft)

Innerhalb der typischen Raum-Zeit-Gestaltung der äußeren Erzählsituation sind bereits Phänomene der lagemäßigen Verfugung zwischen Lebensgeschichte und Haupthandlung angeklungen. Wir heben sie als Formen der sogenannten *inneren Erzählsituation* nun besonders hervor. Obwohl auch sie stilisierter Typik unterliegen, stellen sie eine weiterreichende Form der Verfugung dar als die Merkmale der äußeren Erzählsituation.

---

[306] Anton Ulrich gebraucht häufig diesbezüglich „angenehmer ort". E. R. *Curtius* ELLM S. 209, Anm. 2: „Guillaume de Lorris übersetzt locus amoenus mit le lieu plaisant". Anton Ulrichs Beziehungen zur französischen Literatur seien hiezu angemerkt.

[307] Vgl. E. R. *Curtius* ELLM S. 207: „Der stilus gravis handelt vom Krieger. Für ihn sind Lorbeer und Zeder vorgesehen."

aa. Die Stilisierung der Beziehung unter hierarchischem Aspekt: Bitte, Wunsch, Befehl

Aus dem stereotypen Vergnügen, welches der aristokratische Zuhörer beim Vortrag einer Lebensgeschichte erfährt, leuchtet ein, daß es meist auf sein Drängen zum Erzählen einer solchen Begebenheit kommt. Dieses Drängen wird modifiziert durch zwei Relationen: durch die höfische Hierarchie und durch die Intensität dieses Drängens. Beiden kann jedoch mit der grundsätzlichen Entschuldigung begegnet werden, den Vortrag aus diplomatischen Gründen verschieben zu wollen.

Im Rahmen eines Gesprächs erfährt die Königin Aramena von der Liebe der drei Fürsten Elihu, Nahor und Bethuel zu drei unbekannten Damen:

> Wie ich aber ... alles dessen / was den Fürsten von Ram angehet / mich gern wolte mitteilhaftig machen / also vermag ich mein verlangen nicht zu bergen / das ich trage / die ümstände von des Elihu und Bethuels neuer liebe zu erfahren / welche gewiß ganz ungemein seyn werden / den Fürsten Nahor beschwöre ich ebenfalls / mir ein mehrers von dem zu eröffnen / was er mir iezt gesaget / und hielte ich es für eine unbilligkeit / in meinem Königreich unwissend zu leben / was darin fürgehet. Elihu / Nahor und Bethuel / versprachen hierauf / daß sie ihrer Königin befehl nachkommen wolten. (A V 182)

Auch Aramenes von Syrien bietet den drei verliebten Fürsten seinen Beistand an und ist begierig, ihre Geschichte zu hören (A V 185). Der hierarchisch Höhergestellte, im stolzen Bewußtsein seiner Position („in meinem Königreich unwissend leben"), drängt auf die Erzählung („befehl"). Allerdings wird erst ca. 80 Erzählseiten später das Versprechen (und damit die epische Vorausdeutung für den Leser) eingelöst, und zwar in einer Zwangssituation des Wartens (A V 259 ff.). Die Geschichte des Nahor kennt der Leser bereits, nicht aber Aramena und Aramenes. Man sieht an diesem Detail, wie exakt Anton Ulrich die Zuhörerschaft und vor allem ihre personale Begrenzung beachtet; dort haben nämlich nur Bethuel und Demas zugehört (vgl. A V 28). Die einzelnen Motivationsformen als Wunsch, Befehl und Bitte bedürfen u. E. keiner weiteren Katalogisierung; sie sind grundsätzliche Typisierungen des menschlich-höfischen Kontaktes. Selbstverständlich kann die Geschichte einer höhergestellten Person von einer anderen nicht erbeten oder erwünscht werden. Diese Personen verschenken das Geheimnis ihres Lebens nur aus tiefstem Vertrauen. So wird etwa Ahalibama von Seir der Lebens- und Liebesgeheimnisse der Titelheldin mit Abimelech teilhaftig gemacht (A II 91 ff.). Ein solches Ins-Vertrauen-Ziehen bedeutet eine Aufwertung dieser Person in der Konfiguration des gesamten Romans.

bb. Die Lebensgeschichte als Voraussetzung für die Fürsprache oder Beihilfe einer höhergestellten Person

Dieser Beziehung kommt im zwischenmenschlichen Bereich besondere Bedeutung zu. Ihre Eigenart ist mit dem Problem der wertenden Erzählweise verbunden. Unausgesprochen besteht dieses Phänomen des Helfen-Wollens bei jeder Geschichte. Die meisten von ihnen münden bei äußerst starker Verwirrung oder Verwicklung in die Haupthandlung ein; d. h. die Liebeshindernisse sind nicht nur mit Abschluß der Geschichte noch nicht gelöst, sondern sie haben darin sogar ihren verzweifelten Tiefpunkt erreicht. Die meisten Erzähler tragen ihre Geschichte vor einer einflußreichen, meist höher gestellten Person vor. Die häufige Zuhörerschaft der Titelheldin Aramena bestätigt das. Das Anvertrauen einer Lebensgeschichte erfolgt grundsätzlich, wie oben schon bemerkt, nur bei einem gewissen Intimitäts-Verhältnis. Das bewirkt fast allemal, daß der Zuhörer die *Sache* des Erzählers zur seinen macht. Er ist nach dem Vortrag bereit, an der Lösung des politisch-erotischen Problems mitzuhelfen. Im höfischen Rahmen wird diese Beziehung oft in der zeremoniellen Form ausgesprochen, daß der Erzähler durch die Lebensgeschichte um Fürsprache und Hilfe bittet. Damit stellt diese Absicht des Erzählers innerhalb des zwischenmenschlichen Vorganges die notwendige Prämisse dar, denn das Verständnis eines vorliegenden Falles und seine Kenntnis schafft folgerichtig erst die Anteilnahme, die Anteilnahme steigert sich zur Zuneigung und die Zuneigung verpflichtet nach dem höfischen Verhaltenskodex zur Hilfe bei der zentralen Zwecksetzung (vgl. K. Hofter) dieser Person. In die Tradition projiziert, enthüllt sich diese Situation grundsätzlich als eine der ursprünglichen Situationen rhetorischer Beeinflussung. Das bedarf allerdings einer weiteren Klärung.

Die Zusammenhänge zwischen der antiken Rhetorik und ihrem Einfluß auf die Poesie sind eindrucksvoll von Ernst Robert Curtius aufgezeigt worden. Die Rhetorisierung der Literatur hat sich vor allem in den novellenartigen Erzählstoffen des Mittelalters niedergeschlagen. Die niedergehende Antike bildet in ihren Erzählbeispielen zur Pflege rhetorischen Verhaltens einen literarischen Traditionsstrang aus. Im Barock leben diese antiken rhetorisch-literarischen Traditionen im Zeichen eines neuen Humanismus erneut auf. Auch unsere Erzählsituation steht in diesem Einflußbereich. Eine Person will eine andere zur tätigen Anteilnahme an ihrer Sache (Vermittlungsfunktion von Vertrauten und Freunden) „überreden". Die Parteilichkeit des Redners prägt in rhetorischem Verstande die ganze Darstellung. Grundsätzlich entspricht die Parteilichkeit der Lebensgeschichten-Erzähler auch der Wertung des Dichters. Am schärfsten tritt dieses Phänomen dann hervor, wenn der Dichter im Medium einer solchen Lebensgeschichte eine Ehrenrettung einer historisch untugendhaften Person versucht. Hier denken wir vor allem an die sinnreichen Umwertungen der

Mutter Octavias, Valeria Messalina (O I 231—297), und der Giftmischerin Locusta (O II 418—476). Die Zeitgenossen unterlagen einem rhetorischen Prinzip, wenn sie es als Höhepunkte von Anton Ulrichs sinnreichem Verstande begrüßten, daß er aus der ersten eine verkannte und verleumdete Tugendhafte und aus Locusta eine hilfreiche brave Christin machte. Die sachgerechte Motivation und die parteiliche Darstellung haben ihren rhetorischen Zweck erreicht: sie haben den Zuhörer vom Standpunkt des Sprechenden überzeugt. Der stereotype Erfolg dieser Situation gibt eben durchlaufend der parteilichen Aussage recht. Die Schlußtopik erscheint bei diesen Formen zumeist von bewußten Hinweisen und Aufforderungen geprägt, sich der Sache dieser Unglücklichen anzunehmen. Und ebenso stereotyp erfolgt darauf die Beteuerung des Zuhörers, sich diesen Fall zu eigen zu machen. Damit umklammert diese Erzählsituation in Anfang und Schluß gewissermaßen die klärende *narratio*[308]. Auch die eingestreuten Erzählerkommentare erweisen meist die Parteilichkeit dieser Sprachform. Das Grundmuster dieser Erzählsituation in der ‚Aramena' etwa ist die Bitte um die Hilfe der Titelheldin. In der ‚Octavia' handelt es sich im Umkreis des zentralen Themenkomplexes (römische Kaisernachfolge) häufig um eine wiederkehrende Form des Werbens um einen bestimmten Kronprätendenten. Beide Male stehen erotisch bedingte Komplikationen eigentlich auf der Ebene höfisch-diplomatischen Handelns.

cc. Die Lebensgeschichte als juridischer Casus

Die Spezialisierung dieser Erzählsituation führt u. E. zu einer weiteren Sonderform, die in erregendem Zusammenhang mit der Tradition steht. Schon mit der obigen Bezeichnung einer *Lebensgeschichte* als *narratio* rühren wir an den Bereich der antiken Gerichtsrhetorik. Der Orator (Erzähler) sucht, seinen Fall ins rechte Licht rückend, günstige Beurteiler und aktive Helfer. Diesem zentralen Überredungszweck dient die Eröffnung einer Geschichte ebenso wie die Form ihrer Darbietung (Parteilichkeit). Ernst Robert Curtius hat die Verbindung zwischen antiker Gerichtsrhetorik und mittelalterlicher Dichtung betont: „Nun war aber schon im Rom der Kaiserzeit die Gerichtsrede zu einer rhetorischen Übung herabgesunken. Es wurden fiktive Streitfälle konstruiert, die mit der Wirklichkeit nichts mehr zu tun hatten (*controversiae*) ... Die Einführung von Seeräubern und Zauberern sollte den Reiz der Phantastik erhöhen ... Im Mittelalter hat man solche fiktiven Rechtsfälle als Novellen aufgefaßt ... Manche haben noch länger fortgelebt. Ein Roman der Mlle de Scudéry, ‚Ibrahim ou l'illustre Bassa' (1641) beruht auf Senecas ‚Controversia de archipiratae filia' (I 6). „(ELLM S. 164) Das Zitat führt uns im Strom dieser Tradition schlüssig bis zu Anton Ulrich. Seine engen Beziehungen zu dieser französischen Dichterin, deren Briefwechsel mit seiner Schwester Sibylla Ursula

---

[308] Vgl. H. *Lausberg*, Elemente §§ 43, 47, 52 u. ö.

und die vielen formalen Übereinstimmungen[309] mit ihr und anderen franzözischen Romanen *de la longue haleine* bestätigen unsere formalen Beobachtungen. Somit steht Anton Ulrich mit den typischen Erzählsituationen seiner Lebensgeschichten zum Teil in der traditionellen Nachfolge der antiken Rhetorik, vor allem jener der Gerichtsrede. Der weiteren Ausführung dieses Zusammenhangs schicken wir ein Beispiel aus Philipp von Zesens frühem Roman ‚Adriatische Rosemund' (Amsterdam 1645) voraus. Der Erzähler leitet die eingeschobene Geschichte ‚Die Begäbnüs Der Böhmischen Gräfin und des Wild=fangs' (S. 129) folgendermaßen ein:

> Weil ich dan nuhn wider meinen wüllen solche possen, di ich noch in meinen jüngern jahren angestiftet habe, erzählen sol, und selbige ihrer wunderlichen verwürrung wägen, nahch der rüchtigen ordnung kaum wärde widerholen können; so bitt' ich si ingesamt, daß si *meine fähler*, welche dan vihl=fältig mit unterlauffen wärden, *nicht so gahr hart bestrahffen* wollen, und nuhr *ein gnädiges uhrteil* dahr=über *fällen*. Dan sonsten, wo ich dässen nicht schohn etwas zufohr durch mein guhtes vertrauen, das ich zu ihnen trage, versichchert wäre, so würd' ich gewüslich keines wäges auf die beine zu bringen sein. (S. 129)

Was soll dieses Beispiel aus einem Roman, den wir in unserer Arbeit noch nicht verwendet haben? Es illustriert uns mehrere Phänomene: Grundsätzliche Situationen kehren auch in den individualistischen Werken dieses Jahrhunderts typisch und topisch wieder: a) die Entschuldigung, eine Geschichte nicht „förmlich" vorbringen zu können („nach der rüchtigen ordnung"), b) die Vertrauenssituation zwischen Erzähler und Zuhörer, die sprachlich zum Ausdruck gelangt, c) die persönlich-individualistische Färbung paßt zur Eigenart dieses Erlebnisses, an welchem der Haupheld selbst nicht geringen Anteil hat. Im übrigen ist dies eine besondere Eigenart Zesens und gilt nicht allgemein; d) das Wichtigste: die Wiederkehr formelhafter Wendungen aus dem Bereich der Gerichtssituation (die kursiven Ausdrücke). Sie erscheinen hier als eindeutige Floskeln, lautet das Gegenargument. Aber gerade Floskeln sind formelhaft-erstarrte Wendungen, Sprachfossilien, die ihren ursprünglichen Kontext oder ihre ursprüngliche Bedeutung verloren haben. Solche Fossilien der alten Gerichtssituation, die hier im Weiterschleppen der traditionellen Topik erstarrt und entfunktionalisiert wurden, beweisen unseren Gedankengang: Die Einleitung steht im Traditionsstrom der antiken Gerichtsrede und ihrer Topoi.

Noch eindeutiger scheint uns die innere Affinität dieser Erzählsituation zur Gerichtsrede dann zu sein, wenn sich die *narratio* (= Lebensgeschichte) auch funktional als juridischer Casus erweist, über den in einem solchen Sinne geurteilt, oder der als Fehlurteil vor einer höheren Instanz neu aufgerollt werden soll.

---

[309] Vgl. vor allem C. *Paulsen.*

Als die Königin von Mesopotamien bei ihrer Ankunft in ihrem neuen Reich Schäfer und Schäferinnen besucht, fällt ihr besonders Amphilite durch „verständige" und „vernünftige bescheidenheit (A V 149) auf. Andeutungen der Sandenise erregen die Neugier der Königin Aramena, denn sie weisen auf eine unglückliche Liebe hin. „Aprite (= Nebenbuhlerin Amphilites) kann freilich nichtes dafür / (widerredte Sandenise) sondern unsere *ungerechte richtere* sind daran schuldig / daß eine so keusche liebe getrennet worden" (A V 151). Die Königin empfindet es als ihre herrscherliche Pflicht, diesem Rechtsfall in doppeltem Sinne nachzugehen. Der Rahmen rückt die Lebensgeschichte in den Blick der Öffentlichkeit, wie die breite Zuhörerschaft dokumentiert, welche dazu von der Königin eingeladen wird. Nur die Gegner der Klägerin bleiben diesem Tribunal fern.

Welche Funktion erfüllt die Erzählsituation zur ‚Geschichte des Chersis und der Amphilite' (A V 153—178), die sich laut Titel scheinbar gleichförmig in die Reihe der Lebensgeschichten dieses Romanes fügt. Schon die spezielle Sprachform sagt Näheres über die Funktion der Erzählerin aus. Sandenise fordert zuerst Amphilite auf, ihre eigene Geschichte zu erzählen:

> Wie gerecht und gütig ist doch der himmel / (sagte hierauf Sandenise) der uns nun einmal erlösen wollen von den drangsalen / die wir bisher so vielfältig erlitten. Sprich nun / Amphilite! und klage deine noht unserer Königin: die stunde ist nun vorhanden / da der himmel deine tränen und seufzer erhören will. (A V 151)

Die Funktion der Fürsprecherin Sandenise weist auf die Klage an eine höchste Autorität. Der sprachliche Rahmenbezug („himmel") hebt die Königin an die Stelle der höchsten göttlichen Gerechtigkeit: ihr Spruch ist im Sinne des Gottesgnadentums in Übereinstimmung mit dem göttlichen Spruch und damit mit der Wahrheit. Amphilite aber hat, entsprechend der Grundeinstellung der passiven Helden(innen), mit wahrem stoischem Großmut ihren Fall bereits abgeschlossen und begonnen, ihr Schicksal zu tragen. Sie will auch aus Bescheidenheit nicht als Klägerin auftreten. Nun macht sich Sandenise erbötig, den Fall der Freundin zu übernehmen und „ihr anwalt zu seyn":

> Wan Amphilite so viel herz als schönheit hätte / würde sie viel bässer als ich / ihre *sache* fürbringen / und ihr ein mitleiden erwerben können. Nun aber gleichwol ihre unschuld so hell am tage ist / hoffe ich nicht / daß ihr eine so üble *fürsprecherin* / als ich bin / sol können schaden bringen: sondern ich bin dessen vielmehr versichert / daß / ungeacht meiner übelredenheit / ich dannoch meiner durchleuchtigsten zuhörern herzen bewegen werde / meiner verlassenen freundin beizustehen und *ihr recht zu verschaffen* ... (A V 153)

Diese toposhafte Einführung mitten im höfischen Barockroman steht auf dem Traditionsboden der antiken Gerichtsrede. Der Anwalt ist einerseits Erzähler (Roman), andererseits Orator (Rhetorik). Er will durch die *narratio* (Lebensgeschichte als Casus) für seinen Klienten (Amphilite) beim hohen Gericht (Aramena) Recht erlangen („herzen bewegen, meiner verlassenen freundin beizustehen, ihr recht zu verschaffen"). Die Parteilichkeit der zweckgerichteten Gerichtsrede bestimmt die Darstellungsweise des Falles (Verleumdung) und somit die Sprachform. Wir greifen die entsprechenden Grundzüge heraus: „ihre sache fürbringen". *Sache* ist in seiner ursprünglichen Bedeutung ein Wort der Rechtssprache[310]; „ihr ein mitleiden erwerben können" = rhetorischer Effekt, indem das Resultat des Überredens im Sinne der Parteilichkeit bereits als gegeben vorweggenommen wird; ebenso wie bei „ihre unschuld hell am tage ist". Gegentypisch wird sie sinngemäß ergänzt durch die Bescheidenheits-Topik der Fürsprecherin: „üble fürsprecherin", „meiner übelredenheit". Trotzdem will Sandenise natürlich ihren Zweck erreichen, den sie sprachlich in rhetorisch steigernder Trias aufgipfelt: 1. „meiner durchleuchtigsten zuhörern herzen bewegen", 2. „meiner verlassenen freundin beizustehen" und 3. „ihr recht zu verschaffen".

Die wesentlichen Züge der Sprachform erinnern an die juridische Sprache, die durchlaufende Parteilichkeit der Erzählung entstammt der rhetorischen Absicht. Diese bestätigen Zwischenkommentare der Erzählerin (A V 177), welche etwa ungünstige Dinge sofort ins rechte Licht rücken, und Aufforderungen an die Zuhörer (A V 177). Der Zweck der *narratio* ist die günstige Darstellung des Falles, um hierdurch die erlauchte Königin als gerechte Richterin zu bewegen. Nach der ethischen Mechanik des stilisierten höfischen Verhaltens wird dieser Zweck selbstverständlich erreicht (vgl. A V 178 ff.). Der Fall, den Sandenise devot als „schäfer= händel" (A V 151) sprachlich modifiziert, entstammt dem gesellschaftlichen Treiben bei Hofe. Damit wollen wir vermutungsweise an ein altes Problem rühren, das Blake Lee Spahr aufgrund solider Tatsachen beweisen konnte, nämlich die Verschlüsselung gewisser Beziehungen in der ‚Aramena'. Auffällig ist hier, daß Eidanie und Melidia, die Spahr als Schlüsselfiguren für Anton Ulrichs Frau und Schwester Maria Elisabeth identifizieren konnte, in Amphilites Geschichte Handlungsfunktionen ausüben. Auch die Schauplätze des Geschehens benennen die verschlüsselten Ortsnamen (Nisibis = Niederösterreich, Haran = Schleswig-Holstein und Sarug = Salzdahlum). Daraus läßt sich aufgrund der Verschlüsselungen vermuten, daß Anton Ulrich in dieser geschlossenen Lebensgeschichte, die so reizvoll zur juridischen Wiederaufnahme gestellt wird, einen Hofskandal verarbeitet haben könnte. Ohne Bestätigung durch Dokumente bleibt dies aber nur eine Vermutung. Mehr als Vermutung aber ist, daß die Erzählsituation und ihre sprachliche Topik an Rechtsgepflogenheiten im Strome der rhetorischen Tradition erinnert.

---

[310] „Die Bedeutung hat sich (wie bei *Ding* und frz. *chose* aus lat. *causa*) durch Verallgemeinerung entwickelt. Im Ausgang steht ‚Rechtshandel, -streit'" (F. *Kluge*, Etymologisches Wörterbuch. Berlin[20]1967, S. 618).

dd. Die Lebensgeschichte als Beweis einer These

Die Erzählsituation besteht in diesem Falle prinzipiell aus der Bauform des Gesprächs. Dieses Gespräch rahmt die Lebensgeschichte. Diese wird erzählt, um im Meinungsstreit eine — meist provokante — These zu beweisen. Eine solche argumentative Erörterung der Geschichte formt natürlich ihre Darstellungsweise. Meist kann der Erzähler seine Zuhörer dadurch zugunsten seiner These überzeugen. Auch dieser Fall ist an sich ein rhetorischer. Der Parteilichkeit des Erzählers kommt dabei bedeutsames Gewicht zu, aber auch hier stimmt diese mit der Wertung des Dichters überein. Als Bestätigung einer These wählen wir ein Beispiel aus der ‚Aramena' (A I 169—249), als Beleg für das richtige Urteil über eine Person eines aus der ‚Octavia' (O I 231—297), welches gleichzeitig für die Sonderform der *historischen Ehrenrettung* beispielhaft gilt. Die ‚Geschichte des Apries und der Amorite' (A I 196—249) haben wir beim Reisemotiv genannt und hätten sie auch bei der Gefangenschafts-Situation nennen können. Das soll nur die erzählerische Intensität von Anton Ulrichs Motivgestaltung belegen, denn unsere Erzählsituationen werden methodisch differierend aus der Abstraktion eines relevanten Merkmales gewonnen. Ein Dichter mit Einfallskraft kann selbstverständlich mehrere unserer Erzählsituationen ineinander verschränken. Nun aber zur Situation: Im Reisewagen sitzen vier gefangene Prinzessinnen (Aramena d. Jüngere, Ahalibama, Ardelise und Amorite). Ihr Gespräch steigert sich zum thesenhaften Wettstreit. Die These betrifft den Unterschied zweier menschlicher Beziehungen unter erotischem Aspekt und läßt sich etwa so formulieren: Verliert beim Tode eines jungen Mannes (= Apries) die Geliebte (= Amorite) oder die Schwester (= Ardelise) mehr? Welcher Verlust ist höher zu schätzen? Ardelise wie Amorite beanspruchen den größeren Verlust für sich. Aramena d. Jüngere, als die hierarchisch Höchste, erteilt Ardelise den Befehl, ihre Lebensgeschichte zu erzählen. Sie möge die Geschichte an Ahalibama richten. Warum gerade Ahalibama zur Richterin erwählt wird, soll noch geklärt werden. Diese Überlegungen sind keine belanglosen Motivationen für den Beachter höfischen Verhaltens. „Ich wil auf deinen befel / meine erzehlung zu der Fürstin von Seir richten / als von welcher ich erachte / daß sie ganz unwissend sei alles dessen / was ich zu sagen haben" (A I 169). Nach so gestaltetem Erzählrahmen darf man die Geschichte nicht mehr isoliert betrachten. Sie zielt als argumentierende *narratio* auf die thesenhafte Alternative: Hat die Geliebte beim Tode ihres Geliebten oder die Schwester beim Tode ihres Bruders den größeren Verlust erlitten?

Anstoß und Urteil bilden die dialogische Erzählsituation für die *narratio* der Liebesgeschichte. Die beiden Rahmenteile stimmen formal und thematisch überein. Während Aramena als der hierarchisch Höheren das erste Wort zufällt, übernimmt Ahalibama die richterliche Entscheidung. Aramena bedauert ohne urteilende Abstufung das Unglück der beiden Betroffenen: „Mich betrübt von herzen ... eurer beider zustand / daß ihr so einen unwiederbringlichen verlust erlitten / und aniezt / als verlassene waisen / das elend in der welt bauen müsset" (A I 249); damit hat sie der Verpflichtung ihrer hierarchischen Stellung formal Genüge getan. Ahalibama aber urteilt als Richter: „Was die Prinzessin Amorite betrifft / (ersetzte Ahalibama) so kan ich deren elend nicht genug betrachten / oder nach der grösse beschreiben. Ardelise aber / ob sie wol auch viel an dem Apries verloren / weiß dennoch den Prinzen Baalis von Ammon im leben / und tritt anjezo in Mesopotamien einen solchen vergnügten lebens-stand an / der aller königlichen würde fürgehet" (A I 249). Der richterliche Spruch ist eindeutig und wird vom Phänomen menschlicher Beziehungen geformt, aus dem die Alternative stammte. Die thesenhafte Erörterung ging vom konkreten Fall aus, und der grundsätzliche Richterspruch mündet wieder in diesen ein. Ahalibama ist aber nicht nur die gerechte Richterin, ihr Leben macht sie auch zur berechtigten. Ihr eigenes Schicksalsmodell beinhaltet die Erfahrung sowohl Ardelises wie auch Amorites: Sie hat ihren Geliebten Elieser (durch den Tod) und wahrscheinlich auch ihren Bruder Dison verloren! Darin liegt mehr als rhetorische Konstruktion. Ein scheinbares Detail der Beziehungen erweist wieder einmal Anton Ulrichs umsichtige Integration.

ee. Die historische Ehrenrettung als Beispiel für des Autors sinnreichen Verstand

Auch diese Form entsteht häufig aus einem lebhaften Gespräch mit widerstreitenden Meinungen; diese entzünden sich weniger an einer bündigen These als vielmehr an dem unterschiedlichen Urteil über eine bestimmte Romanperson. Anton Ulrich wertet in der ‚Octavia' einige *historische* Persönlichkeiten um: Octavias Mutter Valeria Messalina (O I 231—297), die kaiserliche Giftmischerin Locusta (O II 418—476) und Neros Geliebte Acte (O I 550—608), die sogar zur Schwester des Haupthelden Tyridates von Armenien avanciert. Die Gründe für ein solches Vorgehen lassen sich unschwer erkennen. Im Falle Messalinas ist es die Beziehung zur tugendhaften Haupthendin. Diesem Idealbild haftet nur ein dunkler Fleck an, nämlich die sittenlose Mutter. Im Bereich des höfischen Denkens bildet die erlauchte Abstammung von tugendhaften und vorbildlichen Eltern einen Grundtopos der herrscherlichen *laudatio*. Im Sinne seiner eindeutigen Wertung muß der Dichter demnach diese lasterhafte Mutter, unter deren öffentlicher („weltkundiger") Schande Octavia sehr leidet, in das Bild einer braven verleumdeten Frau umzeichnen. Die Art dieses Vorgehens entspricht genau der Weltgestaltung des Dichters, es treten manche grundsätzlichen Modelle und technischen Kniffe sogar noch schärfer hervor. Täuschung und Irrtum werden als die Voraussetzungen des allgemein geltenden historischen Urteils aufgedeckt. Ränke und Verleumdungen einer sittenlosen Dienerin haben die unschuldige Kaiserin nach dem Rufmord in den wirklichen Tod getrieben. Sie ist das beklagenswerte Opfer einer wollüstigen Untergebenen, die immer ihren Namen mißbrauchte, um die eigenen Exzesse zu verheimlichen. Ebenso versteht sich die Ehrenrettung der Acte aus ihrer Stellung zum makellosen Haupthelden, während die Reinwaschung der schwarzen Locusta wohl nur der Lust an sinnreicher Überraschung und ungehörter Motivation entsprungen ist. Diesem intellektuellen Hang Anton Ulrichs haben die beiden anderen Ehrenrettungen, welche der Stimmigkeit seiner Fiktionswelt dienen, natürlich technisch ebensoviel zu verdanken. Sie stellen reife Höhepunkte seiner Motivations- und Kompositionskunst dar.

Als Erzählsituation der Messalina-Geschichte, deren Gesprächsstruktur und Sprachform wir beispielhaft betrachten wollen, entsprechen sich der Dialogteil des Anfangs und jener des Schlusses. Vier Gesprächspartner äußern Neros Grausamkeit als Beweggrund ihrer tiefen Betrübnis (allgemeine Behauptung A 1). Dieses nicht unerhebliche Thema wird in Spruch, Modifikation und Widerspruch von den Teilnehmern nun erörtert. Die Positionen zum Thema beruhen auf der menschlichen Konstellation des jeweiligen Redners. Jubilius, der Octavia liebt, konkretisiert die allgemeine These (A 1: Nero ist grausam) an Neros Ermordung Octavias (B 1). Vasaces, Tyridates' Vertrauter, fühlt sich durch Neros (eigentlich Claudias) Güte zum Widerspruch bewogen. Er will dessen einmalige Grausamkeit durch Verweise auf ein analoges Modell abschwächen: Claudius (A 2) habe ebenfalls seine Gattin Messalina (B 2) ermordet. Nach dieser Methode des modellhaften Analogons nähern wir uns dem eigentlichen Thema des einführenden Gesprächs: Messalina. *Drusus* (= Italus), als vermeintlicher Sohn des Claudius, widerlegt das Analogon durch den Unterschied zwischen B 1 und B 2: Octavia sei unschuldig gewesen, Messalina jedoch schuldig. Diese Antithese wird von Annius Vivianus negiert, indem er zur Überraschung aller Anwesenden behauptet, beide seien unschuldig gewesen (B 1 = B 2). Er läßt nur die Einschränkung gelten, Nero habe seine Gattin vorsätzlich, Claudius dagegen unwissend getötet. Er stellt damit die Analogie der Modellfälle wieder her und will seine Behauptung durch die *narratio* der Messalina beweisen. Die klare Gedankenfolge und Logik dieser Gesprächsführung ist keine einmalige, sondern eine wiederkehrende Strukturform Anton Ulrichs.

Dank der raffinierten Motivationskunst des Dichters gelingt es natürlich dem Erzähler Annius Vivianus durch diese Geschichte seine überraschende Behauptung zu bewahrheiten. In der fiktiven Romansituation muß er allerdings sofort seine These (= Urteil über eine Person) im Sinne der politischen Wahrheit einschränken. Im Augenblick sei es im neronischen Rom gefährlich, diese Wahrheit zu äußern. Damit geraten wir aus dem argumentativen Bereich der Geschichte sofort wieder in die politische Atmosphäre der Haupthandlung zurück. Trotz dieser Einschränkung wird aber die wertende Absicht erzählerisch erreicht: Octavia ist nun von jedem Makel befreit. Diese rhetorische Absicht bestätigt die Urteilsänderung des Publikums als gelungen. Der rhetorische Überzeugungsanspruch bleibt nicht nur auf die Situation beschränkt, sondern formt die Topik des Anfangs (steigernde *exclamatio* mit typisiert-generalisiertem Thema) und die Topik des Schlusses (*adversio* als Bezug auf die Gerechtigkeit des Himmels, *Zuständigkeitserklärung* als Quellenangabe und Ausblick auf die derzeitige politische Situation, zu der die Wahrheit des Urteils in Widerspruch steht)[311]. Die Erzählsituationen sind ein wichtiger Ansatzpunkt für die Frage nach Tradition und Originalität in Anton Ulrichs Erzählkunst. Sie stehen in einem Strom literarischer Bezüge, der bis in die Antike reicht. Ihre Variation, Verschränkung und Integration aber zeugt von der epischen Kraft des Künstlers.

9. Phasen der Lebensgeschichten

Wenig Augenmerk hat die Forschung bislang dem Phasenbau der Lebensgeschichten gewidmet. Carola Paulsen (S. 95) allein scheint u. E. skizzenhaft gemeinsame „Richtlinien für den Aufbau der Vorgeschichten" erfaßt zu haben: Prolog, Herkunft, Liebe, Trennung und Bewährung. Es kann natürlich kaum Zufall sein, daß gerade die konstitutiven Teile (vor allem Trennung und Bewährung) mit dem handlungsmäßigen Grundkonzept des höfischen Barockromans übereinstimmen.[312] Bieten doch sie im besonderen dem Einfallsreichtum des Dichters die Möglichkeit, sich in extensiver Abenteuerfülle zu entfalten.

Prolog und Herkunft sind der Gestaltung nach in einem solchen Maße schematisch und toposhaft, daß wir sie, gemäß ihrer besonderen Sprachform, als formale Bauelemente des Lebensgeschichten-Beginns mit dem Blick auf die Tradition sehen müssen. Solche Erscheinungen dürfen keinesfalls aus der großen europäischen Erzähltradition gelöst und als isolierte geschichtslose Formgebilde betrachtet werden.

Den meist nur knapp angedeuteten Kinderjahren (häufig ein syntaktisches Gebilde), in welchem allerdings auch manche spätere Lebens-Freundschaft oder -Feinschaft keimhaft grundgelegt sein kann, folgt der Beginn

---

[311] Auch die Umwertung historischer Persönlichkeiten findet sich bereits im zeitgenössischen französischen Roman. Beachte etwa die Ehrenrettung der Cléopâtre in *La Calprenèdes* Roman ‚L'histoire de Jules Caesar et de la Reine Cléopâtre'.

[312] Vgl. dazu R. *Alewyn*, Der Roman des Barock S. 26.

der Liebe zwischen dem Titelpaar.[313] Stereotype und wiederkehrende Gestaltungsmodelle sind dabei die Liebe auf den ersten Blick; die Liebe, welche dem Manne nach langer treuer und beständiger Werbung endlich gewährt wird; oder die Liebe zu einem Gespielen der Kindheit. Kurz dauert in den meisten Fällen dieses frühe Glück. Neid, Eifersucht und politische Intrige bedrohen es. Eine oder meist mehrere Möglichkeiten bilden sich grundsätzlich in zwischenmenschlichen Modellen aus und stürzen die Liebenden in tiefste Verzweiflung. Die greifbar nahe scheinende Verbindung schlägt in jähem Glückswechsel in die finstere Unmöglichkeit der Vereinigung um. Die Trennung wird von triumphierenden Nebenbuhlern und Gegnern erzwungen, und damit beginnt der Leidensweg des heroischen Liebespaares. Dieser bildet den eigentlichen Hauptteil der Lebensgeschichten. Seine Erzählkeime hat der Dichter allerdings oft schon in der wesentlichen Personenkonfiguration von Herkunfts-Schema (genealogische Verankerung des Helden), Kindheits- und Liebes-Darstellung (politisch-erotische Figuration) angelegt. Die Leidensphase der Liebespaare in den höfischen Romanen wird durch die abschließende Wiedervereinigung im repräsentativen Fest der Vermählung harmonisch abgeschlossen, die Leidensphase der Liebespaare in den Lebensgeschichten aber sinkt meist in der Erzählsituation auf ihren aussichtslosesten Tiefpunkt. Wir kennen kaum eine Geschichte mit harmonischem Ende[314]; die Handlungsstruktur der Lebensgeschichten wird eben der Gesamtstruktur des Romans sinnvoll untergeordnet. Mit stereotypem Unglücklich-sein enden also die meisten Geschichten, und häufig ersticken die letzten Worte des Ich-Erzählers in Tränen, ja Tränenbächen:

> Mit vielen tausend threnen beschloße Cynobelline ihre rede / und sprachen Drusus und Antonia ihr zu / sich selbst in dieser betrübnis etwas zu überwinden (O II 1055).

Der Grund für die verschiedene Länge der Lebensgeschichten liegt vor allem in der wechselnden Ausdehnung dieses *Bewährungsteiles,* der wohl von kurzen, manchmal mißverständlich-verwirrenden Begegnungen der Liebenden strukturiert sein kann (Thumelicus). In ihm verherrlicht der Dichter eine der barocken Kardinaltugenden: die Constantia; denn gegenüber allem Wechsel der bunten Ereignisse und Gefährdungen triumphiert die unerschütterliche Treue der Liebenden. Somit entfalten sich besonders in diesem Bereich alle Variationen menschlicher Intrige und Bosheit. Das Liebespaar verhält sich meist passiv; Rivalen und politische Gegner aber lie-

---

[313] Die meisten Lebensgeschichten führen im Titel die zwei Namen des zentralen Liebespaares (vgl. o. S. 252—261).

[314] Ausnahmen bilden hier rein enthüllende Lebensgeschichten, welche die vollständige Lösung eines wichtigen Handlungsknotens ausmachen (etwa A IV 682—696: ‚Abimelech‘ (= Aramenes).

fern die Handlungsimpulse und häufen Leid auf Leid über diese treu und stoisch liebenden Geschöpfe. Täuschung und Mißtrauen machen sich hier ebenso breit wie alle Formen des politischen Ränkespieles. Man darf aber neben der ethischen die kompositorische Funktion dieser Bewährungs- spanne nicht übersehen. Die Abenteuer sind nicht nur auf seiten des Man- nes mit ausgedehnten Reisen, Flucht und Entführung verbunden. Fremde Königshöfe werden besucht, man lernt neue Menschen kennen, die einem entweder hassend-hindernd oder liebend-fördernd begegnen. Meistens wer- den die passiven Liebenden verfolgt, von ihren Feinden genauso wie von anderen Liebhabern.

Durch die Ausweitung der Personenkonstellation wächst auch die Hand- lungsstruktur in die Breite, die vielästige Motivation entfaltet sich zum kausalen Gefüge. Dem Leser begegnen dabei in zunehmendem Maße auch Personen, welche er bereits aus Phasen der Haupthandlung oder aus an- deren Lebensgeschichten kennt. Seine Information über ihr Leben wächst. Diese Informationselemente können allerdings weit im Roman verteilt sein (etwa die Partien über Marsius, den späteren Gemahl der Titelheldin Ara- mena). Hier können sich Lebensgeschichten auch überschneiden. Das Schick- sal Disons von Seir kreuzt sich z. B. mit jenem der ägyptischen Pharaonen- tochter Amesses und ihres Geliebten Armizar. Armizar erzählt von einem jungen Isispriester, der ihnen zur Flucht verholfen habe (A I 444—445). Dison berichtet im Rahmen seiner Lebensgeschichte diesen Vorfall wieder und enthüllt sich dem Leser damit als jener hilfreiche Priester (A II 53). Diese Überschneidungen sind interessante epische Phänomene. Ein Ereig- nis, das mehrere Personen erleben, wird von ihren verschiedenen Aspekten aus wiederholt erzählerisch gestaltet. Die Stellen liegen in der Komposition des Romans oft weit auseinander (vgl. das Phänomen des aspekthaften Er- zählens o. S. 58—64 u. ö.). Es wirft ein Licht auf die temporale Struktur dieser Romane, wenn die Handlung Hunderte von Erzählseiten später an demselben fiktiven Zeitpunkt hält.

Alle diese Beobachtungen zerstören den Eindruck vom Episodisch-Peri- phären dieser Lebensgeschichten, wiewohl man gleich differenzierend ein- schränken muß. Selbstverständlich nützen die Dichter — sogar Meister der totalen epischen und kompositionellen Integration wie Anton Ulrich — die Möglichkeit, in einer Lebensgeschichte einen erzählerisch peripheren Bereich auszugestalten. Allerdings verdichtet sich gerade in solchen häufig eine be- stimmte thematische Absicht (etwa religiöser Natur wie in der ,Geschichte der Flavia Domitilla und der Coenis' O II 920—1050). Das beweist anderer- seits, daß sich nicht alle Geschichten auf das oben als wiederkehrend be- zeichnete Phasenschema festlegen lassen (ein Beispiel aus der ,Aramena' wäre hiezu Esaus Kleinepos der Buhlerei A I 545—655). Diese Überschau wirft demnach für die Strukturbetrachtung wenig ab. Die stofflich-motivi- schen Konstellationen des Hauptteiles (Bewährung) sind so reich, daß sie strukturmäßig kaum systematisch faßbar sind. Der Roman des höfischen Barock ist in seiner Erscheinungsform eben Ereignisroman und basiert auf turbulentem Geschehen.

10. Formale Bauelemente der Lebensgeschichten

Bestimmte Stellen der Erzählstruktur der Lebensgeschichten werden besonders von Formel- und Toposhaftigkeit geprägt. Die wiederkehrenden Formen erzwingen notwendig den Blick auf die erzählerisch-literarische Tradition. Anfang und Schluß der Geschichten kommt hiebei besondere Aussagekraft zu.

a. Die Formen der Einführung

Der Vergleich aller Einführungen der 76 Lebensgeschichten in Anton Ulrichs Romanen gliedert uns in Wiederkehr und Variation sprachliche Eigentümlichkeiten augenfällig aus:

aa. Das Verhältnis des Erzählers zur Titelperson seiner Geschichte. Wir nennen diesen Topos die *Zuständigkeits-Erklärung.* Sie kann über die angedeutete Beziehung hinaus auch auf die Zuhörer und damit gleichzeitig auf die Erzählsituation bezogen werden.

bb. Die *Unfähigkeits- oder Unterwürfigkeitsbeteuerung* des Erzählers.

cc. Die *rhetorische Prunkgebärde des Stammbaum-Topos.* Darunter verstehen wir die sprachliche Verflechtung des Titelhelden ins Genealogisch-Zwischenmenschliche und meinen damit, was Carola Paulsen (S. 95), ohne Beachtung der formalen Eigenheiten oder gar Traditionen dieses Elementes, die „Herkunft" des Helden genannt hat.

dd. Die *Lobpreisung des Helden* (oder der Heldin) als formelhafte und traditionelle Sprachform des rhetorischen Herrscherlobes.

ee. Die *thematische Grundthese,* welche den Modellfall oder das Exempel der Lebensgeschichte als Kategorie oder Wesen wertet.

Grundsätzlich müssen diese fünf Elemente des Lebensgeschichten-Beginns nicht jedesmal vollzählig auftreten. Sie können verschiedentlich ineinander integriert sein, wobei wir gerade den sprachlichen Formen dieser

Integration besonderes Augenmerk widmen wollen. Daß sich Variationen dieser wiederkehrenden Elemente schon aus der verschiedenen Erzählhaltung (Ich- oder Er-Form) ergeben, wird unwidersprochen bleiben. Wir wenden uns nun der Beschreibung dieser einzelnen Grundelemente der Einführung zu.

aa. Die *Zuständigkeits-Erklärung*

Gemäß dem Darstellungsprinzip der kausalen Motivation ist das Verhältnis zwischen Erzähler und Titelheld meist als einleuchtende gesellschaftliche Beziehung belegt [Freund(in), Verwandte(r), Diener(in), Vertraute(r) etc.], und zwar unter toposhafter Betonung intimer Vertrautheit. Ein extremes Beispiel soll dies veranschaulichen:

> Es kan wohl niemand besser als wie ich (sagte Orgalla) hievon die wahre nachricht ertheilen / massen ich mit des Prinzen Galgacus fraumutter in Briganten kommen / ihn als säug-amme / und nacher warts-fraue aufgebracht / und biß an sein kläglich ende bey ihme gewesen. So viel gutes als ich nach meinem vermögen diesen lieben Prinzen erwiesen / so viel böses haben hingegen meine gottlose geschwistrige ihme erzeiget / da Sulpitius Florus der mein bruder und meine schwester / die numehr verstorben / leider ursach seyn / daß dieser edele Prinz unglückseelig im leben und im tode seyn müssen. (O IV a 24)

Die Zuständigkeits-Erklärung (erster Satz) stützt sich auf eine formelhaft wiederkehrende Wendung („niemand besser als ich") und auf die kausale Motivation durch das gesellschaftliche Verhältnis. Die Unwahrscheinlichkeit, daß eine Säugamme einen Prinzen durch sein ganzes Leben bis in den Tod begleitet, wird in der Höhenlage dieser Stilisierung nicht weiter als störend empfunden. Der zweite Satz verschränkt die grundsätzlich stereotype Thematisierung der Geschichte bzw. des Schicksalsmodelles („unglückselig im leben und im tode") mit seinen antithetischen Ursachen („so viel gutes — so viel böses") und deren zwischenmenschlicher Beziehung (gegensätzlich veranlagte und handelnde Geschwister). Die Sprachform des Beispiels belegt also grundsätzlich zwei Elemente dieser Einführung in rhetorisch-kunstvoller Verknüpfung. Daß die Zuständigkeits-Erklärung bei den Ich-Erzählungen fehlt, versteht sich von selbst. Bei der Er-Form kann sie auch später im Erzählverlauf in die Lebensgeschichten eingeflochten werden; sie ist aber stets hervorragend integriert:

> Wie besagte geburt-leidfreude dem König widerfuhre / kame ich eben an seinen hof. Und weil ich mich rühmen kan / daß ich mit ihme (Aramenes) einen großvatter / nämlich den Fürsten Nahor gehabt / wiewol mein geschlecht nicht von dessen fürnemster frauen / sondern von einer andern entsprossen / als wurde ich von dem König mit sonderbaren gnaden angesehen. Ich bin auch / von der zeit an bis in sein ende / bei ihm verblieben : und mag ich wol sagen / daß ich stäts der nächste üm diesen herrn gewesen / und also die innerste gedanken seines herzens erfahren habe. (A I 59)

Eindrucksvoll bietet dieses Beispiel Wiederkehr und Variation der Zuständigkeits-Erklärung. Der alte Thebah, welcher seine beiden Zuhörer (Beor und Hemor) für die syrische Sache begeistern will, betont seine Stellung zu dem verstorbenen Aramenes von Syrien. Die sprachliche Variation begründet hier der Bezug auf die andere Lage, die ausschließliche Grundeinstellung („niemand besser als ich") kehrt sinngemäß wieder. Reizvoll verschlingt der Erzähler den eigenen *Herkunfts-Topos* mit dem seines Helden, die Wertung verlangt allerdings die minutiöse Beachtung der höfischen Hierarchie auch hier („nicht von dessen fürnemster frauen") (vgl. dazu A II 221).

Eine interessante Variation bietet die Einführung zur ‚Geschichte des Apries und der Amorite' (A I 169), wo die Er-Erzählerin sich gleich zuständig erklärt wie die anwesende Ich-Erzählerin, „weil diese liebe Prinzessin es nicht treulicher als ich würde verrichten können / die ich alles von meinem bruder und ihr vernommen / auch guten teils / was ihnen widerfahren / selbst mit belebet habe." Sogar die *Quellenangabe* wird bei Anton Ulrich im Gegensatz zu manchem Vertreter des höfischen Barockromans zwischenmenschlich gesehen und nicht historiographisch:

> Ich vor-berichte aber / daß nicht allein / weil das glück zu gegenwärtiger Prinzessin Danede mich gefüret / ich von derselbigen viele nachricht erhalten / sondern auch der weiße Cussite Balaat / und die Fürstin von Saba / die Sapha / mir von allem unterricht gegeben / was mir nun dienlich seyn kan / die lezte Arabische begebenheiten völlig alhier zu erzelen. (A IV 16 f.)

Coelidiane erzählt nicht (nur) aus eigener Erfahrung, sondern verwertet auch Mitteilungen anderer. Diese *Quellenangaben* sind natürlich keine Bücher, sondern Berichte Berufener, die sie als Autoritäten zitiert. Die Variation solcher Beispiele erweckt vielleicht den Eindruck großer Verschiedenheit eher als jenen der einander entsprechenden Toposzugehörigkeit; das liegt eben in unserer Methode begründet. Die unterschiedlichen Belege sollen die Variationsbreite dieser toposhaften Formulierung erkennen lassen. Abschließend sei noch ein weibliches Vertrauten-Verhältnis als Zuständigkeits-Erklärung angeführt:

> Unter andern jungfrauen / die ihr zugegeben wurden / hatte auch ich das glück / daß meine eltern / die aus Tyro bürtig mich in meiner zarten jugend nach Zarpath brachten: alda ich stäts dieser Prinzessin aufgewartet / und daher von ihrem ganzen lebenslauf bericht geben kan / auch guten teils aller ihrer heimlichkeiten vertrauteste gewesen bin / bis mich die unbeständigkeit meines glückes dieser würde entsetzet (A II 414).

bb. Die *Unfähigkeits- und die Unterwürfigkeitsbeteuerung*

Diese Formeln aus der literarischen Praxis des Barocks reichen als Tradition bis in die antiken Literaturen. Ernst Robert Curtius hat die zwei Topoi getrennt und ihre Vermengung mit der christlichen *Devotionsformel* verhindert.[315] Allen drei Typen gemeinsam ist das Moment der Selbstverkleinerung. „Die Unfähigkeitsbeteuerung unterscheidet sich von der Devotions- und Unterwürfigkeitsformel erstens dadurch, daß sie einen *topos* des Prooemiums darstellt; zweitens dadurch, daß sie sich an den Leser, aber nicht oder doch nicht notwendig an eine sozial anders als der Schreiber eingestufte Person richtet" (ebenda S. 412). Wir beachten einmal typische Wendungen der Unfähigkeitsbeteuerung im Rahmen der Exordialtopik unserer Lebensgeschichten. Der rhetorische Einfluß auf diese Erscheinungen ist in der Literatur unbestritten. Ihre Tradition hat sich besonders in der Spätantike und im Mittelalter reich entfaltet. Meist entschuldigt sich der Autor, sein Stil oder seine Begabung usw. sei trocken, dürr, mager usw. Wir kennen diese Erscheinung im Rhetorischen auch als *captatio benevolentiae*. Anton Ulrichs epische Integration und vor allem seine Betonung der Komposition läßt hier viele Beispiele interessant erscheinen. Die Unfähigkeitsbeteuerung seiner Erzähler bezieht sich meist auf den Umstand, die Geschichte nicht *förmlich* vorbringen zu können:

> Wan nicht das denken meines herrn / und alle seine belebte abenteuren mir stäts gegenwärtig für augen schwebten / so würde es mir unmüglich fallen / bei jetziger verwirrung meines gemütes eine förmliche rede herfür zu bringen. Ich wil auch dieses zuvoraus bedungen haben / daß / wann ich nicht alles füglich und schicklich fürtragen werde / man es meinem billigen schmerzen zuschreiben möge / der mich fast nicht bei mir selber lässet. (O I 698)

Die zeitgenössischen Sprachformeln dieser Unfähigkeitsbeteuerung bedürfen der Transponierung in unsere erzähltechnische Terminologie. Das typische Vorsignal bezieht sich auf etwaige Mängel der „förmlichen rede" (offensichtlich: Komposition) und des „füglich und schicklich fürtragens" (offensichtlich: Erzählweise, Vortragston usw.). Wie alle toposhaften Wendungen unterzieht Anton Ulrich auch diese der Integration und kausalen Motivation. Der Erzähler befindet sich nämlich beim Schildern dieser Vorgänge in einer derartigen „verwirrung", daß er (toposhaft) fürchtet, aus der Rolle zu fallen. Auf ähnliche Weise entschuldigt sich Hadoran, wenn er die Geschichte Amraphels „an stat zierlicher worte / mit heißen thränen fürbringe" (A II 220). Die Unfähigkeitsbeteuerungen erscheinen demnach einmal dadurch begründet, daß die Erzähler durch ihre emotionale Anteilnahme am Schicksal ihrer Helden der guten Vortragsweise und Gliederung verlustig gehen.[316]

---

[315] Vgl. E. R. *Curtius* ELLM S. 93—95 und 410—415.
[316] Ein weiteres Beispiel: „Ich bin so aus mir selber / über dem was mir ietzt begegnet / daß ich darum sehr unförmlich werde fürbringen / was ihr von mir zu wissen begehrt" (A IV 141).

Wann ich nicht / auser dem edlen Julius Densus / lauter Christinen vor mir
hätte / würde ich von unserm angenommenen glauben nicht so kühn reden
dörfen / und damit diese geschichte förmlich fürbringen können. (O I 799)

Hier meint „förmlich" offensichtlich nicht die rhetorisch-stilistische
Durchgestaltung des Vortrages, sondern die Auswahl der Begebenheiten
bzw. die Motivationsgründe (Christentum) in der Geschichte. Der Bezug
der sozusagen negierten Unfähigkeitsbeteuerung auf die gesellschaftliche
Situation (besonders Exklusivität und Gleichgestimmtheit der Zuhörerschaft) nimmt toposhaft die thematische Ausrichtung dieser Geschichte vorweg. Rein rhetorischer Unfähigkeitstopos findet sich, wiewohl wieder mit
emotionaler Entschuldigung, in folgendem Text:

Die Geschichte / die ich fürzubringen mich habe anheischig gemacht / wäre wol
würdig / meiner schönen Königin von einer beredtern zunge / und die da
ohne gemütsbewegung etwas freyer reden könte / fürgetragen zu werden: wie
dan mein erbärmlicher lebenslauf dermassen hier mit eingewunden ist / daß
ich / viel davon mit zu berüren / genötigt seyn werde. Weil nun solches ohne
wehmut nicht geschehen kan / als wird man mir vergeben / wann man meine
threnen diese sonst heroische begebenheiten begleiten sihet. (A III 46)

Diese Beispiele, die sich noch um viele ergänzen ließen, bezeugen zur
Genüge, daß Anton Ulrich am Beginn seiner Lebensgeschichten häufig mit
Formeln arbeitet, die ihm aus der Erzähltradition her bekannt sind. Er integriert diese toposhaften Wendungen aber meist mit großem Geschick episch
und funktional. Dadurch verwandelt er sie seinem besonderen künstlerischen Wollen an. Die Unterwürfigkeitsformel findet in seinen Werken
seltener Verwendung, obwohl das hierarchische Gefälle innerhalb der Personenkonfiguration vielfach dazu Gelegenheit böte. Sie ist meist in jenem
Bereich angesiedelt, wo ein sozial Niedriger einem sozial Höheren eine Lebensgeschichte vorträgt, die allerlei Enthüllungen bringt, deren Veröffent-
lichung ihm eigentlich, seinem sozialen Rang nach, gar nicht zustünde:

. . . es werden E. Maj. einige belustigung darinn finden / mir aber keines wegs
übel deuten / wann ich in meiner erzehlung von dieser Königin thun und
lassen / etwas frey reden solte / massen zwar einem jeden obliegen solte / den
guten nahmen so hoher Damen zu schonen / hingegen aber jedoch die
schuldigkeit erfodert / seinem Kayser auch dißfalls nichts zu verschweigen . . .
(O IV a 226)

So leitet Sulpitius Florus die Geschichte der Königin Cartismanda für
„Kaiser" Otto ein. Die Formel hat vier verschiedene Funktionen zu erfüllen.
Einmal ist Florus ein böser Charakter, wie wir schon aus des Galgacus Lebensgeschichte wissen, und so dient die diplomatische Verwendung des
Topos seiner typisierenden Charakteristik. Zum zweiten interessiert das
„freye reden" die Aufmerksamkeit des Zuhörers (und Lesers) und erhöht
die Spannung. Freilich steht diese Art von Unterwürfigkeitsformel nur im

weiteren Sinne mit Curtius' Unterwürfigkeitsformel in Verbindung. Anton Ulrich gebraucht sie meist in bezug auf die Enthüllung von Lebensgeheimnissen hoher Personen (vgl. etwa auch Cyniras bei der Enthüllung von des Marsius Liebe A IV 349).

Diese Topoi treten in Anton Ulrichs Romanwerk, vor allem in der Exordialtopik der Lebensgeschichten, mehrfach auf. Ihre Sprachform ist grundsätzlich der Tradition verpflichtet, sie wird aber unter konkretem epischen Anlaß stets neu funktionalisiert.

cc. Die rhetorische Prunkgebärde des *Stammbaum-Topos*

1. *Typische Formen*

Besondere Aufmerksamkeit verdienen jene sprachlichen Partien der Einführung in die Lebensgeschichten, die wir als *Stammbaum-Topos* bezeichnen. Die genealogische Einbettung des Helden in erlauchte Ahnenreihen ist ein bekanntes literarisches Phänomen. Als besondere Art des Herrscherlobes steht sie im Einflußbereich der antiken Rhetorik. Jede prominente Romanperson wird gleich zu Beginn ihrer Lebensgeschichte genealogisch genau bestimmt. Diese Textstellen sind von gefeilter rhetorischer Architektonik und unterliegen primär dem Prinzip der menschlichen Beziehungen. Ihren Traditionsbereich stecken die biblischen Abstammungslisten, die Ahnentafeln der Abstammungssagen und die Gepflogenheiten der Historienschreibung ab. Das Geflecht der menschlichen Beziehungen macht die Stammbaum-Schilderungen zu sprachlichen Miniatur-Kunstwerken innerhalb des Erzählablaufes. Beim ersten Lesen sind die Mannigfaltigkeit der Beziehungen und die Fülle der Namen kaum aufzufassen. Das rechtfertigt den Hinweis in Lohensteins ,Arminius' (Vorrede), man müsse ein solches Werk zwei- oder dreimal lesen. Wir zitieren ein Beispiel, das die sprachliche Verflochtenheit der genealogischen Beziehungen im *Stammbaum-Topos* illustriert:

> Welcher gestalt der Prinz Antiochus Epiphanes / und dessen bruder / der Prinz Antiochus Callinicus von dem stamm der Könige von Comagene in gerader linie abstammen / und zu ihrem groß = vatter / den König Antiochus / welcher zu der Käysere Augustus und Tyberius zeiten bekant gewesen / zu ihrem vatter aber den itzigen Comagenischen König gleichen namens haben / solches wird unnöthig seyn / ihnen mein Printz weitläufftig vorzustellen / allermassen es ihnen vorhin bekant seyn kan. Mütterlicher seiten / sind sie von Jüdischem geblüt entsprossen / und haben die Prinzeßin Jotape zur mutter / und den Aristobulus zum großvatter / der ein sohn war des unglückseeligen Prinzen Aristobulus / den sein argwöhnischer vatter / König Herodes der grosse / nebst seinem brudern dem Alexander des Königs Tigranes großvatter um falschen verdachts willen / als stünde er ihm nach dem leben / so unschuldiger als erbärmlicher weise hat hinrichten lassen. (O IV a 711).

Das architektonische Grundprinzip dieser Herkunftsdarstellung ist trotz der komplexen Dichte des Eindrucks eigentlich eine einfache Parallele: väterliche Ahnenreihe — mütterliche Ahnenreihe. Die rhetorische Durchführung ist raffiniert. Wir wollen nur einige Grundzüge aufgreifen. Die väterliche Linie wird durch die vier gleichen Namen (Antiochus) inhaltlich gleichförmig, syntaktisch jedoch nicht nur durch die Generationsumstellung (Großvater—Vater)[317] variiert. Der steigernde Zug auf die Kaiser des römischen Imperiums entspricht dem Grundmuster der Abstammungs-Topoi in diesem Roman. Gleichen äußeren Umfang hat die Ahnenreihe der Mutter in ihrer sprachlichen Ausgestaltung. Auch sie wird in ihren männlichen Exponenten antithetisch-steigernd bis zu König Herodes (also eigentlich Heiland-Nähe) zurückverfolgt. Die Antithese wird durch die stilistische Negation[318] der ersten sprachlich weiter fundiert. Die beiden inhaltlich-syntaktisch geschlossenen Perioden heben markant mit dem — allerdings expressis verbis nicht genannten — Begriff der *Geburt* an und vollenden sich im Kontrast der parallelen Hinrichtung des Urgroßvaters mütterlicherseits und seines Bruders.

Das vordringlichste Darstellungsprinzip bildet das der menschlichen Beziehungen, was vor allem die Fülle der Verwandtschaftsbezeichnungen (10) belegt. Auch die repräsentative Funktion der Eigennamen wirkt daneben am Gesamteindruck mit. Besonders der Namensgleichheit (4 Antiochus und 2 Aristobolus) kommt hier sprachliches Gewicht zu. Die näheren Bestimmungen der Ahnen sind vorwiegend gesellschaftlich bezogen („nebst seinem bruder dem Alexander des Königs Tigranes großvater") oder repräsentativ-historisch („welcher zu der Käysere Augustus und Tyberius zeiten bekant gewesen"). Den Eindruck der architektonisch organisierten Fülle verstärkt der Dichter noch durch die großteils namentliche Nennung von zwölf fürstlichen Personen. Das Prinzip der Doppelung formt den Ausgangspunkt des Stammbaum-Topos (zwei fürstliche Brüder) und den antithetischen Schluß (Hinrichtung zweier fürstlicher Brüder durch Herodes). Die politisch-gesellschaftliche Aussage tönt das Motiv der Ermordung durch Herodes behutsam ins Religiöse.

Die *Stammbaum-Topoi* in Anton Ulrichs Lebensgeschichten gehören zu den gefeiltesten Passagen seiner Erzählprosa. In ihnen spiegelt sich in nuce seine prinzipielle Kompositionsform vielseitiger menschlicher Beziehungen und rationaler Motivationsverfügung. Die Bewußtheit und Traditionsverbundenheit dieses formalen Elementes vermag das Beispiel eines weiteren literarischen Topos zu belegen:

---

[317] Der Beginn einer Stammbaum-Schilderung beim Ältesten ist nicht nur rhetorisches Variationsprinzip, sondern ein bekannter Zug dieser Gestaltungsform.

[318] „Um negiert zu werden, muß das Negierte erst in den Gesichtskreis gezogen, genannt, gesetzt werden." (vgl. zum Problem der Negation: W. *Weiss:* Die Negation in der Rede und im Bannkreis des satzkonstituierenden Verbs. In: Wirkendes Wort 11 (1961), S. 65—74 und 129—140. Zitat S. 68.)

Die bästen geschicht schreiber fahen gemeiniglich ihre erzehlung von dem herkommen und namen derjenigen an / derer leben sie fürstellen wollen: daher ich es auch so machen / und zu anfangs melden wil / wer der Crispinilla eltern seyn gewesen / und woher sie ihren namen bekommen habe. (O III 811)

Damit soll natürlich nicht die Toposhaftigkeit dieses Beleges verkannt werden. Aber die Formel verweist schon auf das Traditionsbewußtsein. Auch übernimmt Ulrich diese Topoi nicht als Schablone. Ob bei dem architektonisch sehr wirksamen Beispiel (O IV a 712 f.) Ironie mit im Spiele ist, läßt sich schwer entscheiden, denn Antiochus Gallinicus weist den Zuhörer Dorpaneus Anses vorher scherzhaft auf die umständliche Redeweise des Gelehrten Zeno hin, der diese Geschichte im Auftrage des Fürsten dem Freunde erzählen soll.

Der *Stammbaum-Topos* findet sich ebenso typisch wie reichhaltig zu Anfang der Lebensgeschichten in der ‚Aramena'. Die folgenden zeigen die eindrucksvollsten Gestaltungen: A I 58, A I 82, A I 169, A I 273, A II 221, A II 413, A II 549, A III 4, A III 222, A IV 230.

Eine sprachliche Variation, die darin häufig wiederkehrt, fand sich in der Negation der väterlichen Linie in obigem Beispiel (O IV a 712) schon angedeutet, nämlich der Hinweis auf das (allgemeine) Wissen um die Abstammung einer erlauchten Person. Daß es sich dabei um die Variation eines Topos handelt, dessen Verwendung erzähltechnisch begründet ist, bezeugt der Umstand, daß die wichtigen Personen (Octavia und Tyridates etwa) sehr wohl mit genauer Abstammung eingeführt werden. Im folgenden Beispiel verschränkt sich das (scheinbare) Auslassen des *Stammbaum-Topos* wegen allgemeinen Bekanntseins mit dem *Bescheidenheits-Topos* (Zugehörigkeit des Erzählers zum gleichen Herrschergeschlecht: daher mögliche Auslegung von Eigenlob):

Die Würde des Arsacischen Hauses[319] / aus welchem er entsprossen / darf ich allhier nicht weitläufig anführen: massen dasselbe allbereit welt-bekannt ist / mir auch / als der ich gleichfalls von selbigem geblüte bin / solches für einen eitlen ruhm möchte ausgedeutet werden. So ist auch von dem Artabanus bewust / daß er / so wol von vätter= als mütterlicher seite / ein Arsacier ist. Die Cyndaraxa / gebahre diesen fürtrefflichen sohn dem Vologeses ihrem gemahl / als sich derselbe in Scythien bei dem großen Bardanes / seinem schwiegervatter / aufhielte : da er / wegen dessen / so zwischen ihme / seinem herrvattern und großvattern / die schöne Sulpitia seine stiefmutter betreffend / vorgegangen war / in Parthien nicht leben dorffte. (O II 275)

Der erzähltechnische Kniff ist leicht durchschaubar. Trotz der rhetorischen Steigerung durch die weltbekannte Abstammung und trotz der Gefahr eitlen Ruhmes (Selbstlob) bringt der Erzähler Ariaramnes des Arta-

---

[319] Zur Würde des Arsacischen Hauses gehört selbstverständlich auch, daß der Hauptheld Tyridates von Armenien diesem Geschlecht angehört.

banus Herkunft sprachlich vor. Er baut sie allerdings gleich in die Erb-
krankheit der Arsacier ein, die durch drei Generationen die Mutter des
Tyridates, Sulpitia von Edessa, lieben. Eine ähnliche Verknüpfung zwischen
Negierung (in der Haltung) und Nennung der Ahnen (in der Rede) vollzieht Ariaramnes selbst, als er dem Parther Vasaces seine eigene Lebensgeschichte erzählt (O III 160).

Als weitere bemerkenswerte Variation des *Stammbaum-Topos* wäre
seine zwischenmenschliche Verknüpfung mit den Ahnen der Zuhörer zu
nennen. Ansatzweise findet sich diese sprachliche Form bereits in der handschriftlichen Fassung der ‚Geschichte der Ahalibama' (Cod. Guelf. Extrav.
140) im MS 1, nicht aber in der Urfassung MS 2.[320] Ein sehr reichhaltiges
Beispiel, das Belege für verschiedene sprachliche Erscheinungen bereithält,
soll uns u. a. auch diese Variation illustrieren:

> Ihr wisset beiderseits / so wol als ich / was sich bei des Arminius und Flavius /
> unsrer vätter / leben zugetragen: daß ich also meine zeit übel anwenden
> würde / wann ich euch mit so bekanten dingen die ohren füllete. Hätte mein
> hervatter / bei seinem großen muht mehr glück / oder weniger feuer bei
> seinem unstern gehabt / möchte er entweder die beherrschung der welt
> erlanget / oder den seinigen das Cheruscer-land in ruhe zu besitzen hinter-
> lassen haben: da nun / in ermangelung des ersten / dieses erfolget / daß ich
> im slaven-stande diese welt anschauen / und bis diese stunde mühseeliger
> weise mein leben hinbringen müßen.
> Flavius / euer herrvatter / wehrtster Italus / bliebe den Römern getreu / als
> der meinige die waffen gegen sie ergriffe: die ihm den dapfern Germanicus /
> deinen vettern / liebster Drusus / zum feinde gaben / der auch damals die
> oberhand über ihn behielte / daß er in der Chatten land geschlagen wurde /
> und seine liebste Thusnelda gefangen wissen muste. Diese ginge eben mit
> mir schwanger / und gebahre mich im Römischen lager / auf der herreise nach
> Rom: zwar in elender slavens-gestalt / doch dabei mit dem glücke / daß die
> tugendhafte Agrippina / des Germanicus Gemahlin / sich ihrer annahme / und
> in ihrem unglück ihr sehr tröstlich erschiene. (O III 403)

Verschiedene Topoi verschränken sich in der Sprachform dieses Beispiels.
Der Erzähler Thumelicus setzt seine Abstammung als bekannt voraus und
gibt vor, sie nicht erzählen zu wollen. Es folgt die Entwicklung einer thematischen These vom Weltgefühl des Barock, nämlich die schicksalhafte
Antithese zwischen Herrscher und Sklave. Dann verknüpft der Erzähler
seinen Stammbaum mit den Ahnen der beiden Zuhörer: Flavius, des Erzählers Onkel, ist des Italus Vater. Der Vetter des Drusus war der Feind
von des Erzählers Vater, dessen Frau aber stand seiner gefangenen Mutter
Thusnelda bei seiner Geburt tröstend bei. Damit ist die bemerkenswerte
toposhafte Integration dieser Geschichte vollzogen. Das Prinzip der zwischenmenschlichen Beziehungen verflicht die Zuhörer durch ihre Eltern mit
in den Stammbaum des Erzählers. Das Kommende ist also nicht mehr nur

---

[320] Vgl. B. L. *Spahr*, Aramena S. 28.

des Thumelicus' Geschichte, sondern auch ein Ausschnitt aus ihrer eigenen. Die Topoi werden durch ein immanentes Gestaltungsprinzip Anton Ulrichs seiner Erzählweise anverwandelt.[321]

2. Das Aufschwellen des Stammbaum-Topos zur eigenen Lebensgeschichte

Der epische Einfallsreichtum Anton Ulrichs führt zu einer letzten, sehr bemerkenswerten Sonderform dieses Topos. Er wird episch angereichert und zu einer eigenen Geschichte aufgeschwellt. Die Eltern des zentralen Liebespaares werden in den Romanen Anton Ulrichs einer eigenen Geschichte gewürdigt, denn ihr Schicksalsweg bedingt wesentlich das Schicksal der Titelfiguren. Das Leben der Vorgeneration schafft grundsätzlich die Verwirrungen, unter denen die Romanpersonen zu leiden haben. In der ,Aramena' gestaltet der Dichter das Schicksal von Aramenas Eltern Aramenes und Philominde in zwei Lebensgeschichten: ,Geburt der Syrischen Aramena' (A I 58—76) und ,Geburt-Geschichte des Syrischen Aramenes' (A IV 682 bis 696). Sie sind durch die in diesem Werk einmalige Titelform in innerer Affinität verbunden. Natürlich stehen ihre Enthüllungen unter dem Gesetz der Spannungsstruktur. Die erste Lebensgeschichte dieses Romans (A I 58—76) offenbart auch Teilwahrheiten. Thebah berichtet etwa vom Tode des Prinzen Aramenes im zehnten Lebensjahr. Er spricht von *einer* Aramena,[322] die sich aber als Schwester der Titelheldin gleichen Namens herausstellen wird. Romanpersonen und Leser halten demnach zu diesem Zeitpunkt die zweite nach der *voluntas autoris* für die Titelheldin. Dieses Problem wird allerdings auch durch die ,Geschichte der Aramena' (A I 334 ff.) noch nicht gelöst. Auch *Cimber* (Marsius), der männliche Partner der Titelheldin, hat einen berühmten Vater, dessen Geschichte als Erweiterung des *Stammbaum-Topos* (A IV 230—254) erzählt wird. Gleiche Gestaltungsformen finden sich in der ,Octavia', wo die erste Lebensgeschichte von den

---

[321] Ein letztes Beispiel dieser Anverwandlung des Stammbaum-Topos unter dem Prinzip der menschlichen Beziehungen sei hier zitiert: „Mein herrvatter ist der große Phraortes / König in Indien / der unter allen seinen gemahlinen die Pythadora am liebsten hatte. Diese / eine tochter der erbin von Colchos und des alten Königs Polemon aus Ponto / behauptete gegen ihre beide Brüder / als dem Anaxias / König von Armenien / und dem jungen Polemon / König in Cilicien / das land der Sedocheser / und brachte selbiges an meinen herrvattern / wie sie nach ihres ersten gemahls / des Königs Cotis aus Thracien / tode / den Phraortes heuratete. Aus dieser ehe bin ich geboren worden / und habe daher dieses königreich überkommen / als mich mein unstern aus Indien vertriebe." (O III 1018)

[322] Von der dritten *Aramena* ganz zu schweigen, welche durch Kindesvertauschung mit der zweiten verbunden ist (vgl. ,Geschichte der vermeinten Syrischen Aramena' A III 4—17). Auch die vierte *Aramena* ist für den Leser nicht sofort durchschaubar: es ist der verkleidete Dison von Seir, der sich als Hofdame *Aramena* im Frauenzimmer der Titelheldin befindet.

Eltern des männlichen Haupthelden Tyridates von Armenien (O I 46—78) handelt. Nach einer kleinen szenischen Unterbrechung folgt ihr in aufbauender Funktion die Lebensgeschichte des Tyridates, die gewisse Grundsituationen des medias-in-res-Einsatzes verunklärend-erklärend nachträgt (O I 86—194). Vor allem kommt darin die Liebe des zentralen Paares zur Sprache: die geheimnisvolle Geliebte des Königs wird in ihrer Identität noch lange nicht offenbart. Auch die Herkunft der Titelheldin Octavia wird bereits im ersten Band dieses Riesenwerkes eröffnet; sie steht aber unter einem bedeutsamen Aspekt, der innerhalb dieser Eltern-Geschichten eine Sonderform darstellt. ‚Die Geschichte der Kaiserin Valeria Messalina' (O I 231—297) ist eine von Anton Ulrichs berühmten historischen Ehrenrettungen. Um das Lob seiner Titelheldin ungetrübt erstrahlen zu lassen, muß er ihre Mutter, deren ausschweifendes Leben ihrer Tochter Octavia als einziger Mangel anhaftet, moralisch reinwaschen. Seinem sinnreichen Verstande und seiner Kunst der Motivation gelingt dies in einem Kabinettstück barocker Erzählkunst, in dem er Messalinas Unschuld beweist. Unter Neros Tyrannen-Regime darf man diese Enthüllung aber nicht äußern,[323] weil es den Kopf kosten kann, denn Nero hat auch ihre Tochter Octavia töten lassen.

Diese Ausweitung und epische Anreicherung des *Stammbaum-Topos* zu eigenen Lebensgeschichten der Eltern der beiden zentralen Liebespaare bestätigt den bewußten Formwillen Anton Ulrichs. Dadurch werden die Titelfiguren eindrucksvoller in der Komposition verankert als andere Personen, was ihren Vorrang auch strukturell betont. Die Toposhaftigkeit dieses einführenden erzählerischen Phänomens aber verbindet sich in all seinen Formen mit grundsätzlichen Gestaltungsprinzipien des Dichters. Besondere Bedeutung gebührt dabei naturgemäß dem Prinzip der menschlichen Beziehungen. Die Nähe zur Rhetorik führt zur besonders gefeilten Architektur in der Ausgestaltung dieser Textpartien.

dd. Der Preis des Helden oder der Heldin

Die besondere Betonung der hervorragenden Eigenschaften einer Romanperson bildet keine Erfindung des literarischen 17. Jahrhunderts oder gar Anton Ulrichs. Die Stilisierung eines Menschenideals in höfischen Dichtwerken hat eine reiche Tradition.[324] Auch dieses epische Phänomen wurzelt wieder in der Rhetorik, und zwar im Bereich des Herrscherlobes. Zu seiner

---

[323] Darin liegt eine weitere Motivation, daß die Wahrheit dieser Geschichte so unbekannt ist.

[324] Auf diesen Traditionsstrang sind wir bereits bei der Beschreibung schöner Männer und Frauen gestoßen, welche E. R. *Curtius* ELLM S. 190 als „in der höfischen Dichtung obligat" betrachtet.

Illustration wählen wir als Beispiel die Einführung des Haupthelden Tyridates in der ‚Octavia'. Unser besonderes Augenmerk widmen wir dabei den Formen des idealisierten Menschenbildes und der rhetorisch geprägten Sprachform:

Als der König Vonones in Meden / den Prinzen Tyridates seinen sohn / im sechsten jahr seines alters / samt der Prinzessin seiner schwester / an des Prinzen Bardanes hof geschickt hatte / ihn daselbst bei dessen stiefbrudern / dem Vologeses / aufwachsen zu lassen: hatte ich das glück /
5 diesem jungen Prinzen bedient zu seyn. Ich erlangte / von kindsbeinen auf / seine gunst so volkommen / daß er mich zum vertrautsten aller seiner verrichtungen machte : und hierbei habe ich bisher / wiewol dessen unwürdig / mich erhalten können. Ich werde auch die geheimnise seines lebens niemande offenbaren / auser denjenigen / von denen ich sicher weiß /
10 daß sie mein König ihnen selber nicht verheelen würde / wann er zugegen wäre.
Weil Tyridates unter kriegern erzogen wurde / als fande er daselbst nahrung für seine angeborne dapferkeit. Erstlich übte er solche an den wilden thieren / und erwiese sich bei fällung derselben so beherzt / daß
15 man ihn oft mit gewalt davon abhalten muste. Doch beherrschte ihn diese wildheit nicht so sehr / daß er nicht dabei auch alle freie künste und verschiedene sprachen / sonderlich die einem Fürsten wolanständige wissenschaften / mit aller darzu gehörigen sittsamkeit / erlernet hätte. Er ware fähig / alles zu fassen / was zu kriegs= und friedens-zeïten nutz und
20 nötig ist. Also wurde er / vor den jahren / alt an verstand / und ließe zugleich die tugend / in allen seinen verrichtungen / so vollkommen blicken / daß man seinen wandel ohne verwunderung nicht betrachten konte. Die beide kleine Prinzen / des Vologeses söhne / hatten dieses fürbild so grosmütiger tugend immer bei sich: da dan der ältere / der Artabanus / einen
25 ämsigen nachfolger gabe; aber Vardanes / der jüngere bruder / erwiese von kindheit auf / daß er aus dem geschirr der Arsacier schlagen wolte. Weil Tyridates dieser beiden vattersbruder war / vermeinte er / es lige ihm ob / um ihre erziehung zu sorgen : da dann Artabanus / ob er schon fast in gleichem alter war / seine erinnerungen willig aufnahme; Vardanes aber
30 hörte solche mit unwillen an / und wolte ihm nichts einsagen lassen / ob er schon dessen mehr / als sein bruder / vonnöten hatte. (O I 86—87)

Die Struktur dieses Abschnittes, mit dem die ‚Geschichte des Tyridates' beginnt, ist leicht überschaubar. Der Stammbaum-Topos fehlt, weil die Geschichte seiner Eltern bereits bekannt ist (O I 46—78). Der Erzähler beginnt an einem markanten Punkt der Vita des Helden (Z. 1—4: Verlassen der Heimat mit sechs Jahren). Diesem Handlungseinsatz fügt sich die Zuständigkeits-Erklärung des Erzählers Vasaces ein (Z. 4—8). Sie steigert sich mit dem Hinweis auf die Zuhörer zum Phänomen betonter Exklusivität (Z. 8—11). Der sozial Untergebene formuliert den Handlungseinsatz mit achtsamer Betonung der fürstlichen Titel, denen in zweiter Rangordnung erst die Namen folgen. Er knüpft an Bekanntes an und entfaltet die Übersiedlung des Helden zu seinem Stiefbruder in einer Fülle verwandtschaftlicher Beziehungen. Die Zuständigkeitserklärung bedient

306

sich in der üblichen Formelhaftigkeit („vertrautesten aller seiner verrichtungen") auch des Unterwürfigkeits-Topos (Z. 7 f.: „wiewol dessen unwürdig"). Der Hinweis auf zu offenbarende Geheimnisse (Z. 8 f.) vermag auch als Klischee die Spannung von Leser und Zuhörer zu erregen. Dann folgt das Heldenlob als rhetorisch durchformter Kodex der herrscherlichen Eigenschaften (Z. 12—31). Der Stil der langen Perioden weist einen sorgsam durchdachten Aufbau aus. Wir wollen die Sprachform dieser Textstelle nun beschreiben.

Vorerst katalogisieren wir einmal den Kodex der Eigenschaften des Helden: Z. 12—15 Tapferkeit; Z. 15—18 Bildung und fürstliche Wissenschaften (freie Künste, Sprachen usw.); Z. 18—22 Tugend und Sittsamkeit. Diese Fähigkeiten werden nicht bezuglos aneinandergereiht, sondern nach dem Prinzip der kausalen Motivation verfugt. Deshalb prägen vorwiegend kausale und finale Konjunktionen die syntaktische Struktur dieses Abschnittes: „Weil... so beherzt, daß... Doch... nicht so sehr, daß... Also... so vollkommen, daß... Weil..." Diese kausale Gedankenführung, welche des Tyridates Eigenschaften aus der gesellschaftlichen Beziehung heraus motiviert, bestimmt augenfällig die Architektonik des Heldenlobs. Die Ansätze zur Tapferkeit („Weil Tyridates unter kriegern erzogen wurde...") und zur beispielhaften Erziehung („Weil Tyridates dieser beiden vattersbruder wart...") können das eindrucksvoll belegen. In solchen stilistischen Details verwirklicht der Dichter ein bedeutsames Darstellungsprinzip. Nicht nur die Handlung spielt im zwischenmenschlichen Bereich, sondern auch die Eigenschaften resultieren aus zwischenmenschlichen Vorgängen. Innerhalb der kausalen Motivation erscheint deshalb der Konsekutivsatz dominierend. Er gibt an, was aus dem Verhalten des Subjektes (hier ausschließlich Tyridates) folgt. Meist beruht die Aussage des Hauptsatzes auf einer markanten Eigenschaft (z. B. Z. 14: „so beherzt", Z. 16: „wildheit nicht so sehr...", Z. 21: „tugend... so vollkommen bliken...") Alle diese Fälle lösen die Statik der begrifflichen Beschreibung des Helden in handlungsmäßige Dynamik entweder als vorangehende Begründung („weil" — zweimal) oder als nachfolgende Folgerung (3mal) auf. Freilich beruht die zwischenmenschliche Beziehung oft auf toposhaften Sprachformen: „... und ließe zugleich die tugend in allen seinen verrichtungen so volkommen blicken / daß man seinen wandel ohne verwunderung nicht betrachten konte..." (Ähnliche sprachliche Floskeln begegneten uns bereits bei der auf den Betrachter bezogenen Naturbeschreibung.) Der Ausdruck „alt an verstand" (Z. 20) ist eindeutig eine Variation des Topos puer-senex[325]. Die abschließende Steigerung des Heldenlobs sehen wir auch als zwischenmenschliches Modell (ab Z. 22), der Modus der sprachlichen Ausgestaltung ist jener des syntaktischen

---

[325] Vgl. E. R. *Curtius* ELLM S. 202—206 und H. *Lausberg*, Elemente S. 41.

Gleichlaufes, wie die Konjunktionen zeigen: „... da dan Artabanus ...
aber Vardanes; da dann Artabanus ... aber Vardanes ..." Diesen syntaktischen Parallel-Kontrast-Lauf unterstreicht die kontrastierend-gleich-
förmige Verwendung des „ob" bei beiden Prinzen (vgl. Z. 28 und Z. 30).
Klare Gedankenführung, vielfache Beziehungen, konsequente kausale
Motivation und spürbare Rhetorisierung bestimmen augenfällig die Prosa
dieses Abschnittes. Gerade die rhetorisch bedachte Organisation des syntaktischen Gefüges führt dieses Beispiel des Heldenlobs zurück auf seine
literarischen Traditionen und rhetorischen Ursprünge.

Wie sieht dieses Standesideal nun aus, welches Tyridates als männliche
Hauptperson der ‚Octavia' hier in höchster Potenz vertritt? Angeborene
Tapferkeit und die Neigung zu Kunst und Wissenschaften vereinen sich
sittlicher Tugend. Diese Verbindung des Musischen mit dem Kriegerischen
als Topos[326] *sapientia und fortitudo* bei Anton Ulrich überrascht kaum.
Grundsätzlich hat dieser Topos in der „Form der Belehrung über höfische
Ideale auf die Renaissance" (ELLM 186) übergegriffen. Rabelais, Spenser,
Cervantes u. a. bringen ihn; er spielt in den Literaturen Frankreichs und
Spaniens im 17. Jahrhundert eine große Rolle. Ein Regent wie Anton
Ulrich, der selbst eine prominente Verkörperung dieses Ideals darstellen
mochte, hat somit seinen Haupthelden nicht nur unter einen literarischen
Topos, sondern unter ein europäisches Geistesideal gestellt.

ee. Die thematische Grundthese

Hat jemals der äuserliche schein betrogen / und haben jemals verleumdungen
glauben gefunden / so ist es bei dieser unschuldigen Kaiserin geschehen: die /
bei ihrer gar zu großen unschuld / von den göttern mit dem höchsten unglück
belegt worden / daß sie / durch bösen verdacht ihren ehrlichen namen verlieren
müßen / welchem verlust keiner in der welt gleich zu schätzen ist. Es hat der
himmel seine ursachen / warum er dieses oder jenes verhänget die wir nicht
ergründen können. Doch halte ich ganz dafür / es müße noch eine andere
belohnung hinterstellig seyn / als die unschuld in der welt zugewarten hat :
weil dieser lehrsatz fäst bleibet / daß Tugend ihre vergeltung zu hoffen habe.
(O I 231)

Hat jemahlen das glück einen erhoben / und das unglück dagegen niedergeschlagen / so ist solches gewiß an meiner Königin mutter und großmutter
erfüllet worden ... (O VI 163)

Ist iemals iemand gewesen / der die liebe verachtet / deren nichtige wirkungen
erkant / und sich für ihr mit äuserster sorgfalt gehütet / so kan ich wol sagen /
daß ich derselbe gewesen sei. Wann aber auch iemals iemand tief in der liebe
stricke gefallen und von derselben hart verfolgt worden / so muß ich ebenfals
bekennen / daß ich denselben fürbilden könne ... (A V 259)

---

[326] Vgl. E. R. *Curtius* ELLM S. 186—188.

Diese Beispiele, die sich leicht vermehren ließen, eröffnen jeweils eine Lebensgeschichte mit einem uneingeleiteten Konditionalsatz. Das Wesen dieses grammatischen Phänomens besteht für Hennig Brinkmann[327] im Partnersatz mit seiner notwendigen dialogischen Situation. Ursprünglich wohnt den uneingeleiteten Konditionalsätzen u. a. nämlich die Frage an den Partner inne, die wir hier unschwer noch erkennen. Der grammatische Befund entspricht somit unserer erzähltechnischen Situation. Die Einsätze könnte man zudem als rhetorische Kniffe der Emphase bezeichnen. Sie weisen den Zuhörer (Partner) markant auf das Thema der folgenden Geschichte hin und stellen den Titelhelden in seiner Schicksalskurve unter einen generalisierenden Lehrsatz, indem sie ihn exklusiv (Wendungen mit „jemals-jemand") als Modell dafür steigern. Die Problemfälle sind typisch barock.

Die Ehrenrettung Messalinas (O I 231) steht unter dem Vergehen der unschuldigen Verleumdung (vgl. o. S. 290 f.). Das Moment des guten Namens bedeutet in dieser gesellschaftlichen Atmosphäre einen höchsten innerweltlichen Wert. Als solcher wird ihm Gottes unerforschlicher Ratschluß in der Hoffnung auf diesseitigen Lohn vertrauensvoll übergeordnet.

Der Glückswechsel-Casus in seiner extremen Gegensätzlichkeit (O VI 163) entstammt der berühmten Schlüssel-Geschichte von Solane[328], der Prinzessin von Celle. Seine Generalisierung könnte fast vor jeder Geschichte stehen.

Auch die Liebesproblematik der Aramena-Geschichte (A V 259) ist vom antithetischen Extrem geprägt. Die Modellhaftigkeit schließt häufig auch den kontrastierenden Umschwung mit ein.

Zwei sprachliche Vorgänge scheinen bei diesen markanten rhetorisch-typisierenden Einsätzen ineinanderzuwirken. 1. Das Moment der Emphase soll die Geschichte mit effektvollem Beginn als einzigartig und unerhört ankündigen. 2. Der Dichter will dem konkreten Einzelfall über das Einzigartige hinaus allgemeine Bedeutsamkeit verleihen. Dieser didaktisch-thematischen Absicht des Dichters entsprechend, verdichtet sich Anton Ulrichs Sprachform in diesen wenigen Partien zu Sentenz und Lehrsatz. Das führt aber keineswegs zu einer penetranten Moralisierung des erzählten Falles wie etwa bei Georg Philipp Harsdörffer[329]. Nicht alle Geschichten Anton Ulrichs lassen sich auf eine thematische Grundthese bringen, sie ist auch nicht bei allen sprachlich formuliert. Allerdings erlaubt der modellhafte Charakter der Lebensgeschichten an sich weitgehend die casuistische

---

[327] H. *Brinkmann*, Die deutsche Sprache. Gestalt und Leistung. Düsseldorf 1962, S. 623 (= Sprache und Gemeinschaft. Grundlegung / Band I).

[328] Vgl. dazu H. *Singer* in: Euphorion 49 (1955), S. 305—334. Dort auch reichhaltig Literatur.

[329] Vgl. V. *Meid* in: Euphorion 62 (1968), S. 72—76.

Auslegung. Man darf nur neben dieser Seite ihrer Deutung die kompositionelle Relevanz nicht vergessen. Denn alle Lebensgeschichten sind stark ins epische Gefüge integriert. Wir wollen uns nun einigen Spielarten dieser thematischen Modellierung oder moralisierenden Typisierung zuwenden.

Die thematische Grundthese wird mehrmals in Ich-Erzählungen in einem Klagemonolog geäußert. Der Erzähler spricht darin verzweifelt von einer seiner wesentlichen Veranlagungen. Diese rhetorischen Ausbrüche bilden wieder Keime zur Modellierung eines Falles:

> Ich beklage wol nichtes mehr / als daß mich die natur nicht so warhaftig einen mann gebohren werden lassen / als ich jezt einen vorstelle : weil mein gemüte jederzeit zu kriegerischen dingen belieben getragen / und ich auf solchen fall überhaben (sic) geblieben wäre / die bitterkeit der liebe also zu entfinden. Es wil ja unserm geschlechte zu einer schande beigeleget werden / wann man saget / wir lieben : das hingegen den manns-personen rümlich ist / und ihnen / als die probe eines hohen gemütes / ausgedeutet wird. (O II 1154)

> DIe jenige betriegen sich sehr / die sich daraus eine glückseeligkeit wollen machen / daß sie künftige dinge / die ihnen noch begegnen sollen / zuvor wissen; maßen ich diese unglückliche wissenschaft / damit ich behaftet bin / vor mein gröstes leiden halte / indem sie alle meine unruh verursachet / und vor der zeit mich dasjenige leiden und fühlen lässet / davon andere menschen nichts wissen / bis es sie soll überfallen. (O III 1018)

In diesen Fällen bildet der Klagetopos die zentrale Ursache einer sich im betreffenden Leben ständig wiederholenden Unglückssituation. Die Prinzessin Claudia (O II 1154) liebt den Haupthelden Tyridates, nachdem sie ihren Thumelcius tot glauben muß. Ihre äußere Ähnlichkeit mit Kaiser Nero verleitet sie ständig dazu, sich in männlicher Verkleidung dem armenischen Könige zu nähern und in sein Schicksal einzugreifen. Diese Aktivität aber, die modellhaft ihre Lebensphasen bestimmt, ist ein Vorrecht der Männer. Als Dame gerät sie durch solche Aktionen in Gegensatz zum höfischen Musterbild. Die typisierte Veranlagung, ihrer Liebe aktiv zu dienen, bildet den modellhaften Kern ihres ganzen Schicksals. Im zweiten Fall (O III 1018) ist Phraortes, der König der Sedocheser, durch seine Sehergabe unglücklich. Die rhetorische Widerlegung der fiktiven Gegenmeinung („diejenige betriegen sich sehr . . .") formt in effektvoller Steigerung an seinem Problem mit. Da dieses Phänomen mit der stereotypen Schicksalsneugierde aller Romanpersonen zusammenhängt, eignet ihm besondere Bedeutung (vgl. auch o. S. 221 ff. über das ‚Orakel'). Er ist toposhaft[330] unglücklich durch seine Gabe, die alle anderen höchst begehrenswert finden. Im metaphysischen Sinne könnte man damit die *Oberflächenstruktur* des irdischen Lebens durchdringen. Aber die Sehergabe würde die

---

[330] Auch der unglückliche Seher ist ein Topos (vgl. Kassandra, Teiresias usw.).

Bewährungsmöglichkeit zunichte machen; der barocke Mensch könnte sich nicht mehr durch die Kardinalstugend der Constantia höchste Vollkommenheit erwerben. Die Finalität des barocken Lebens, die sich in der finalen Erzählstruktur solcher Romane spiegelt, hebt eben diese Sehergabe auf. Im speziellen Fall wird allerdings nur der Aspekt des Voraus-Leidens betont. Die toposhaften Klagen erweisen sich aufgrund dieser Zusammenhänge als sprachlich verdichtete Grundhaltung des barocken Menschen. Die generalisierende Sprachform rückt das persönliche Bekenntnis in die allgemein bedeutsame Modellhaftigkeit des Falles. Besonders kräftig wirkt das Moment der Beispielhaftigkeit in einer Art negativer Spiegelung dieses Topos:

> Daß fromme tugendhaffte eltern nicht allemal fromme kinder haben / und auch die gute erziehung nicht jederzeit den lastern zu steuren fähig sey / erweiset des Domitianus beyspiel / deme so wenig die geburt / als die zucht zu statten kommen / einen andern menschen / als er noch zur zeit verheisset / aus ihme zu machen. (O IV a 537)

Die thematische Grundthese erweist das Beispiel der Lebensgeschichte. Der thematische Einsatz enthüllt allerdings noch keineswegs das eigentliche modellhafte Problem, sondern bereitet den Zuhörer nur signalhaft auf die Ursächlichkeit des Kommenden vor. Der böse Mensch Domitianus, dem wohl noch die Möglichkeit zur Besserung offen steht, erweist sich an der exemplarischen Gestaltung einer wichtigen Frage der höfischen Minnedoktrin. Sein Verhalten als gewaltsamer Liebhaber wird im Kontrast des höfischen Tugendbildes zum abschreckenden Beispiel. Aus den Stationen seines Lebensweges ersteht dem Zuhörer ein Anti-Typus des höfischen Verhaltensideals. Diese innere Thematik um den höfischen Liebhaber ist mit Kernfragen des gesamten Romans verklammert. Wir verweisen nur auf die Darstellung dieses Typus im Minnegespräch zwischen Ariaramnes, Daria und Vardanes (O II 226 ff.) und auf die vielen Entführungen widerstrebender Damen[331]. Das Gespräch nach dieser Lebensgeschichte kommentiert ebenfalls die Problematik (vgl. O IV a 570). Sämtliche Helden der ‚Octavia', allen voran Tyridates von Armenien, hängen diesem Liebesideal an. Es besteht in einer beständigen und treuen Liebe des Mannes, deren einziges Ziel in der immerwährenden Vergnügung der Geliebten besteht. Domitianus' Verhalten steht dazu in schroffem Gegensatz. Innere thematische Verfugung, modellhafte Durchführung, antihöfisches Verhalten und die These von der Schicksalhaftigkeit des Bösen, die persönliche Schuld aber nicht unbedingt ausschließt, beweisen die äußere und innere kompositorische Verfugung dieser Geschichte mit der Romanhandlung.

---

[331] K. *Hofter* hat eine Liste von Fällen gewaltsamer Entführung in der ‚Octavia' zusammengestellt, die beachtlich ist.

In diesem Rahmen müssen wir uns noch mit dem Problem der *Barock-novellen* befassen. Gerade im Romanwerk Anton Ulrichs hilft uns der Topos von der thematischen Grundthese die zwei Grundarten von einge-schobenen Erzählungen zu unterscheiden (vgl. dazu o. S. 265 ff.). Zwei grundsätzliche Formen dieses Topos scheinen sich nämlich mit den beiden Arten der eingeschobenen Erzählung zu decken.

Pisos Geschichte vom ‚Sieg der Freundschaft über die Liebe'[332] (O III 920 bis 930) mag die Diskussion eröffnen:

DIejenigen / so da sagen / die liebe habe stärkere bande / als die freundschaft / würden nicht irren / dafern sie nur das wort g e m e i n i g l i c h hinzusezten; weil sie es aber für a l g e m e i n gehalten / fehlen sie sehr: maßen dieses / was ich erzehlen wil / zum exempel dienen sol / daß freundschaft der liebe sei fürgegangen. Zwar mögte man sagen / es sei keine rechte liebe vorhanden gewesen; wer aber auf alle umstände achtung geben wird / wird verhoffent-lich gestehen müssen / daß hiebei die kantnüß der liebe so scheinbar als der freundschaft gewesen sei. (O III 920)

Hier handelt es sich nicht um die gleiche Form sprachlich-rhetorischer Emphase. Die These wird vielmehr in rationaler Argumentation, sogar pseudo-dialogisch, vorgetragen; die Stelle erinnert in ihrer Sprachform an jene des Traktats. Auch die einzelnen Schritte der Argumentation zeugen von philosophischer Klarheit der Gedanken. Die rhetorische Vorwegnahme einer fiktiven Gegenmeinung als kontrastierende Steigerungsform kennen wir bereits. Ihre Durchführung ist in dem nuancierten Wortspiel („gemei-niglich" — „allgemein") von beachtlicher Sachlichkeit geprägt. Dem folgt als Gegensatz die eigentliche These (daß Freundschaft der Liebe vorgehen kön-ne), welche die Lebensgeschichte beweisen wird. Wieder schließt die rheto-rische Vorwegnahme einer Gegenmeinung ab, die erneut zu einer weiteren Präzision der verteidigten These führt. Der Einwand, daß hier eben keine echte Liebe vorhanden gewesen sei, wird von vorneherein durch die Auf-forderung an die Zuhörer abgetan, die Umstände genau zu beachten. Die gesamte Sprachform dieser thesenhaften Einführung erinnert an die ge-dankliche Klarheit philosophischer, nicht erzählender Prosa. Damit unter-scheidet sich dieser Beginn auch von der rhetorischen Aufmerksamkeits-Fanfare für die kommende Lebensgeschichte. Sie stellt die Geschichte als menschliches Verhaltensmodell (Casus), trotz des Absolutsheitsanspruches der Einführung, zur Diskussion. Dieser Art gehört auch die Antithese der zweiten Geschichte (des Norondabates) zu, der gleichzeitig drei Frauen lie-ben und mit ihnen glücklich sein kann. Die Integration ist erstaunlich, wenn man sie etwa mit Lohensteins loser Verfugung seiner Exempel aus morgenländischen Sitten vergleicht. Einmal ergänzen sich Pisos und Noron-

---

[332] Auf die thematische Sprachform solcher Titel haben wir im Rahmen dieser Arbeit schon mehrmals verwiesen.

dabates' Geschichte als Fälle in der Illustration einer These, denn die drei Frauen des Morgenländers stellen ebenso einen harmonischen Ausgleich zwischen den Affekten der Liebe und jenen der Freundschaft her wie die drei Römer in Pisos Geschichte. Norondabates liebt seine drei Frauen gleichzeitig und ohne Unterschied wie die geheimnisvolle Dame in Pisos Erzählung von drei Herren gleichzeitig und ohne Eifersucht geliebt wird. Als Ergebnis halten wir fest: Vom formalen Detail der thesenhaften Einführung her, der jeweils eine andere Form des Abschlusses entspricht (vgl. u. S. 314 ff.), lassen sich die beiden Grundtypen der Lebensgeschichte und des novellenartigen Einschubs in Anton Ulrichs Romanwerk unterscheiden. Wir bestätigen damit Forschungsergebnisse von Karl Reichert durch die die Ergebnisse unserer besonderen Fragestellung.

Wir blenden nochmals auf die thematische Grundthese in der Einführung der Lebensgeschichten zurück. Ihre Hauptfunktion ist jene des grundsätzlichen Spannungserregers. Häufig treffen sich die Problemstellungen mit allgemeinen Situationen des Barockmenschen. Die Verhaltensmodelle im engeren Sinne werden bei den sogenannten *Novellen* zur Diskussion gestellt. Es ist kein Zufall, daß gerade die ‚Geburtsgeschichte des Syrischen Aramenes' (A IV 682) mit einer thesenhaften Aussage beginnt, welche die Kernproblematik allen Romanschaffens Anton Ulrichs bildet: es ist der hymnische Hinweis auf die undurchschaubare, aber gerechte göttliche Ordnung allen irdischen Geschehens:

> Ich kan nicht gnug die wunderbare regirung des Höchsten betrachten / die derselbe hiernieden auf erden / bei den hohen dieser welt und in ihren königreichen / erscheinen lässet : da deren glück-wechsel so seltsam / und die fürsorge vor deren erhaltung öfters so verborgen und weislich waltet / daß man satsam daraus ersehen und abnemen kan / wie nichtes alhier von ungefär geschehe / und dieser weiße regent alles zuvor wol geordnet und versehen habe. Diese höle muß iezt der ort seyn / darinn Aramenes zu erst erfahre / wer er sei; in deren er gezeuget ist ... (A IV 682)

Das ist ebenso eine Kompositionsskizze der ‚Aramena' und der ‚Octavia' wie eine tiefe Deutung ihres Sinnes. Man könnte vereinfachend sagen: Anton Ulrich hat seine beiden Großdichtungen geschrieben, um diesen knappen Lehrsatz zu illustrieren, der in unmittelbarer Nähe zu Leibnizens ‚Theodizee' zu stellen ist. Er hat in einer verwirrenden Komposition den geheimen Ordnungsgedanken angelegt, um ihn in der Wahrheit des Romanschlusses als Spiegelbild der göttlichen Ordnung entfalten zu können. Das ist auch der tiefe religiöse Sinn dieser Dichtungen.

Die Wiederkehr gewisser formaler Elemente des Beginns der Lebensgeschichten hat sie uns als typische Merkmale erkennen lassen, welchen innerhalb der europäischen Erzähltradition Bezüge bis in die antike Rhetorik eigen sind. Die jeweilige Funktionalisierung und Integration in Anton Ulrichs Romanen bringt sie in Einklang mit seiner dichterischen Gestaltungsweise, deren Sinnhaftigkeit uns obiges Zitat (A IV 682) enthüllt hat.

Besonders empfänglich für die Aufnahme traditioneller Elemente sind neben dem Beginn vor allem noch der Schluß dieser Lebensgeschichten.

b. Die Formen des Schlusses und ihre Funktion

Die Sprachform des Abschlusses der eingeschobenen Erzählungen in Anton Ulrichs Romanen ist weniger formelhaft als jene des Beginns. Form und Funktion dieses Bauteiles werden manche frühere Erkenntnis bestätigen und ergänzen können. Die zwei Arten der eingeschobenen Erzählung (Lebensgeschichte und novellenartiger Einschub) bedingen grundsätzlich einen verschiedenen Typus des Schlusses, der sich aus ihrer inneren Bauform ergibt. Die *Novelle* bildet ihr Ende als Abrundung aus, die betont auf den Titel rückweist. Die Thematik des Titels und der grundsätzlichen These verlangt diesen Bezug. Auf ihm beruht auch die Geschlossenheit dieser epischen Kleinform. Dieser Rückverweis rundet das Geschehen als exemplifizierende Begebenheit ab und bezieht es als Argument auf den thematischen Titel und die einführende These. Vorzugsweise bedient sich der Dichter dabei der Sprachform der Zusammenfassung, die erläuternd den zweiten Teil der thesenhaften Klammer bildet:

> Dieses ist es / was ich von dieser geschicht fürbringen dörfen / welches ich vieler ursachen wegen nicht umständlicher können beschreiben: doch vermeine ich / daraus erwiesen zu haben / daß die drei ratsherren eine person sonder eifersucht zulieben fähig gewesen; wie auch / daß Vitellia sowol als Valerius Asiaticus zu einer zeit an zweien orten geliebet haben; sonderlich aber er / der mir selber verschiedentlich gesagt: daß er unter der Curtia und Vitellia keinen unterscheid gewust / sondern ihm eine ja so lieb als die andere sei gewesen. (O III 929) — Vgl. dazu (O III 920), zitiert auf S. 312 dieser Arbeit, als zweiten Teil dieser thesenhaften Klammer.

Der Rückverweis auf Anfang und Titel ist wieder detailliert und nuanciert. Der Erzählinhalt wird durch diese Klammer als konkretes Beispiel für die These gewertet und durch deren formale Wirkung aus dem übrigen Erzählablauf isolierend herausgehoben. Dieser Eindruck aber würde besagen, daß Anton Ulrich einzelne Erzählteile und Bauformen von der übrigen Komposition isoliert. Dem ist nur scheinbar so. Das soll die formale Bedeutung einer solchen Novelle und ihrer thematischen Klammer hier illustrieren. Pisos Geschichte ist einmal als steigernde Bestätigung auf Norondabates These einer Liebe ohne Eifersucht zu mehreren Personen des anderen Geschlechtes bezogen. Diese These tritt auch in Pisos abschließender Bemerkung deutlich hervor. Zum andern aber — und das stellt Anton Ulrichs Integration dar — ist das Handlungsmodell der fiktiven Personenfiguration des Romans entnommen. Die drei Herren sind bekannte römische Patrizier, der Name der Dame bleibt vorläufig unausgesprochen. Anton Ulrich bezieht also nicht nur seine kleinen Exempel aus der selbstgeschaffenen Fiktion, sondern sogar die beispielhaften Novellen-Strukturen, welche grundsätzliche Thesen beweisen sollen! Ein Blick auf den Novellenzyklus in Crispinas Haus (O II 246—278) bestätigt diesen Befund. Die Situation des Lesers entspricht dabei jener des ratenden Zuhörers: Wer ist die dreifach geliebte Dame? — Der Dichter will aber den richtigen Bezug für den Leser erzählerisch sichern; dies geschieht in einem Gespräch zwischen Piso und Silius Italicus. Die Dame ist Sulpitia Prätextata; sie spielt in der Handlungsstruktur dieses Bandes eine gewichtige Rolle, weil sie einer Prophezeiung glaubt, nach der ihr ein ältlicher Kaiser (Galba) als Gatte beschieden sei. Zum Zeitpunkt der Erzählung befinden sich die Erzählpersonen auf der Rückreise von Capree, wo sie Statilia Messalina besuchten; diese Witwe Neros rangiert unter Galbas Heiratskandidatinnen an erster Stelle, weil er durch die Verbindung mit ihr seine Regierung zu befestigen trachtet. Der Gesprächspartner des Piso, Silius Italicus, ist in langjähriger Liebe dieser Messalina zugetan. Deren Geschichte (O III 503—571) hat Sulpitia Prätextata auf einem Fest dem Galba erzählt, nachdem Martial durch Spottverse auf sie und Polla Argentaria die Neugier des Kaisers erregt hat. Silius Italicus wurde bereits fünfmal von einem aussichtsreicheren Nebenbuhler verdrängt. Pisos Geschichte eignet nun eine zentrale Funktion in der Handlungsstruktur: Galbas Werbung um Messalina, Sulpitias Konkurrenz sozusagen, und Silius Italicus' Betroffenheit stecken den Raum dieser Bedeutsamkeit ab. Erstaunlicherweise generalisiert die These, man könne mehrere gleichzeitig lieben, schlüsselartig diesen Verwirrungskomplex. Sie erklärt die Liebesbeziehungen fast aller Beteiligten und nicht zuletzt jene des Erzählers, wenn man an sein Verhältnis zwischen seiner Frau Verannia und seiner Geliebten Valeria denkt (vgl. deren Lebensgeschichte O II 591—687). Alle Bezüge können in diesem Rahmen selbstverständlich nicht aufgewiesen werden, die Andeutung einiger weniger vermag allerdings schon Anton Ulrichs verästeltes Motivationsgefüge zu veranschaulichen. Soweit also dieser Exkurs. Die Tatsache der formalen Geschlossenheit gilt aber auch für Pisos Geschichte, falls man ihre primäre Funktion als Exempel einer menschlichen Verhaltensthese denkt.

Der Rückverweis, welcher sich mit der einführenden Grundthese zur formal-inhaltlichen Klammer verbindet, kann sogar zur ambivalenten Deutungsmöglichkeit des Titels einen ironischen Bezug aufweisen. Als Beispiel wählen wir den novellistischen Einschub ,Der erfüllte Wunsch' (O II 255 bis 260) während Crispinas Gastmahl. Das Titelthema ereignet sich beispielhaft einmal im engeren Geschehen der Novelle, wie der Schluß zusammenfassend ausweist:

Also sind alle liebhaber der Aceronia zugleich mit ihr gestorben / und haben sie in jene welt begleiten müssen. (O II 260)

Die vierfache Liebesbeziehung zur Vertrauten der Kaiserin Agrippina, der Aceronia Polla, bildet die eigentliche Struktur der Novelle. Darüber hinaus wird der Titel auch auf die „weltkundige" Prophezeiung bezogen, daß Nero, falls er Kaiser werden sollte, Agrippina töten werde. Seine Mutter hatte darauf geäußert, in diesem gewünschten Falle, möge er es tun. Die beiden Ebenen also, die bekannte kaisergeschichtliche und die in Spannung dazustehende intim-novellistische, bilden in reizvollem Widerspiel das durchgehende Formprinzip nicht nur dieser Novelle, sondern sogar des ganzen Rahmenzyklus.

Neben solchen Formen des formalen Abschlusses als Rückverweis sind die Ausklänge der Lebensgeschichten prinzipiell offen. Das beruht auf dem Umstand, daß sie meist bis in die Erzählsituation reichen und in ihrem temporalen Endpunkt chronologisch in die Haupthandlung einmünden. Der zeitliche Rückgriff aber hebt sich als Vortragsende in der Identität mit der abgeschlossenen Erzählsituation auf. Grundsätzlich bildet den Abschluß des novellistischen Einschubs also die sprachliche Form des Rückverweises auf Titel und These, den der Lebensgeschichte aber jene des Vorverweises in die Zukunft der fortschreitenden Gegenwartshandlung. Beide Formen bestätigen oder negieren von vorneherein keineswegs die Möglichkeit der kompositorischen Integration des erzählenden Einschubs, wie Pisos *Novelle* etwa beweist. Die Variationen dieses Vorverweises bilden im weiteren Sinne bereits Arten der Verfugung zwischen Lebensgeschichte und Haupthandlung. In der Lebensgeschichte wird meist ein Handlungs-Nebenstrang bis in den Erzählzeitpunkt der fiktiven Gegenwartshandlung geführt. Die Einstellung des Erzählers gliedert uns beim Abschluß grundsätzlich drei verschiedene Möglichkeiten aus:

a) Wunsch des Erzählers

b) Plan des Erzählers

c) Erwartung des Erzählers.

Alle drei Haltungen sind wesentlich durch die Richtung in die Zukunft bestimmt; sie stellen erzähltechnisch epische Vorausdeutungen dar. Sprachlich gestalten sie ein Geschehen, das möglicherweise im Rahmen der Haupthandlung verwirklicht werden kann, als Wunsch oder Plan. Diese beiden Formen kehren an der Stelle häufig wieder, während die Erwartung des Erzählers seltener gefaßt wird (vgl. O II 1015):

> Ich beschließe meine erzehlung mit diesem herzlichen wunsche / daß ich den großen Beor rechtgläubig seine liebste Acte in seinen armen / und sie beide auf dem Ethiopischen thron / bald sehen möge (O I 975).

Damit beschließt Abdon die ‚Geschichte der Prinzessin Ephigenia' (O I 930—975), die er ihrem Bruder Beor erzählt hat. Der Wunsch bezieht sich hier in rhetorisch-gestischer Straffung auf die weiteren Schicksale des Zuhörers, die eng mit jenen seiner Schwester verbunden sind. Mehrfach richten sich diese Wünsche auf den *Himmel,* der die Schicksale in der Hand hält. Die Wünsche an sich sind häufig komplizierter Art, weil sich die ersehnten Veränderungen auf die Hauptperson der Lebensgeschichte beziehen und den Erzähler oft nicht unwesentlich mitbetreffen:

> Der himmel lasse uns doch nun / da wir vermeinen im port zu seyn / nicht schiffbruch leiden / und erhöre die seufzer so vieler tausende / die des Nero untergang verlangen: und kröne daneben mit seinem segen des Claudius edles blut / damit wir unser gerechtes vorhaben erfüllt sehen mögen. (O I 358—359)

Die bekannte Schiffsmetapher verleiht dem ersten Beleg repräsentative Wirkung, der Glückswechsel als echt barockes Ereignis erscheint in der Sprachform des zweiten. Beide sind typisch für diese Art des frommen Wunsches, dessen sprachliche Form die Rechtmäßigkeit des Erbetenen unterstreicht. Weitere Variationen gestaltet der Dichter in der ‚Aramena' (A I 383; A II 175; A II 471: persönliche Bitte der Erzählerin).

Aus der Fülle der Plan-Variationen seien nur zwei beispielhaft erwähnt:

> Der gütige himmel verleihe einmal gewünschte änderung / daß endlich das unglück möge ermüden / ein so keusches paar / das in so rechtmäsiger liebe lebet / so grausamlich zu verfolgen. (A I 140)

> Demnach müssen wir darauf bedacht seyn / den Prinzen bald für seiner jetzigen gesellschaft zu warnen. (O III 571).

Hier richtet sich der Plan des Erzählers auf einen bestimmten isolierten Vorgang. Durch die vielseitige Bezüglichkeit allen Geschehens ist dies jedoch selten der Fall.

> Meine übrige lebenszeit die ich nun / weil ich nichts mehr auszustehen habe / bald geendet hoffen darf / will ich in dem Massilischen gebirge bei den alda sich befindenden Christinen beschließen. Euer beruff wird euch wol nach Teutschland wieder führen / um der Cheruscer land einzunehmen / und alda zu regiren / deren erbherrn euch Gott hat lassen geboren werden. (O III 294)

Den Abschluß bilden hier bereits zwei konkret gefaßte Absichten. Die erste äußert die geplante Zukunft der Erzählerin, die zweite bildet eine Vermutung über das weitere Schicksal des Zuhörers. Daß beide Aussagen vom späteren Romangeschehen korrigiert werden, spielt dabei vorderhand keine Rolle. Beide erscheinen als epische Vorausdeutungen in der Sprachform von Plan und Vermutung. Wir wollen den Katalog der sprachlichen Abschlußmöglichkeiten solcher Geschichten nun auf die inneren Charakteristika der Erzählsituationen beziehen. Dadurch läßt sich erst ihre Funktion begreifen. Die erste Situation von Wunsch-Bitte-Befehl betrifft eigentlich nur den Anstoß zur Erzählung; dieses Moment kann jedoch auch bei anderen Situationen auftreten. Die unter hierarchischer Ordnung stehende Fürbitte des Erzählers erweist sich hiebei schon fruchtbar. Als Voraussetzung verlangt sie die Umstände, die in der Lebensgeschichte erzählerisch entfaltet werden. Als Beispiel wählen wir die erste Lebensgeschichte in der ‚Aramena‘. Der alte Thebah erzählt König und Prinz von Canaan die ‚Geburt der Syrischen Aramena‘ (A I 58—76). Dahinter steckt politische Diplomatie. Die Enthüllung, daß Aramena die verschollene syrische Erbprinzessin sei, soll Hemor zur Heirat stimulieren. Thebah will damit Syrien vom assyrischen Joch befreien. Der Schluß dieser Lebensgeschichte faßt eindrucksvoll seinen Plan nochmals zusammen, dem die beiden Zuhörer enthusiastisch beifallen. Der Erzählrahmen ist schlüssig; der Erzähler erreicht bei seinen Zuhörern die gewünschte Absicht, nämlich sie für sein politisches Vorhaben zu begeistern. Eurilinde etwa erzählt Jaelinde die Geschichte ihres Lebens (A III 487—527), um sie für die Liebe ihres Sohnes Adonisedech einzunehmen und von ihrer unglücklichen Liebe zu Cimber abzubringen. Auch dieser Plan verwirklicht sich im weiteren Romanverlauf. Milcaride (A III 17) will ihren Zuhörer Elihu für ihren Plan gewinnen und sich seiner Mithilfe versichern. Dieser geht nur scheinbar darauf ein, um sie, aufgrund der von ihr nicht durchschauten eigenen Identität, ihren Eltern und weiter ihrem Glück zuzuführen. Viele dieser Voraussetzungen sind aber nicht stichhaltig, denn die syrische Aramena Thebahs ist nicht die Erbprinzessin, sondern lediglich deren Schwester. Die vermeintliche syrische Aramena ist nur Milcaride, des Mamellus Tochter, usw. Häufig wird auch der Plan des Erzählers durch Argumente der Zuhörer widerlegt (etwa A III 149). Fast allen Schlüssen gemeinsam ist die Bereitschaft der Zuhörer, nun dieser Sache (meist Liebesschicksalen von politischer Bedeutsamkeit) zu dienen. Das Vertrauen macht sie zu Mitwissern, die Mitwisserschaft aber zu Mithelfern und Förderern.

Während sich bei der ‚Lebensgeschichte als juridischer Casus‘ die Erzählerin („fürsprecherin“) Sandenise vehement für eine Wiederaufnahme des Falles und einen Beweis der Unschuld Amphilites einsetzt (A V 178), vermeidet bei der ‚Lebensgeschichte als Argument für eine These‘ die Erzählerin Ardelise eine Vorwegnahme der Entscheidung ihres und der Amorite Falles (A I 249), denn diese soll erst durch die „Richterin“ Ahalibama gefällt werden. Daß sich die Ehrenrettung nochmals auf die Wahrheit ihrer überraschenden Aussagen beruft, leuchtet völlig ein.

Vielfach sind die Variationen der Schlußformeln, welche grundsätzlich bei der Lebensgeschichte offen in die Zukunft gerichtet sind. Alle ihre Formen sind solche der zwischenmenschlichen Beziehung, des göttlichen Anrufes oder des Klagemonologs (etwa A II 77) in tiefster irdischer Not. Die Grundformen von Wunsch, Plan und Erwartung treten dabei modellhaft hervor, der Reichtum ihrer erzählerischen Integration aber ist groß.

E. ANTON ULRICHS DARSTELLUNGSPRINZIPIEN

Darstellungsprinzipien sind konstitutive Strukturen. Wir unterscheiden zwei Arten: Strukturen der Komposition und solche des Sprachstils. Die Sprachform dieser Romane vereint und verschränkt sie in einem Gesamtphänomen; sie können aber methodisch getrennt werden. Unsere Beschreibung solcher Strukturen in Anton Ulrichs Romanen ‚Aramena‘ und ‚Octavia‘ stellt einen ersten Versuch dieser Art im höfischen Barockroman dar. Verschiedenen Arbeiten fühlen wir uns dankbar verpflichtet, obwohl in ihnen meist eine besondere Struktur ungerechtfertigt verabsolutiert worden ist. Die Komplexität dieser epischen Gebilde beruht aber auf wiederkehrenden relevanten Strukturen; diese nennen wir Darstellungsprinzipien.

1. Das Darstellungsprinzip der Fülle

> „ . . . . es pfleget zuzusetzen /
> die völligkeit / dem wehrt: wie die gefüllte Blum /
> ie mehr sie Blätter treibt / ie höher stäts ihr Ruhm . .“

Die Fülle ist eines der fundamentalen Gestaltungselemente des höfischen Barockromans. Wie Catharina Reginas Motto belegt, erblickten die verständigeren Zeitgenossen darin ein Kunstprinzip von hohem Rang. Äußerlich bedingt es den vielbeklagten Riesenumfang dieser Werke im Gegensatz zur Kürze des barocken Schelmen- oder Schäferromans.

Der kompositorische Aspekt dieses Prinzips ergibt sich schon aus der besonderen Anlage der Fabel im höfischen Roman. Das Grundschema des Schelmenromans besteht in einem chronologisch durcherzählten Lebenslauf *eines* Helden. Der höfische Roman vervielfältigt seine Personenkonstellation mit sämtlichen erzählerischen Konsequenzen. Sein Grundschema bildet bereits ein Liebespaar, welches getrennt zwei separierte Abenteuerreihen zu bestehen hat. In der ‚Octavia‘ gestaltet Anton Ulrich aber den dornenvollen Hindernisweg nicht nur eines Liebespaares, sondern den von ca. 24 Paaren, was bereits 48 Lebensläufe ergibt. Eine solche Personenkonstellation fällt unter unser Prinzip der Fülle. Seine Konsequenzen liegen auf der Hand. Die erzählerische Bewältigung so vieler Lebensläufe muß notwendig zu epischer Mehrsträngigkeit führen. Diese bietet sich dem Leser als wirres Handlungsgeflecht, weil der Erzähler die Linien vielfach unterbricht, fallen läßt und später wieder aufgreift. Diese komplizierten Handlungsstrukturen haben wir in unserer Arbeit beschrieben. Die Fülle der Personen bedingt also eine Fülle zwischenmenschlicher Beziehungen, welche wieder eine Fülle von Ereignissen bedingen. So bewirkt dieses Prinzip gemäß der voluntas autoris auch das nächste der zwischenmenschlichen Beziehungen.

Diese epische Vielfalt nach Personenkonstellation, Handlungsgefüge und Spannungsstruktur beruht auch auf einer Vervielfältigung der Motive. Anton Ulrich vervielfältigt manches einsinnige Traditionsmotiv in seiner kompositorischen Funktion. Aber nicht alles wuchert unter seinem Erzähltalent sofort ins Vielfältige. Eine der häufigsten Formen innerhalb dieser Struktur ist die Verdoppelung. Sie kann wieder in die Personenkonstellation und das Handlungsgefüge wirken. Innerhalb der Personenkonstellation kann es sich um Doppelnamen oder um verdoppelte Beziehungen handeln. Im Ansatz mag die Verdoppelung der ‚Aramenen' (jüngere und ältere Schwester) für die ‚Aramena' vorgelegen haben. Durch Kindesvertauschung (Milcaride = 3. Aramena) und chiastische Verkleidung (Dison von Seir = 4. Aramena) kommt der Dichter allerdings auf die stattliche Zahl von vier Aramenen. Die drei Neronien der ‚Octavia' stehen dem bedeutsam zur Seite (Octavia, Acte und Claudia). Die zwei Ahalibamen bilden über die Namensgleichheit hinaus wichtige Täuschungsstrukturen aus.

Die Verdoppelung der Rivalen oder ihre Vervielfältigung gehören eigentlich zum Grundhabitus von Anton Ulrichs Liebeskonstellationen. Damit hat der Dichter jeweils eine Fülle erzählerischer Möglichkeiten zur Hand. Die doppelte verwandtschaftliche Beziehung kann innerhalb des Stammbaum-Topos eine interessante Struktur ausbilden (Harisa O II 595 „zwibeschwigert"). Die Verdoppelung eines Motivs zeigt sich innerhalb des Bildnismotivs mehrfach.[333] Die Verdoppelung von Handlungsstrukturen bestätigt der medias-in-res-Einsatz der ‚Aramena' (vgl. S. 19 ff. dieser Arbeit). Nicht *eine* Prinzessin wird aus der Hand eines bösen Königs von ihrem Liebhaber befreit, sondern *zwei* Verliebte machen sich auf, um *zwei* Prinzessinnen aus der Hand eines bösen Königs zu befreien. Anton Ulrich funktionalisiert diese Verdoppelung als menschlichen Irrtum: beide befreien vice versa die falsche Prinzessin.

Karin Hofter hat Listen für gleiche Motive in der ‚Octavia' aufgestellt. Diese Vervielfältigung nähert solche beinahe wieder Grundmodellen an, mit denen die Kombinationsgabe des Lesers rechnen muß.

---

[333] Vgl. A. *Haslinger* in: Literaturwissenschaftliches Jahrbuch N. F. 9 (1968), S. 98 A. 36.

Wir betrachten nun die sprachstilistischen Strukturen dieses Prinzips. Der Ich-Erzähler des Schelmenromans behält die eigene Perspektive in die Welt als einzige bei und gestaltet daraus seine Beziehung zu relativ wenigen Menschen. Der erzählende Dichter des höfischen Romans dagegen hat eine unübersehbare Fülle von Personen in ihren Plänen und Aktionen darzustellen. Schon aus Rücksicht auf das Vermögen des Lesers muß er bei jeder Gelegenheit möglichst viele Personen aus diesem Reservoir erzählerisch aktivieren, um sie diesem wieder ins Gedächtnis zu rufen. Als Problem sprachstilistischer Gestaltung drängt sich dabei die Frage auf: Wie bewältigt er größere Menschengruppen und Menschenmengen erzählerisch? Zwei Möglichkeiten gebraucht Anton Ulrich hiebei vorzugweise:

a. die aufreihende Gruppierung aus weiter Erzähldistanz,

b. die exemplarische Gruppierung aus der Perspektive einer bestimmten Erzählperson, die sich in der Szene befindet.

Dieses erzählerische Problem gilt besonders für die ‚Octavia', wo sich bei den römischen Festen stets die heimlichen Verschwörergruppen begegnen. Der Reiz dieser Szenen besteht in der gefährlich politischen Atmosphäre solcher Veranstaltungen. So erscheinen auch zum großen Festgelage des Nimphidius Sabinus (O II 543—578) die geladenen vornehmen Römer in politischen Gruppen. Das stellt zugleich einen ersten Schritt ihrer erzählerischen Bewältigung dar (Dreier-Gliederung):

Dieserwegen versammleten sich in ihrem [Crispinas] palast / als der tag dieses festes angebrochen / alle des Sulpitius Galba verwandten / oder doch dessen fürnemste freunde: um mit ihr / in ordentlich-angestellter reihe / nach dem tempel des Portumnus zu gehen. Crassus Scribonianus / und sein wiedergekommener bruder / der Piso Licinianus / waren mit unter diesen / als welche in des Galba freundschaft sich auch rechneten / weil Sulpitia Prätextata / die aus des Galba haus entsprossen / ihre schwägerin war. Der wackere Piso zoge aller augen auf sich / weil aus allem seinem thun nichts / als ein sonderbares und heroisches wesen / herfür leuchtete: gleichwie auch die schöne Verania / seine gemahlin / der stadt Rom einen neuen glanz gabe / und sich bei dieser versammlung bewunderbar machete. Die zwo Vestalinen / so beide den namen Ocellata führeten / fanden neben der groß-Vestalin Cornelia Maximilla / sich auch daselbst ein: gleich wie auch Dolabella mit seiner gemahlin / Calpurnius Asprenas / Lucius Calpurnius Piso / Calpurnius Galerianus mit seiner gemahlin der Calpurnia / Petronius Turpilianus / des Dolabella schwiegervatter / Calpurnius Fabatus / neben seinem schwiegersohn / dem Gethischen Prinzen Corillus Ruffus / und dessen gemahlin / der schönen Hispulla / welche alle unter vielen / von dem fürnehmen hause der Sulpitier / bei diesem fest erschienen.

Die Prinzessin Daria aus Medien / ingleichen der Parthische Prinz Ariaramnes / der widerwillens diesem fest beiwohnen muste / ob er gleich lieber der schönen Neronia gesellschaft dafür hätte genießen mögen / blieben auch unter der Crispina führung / und begaben sich insgesamt / überaus herrlich / als wasser-götter und See-Nymfen verkleidet / nach des Portumnus tempel: da eine große mänge slavinen / so auf flöten / harfen und leyren sehr lieblich musicirten / den reihen führen musten.

Bei dem berge Palatinus / stießen sie auf die gesellschaft der Käiserin Plautia Urgulanilla / welche mit eben so großem pracht / als Crispina / daher kame. Bei ihr waren alle die vom Käiserlichen hause / und ihre anverwandten / als Junia Calvina / Albia Terentia / deren tochter die Salvia / Poppilia Plautilla / Julia Procilla / neben ihrer schwiegertochter der Domitia Decidiana / und der jungen Cottia. Domitia Longina / des dapfern Corbulo tochter und gemahlin des Aelius Lamia / neben ihrer schwester / die den Annius Vivianus geheuratet hatte / wie auch Flavius Sabinus und seines brudern sohn / der junge Domitianus / samt dessen schwägerin der Martia Furnilla / waren auch unter diesem haufen: Seine schwester aber / die Flavia Domitilla / ingleichen Pomponia Gräcina / und andre heimliche Christinen / hatten sich entschuldigen lassen. Claudia / die in Rom offentlich nicht erscheinen wolte / war ebenfalls zurücke geblieben. Calvia Crispinilla trauete dem pöbel noch nicht / deshalben sie auch sich nicht wagen wollen / in so volkreiche versammlung zu kommen. Es waren sonst die vornemste unter dem Römischen adel / beiderlei geschlechts / bei diesem haufen / ingleichen die ausländische Fürsten / sonderlich die Prinzessin Panda aus Soracien / welche sich sonst wenig sehen ließe.

Sie giengen ingesamt nach der Tyber zu / allwo sie nicht allein den regirenden burgermeister / und die meisten vom raht / sondern auch den Nimphidius Sabinus / und alle / so aus Rom verwiesen gewesen / fürfunden. Diese wurden von den ankommenden / welche sie noch nicht gesehen / mit großen freuden bewillkommet. Und obgleich diejenigen / so ehmals / wegen der bündnis mit dem Piso / Rom verlassen müßen / aus bekanten ursachen der Plautia Urgulanilla nicht so gar günstig seyn konten / ließe doch niemand bei dieser allgemeinen freude sich etwas merken. Vielmehr erwiesen / die Antonia Flaccilla / neben der Egnatia Maximilla und der Cadicia / des Scevinus witwe / der Käiserin alle ersinnliche höflichkeit / als selbige kam / sie anzusprechen. Es ware aber niemand unter dem ganzen haufen herrlicher gekleidet / als Nimphidius Sabinus / welcher den Neptunus fürstellte. Sein ganzes kleid glänzte von den kostbarsten smaragden und Orientalischen perlen. Es war wol nachdenklich / daß er sein haubt mit einer Käiserlichen binde beziert hatte / welche sonst / auser den Käisern niemand tragen dorfte: weil er aber einen gott fürstellte / wolten es seine freunde darmit entschuldigen. (O II 543—546)

Jede der drei Verschwörergruppen wird von einem prominenten Vertreter angeführt; Galbas Interessen vertritt an der Spitze seiner Anhänger und Verwandten Crispina, diejenigen des claudischen Kaiserhauses Plautia Urgulanilla, und die dritte Gruppe leitet der Kronprätendent Nimphidius Sabinus selbst, bedeutsam geziert mit der kaiserlichen Binde ums Haupt. Die Charakteristik der Verschwörergruppen führt der Dichter in der ‚Octavia' bei jedem Zusammentreffen wieder sorgsam durch, dieses Beispiel betont also nicht einen einmaligen Gestaltungszug über Gebühr.

Wegen Crispinas besonderer Beziehung zu Galba versammeln sich seine Freunde in ihrem Palast („dieserwegen"), um von hier geschlossen zum Feste aufzubrechen. Der erste Satz faßt diesen Vorgang in charakteristischer Synthese zusammen und setzt die wesentlichen Punkte: Zeit („als der tag dieses festes angebrochen"), politische Kennzeichnung der Gruppe („alle des Sulpitius Galba verwandten / oder doch dessen fürnehmste freunde"), repräsentative Form („in ordentlich-angestellter reihe") und Ziel des Weges („nach dem tempel des Portumnus"). Dieser umfassenden Synthese des Vorganges folgt ein Mittelteil, welcher besonders Piso und seine Gemahlin mit allen Topoi (Glanzmetaphorik) des Heldenlobs aus der Gruppe hervorleuchten läßt. Dann gestaltet der Dichter die weiteren Personen (16 vornehme Römer und Römerinnen) erzählerisch scheinbar in einfacher Reihung. Genau betrachtet erweist sich diese sprachlich-stilistische Durchführung aber als komplizierter und (in Anton Ulrichs Sinne) als epischer. Der Dichter entrollt nämlich nicht einfach die Einladungsliste mit den Namen, sondern ordnet die Personen genealogisch-verwandtschaftlich[334] oder gesellschaftlich-politisch der großen Personenkonstellation ein. Akzente der Betonung und Hervorhebung werden knapp charakterisierend gesetzt. Dem Ganzen eignet die Form und Formalität aristokratischer Vorstellung. Der syntaktische Rhythmus allerdings verkümmert aus flüssiger Periodizität in die Namenreihe. Der Eindruck großer Fülle und Mannigfaltigkeit wird dabei auf zweifache Weise erweckt. Einmal stürzen besonders in den Doppelnamen (großes Sprachtempo) viele sprachliche Bedeutungsträger auf den Leser ein, zum andern bezeichnet der letzte Satz diese konkrete Namenshäufung pointiert als Auswahl von vielen.

Die szenische Grundstruktur dieser Festbewegung liegt im zweifachen höfischen Begegnen und Begrüßen der drei Gruppen; die zwei ersten Gruppen begegnen einander, vereinen sich und strömen der dritten um den strahlenden Gastgeber zu. Eine Station des Weges („bei dem berge Palatinus") markiert den Ort der ersten Begegnung. Auch diese Gruppe kennzeichnet der Dichter erst in Synthese und Charakteristik („alle vom Kaiserlichen hause / und ihre anverwandten"). Dann fällt er erneut in die aufreihende Namensnennung, die wieder (vorwiegend) verwandtschaftliche Bezüge auflockern und zugleich gliedern. Der Rhythmus der sprachlichen Anreihung erinnert an die genealogischen Tabellen im Kreise der Hocharistokratie. Wie vorher formt auch die gesellschaftlich-politische Beziehung an der Gestaltung dieser Menschengruppe mit, indem kausal motivierend das Fehlen einzelner Personen sprachlich erörtert wird. Als Anhängsel ausländischer Fürsten fungieren hier ebenfalls die Morgenländer (Daria, Ariaramnes und Panda aus Soracien).

Der weitere Weg bleibt erzählerisch ausgespart, nur das Ziel wird gestaltet, und zwar örtlich („nach der Tyber zu") und personal (Steigerungsformel: „nicht nur ... sondern auch"). Mit der Nennung des Gastgebers Nimphidius dringt wieder das politische Moment in die Gestaltung ein

---

334 Die verwandtschaftlichen Beziehungen werden in folgenden stilistischen Variationen gesetzt: Kausalsatz („weil Sulpitia P ... "); als einfache Verwandtschaftsnamen („schwägerin, gemahlin, schwiegervatter" usw.) und als Zusammenfassung am Schluß („von dem fürnehmen hause der Sulpitier").

(„alle / so aus Rom verwiesen gewesen . . .“). Die namentliche Anreicherung der dritten Gruppe bleibt in knappem Umfang und wird überstrahlt
von der Erscheinung des Gastgebers. Die kurze Beschreibung des Nimphidius betont seine äußere Erscheinung auffällig, denn es fehlt ihre unmittel-
bare Deutung auf ein ideales höfisches Menschenbild hin (vgl. o. S. 163 bis
186 die Personenbeschreibung; und vor allem kurz vorher die Beschreibung
der Wirkung Pisos und seiner Frau Verania)! Die Äußerlichkeit gipfelt in
der kaiserlichen Binde, womit er sein Haupt geziert hat. Dieses Signum
der kaiserlichen Würde ist mehr als ein äußeres Zeichen, „welche[s] sonst
außer den Kaisern niemand tragen dorfte“. Des Nimphidius Überheblich-
keit offenbart sich in diesem Frevel, der als Detail des Festgepränges einen
Schatten auf sein weiteres Leben wirft. Wir halten zusammenfassend fest:
Anton Ulrich gestaltet auf engem äußeren Raum eine Fülle von Personen
nicht isoliert, sondern in ständigem Bezug aufs System der gesamten Personenkonstellation. Als Gestaltungszüge treten dabei (wenn auch formelhaft und typisierend) verwandtschaftliche Beziehungen und politische Charakteristika hervor. Auf drei knappen Oktavseiten aktiviert der erzählende
Dichter eine Fülle von rund 50 Personen nach Namen und Beziehung. Da
viele Geladene zwei bis drei Namen haben, bestätigt es die Gestaltungs-
gabe des Dichters, daß der Leser solche Seiten überhaupt auffassen kann.
In Synthese und Analyse veranschaulicht Anton Ulrich diese Menschen-
fülle; ihre vielfachen Beziehungen bilden zudem ein strukturierendes Prinzip. Der Dichter kann aber auch seine weite Distanz aufgeben, indem
er eine Romanperson zum Träger seiner Perspektive macht. Wir wählen
wieder die Darstellung einer Menschengruppe während eines Festes:

> Crispina aber . . . machete ihr / soviel ihr heimliches anliegen ihr zuließe /
> eine sonderbare lust / alle anwesende nach ihren vermutlich-führenden
> gedanken zu betrachten.
> 4 Sie sahe den freunden der Prinzessin Claudia es nicht allein wol an / was
> sie qwälte / sondern merkte auch / wie die andern / so es bisher mit der
> Käiserin gehalten / als dieselbe ihre tochter und das Reich dem Tyridates
> zuspielen wollen / ganz verstört aussahen / indem ihnen der handel also
> mächtig verdrehet worden / und sie in ihren gedanken sich betrogen
> fanden.
> 10 Allermeist erschiene diese unzufriedenheit an dem Silius Italicus / Arrius
> Antoninus und Aelius Adrianus / die stets ganz tiefdenkend saßen / und
> bei aller lust keine freude in ihr herze kommen liessen.
> 13 Sahe sie hingegen die anwesende von des Galba seite an / und betrachtete
> vornehmlich die beide regirende Burgermeister / konte sie ihre eigne
> innerliche freude / gleich als im spiegel / sehen.
> 16 Sie erkennte auch eine sonderbare vergnügung an denen / die sie für den
> Nimphidius zu seyn wuste: welches sie der hoffnung zuschriebe / die
> ihnen beiwohnen müste / die Plautia neben der Claudia / samt dem thron /
> bald auf ihrer seite zu haben.
> 20 Sie kennte aber dannoch / unter dieser grossen gesellschaft / nicht alle
> parteyen: maßen für den geglaubten Drusus / für den Nero / wie auch für
> den Salvius Otto / sich allhier verschiedene anhänger befanden.

Unter diesen war / der Calpurnius Fabatus / für den Drusus wol einer
24 von den bäst-gesinnten: gleichwie Otto / nicht allein seinen bruder den
Salvius Titianus / sondern auch den Vipsanius Messalla / neben vielen
andern / wiewol sonder sein wissen / auf seiner seite hatte / und sowol
Petronius Turpilianus / als auch Aulus Vitellius / dem Nero heimlich wol
wolten: deren tiefsinniges stilles wesen man / an dem einen der gefallenen
29 hoffnung zum burgermeister-amt / an dem andern aber seinen im würfelspiel erlittenem verlust / beimaße. (O II 906 f.)

Die weite Erzähldistanz ist hier zugunsten einer *Erzählperson* aufgege-
ben, deren Perspektive die Beschreibung gliedert und bestimmt. Der erzählende Dichter hat diese Person (Crispina) aus den Festgästen zum Beobachter erkoren. Eine solche Verengung des Blickpunktes beeinträchtigt
nirgends das allgemein hohe Stilniveau, formt aber als innerfiktionaler
point of view die spezifische Darstellungsweise. Crispina gerät hier zuerst
ins Bild, und der erzählende Dichter gibt für den ersten Teil der Beschreibung seine Position gewissermaßen an sie ab (Z. 1–19). Der Modus der
Beobachtung wird als eigentliche Deutung der Gedanken aller Anwesenden
von der Erzählperson selbst bestimmt („alle anwesenden nach ihren ver-
muthlich-führenden gedanken betrachten"). Die Absicht, die Pläne der
andern zu durchschauen, zieht sich als wiederkehrendes Wollen aller Romanpersonen durch die Handlung. Sie beruht zudem auf einem durchgehenden Gestaltungszug, nämlich dem der typisierten Korrespondenz
zwischen äußerer Gestik und innerem Verhalten. Verstellung, Täuschung
und falsche Motivation können aber Romanperson und Leser irreführen.
Die Perspektive bestimmt hier der spezielle *Ausschnitt* Crispinas, aus dessen Motivationsgefüge heraus die Deutungen erfolgen.

Die szenische Bemerkung des Erzählers, die Crispina zur Erzählperson
erhebt, ist in ihrer Sprachform bereits bedeutsam in das Ineinandergreifen
typischer Gestaltungszüge eingebaut. Nicht irgend ein äußerer Beobachtungsstandpunkt wird als szenische Blickwarte sprachlich umrissen (etwa
ein erhöhter Sitz in einer dunklen Nische), sondern eine zwischenmenschliche Beziehung zwischen Claudia, der bemerkenswerten Kronprätendentin
des kaiserlichen Hauses, und Crispina, der opportunistischen Anhängerin
Galbas. Die räumliche Situation bleibt zugunsten der inneren politischen
Informationsbeziehung ausgespart, Crispinas *Ausschnitt* in bezug auf
Claudia ist trotz Antonius Honoratus' Vermittlung begrenzt. Wie begrenzt,
sieht der Leser besonders dann (Z. 20 ff.), als der erzählende Dichter ihre
Beobachtungen von höherer Warte her ergänzt. Ihre Lust, die anderen zu
beobachten, entspricht dem stereotypen Vergnügen der Zuhörer bei Le-
bensgeschichten: es sind zwei grundsätzliche Formen der lustbetonten
Reaktion auf eine *Ausschnitt*-Erweiterung.

Crispinas Beobachtungen werden durch die Sinn-Parallelen der Satzanfänge strukturiert: Z. 4 „Sie sahe . . .", Z. 5 „sondern merkte auch . . .",
Z. 13: „Sahe sie . . .", Z. 16: „Sie erkennte . . ."; und die Fortsetzung des
erzählenden Dichters: Z. 20: „Sie kennte aber dannoch . . . nicht". Neben

der Funktion, einen Textabschnitt rational zu gliedern, rückt der parallele Satzbeginn dem Leser stets von neuem die Blickrichtung (Perspektive) in die Szene vor Augen. Dieser sprachliche Einsatz gliedert gleichzeitig die vier politischen Gruppen aus der festlichen Menschenmenge aus, von denen die erste und zweite, wie schon der syntaktische Verlauf unterstreicht, einander ziemlich nahe stehen. Die Charakteristik der politischen Gruppen erfolgt schematisch. Innerhalb des Schemas kehren folgende Formen in sprachlicher Variation wieder:

1. *die sprachliche Nennung der politischen Partei* (1a „den freunden der Prinzessin Claudia ...", 1b „die andern / so es bisher mit der Kaiserin gehalten ...", 2 „die anwesende von des Galba seite ..." 3 „die sie für den Nimphidius zu seyn wuste". Der unbestimmte Plural (zweimal pronomial verhüllend) wird durch das Haupt der Verschwörergruppe charakterisiert.

2. *eine exemplarische Namenauswahl von politischen Anhängern der Gruppe* (vgl. Z. 10–12, 14);

3. *die äußere Erscheinungsform der* unter 2. genannten *Personen in abstrakt-typisierender Sprachform*: (Z. 7: „verstört", „unzufriedenheit", Z. 12: „keine freude", Z. 14 f.: „eigne innerliche freude gleich als im spiegel", Z. 16: „sonderbare vergnügung").

4. *die äußere Erscheinungsform* erweist sich vielfach, unterstützt durch weitere Interpretationen Crispinas, bereits *als Deutung der Gedanken:* das Ziel ihrer Beobachtung!

Im Sprung von der Synthese (politische Partei: Punkt 1) zur Analyse (Nennung einiger Personen: Punkt 2) konkretisiert sich die szenische Situationsbildung. Hier liegt ein entscheidendes Gestaltungsmoment der erzählerischen Bewältigung einer Menschenmenge. Die rationale Gliederung in politische Gruppen wird episch veranschaulicht durch einige (meist zwei typische Personen) aus dem bereitstehenden Arsenal der Gruppe. Auch die Beziehung zwischen äußerer Gestik und psychotypischer Deutung haben wir schon mehrmals als Gestaltungszug von Anton Ulrichs Prosa erkannt. Die beiden letzten Punkte (3. und 4.) erscheinen sprachlich nicht sauber getrennt: Beschreibung und Deutung durchdringen einander häufig: das entspricht genau unseren Stilbeobachtungen bei der Personenbeschreibung (siehe o. S. 163 ff.). Als Beispiel mag folgender Typus gelten: „Allermeist erschiene diese unzufriedenheit an dem ..." Hieraus läßt sich abnehmen, daß die psychische Verfassung dem Leser gewissermaßen schon als Beschreibungsphänomen begegnet. Das Überwiegen der Abstrakta und der signalartigen Partizipia unterstreicht diese Gestaltungsabsicht. Crispinas Beobachtungen schließen sich in der Rückkehr zum Anfang (Claudia) und zum entscheidenden politischen Thema („Kron") in zwischenmenschlicher und thematischer Rundung ab.

Diese bildet aber nur einen vorläufigen Abschluß des geschilderten Vorganges (Darstellung einer Gesellschaft unter dem Aspekt ihrer politischen Gruppenzugehörigkeit während eines Thronkampfes). Die Schilderung erfährt nun eine Steigerung im Bereich der gleichen Gestaltungsformen. Die scheinbare Fortsetzung der obigen (auf Crispina bezogenen) Satzanfänge verkehrt sich plötzlich in die Negation[335] (*sie kennte* aber dannoch ... *nicht* alle parteyen ...*"). Damit tritt der erzählende Dichter wieder an die Stelle der *Erzählperson*. Die strukturelle Bedeutsamkeit des verschiedenen *Ausschnittes* wird dabei schlagartig klar. Die Romanperson weiß nie alles, sie ist zudem noch der Täuschung und dem Irrtum ausgesetzt. Der *Ausschnitt* des Lesers ist häufig größer als jener der Romanperson(en), so kann dieser manche Strukturen ihrer Täuschung erkennen. Der erzählende Dichter beläßt also Crispina in ihrer Unwissenheit und führt — leicht ironisch — in ihrem Tone die Charakteristik der Anwesenden nach ihren Gedanken zu Ende. Übereinstimmend stellt er Crispinas Wissen von drei politischen Gruppen drei weitere Kronprätendenten samt Anhang gegenüber. Das charakterisiert blitzartig die Gefährdung des sogar gut informierten Einzelnen in dieser politisch geladenen Atmosphäre zwischenmenschlicher Beziehungen. Der Dichter kennzeichnet die Gruppen durch die Namen der drei weiteren Thronanwärter (Z. 21—22: Drusus, Nero, Otto). Wieder veranschaulicht sich die Gliederung in der exemplarischen Namensnennung meist zweier Anhänger. An der ambivalenten Deutung des Aussehens der beiden letzten (Z. 28: „tiefsinniges stilles wesen") stellt der Dichter diese Fähigkeit des Menschen (damit auch Crispinas) abschließend in Frage. Die anschauliche Situation der Beobachtung einer Menschenmenge ist durch Anton Ulrichs Kunst zum Ereignis geworden: die rationale Gliederung, der vielfache menschliche Bezug, die verschiedentliche Aktivierung von Einzelpersonen, der Wechsel der *Ausschnitte* von Romanperson und Dichter: all dies vermittelt den Eindruck einer politischen Hochspannungsatmosphäre. Welche Ansprüche der Herzog dabei an seine Leser stellt, mag daraus auch klar geworden sein. Während Anton Ulrich im fürstlich-aristokratischen Bereich dieses Prinzip der strukturierten Fülle verwirklicht, gestaltet er das Phänomen des Volkes nur als amorphe Masse. Spannende Bezüglichkeit eignet nur der aristokratischen Gesellschaft, sie bildet die Personenfülle des Romans. Volksmengen, als Sonderform der Menschengruppe, werden aus der Perspektive des fürstlichen Dichters durch abwertende Epitheta bestimmt („unvernünftige leutmänge" A II 366, „unbeständiger pöbel" A II 371). Die sozial außerhalb der aristokratischen Schicht stehenden Menschen bleiben nicht nur gesichtslos und amorph, sie sind grundsätzlich unwertig.

---

[335] „Die Negation weist aber nicht nur zurück auf den hervortreibenden Erwartungshorizont, sondern sie spannt auch weiter auf eine neue Setzung". (Vgl. W. *Weiss* in: Wirkendes Wort 11 (1961), S. 66).

Die Beispiele haben erwiesen, daß Anton Ulrich die Fülle der Personen in klarer Strukturierung ihrer politischen Zugehörigkeit und sonstiger menschlicher Beziehungen erzählerisch bewältigt. Diese sprachliche Architektonik kann im Rahmen der zeitgenössischen Stilmöglichkeiten auch in ein mehr summarisches *Prinzip der Pluralisierung* umschlagen. Beispiele aus Andreas Bucholtzens Romanen beweisen es. Gemäß der erzählerischen Gestaltungsweise im ‚Herkuliskus' wird die Fülle der Personen und Vorgänge dort nicht in einem beziehungsvollen Ineinander, sondern in einem additiven Nacheinander geboten. Eine Kapitelüberschrift mag uns diesem Problem näherbringen: „. . . werden noch etliche Beylager gehalten . . . woselbst etliche hohe Frauen-Zimmer niederkommen / und ihre Leibes-Frucht gebehren" (H 1233). Auch Anton Ulrich kennt die Motivanreicherung mehrerer Hochzeiten zu Ende des letzten oder vorletzten Bandes seiner Romane. Bei ihm bildet aber jede Vermählung den theologischen Endpunkt einer raffiniert strukturierten Handlung. Bucholtz dagegen rafft oft, ohne hinführende Vorbereitung der Strukturen, mögliche Paare zu Massenhochzeiten zusammen (meist in Verquickung mit Bekehrungsvorgängen). Nicht strukturelle Architektonik nach dem Prinzip der Fülle bestimmt dabei die Sprachform, sondern zahlenmäßige Vervielfältigung und Summierung. Im Rahmen dieser Hochzeitsfestlichkeiten kommt es noch zur Verteilung von Brautgeschenken; ein Textbeispiel (H 1242) soll das Angedeutete veranschaulichen:

Es hatten Festus und Aurelius ihre beladenen Schiffe zubesichtigen den Anfang gemacht / und als sie einen so überaus grossen Vorraht an Silber Gold / ädlen Steinen / Gewürz / Elefanten Zähnen / und dergleichen Kostbarkeiten antraffen / wurden sie darüber ganz unwillig / hielten auch vor undienlich / es vielen kund zu tuhn / namen aber etliche Kleinot / ädle Steine und kostbare Gewürtze heraus / nebest zwo Tonnen Schaz gemünzetes Goldes / welches alles unter die vier Bräute außgeteilet ward /
wovon Frl. Euphrosyne 7/16 Teile bekam / Frl. Chariklea 4/16 Teile / Jungfer Euphenia 3/16 Teile / und Jungfer Andia 2/16 Teile. Die vier von Philip überwundene Griechische Ritter wurden zur Hochzeit geladen / stelleten sich auch willig ein / und tahten Frl. Charikleen die versprochenen Geschenke / da Pammenes über das vorige / Frl. Euphrosynen eine Verehrung lieferte / die über 40000. Kronen außtrug.
Am ersten Hochzeit Tage macheten sie den Schluß / ihre Schiffart mit Gottes Hülffe drey Tage hernach fortzusetzen / nemlich am 15. dieses Brach Monats / daher überaus grosse Mühe / alles in gute Richtigkeit zu bringen angewendet ward / so daß die Schafner / unter denen Wolfgang / Reichard / Pribißla / Leches / Erich / Biorn / Bazaentes / Ruprecht / Zariaspes /Wittho / Riechmer Ruprechts Sohn / Veturius / Nikanor / Philistio / Orsillos und der Schneider Acherres (welcher die Kleider alle unter Handen hatte) die Obersten Aufseher wahren / in dreien Nächten nicht über 8 Stunden schlieffen. Dem Städlein Kenchrea wurden / dem gemeinen Besten zu gute / 40 000. Kronen geschenket / der Stadt Korinth Sechsmal so viel; Fr. Eurydize Kindern / so unverheirahtet blieben 80000. Kronen. Erylus Mutter 20000. Kronen / und unter andern Bekannten / so daselbst wohneten / und Königin Valißken Kundschaft hatten / 60000. Kronen ausgeteilet.

Herr Achemenes / Ustazeres / und Nabarzanes / der zu Korinth zuverbleiben sich erkläreten / musten alle ihre Schätze ohne einigen Abzug der Reisekosten zu sich nehmen / und funden sich zehn mit gepregtem Golde angefüllete Laden / fünf Tonnen Schaz in sich haltend / unter dem Assyrischen Schatze / die mit Achemenes Namen bezeichnet wahren / welche er wieder seinen Willen annehmen muste / schenkete aber Wolfheim davon den dritten Teil / weil durch sein Angeben er dessen wieder habhaft worden war.

Am nähesten Tage vor dem angesetzten Auffbruche; war iedermann geschäfftig / damit es an nichts ermangelte . . . (H 1242).

Bei einem solchen Vergleich ist es von Belang, auch das Nichtgestaltete zu beachten. Bucholtz negiert den repräsentativen Vorgang der höfischen Hochzeit gestalterisch. Nur die Geschenkverteilung weist auf deren Vollzug hin und ein kalendarischer Hinweis als temporales Signal für die Weiterreise („Am ersten Hochzeit Tage machten sie den Schluß . . ."). Vordergründige Motivierungen genügen dem Dichter, um die Handlungsphase in die Summierung von vier Hochzeiten zu steigern. Auffällige Gestaltungsmerkmale sind dabei die enorme Aufhäufung von Geschenken durch sprachliche Reihung und die irrelevanten Zahlensummen.[336]

Die pedantische mathematische Verteilung (Bruchzahlen) der Geldgeschenke entspricht wohl der Bedeutung der Personen innerhalb eines hierarchischen Systems, sie widerspricht aber der üblichen großzügigen Wertungstypik. Auch die kalendarische Festlegung der Geschehnisse („am 15. dieses Brach Monats") ordnet sich dieser Stiltendenz zu. Das moralische Phänomen des großzügigen Schenkens macht sich bei Bucholtz selbständig und steigert sich in Zahlensummen unter dem Prinzip additiver Summierung. Damit sind die Unterschiede zu Anton Ulrich noch nicht erschöpft. Was dort zwischenmenschliche Gestaltung des Phänomens Politik war, bleibt hier einsinnige Aufzählung (etwa die Namen der „Schafner" und die Zahl ihrer wenigen Schlafstunden in einer Zahl von Tagen). Der einsinnigen Aufzählung von Geschenken, Personen und Zahlen steht Anton Ulrichs reichhaltiges Beziehungsgeflecht gestalterisch gegenüber. Der Blickpunkt scheint vom Politischen des Fürsten zum Pekuniären des Zahlmeisters gewandelt. Der äußeren Pluralisierung im Aufzählen von Gegenständen und Personen steht eine pseudohistorische Pedanterie in bezug auf das Kalendarium zur Seite. Das innerfiktive Zeitgerüst des Herzogs aber erzeugt eine wirksamere Erzählspannung. Dem Prinzip der Fülle bei Anton Ulrich steht bei Bucholtz das Prinzip der summarischen Pluralität gegenüber.

---

[336] Vgl. F. *Stöffler* S. 92.

2. Das Darstellungsprinzip der menschlichen Beziehungen

> „... insofern deren Anlage nicht sowohl die ‚Helden' an sich,
> als vielmehr ihr gegenseitiges ‚Relationsgewebe' zum eigentlichen
> Gegenstand erhebt". (Günther Müller 1927)

Die Eigenart von Anton Ulrichs Darstellungsweise wird besonders augenfällig, wenn wir unseren Blick einengen auf das Phänomen der menschlichen Beziehungen. Der höfische Barockroman gestaltet menschliches Handeln und menschliches Schicksal in einer hochadeligen Gesellschaft. Das
erzählerische Interesse konzentriert sich nicht auf besondere Einzelpersonen, sondern auf das soziologische Gewebe vieler in diesem Bereich han-
delnder Menschen. Handlungsraum und Handlungsweise des einzelnen erscheinen durch gesellschaftliche Normen determiniert; diese Determination
führt zu Formen typischen und modellhaften Stilisierens. Die epische Gestaltung wird also grundsätzlich vom Aspekt des einzelnen im normhaft
Gesellschaftlichen bestimmt. Diese Verflochtenheit des einzelnen mit den
Schicksalen seiner Mitmenschen als sprachlichen Gestaltungszug nennen
wir Prinzip der menschlichen Beziehungen. Die möglichen philosophischen
Einflüsse auf eine derartige Gestaltungsabsicht sollen noch zur Diskussion
stehen; wir wollen vorderhand die Variationen dieses Prinzips an Beispielen
der epischen Gestaltungsweise Anton Ulrichs beschreiben und beginnen mit
einer Passage echter erzählerischer Handlungsprosa:[337]

> Wie diese zeitung uns alle bestürzt gemacht / ist leichtlich zuermessen: zumal
> der Ana und Poliphide ihren einigen sohn / Ahalibama ihren so geliebten
> bruder / und alle Seirische Fürsten die kron ihres hauses / in schwerer dienst-
> barkeit unter den wilden raubern wissen musten... (A I 97)

Nach dem knappen Bericht des Überfalls und der Gefangennahme
Disons durch die Räuber dringt die Nachricht davon zu den anderen. Wie
wird dieser Tatbestand nun erzählerisch gestaltet? In rhetorischer Form
(Zeugma) gelangt das Faktum von drei (zwischenmenschlichen) Aspekten
her zur Ausformung. Dem wird die psychische Betroffenheit eines Kollek-
tivs (aller = Summe-Detail) als erzählerisches Signal vorausgeschickt. Die
Formula eines (rhetorischen) Publikumsbezuges („ist leichtlich zu ermessen") begleitet es steigernd. Die Dreier-Figur bestimmt sprachlicher Parallelismus: Ana-Poliphide=sohn; Ahalibama=bruder; Seirische Fürsten=
kron ihres hauses. Die ausweitende Metaphorik des dritten Teiles weist auf
das Gesetz der wachsenden Glieder. Diese Grundstruktur (Summe-Detail)
und die Teilphänomene zeigen eine erzählende Prosa von rhetorischer
Grundhaltung (vgl. das rhetorische Prinzip u. S. 358—368). Wesentlich für

---

[337] Dieser Beleg veranschaulicht auch das rhetorische Prinzip.

das Prinzip der menschlichen Beziehungen ist der Umstand, daß das bestimmte Ereignis in seiner Wirkung auf drei Personen(gruppen) gestaltet wird. Dison erfährt nach zwischenmenschlichen Kategorien (Sohn-Bruder-Herrscher) einen dreifachen Bezug in die Personenkonstellation der Romanfiktion. Der singuläre Vorfall wird demnach nicht objektiv und nicht isoliert gestaltet, sondern im Beziehungsgeflecht seiner Wirkung auf andere Menschen. In der psychisch typisierten Betroffenheit der Beteiligten leuchtet das vielfädige Beziehungsnetz sprachlich auf. Das erhellt einen fundamentalen Grundzug von Anton Ulrichs epischer Darstellungsweise. Das allmähliche Eindringen dieses Prinzips in die schöpferische Entwicklung[338] Anton Ulrichs vermag uns ein Beispiel aus der Genese des Romantextes zu zeigen:[339]

... und sahe Ahalibama nun kein mittel mehr des Beors angesicht zu entfliehen.	Also sahe Ahalibama kein mittel mehr / des Beors erzürntes angesicht zuentfliehen; noch Aramena die gelegenheit / des verliebten Hemors anwerbungen zuentkommen / und die tausend vorwürfe der Calaride und des alten Thebah zu vermeiden.
+	
Als sie sich demnach darin ergeben und dem Himmel ihren Elieser anbefohlen hatte, wartete sie in gedult wann ihre Abholung geschehen würde, und stellete sich an das fenster, ob sie ihren Elieser ersehen oder etwas von ihn erfahren konte ... (206)	Demnach ergaben sie sich gedultig darein / was ihr unglücksstern ihnen nun wieder bestimmet hatte / ... ++ und gingen beide an das fenster / um alles / was auf der gassen fürginge / anzusehen. (A I 163)

Die beiden Texte sind selbstverständlich fortlaufend zu lesen, die Lücken weisen auf Erweiterung in P (+) oder Auslassung in P (+ +). Die erzählerische Situation in MS 2 und P ist weitgehend gleich. Ahalibama, Aramena, Ephron und der verwundete Elieser sind als Gefangene in König Beors Hand und sollen am frühen Morgen nach Salem weitertransportiert werden. Die Stelle befindet sich im Bereich der Haupthandlung und schildert Ahalibamas Angst vor Beor. Als sie sich gefaßt hat, stellt sie sich ans Fenster, um die Vorgänge auf der Gasse zu beobachten. Während in MS 2 Ahalibama als *Erzählperson* allein im Blickpunkt der Gestaltung steht, hat sich ihr in P Aramena zugesellt. Dieser Erweiterung dient unser Augenmerk, denn sie illustriert mehrere Gestaltungszüge. Gemäß dem Prinzip der Fülle aktiviert der Dichter statt der einzigen Ahalibama in MS 2 in der editio princeps noch vier Personen erzählerisch: Aramena, Hemor, Calaride

---

[338] Die alte These, daß Barockdichtung keine künstlerische Entwicklung hätte, gelang es B. L. *Spahr*, Aramena überzeugend zu widerlegen.
[339] Vgl. B. L. *Spahr*, Aramena S. 102.

und Thebah. Die Sprachform entspricht weiter dem Prinzip von Parallele und Kontrast, indem Aramenas Befürchtungen jenen Ahalibamas ähneln. Drittens beruht die Erweiterung auf dem Prinzip zwischenmenschlicher Beziehungen. Die Angst der beiden Prinzessinnen wird in stilistischer Parallele auf die Mitmenschen bezogen („Beors angesicht — entfliehen; Hemors anwerbung — entkommen + vorwürfe der Calaride und des Thebah — vermeiden"). Die erzählerische Gestaltung hat sich eindeutig gewandelt. Die Sprachform steigert Ahalibamas Angst effektvoll durch jene Aramenas. Das psychische Phänomen *Angst* erfährt seinen sprachlichen Ausdruck durch den zwischenmenschlichen Bezug, und zwar in der negierten Möglichkeit, anderen zu entkommen. So wird sogar das individuelle Gefühl sprachlich als gesellschaftlicher Bezug gestaltet.[340]

Da Anton Ulrich sehr früh seine grundsätzlichen Strukturen und Darstellungsprinzipien ausgebildet hat, verdienen solche Änderungen erhöhte Beachtung; sie belegen nämlich den Bewußtheitsgrad solcher Änderungstendenzen.

Wir wenden uns nun den sprachstilistischen Strukturen dieses Prinzips zu, das als die fundamentale Grundform von Anton Ulrichs Gestaltung anzusehen ist:

> Gleichwie der zufall / der in des Urbanus hause den Christen begegnet / sie so bestürzt als unruhig gemacht hatte / also entstunde auch in des Nimphidius Sabinus palast ein nicht-geringer lärme.
>
> Dann als / am folgenden morgen / Plautius Silvanus und / er / im namen des abwesenden Salvius Otto / auf dem Capitolium die regirungs-zeichen ablegen / und solche dem Cingonius Varro und Petronius Turpilianus übergeben wolten / bekame er vom Sulpitius Galba die nachricht / daß selbiger / nicht diese beide vom Nimphidius ernennte Burgermeister / sondern den Bellicius Natalis und den Cornelius Scipio Asiaticus wolte eingeführt wissen. (O II 830)

Der Abschnitt ist wie der gesamte Erzählvorgang in Anton Ulrichs Romanen in der Höhenlage einer bewußten und repräsentativen Prosa gehalten. Die zwei Sätze sind kausal verbunden. Wir beachten besonders den zweiten längeren Satz („Dann ... wissen"). Er wird inhaltlich getragen von dem politischen Wollen des Nimphidius, dem gestisch ankommenden

---

[340] Ein zweites Beispiel, das wir schon einmal erwähnten (vgl. Literaturwissenschaftliches Jahrbuch. N. F. 8 (1967), S. 342), betont den Aspekt der menschlichen Beziehungen in einem winzigen Gestaltungsdetail, und zwar ebenfalls im Übergang von MS 2 zu P: „Ich kunte weil wir hiemit nach den wagen gingen nichts anderes antworten." (MS 2) — „Sie kunte ihm hierauf / weil sie ihrer Fr. Mutter nach dem wagen folgen muste / nicht antworten." (P: A I 83) Im Übergang vom „wir" zum „ihrer Fr. Mutter" ist nämlich mehr zu sehen, als der durchgehende Wechsel von der Ich- zur Er-Form. Die beiläufige Motivation der handschriftlichen Fassung wird durch den Zwang einer gesellschaftlichen Verpflichtung ersetzt; die höfische Repräsentation trägt die normhafte zwischenmenschliche Beziehung sprachgestalterisch mit.

Brief Galbas als einzigem faktischen Ereignismoment und der sich darin kundgebenden politischen Reaktion Galbas auf des Nimphidius politische Absicht. Eine Analyse der gesamten Aussage dieses langen Satzes in der Form einfacher kurzer Sätze illustriert die inhaltliche Dichte des syntaktischen Gefüges:

Nimphidius will am Morgen zum Capitol gehen. Er vertritt als Bürgermeister Salvius Otto. Dieser befindet sich augenblicklich von Rom entfernt. Plautius Silvanus ist der zweite Bürgermeister. Beide wollen auf dem Capitol ihre Regierungszeichen ablegen. Nimphidius will seine Anhänger Cingonius Varro und Petronius Turpilianus zu Bürgermeistern ernennen. Im letzten Augenblick erhält er eine briefliche Nachricht Galbas. Dieser will Bellicius Natalis und Cornelius Scipio Asiaticus als Bürgermeister eingeführt wissen.

Acht einfache Sätze sind notwendig, um die komplexe und komprimierte Aussage dieses Gefüges aufzubreiten. Im Rahmen einer ornamental-repräsentativen Satzarchitektonik verdichtet Anton Ulrich diese Aussage. Deren syntaktische Bauweise bestimmen ausschließlich die Beziehungen der Personen zu- oder gegeneinander. Die mehrmalige Nennung der Namenpaare prägt nicht unwesentlich am Eindruck des formalen Ornamentes mit. Sogar die beiden Abwesenden (Galba und Otto) wirken in die Personenkonstellation und damit ins menschliche Beziehungsgefüge dieser Aussage hinein. Orts- („auf dem Capitolium") und Zeitbestimmung („am folgenden morgen") sind als kurze aufhellende Signale gesetzt. Der einführende Nebensatz schildert keinen faktischen Handlungsvorgang, sondern nur die Absicht des Nimphidius. Dieser Absicht tritt Galbas Nachricht als Ergebnis und sein Wunsch als konträre Absicht entgegen. Damit wird des Nimphidius Plan durch das bereits geschehene und im Augenblick unverrückbare Handeln des Rivalen zunichte gemacht. Acht Personen sind in die Gestaltung dieses Tatbestandes (es handelt sich eigentlich um keinen Handlungsvorgang) verflochten. Damit rückt menschliches Planen (oder Handeln) vor Augen. Die Gestaltung bezieht stets bestimmte Personen aus der Fülle des vorhandenen Angebotes entweder als Mitagierende oder Betroffene aktivierend mit ein. Die psychische Entscheidungssituation des Nimphidius wird nicht psychologisch, sondern ursächlich zwischenmenschlich erhellt. Es hat in der Barockforschung lange gedauert, bis man die Romanpersonen nicht mehr an der (organischen) Entwicklung der Goethezeit gemessen hat. Nicht das organische Wachsen einer Person scheint Anton Ulrich darstellenswert, sondern das Beziehungsgeflecht einer Handlung. Darin gründet die entscheidende Wechselwirkung zwischen Handlungsgefüge und Personenkonstellation: Handlung als Auswirkung zwischenmenschlicher Beziehungen (vgl. dazu o. S. 97–111).

Günther Müller hat dieses Prinzip der zwischenmenschlichen Beziehungen früh erkannt und in seiner ‚Deutschen Dichtung von der Renaissance bis zum Ausgang des Barock' bereits 1927 angedeutet. Dort findet sich auch u. E. erstmals der Hinweis auf Leibnizens ‚Monadologie':

> Außer solcher Verwandtschaft im Ethosgehalt lassen sich auch in der dichterischen Bauart Beziehungen zu einem entscheidenden Zug der Leibnizschen Monadologie beobachten. Daß die Harmonie zwischen den Monaden als ein kombinatorisches Beziehungssystem, ein Relationsgewebe gegenseitiger funktionaler Entsprechungen in dieser Monadologie von größter Bedeutung ist, darf man in der barockzeitlichen Dichtung vorgebildet finden, insofern deren Anlage nicht sowohl die ‚Helden' an sich, als vielmehr ihr gegenseitiges ‚Relationsgewebe' zum eigentlichen Gegenstand erhebt. Auf das Kräftespiel innerhalb des ‚kombinatorischen Beziehungssystems' kommt es an, nicht auf die allseitige organische Entfaltung des einzelnen Menschen ... Kaum mehr faßbar, weil wir heute nur mit mühsamer Kunst den Blickpunkt gewinnen, von dem das Ausmaß einer Dichtung sichtbar wird, die nicht Wachstum von menschlichen Gestalten, sondern Schicksale von ‚kombinatorischen Beziehungssystemen' im Wortkunstwerk erscheinen läßt. (S. 233 f.)

Die Textbeschreibung hat uns in ihrem stilistischen Befund auf das Prinzip der menschlichen Beziehungen gebracht, das Günther Müllers ‚kombinatorischen Beziehungssystemen' entspricht. Den weiteren Übereinstimmungen zwischen Leibnizens philosophischem System und Anton Ulrichs Gestaltungsform gehen wir in einem besonderen Exkurs nach (vgl. u. S. 380—383). Handeln ist Wirkung im zwischenmenschlichen Bereich der sozialbegrenzten höfischen Atmosphäre. Stilisierung und Typisierung dieses Gestaltens unterstreichen die Allgemeingültigkeit der Aussage. Wir beachten nun einen Handlungsvorgang in Anton Ulrichs Darstellungsweise, der dieses Gestaltungsprinzip in erzählender Prosa besonders verdeutlicht:

> Des Marcus Aemilius Lepidus tochter heuratete Drusus darauf wieder / die aber ihm bald treubrüchig wurde / und ihn so sehr bei dem Käiser verfolgte / daß der gute Prinz deswegen in gefänglichen haft geriete / dazu dan auch Aelius Sejanus / der große liebling des Kaisers / nicht wenig geholfen hatte / als der aller kinder des Germanicus tod-feind war. Salvia / die ihren gewesnen gemahl / theils aus natürlicher zuneigung / theils auf stetes zureden ihrer eltern beständig liebte / brachte durch ihre viel-vermögenheit bei dem Tiberius zu wege / daß Drusus so bald nicht sterben muste / und des Aelius Sejanus bubenstücke an den tag kamen / so auch endlich diesem großen lieblinge den tod brachte. Alles dieses bei dem Käiser auszuwirken / ließe Lucius Otto / und Albia Terentia zu / daß ihre tochter nach Capree wieder kommen dörfen / und den Käiser / ihrer einbildung nach / von seiner unzimlichen liebe zu ihrem kinde abzubringen / veranlassete sie / daß die junge Crispinilla mit nach Capree zu zeiten reisen muste / um den Käiser durch ihre schönheit zu gewinnen / daß er der Salvia vergäße. Ob Albia Terentia eigentlich mit hieran schuldig sei gewesen / will ich nicht sagen / sie hat es aber leiden müssen. Tiberius bekam die Crispinilla nicht so bald in die augen / da gewan er sie lieb / und machte so fort hievon den hof reden / daß solches ihrem vetter / dem Lucius Sejanus / wieder zu ohren kame. (O III 812—813)

Als erstaunliches erzählerisches Phänomen entwickelt Anton Ulrich auf knappem Raum ein vielfädiges Handlungsgeflecht. Das Wesen der Handlung ist zwischenmenschlich. Heirat, Scheidung, Ehebruch, Verleumdung, Liebe, Tod, Intrige begegnen dem Leser in eindringlicher Ballung. Zwölf, großteils namentlich genannte Personen sind in Aktion und Gegenaktion ineinander verstrickt: Ereignisroman in hoher Potenz also. Der Raum, in dem diese Handlung abrollt, ist *Bühne* und bleibt als solche sekundär; er wird nur, wenn es der Vorgang verlangt, signalartig angedeutet („nach Capree"). Die zwischenmenschlichen Beziehungen werden als faktische Vorgänge („heuratete, den tod brachte, wieder zu ohren kame" usw.) oder als Begründungen aufgrund emotionaler („tod-feind war: verfolgte; beständig liebte: brachte zuwege") oder diplomatischer Beziehungen („ließ Lucius Otto ... zu") geboten. Die Handlungsstruktur zeigt den gesamten Komplex als Widerspiel von Aktion und Gegenaktion, und zwar betont in einem zwischenmenschlichen Kombinationssystem, denn durch Mithilfe und Mitaktion werden stets auch andere Personen miteinbezogen.

Des Drusus ehebrecherische zweite Frau will ihren Ehemann zum Tode befördern, worin sie des Kaisers Liebling Aelius Sejanus unterstützt (Aktion). Des Drusus erste Frau Salvia, die ihn unverändert treu liebt, sucht seinen Tod zu verhindern (Gegenaktion). Über die Wertigkeit der einzelnen Handlungen läßt der erzählende Dichter den Leser keineswegs im ungewissen. Die beiden Frauen stehen einander polar gegenüber; die Untreue will Drusus ermorden lassen — die Treue rettet ihn. Dabei kommt ihr Gegenspieler, der hohe Günstling des Kaisers, ums Leben. Diese Diskrepanz zwischen Absicht und Resultat bildet eine Grundform der fiktiven Stilisierung gemäß Anton Ulrichs künstlerischem Wollen.

Das kombinatorische Beziehungsgewebe dieses Vorganges erscheint, der Gestaltung nach, nicht nur zwischenmenschlich, sondern außerdem hierarchisch geprägt. Tiberius thront als Kaiser an der Spitze der höfischen Pyramide. Seine absolutistische Macht über die anderen hat Anton Ulrich nicht abstrakt verallgemeinert oder metaphorisch umschrieben, sondern als zwischenmenschliches Phänomen gefaßt. Wie die Sprachform belegt, steht der gesamte Handlungsvorgang unter seinem monarchischen Entscheid. Drusus' zweite Frau verfolgt ihn „bei dem Kaiser" (*verfolgen* also nicht absolut, sondern zwischenmenschlich gesehen: vor einer menschlichen Instanz!), wobei ihr „der große liebling des Kaisers" hilft. Salvia wieder bringt durch ihre „viel-vermögenheit bei dem Tiberius zu wege", daß die Ränke des Aelius Sejanus aufgedeckt werden, die „endlich diesem großen lieblinge den tod brachte[n]". Die weitere Gegenaktion mit Salvia und Crispinilla zielt noch augenfälliger auf den Monarchen. Tiberius wirkt also an allen Phasen dieses Ablaufes wesentlich mit. Eine Parallele dieses

---

341 Das alleinstehende Appellativum entsteht aus „liebling des Käisers"; der zwischenmenschliche Bezug hat sich sprachlich verselbständigt.

menschlich-politischen Abhängigkeitsverhältnisses bildet Salvias Gehorsam gegenüber ihren Eltern und jene Crispinillas ihrem Onkel Lucius Sejanus gegenüber. Den weiteren Handlungsverlauf kann sich der an Anton Ulrichs Kombinationen geschulte Leser vorstellen, denn Crispinillas Onkel ist der Bruder des vom Kaiser durch Salvias Gegenaktion hingerichteten Aelius Sejanus. Dieser erneute zwischenmenschliche Bezug enthält wieder den Keim einer Gegenaktion wider Salvias Aktion. Die Handlung entfaltet sich gewissermaßen aus einem allmählichen Erleuchten und Enthüllen des zwischenmenschlichen Kombinationssystems. So beruht Anton Ulrichs besondere Art des Erzählens im Aufzeigen des schicksalhaften Beziehungsgefüges innerhalb einer bestimmten Personenkonstellation, woraus sich weitverzweigtes menschliches Handeln subtil motivieren läßt.

Die strukturellen Auswirkungen dieses erzählerischen Grundprinzips eines philosophisch angereicherten ‚kombinatorischen Beziehungssystems‘ erfassen unzweifelhaft die gesamte Bauform des höfischen Barockromans. Es nimmt auch Gestalt an als vielfache „formale Verschlingung"[342] der einzelnen Erzählstränge. Das Gewirr der sich ständig überkreuzenden erzählerischen Mehrsträngigkeit empfängt daraus seine kombinatorische Gesetzlichkeit. So stimmen Komposition und Gestaltung in innerer Affinität überein; der Ansatz der Lebensgeschichten an eben den gewählten Stellen gewinnt strukturelle Relevanz und ihre Überschneidungen stammen auch aus diesem epischen Gestaltungswillen.

3. Das Darstellungsprinzip von Synthese und Analyse

Die Fülle des erzählerisch zu bewältigenden menschlichen Handelns, Geschehens, Denkens und Planens zwingt dem Erzähler dieses Prinzip und seine Variationen geradezu auf. An bestimmten Stellen muß er Gedächtnis-Positionen zu errichten trachten. Sie stellen als Ruhe- und Sammelpunkte erzählerischer Vielfalt funktionale Pausen für den Leser dar, die seinen Überblick über die gebotene Lebensfülle garantieren. Dieser erzähltechnisch-kompositorische Aspekt des Prinzips erschöpft aber keineswegs seine Funktion. Seine Deutung als eine die ganze Fiktion durchwaltende Ordnung mag vielleicht zu gesucht erscheinen, der kompositorische Ordnungswille Anton Ulrichs ist aber offensichtlich. Die innere Voraussetzung solchen Gestaltens liegt in der möglichen Vergleichbarkeit von Gedanken,

---

[342] R. *Alewyn*, Johann Beer S. 153.

Handlungen, Schicksalen und Personen (siehe Modellhaftigkeit u. S. 352 bis 358). Als sprachliche Stilzüge dienen ihm Anapher, syntaktischer Parallellauf, einfache und komplizierte Aufreihung (intensiviert durch Steigerung). Zudem besteht eine innere Affinität zu einer rhetorischen Gedankenfigur, nämlich zum Schema *Summe-Detail*[343] in all seinen Variationen. Das erweist wieder einmal, daß Anton Ulrichs Erzählprosa stark von rhetorischer Bewußtheit geprägt ist. Wir betrachten verschiedene Gestaltungsvariationen dieses Prinzips:

> Sie begunten hierauf nach und nach alle entführte zu missen / und beklagte Helena ihre Zenobia / Claudia Ruffina die Caledonia / Ulpia und Domitia Paulina die Locusta / Pomponia Gräcina / Cynobelline und Flavia Domitilla aber am allermeisten die Neronia / über deren verlust sie sich nicht wusten zu frieden zu geben. (O II 824)

Eine Gruppe römischer Damen vergewissert sich nach einem Überfall der Entführten und beklagte sie (Synthese). Der Erkenntnisvorgang ist kollektiv, die Klagen aber gliedern die erzählerische Gruppe in eine Summe von Einzelvorgängen menschlicher Beziehung (Analyse). Diese Analyse bedingen nicht Gründe der inneren Handlungsverknüpfung. Auch sind die einzelnen menschlichen Zuordnungen nicht (immer) zwingend motiviert. Es könnte z. B. genauso Domitia Paulina etwa die Neronia mitbeklagen. Ein wichtiger Grund für diese Gestaltungsform scheint uns darin zu liegen, daß der erzählende Dichter in diesem analytisch aufgefächerten Akt des Beklagens alle Vermißten und Anwesenden geschickt episch aktivieren kann. Die bloße Aufzählung zweier Namenreihen wird vermieden. Die Sprachform wirkt rhetorisch-repräsentativ, vor allem das Moment der wachsenden Glieder und die bewußte Steigerung auf die Titelheldin hin. Die Zahl der Klagenden nimmt mit der Intensität der Klage zu. Im „sie" des letzten Satzes schließt der Erzähler alle wieder mit ein. Das Schema *Summe-Detail* bildet das immanente Formprinzip der erzählerischen Bewältigung dieser Menschengruppe. Daß Variationen des erkannten Prinzips von Synthese und Analyse auch Phasen der Lebensgeschichten formen, bestätigt ein Beleg aus der ‚Geschichte der Kaiserin Octavia' (O II 115—116):

> Es regirte aber am Käiserlichen hof die liebe auf so mancherlei art / daß man wol mit recht sagen können / sie habe allein daselbst ihr hoflager aufgeschlagen.
> Nero verbliebe gegen die Acte entbrant / ob er gleich aus staats-ursachen sich dessen ein zeitlang nicht merken lassen.
> Otto weidete seine augen in der Octavia schönheit / sonder ein mehrers / als das bloße anschauen / hoffen zu dörffen.
> Aulus Plautius / wie gesagt / lage an gleichem fieber.

---

[343] Vgl. H. *Lausberg*, Elemente § 368.

Und was das verwunderbarste und seltsamste war / die Agrippina liebte diesen schönen jüngling dermaßen / daß sie fast keinen tag ohn seine gesell-schaft verbringen konte.

Dieses feuer bliebe nun allerseits eine gute weile ganz heimlich und ver-borgen / also daß mutter und sohn in die wette sich zwingen musten.

Das Prinzip von Synthese und Analyse prägt diesen Abschnitt über die Liebe am römischen Kaiserhof. Diesen Zustandsbericht gibt ein Erzähler, der in bestimmten Ausdrücken faßbar scheint („daß man wol mit recht sagen könen ... wie gesagt"). Der summarischen Feststellung der Liebe (Synthese) folgt die konkrete Vereinzelung (Analyse) in der Vielfalt menschlicher Beziehungen. Das Phänomen des Zuständlichen unterstreichen die durchwegs durativen Verba: „bliebe-entbrannt, weidete, lage, liebte"). In der Synthese wird die folgende Analyse bereits angekündigt („auf so mancherlei art").[344]

Formaler Gleichlauf (Namen zu Beginn des Satzes) und inhaltliche Pa-rallele (Liebe zu jemandem) werden durch die Resultate („ob ... gleich, sonder") kontrastierend variiert. Der Abschluß faßt die wesentlichen Aus-sagen des ganzen Absatzes nochmals pointiert zusammen („heimlich und verborgen — mutter und sohn").

Diese Form von Synthese-Analyse kann sich zu dem — auch in der Rhe-torik bekannten — Schema von *Summe-Detail-Summe* weiterbilden. Dabei wird die Synthese, wie unser folgendes Beispiel zeigt, zur echten Summe.

---

[344] Diese Andeutung in der einführenden Synthese kann sogar die Zahl der zu erwartenden analytischen Glieder angeben. Wir bringen ein Beispiel aus der ‚Geschichte des Julius Sabinus und der Epponilla' (O III 76—77):
„Es wurden mir deren sonderlich dreye fürgeschlagen / unter denen / sie wol-ten / daß ich eine / die mir am wolanständigsten / wehlen solte. Die erste war Velleda / der Bructerer-Königstochter: welche sie darum verlangten / weil sel-bige nation mit dem Marcomir / als ihrem alten feinde / nicht gut ware. Die andere / war des Julius Classicus tochter / der von Königlichem geschlechte aus Trier herstammete / und in großem ansehen bei den Teutschen lebte. Dieser / gleich wie auch der Helvetische Fürst Julius Alpinus / dessen tochter Frederuna die dritte war / so meiner wahl übergeben worden / hassete eben-falls den Marcomir und sein haus. Also solte es eine von diesen dreyen fein-dinen der Gugerner seyn / die mich der schönen Epponilla möchte vergessen machen ..."
Die Wiederholung von seinem Nebenbuhler Antenor aus lautet folgender-maßen (O III 91):
„Eben die dreye / so mein herrvater für mich ausersehen / kamen auch für-nemlich zu Gelduba in vorschlag: unter denen Clodomir auf die Frederuna / des Julius Alpinus aus Helvetien tochter / Argotta hergegen auf die Velleda / und Antenor selbst auf die tochter des Julius Classicus zu Trier zielete ..."
Die erste Nennung (Synthese-Analyse-Form von Synthese) wird primär vom Prinzip der kausalen Motivation durchdrungen, die zweite dagegen eindeutig von dem der menschlichen Beziehungen, indem jedes Mitglied der Familie eine der vorgeschlagenen Bräute favorisiert.

Mitlerweile sie aber mit solchen gedanken umgieng / waren Acte / Antonia / Caledonia / Bunduica und Cönis beständig beisammen / die theils mit vergnügten / theils mit betrübten dingen / ihre lange tage verkürzten.
Der schönen Königin von Ethiopien dichten und trachten stunde ohn unter-
5 laß nach ihrem Beor / um demselben in Dacien zu folgen;
Antonia starb schier für ungedult / daß sie den Italus für den ihrigen hoffen dürfe / und doch von seinem ergehen in teutschland / keine wissen-
8 schaft hatte;
Caledonia thäte ihr gewalt an / ihre glükseligkeit zu glauben;
Bunduica mißgönnete ihr zwar solche nicht / beklagte aber dabei ihren
11 eigenen zustand;
Cönis hoffete auf ihren Vespasianus;
13 alle ingesamt aber beweineten herzlich den verlust der Cynobelline / den unstern der Octavia und den zustand der Valeria / wobei die allgemeine verfolgung der Christen ihnen auch sehr zu herzen gienge / als von denen
16 sie nun / weil ihnen der weg nach deß Augustus begräbniß versperret war / nichts mehr vernahmen / und die schöne gottesdienste zu besuchen / sich musten verhindert sehen. (O IV a 21)

Diese Variation zeigt uns eine Form von Anton Ulrichs erzählerischem Bewältigen der Gruppenhaftigkeit in der Octavia-Konzeption. Die Synthese des Beginns[345] besteht aus der Namenreihe der Damen, die ständig in einer Gruppe beisammen sind, und aus ihrer antithetischen Gefühls-Charakteristik („theils mit vergnügten / theils mit betrübten dingen"). Bislang war die Gefühls-Synthese einfach und übereinstimmend (O II 824: Klage — O II 115 f.: Verliebtheit). Die Analyse (Z. 4–12) nimmt als Gliederung die Namenreihe auf. So erscheint der Name der Betroffenen jeweils in wirksamem Parallelismus am Satzbeginn. Die Wünsche und Sorgen der einzelnen Person detaillieren die synthetische Behauptung des Anfangs.[346] Erzähltechnisch bilden sie Ruhepunkt und Verdichtung kompositorischer Phänome in einem; daß sie *ausschnitt*-charakterisierend sind, sei nur am

---

[345] Der Erzähler schwenkt von der Person des als Claudia verkleideten pontischen Nero auf die Gruppe der fürstlichen Damen, die er, unterstützt durch den räumlichen Aspekt („Waren ... ständig beisammen"), in einfacher Reihung zusammenfaßt.

[346] Eine Variation dieses Typs stellt folgende Form dar, bei der in der Analyse jede Person antithetisch reagiert. Die Synthese deckt sich mit diesem Topos des Zeitvertreibs der langen Stunden durch Trauern und Klagen:
„Wir waren mehrtheils beisammen / wiewol unsere zeitkürzung stets in traurigen handlungen bestunde. Ich / beklagte einen gottlosen mann / und vertheidigte dabei gegen den andern seine verbrechen. Acte beschwerte sich über ihren ungetreuen Jubilius / und entschuldigte ihn dabei / daß seine auf mich geworfene liebe ihm nicht zu verdenken stünde. Caledonia beweinte ihren Britannicus unaufhörlich / und schrye dabei rache über den Nero. Die Cynobelline beschwerte sich auch / daß der damals noch geglaubte Italus in Britannien von ihr so ungleiche meinung schöpfen / und aus so geschwinder leichtgläubigkeit sie verlassen können. Bei allen diesen klagen / die wir zusammen führten / dorfte ich doch meines leidens nicht erwehnen / so mir zu zeiten / das andenken des Tyridates verursachete ... " (O III 261)

Rande ergänzt. Der eigentliche Erzählvorgang hält sozusagen stille, selbst wenn die Personen damit fiktiv „ihre langen tage verkürzen". Die Analyse mündet abschließend wieder in eine Synthese (des Gefühls) gestischer Bedeutsamkeit („alle ingesamt aber beweineten"). Reihung und Steigerung prägen ihre rhetorische Struktur; die erzähltechnische Funktion besteht erneut in einer vielfachen Handlungsverknotung und einem Überblick über motivische Bezüge. Man sieht, daß diesem sprachstilistischen Prinzip von Synthese und Analyse kompositorische Bedeutsamkeit innerhalb des Erzählflusses nicht abgesprochen werden kann. Der Erzähler setzt für den Leser knappe Zusammenfassungen und Überblicke gewissermaßen als mnemotechnische Stützen in den Darstellungsprozeß. Das Prinzip der zwischenmenschlichen Beziehungen ist eng damit verbunden, denn es handelt sich meist um Gefühle, Zustände und Pläne, die zwangsläufig auf Mitmenschen bezogen sind. So können Synthese und Analyse, ebenfalls als erzählerischer Ertrag des Vorangegangenen, das vielfältige Geschehen eines abgelaufenen Zeitraumes zusammenfassen, wie es Octavia macht (O II 161):

> Wie nun Octavia in ihrem zimmer wieder allein war / überlegte sie mit mir diesen verdrüßlichen tag / den sie gehabt / da des Plautius verzweifeltes vorhoben ihr soviel schrecken / des Otto kühnheit solchen eifer / der Agrippina und des Nero bezeigen ein solches grausen / und des Anicetus frechheit einen so billigen zorn verursachet hatten.

Erzähler und Leser nehmen an der Erinnerungsvorstellung Octavias teil, die ihren letzten Tag mit seinen Ereignissen überblickt. Die Synthese ist emotional getönt („verdrüßlichen"). Das Zeugma der Analyse ist eine rhetorische Figur; die parallelen Teile haben völlig gleichen Aufbau: 1. Name des aktiv Handelnden als Genitivattribut, 2. Octavias Begriff von den Handlungen der verschiedenen aufdringlichen Bewerber, 3. Als sprachliches Abstraktum = die emotionale Wirkung dieser Aktionen auf Octavia:

1.	2.	3.
des Plautius verzweifeltes	vorhaben	soviel schrecken
des Otto	kühnheit	solchen eifer
der Agrippina u. des Nero	bezeigen	solches grausen
des Anicetus	frechheit	so billigen zorn

Selbst die Zusammenfassung des Geschehens in einem bestimmten Zeitraum steht als menschliches Geschehen unter dem Prinzip der Beziehungen. Auch die Ansichten und Urteile einer Person über andere faßt der Dichter oft in Synthese und Analyse. Die rhetorische Grundhaltung ist offensichtlich, die erzähltechnische Bedeutsamkeit ebenso. Als Beispiel wählen wir des Proculus Ansichten über die (strategischen) Talente seiner Generale:

> Was die generalen zu wasser anbetraff / die ließ Proculus endlich in ihren werth und unwerth; die zu lande aber fanden bey ihm nicht den geringsten beyfall.

Vom Svetonius Paulinus urtheilte er / daß er gar zu strenge und ernsthafft nach itziger kriegesart wäre.
Vom Celsus / daß er durch allzu grosse geschwindigkeit sich öfters übereile / gleichwie
Annius Gallus durch seine langsamkeit und bedachtsamkeit / sich schade.
Vom Rubrius Gallus und Mevius Pudens sagte er / daß sie zu unschlüßig wären / und darüber mehrentheils die besten gelegenheiten versäumeten; und am Macer tadelte er letzlich die unzeitige schwelgerey.
(O IV a 701)

Das Gespräch wird vom erzählenden Dichter in indirekter Wiedergabe rhetorisch stilisiert. Für den Leser sind es geballte Urteile einer Roman-person über andere. Die Richtung dieser Urteile faßt die Synthese ("nicht den geringsten beyfall"). Die Parallelität der analytischen Teile bewirkt der weitgehende syntaktische Gleichlauf (Name des Kritisierten — Verba: ur-teilen, sagen, tadeln — Objektsätze mit "daß", die den Inhalt des Urteils wiedergeben). Erzähltechnisch bildet dieses Beispiel ebenfalls einen Ruhe-punkt, die Funktion umfaßt die kompositorische Verknüpfung dieser Per-sonen unter einem bestimmten Aspekt.

Eine letzte Variation dieses Prinzips kehrt im Kontakt mit einer Hand-lungsstruktur in Anton Ulrichs Romanen häufig wieder. Überraschungen schaffen in dieser Fiktionswelt oft unerwartete Situationen. Die Betroffe-nen reagieren in der Form sprachlich gestalteter Meinungen, Vermutungen und Pläne darauf. Diese formt der erzählende Dichter vielfach als Syn-these-Analyse. Der Figurenreichtum der ‚Octavia" erzwingt dabei eine Son-derform. Nicht Einzelpersonen, sondern politische Gruppen werden, ihrer Meinung nach, charakterisiert. So bilden also nicht Meinungen von Perso-nen die sprachlichen Glieder der Analyse, sondern Gruppenmeinungen (oft ohne Nennung von Namen):

Diese unvermuthete nachricht / erweckte bey den anwesenden verschiedene gedanken /

1. *dann diejenigen so* von dem nochlebenden Nero noch nie etwas gehöret / vernahmen seinen unstern / theils gerne / theils ungerne / nachdem es ihnen unter seiner regierung wohl oder übel ergangen;

2. *diejenigen so* von seinem leben einige käntnuß gehabt / von dem zustande des Drusus und Britannicus aber nichts wusten / vernahmen dieses eben-falls auf unterschiedliche art;

3. *und die so* theils für den Otto / theils für das Claudische hauß waren / empfanden hierüber ja so grosse freude als der Käyser / deme sie aber insgesamt glück wünscheten / daß die götter ihn und Rom von so einem gefährlichen feind erlöset hätten. (O IV a 765—766)

Die wichtige Nachricht von Neros Tod bildet den Anstoß zur Gestal-tung der Reaktion dreier politischer Gruppen in Rom (Analyse). Sie sind mit vagen Personalpronomina parallel an der Spitze syntaktischer Gebilde eingeführt. Ihre Charakterisierung erfolgt durch die Nachricht, bzw. ihren gruppenhaften *Ausschnitt* zum Problem: Lebt Nero noch oder ist er schon tot? Die Relativsätze („so . . .") beziehen das Wissen der Gruppe auf dieses Problem. Die letzte Gruppe allerdings wird vom Moment der politischen Parteigängerschaft her gesehen, aus dem sich dann abschließend die Rundung um die Person Ottos ergibt. Damit schwingt sich der Passus zum repräsentativen Glückwunsch für den im Augenblick einflußreichsten Kronprätendenten auf. Der Erzähler hat damit einen ordnenden Haltepunkt im Gewirr der Handlungen errichtet, und er kann die Vorgangsschilderung wieder fortsetzen. Der komplexe Reaktionszustand wird durch die ordnende stilistische Wiederholung im Rahmen unseres Prinzips bewältigt.

Wir fassen zusammen: Anton Ulrich bewältigt durch das Prinzip von Synthese und Analyse verschiedene Gestaltungsprobleme der erzählerischen Darstellung[347]. Das Prinzip steht den rhetorischen Schemata von *Summe-Detail* und *Summe-Detail-Summe* in innerer Struktur nahe. Das bestätigt erneut die Bedeutung der Rhetorik für Anton Ulrichs Erzählprosa. Einige Variationen des Prinzips haben wir, ohne Vollständigkeit zu erstreben, in Form und Funktion beschrieben. Das Zusammenspiel von Synthese und Analyse kann in diesen Romanen Personengruppen nach Gedanken, Gefühl, Wollen und Planen kollektiv und individuell typisch charakterisieren.

Der Dichter faßt das Urteil einer Person über mehrere andere oder die Geschehnisse während eines Zeitraumes damit zusammen. Das Prinzip tritt meist in enger Verbindung mit jenem der menschlichen Beziehungen auf. Die typische Darstellung der Personen bei Anton Ulrich kommt mit ihrer Reduktion des Menschlichen diesen Gestaltungsformen entgegen. Erzähltechnisch bieten diese rhetorisch bewußten Formen dem Autor eine Möglichkeit, die komplexen Phänomene seiner Fiktion zu meistern. Für den strapazierten Leser bieten sie ein Moment der Ruhe und eine mnemotechnische Stütze im Gewirr von Geschehen und Beziehung. Aber nicht nur kompositorische Ruhepunkte schafft der Autor mit diesem Prinzip, er aktiviert damit auch eine Fülle von Personen auf knappstem Raum. Daß Anton Ulrich im sprachlichen Variationsreichtum dieses Prinzips die einfache Reihung vermeidet, charakterisiert ihn als Dichter, der auf die Darstellung des menschlichen ‚Kombinationssystems' abzielt.

---

[347] Selbstverständlich auch in der ‚Aramena': etwa A I 97, A I 34, A I 264, A II 47, A II 77, A II 174 f., A II 388, A II 480, A II 731. Die Reihe läßt sich durch viele Belege aus allen Bänden fortsetzen.

4. Das Darstellungsprinzip der kausalen Motivation

Obwohl schon einer der schärfsten Kritiker des höfischen Barockromans, der Züricher Pastor Gotthard Heidegger, sich in seiner Schrift ‚Mythoscopia Romantica' (1698) über dieses Prinzip lustig macht (S. 102), kommt eindeutig Clemens Lugowski das Verdienst zu, es wissenschaftlich erkannt und beschrieben zu haben. Er spricht dabei von „außerordentlich engmaschigen Kausalketten", „sorgfältiger kausaler Motivierung", „großer Sorgfältigkeit der Motivierung", „mit Motivationen geradezu gepanzert" und „solid gebauten Kausalzusammenhängen" und meint damit, daß dem Personengedränge und Handlungswirrwarr in Anton Ulrichs ‚Aramena' ein kausales Ordnungsprinzip zugrunde liege. Im Endpunkt des Romans stimmen alle Ereignisse und Handlungen wohl begründet ineinander. Der Endpunkt läßt aufhorchen. Es handelt sich offensichtlich um eine Form der Motivierung, die final gerichtet ist. Sie wird an Leser und Romanperson vergeben, manchmal gemeinsam, manchmal getrennt. Der Autor berechnet sie auf diese beiden Wirkungspunkte hin. Bezogen auf die einzelnen Phasen des Erzählablaufes (bzw. die darin sich erzählerisch konstituierende Vergrößerung der *Ausschnitte*) muß man demnach zwischen falschen und richtigen Motivationen unterscheiden. Die falschen erweisen sich erst später (Extremfall: Endpunkt des Romans) als solche. Sie sind primär nicht durchschaubar, weil sie innerhalb des *Ausschnitt*-Gefüges logisch ineinandergreifen.

Anton Ulrich will die prästabilierte Ordo der göttlichen Vorsehung in der Entwirrung seines Romanschlusses glänzend verherrlichen; dazu benötigt er aber diese besondere Motivation der kleinsten Handlungsschritte. Das ganze Prinzip der kausalen Motivation[348] muß in einen geistigen Zusammenhang gestellt werden. Das hat Herbert Singer von der vieldiskutierten ‚Geschichte der Prinzessin Solane' (O VI 163—195) aus geleistet. Singer sieht in dieser letzten Lebensgeschichte Anton Ulrichs in der ‚Octavia' den Übergang von einer Gattung zur andern: nämlich vom höfischen Barockroman zum Intrigenroman mit politischer Mechanistik.

Die Kunst der ausschließlich psychologischen Motivierung ist einer der großen Fortschritte, die der nachbarocke Roman erreicht. Sie ist das Ergebnis einer langen Entwicklung: am Anfang steht der reine Fortunaroman, dessen Handlung von Zufällen weitergetrieben wird, Zufällen, deren Ursachen möglichst fern gerückt sind: sei es das blinde Fatum, die Willkür der Götter oder — in christlich-providentieller Wendung — die göttliche Fügung, immer ist die Ursache außerweltlich. Die zweite Stufe ist die Kausalmotivation: die Ursachen

---

[348] Wie auch C. *Lugowski* kurz andeutet: Deutsche Barockforschung S. 394, Anmerkung 16.

,sind in den Weltlauf verlegt, aber ins Außermenschlich-Mechanistische; sie sind den Handelnden genauso fremd und unbegreiflich wie die außerweltlichen. Zwischen der kausalistischen und der psychologischen Motivierung, die aus der Konstitution der Charaktere und den psychologischen Gesetzen alles Geschehen herleitet, gibt es aber noch eine Zwischenstufe: die des Intrigenromans, der vornehmlich Strebungen, Pläne und Entschlüsse der Handelnden als wirkende Ursachen kennt. (Euphorion 49 [1955], S. 311)

Diese Entwicklungsstufen der romanhaften Motivation scheinen uns ein wichtiger Schritt zur Lösung des Problems; sie lauten:

1. Der reine Fortunaroman: Zufallsmotivation: außerweltliche Ursachen (blindes Fatum — Willkür der Götter — göttliche Fügung).

2. Roman mit Kausalmotivation: außermenschlich-mechanistische Ursachen.

3. Roman mit psychologischer Motivation: Ursachen bilden die Konstitution der Charaktere und die psychologischen Gesetze.

Zwischen Stufe 2 und 3 setzt Singer die Zwischenstufe des Intrigenromans an, der „vornehmlich Strebungen, Pläne und Entschlüsse der Handelnden als wirkende Ursachen kennt". Anton Ulrich habe mit der Solane-Geschichte bereits die Gesetzlichkeit des Intrigenromans erfüllt. Er deutet die ‚Solane-Episode' als „erschreckenden Fremdkörper" in Anton Ulrichs Roman. In das luftige Gaukelspiel dringe brutale Wirklichkeit ein, in die ferne Geschichtlichkeit aktuellste Gegenwart. Aus diesem Grunde sei die Episode ein „kleiner Intrigenroman mit völlig anderen Gattungsgehalten", der als gattungsfremdes Element „auf dem Höhepunkt des höfisch-historischen Romans dessen Untergang verkündet" (S. 316). Das zeige vor allem der Schluß: „Hoffnungslose Resignation als unabänderlicher Zustand: das ist die Konsequenz der gesellschaftlichen Katastrophe" (S. 316).

Erstaunlich scheint uns, daß Singer den Bezug zur historischen Realität in diesem Falle plötzlich zum poetologischen Prinzip erhebt. Wir untersuchen die Form dieser Lebensgeschichte, vorerst ohne Beachtung ihrer Verschlüsselung. Ihr Ende ist von besonderer Relevanz. Solanes Schicksal rundet sich darin resignierend ab und erreicht nicht die Harmonie des Romanschlusses. Damit unterscheidet sich diese Geschichte tatsächlich von den anderen, die wohl in einem Tiefpunkt des Schicksals in die Erzählsituation einmünden. Kompositorisch bildet das Ende dieser Geschichte einen echten Abschluß, der in keiner Form in die Haupthandlung offen ist. Die Personen anderer Lebensgeschichten spielen, im Gegensatz zu Solane, die im fiktiven Bereich der Haupthandlung nicht mehr auftaucht, aber noch ihre Rolle bis zu ihrer Vermählung oder Entsagung im Romanschluß. Trotzdem unterstellt Anton Ulrich auch diese Figur dem wichtigen Prinzip der göttlichen Gerechtigkeit, das im Episodenende angerufen wird: Herbert Singer unterläßt die Nennung dieses Zitates:

Daferne der himmel / wie nicht zu zweifeln / sein gerechtes gerichte also ferners erweist als wie bereits geschehen / so wird sich Solane endlich in einem
bessern stande wieder sehen / und hat Potentiana nicht allein einen sonder-
bahren elenden todt nehmen müssen / besondern des himmels rache hat sich
auch in vielen stücken an dem Bartoces bereits blicken lassen / unter welchen
diese nicht die geringste ist daß er die eingebildete macht / um welcher willen
er dem Pontischen hofe so viele dienste erwiesen bey dem Könige Cotys nicht
erlanget / besondern nun gestehen muß / daß er einen herren bekommen / da
er zuvor selbst herr war gewesen. (O VI 195)

Solanes Schicksal wird damit der höheren göttlichen Gerechtigkeit untergeordnet. Auch die übrigen Personen der Geschichte finden, entsprechend
ihrem Verhalten, Lohn und Strafe: vor allem Potentiana und Bartoces als
die treibenden Gegenspieler der unglücklichen Solane. Stoische Resignation
der betroffenen Prinzessin und Aburteilung der Intriganten mildern also
die von Singer betonte Tragik des Falles; das göttliche Gesetz überstrahlt,
trotz der Katastrophe, also die Situation. Darin mildert der Dichter die
kompositorische Isolierung dieser Lebensgeschichte.

Ihre innere Motivation vergleichen wir noch mit unseren Erkenntnissen
über die Motivationsmöglichkeiten in Anton Ulrichs Romanen. Die For-
tuna-Motivation der göttlichen Ordnung beruht auf einem einfachen
ethischen Gesetz: Die guten Menschen werden durch (scheinbare) Un-
glückssituationen den Weg zum sicheren endlichen harmonischen Glück in
dieser Welt geführt. Die Bösen werden abschließend bestraft, sie können
aber während ihrer Lebenszeit große Triumphe über die Guten erringen.
Diese göttliche *Tiefenstruktur* des Kausalzusammenhanges läuft über weite
Strecken der Romanhandlung gewissermaßen unterirdisch als nicht faßbarer Zusammenhang. So kann dieses Motivationsgefüge zur systematischen Weltsicht und Weltdeutung werden. Seine besondere Wirksamkeit
erfährt es aus dem Kontrast zur zweiten Form der Motivation in Anton
Ulrichs Romanen.

Für Romanperson und Leser faßbar und spannungsbestimmend ist nur
die menschliche Motivation. Und diese steht tatsächlich zwischen der kausalen und psychologischen. Was Singer von der Motivation der Solane-
Geschichte behauptet, gilt für Anton Ulrichs Romane. Diese kausal bündige
Motivation hat, von unseren Ergebnissen her gesehen, zwei Eigenschaften:
sie ist *ausschnitt*-bezogen und typisiert-kausal. Was heißt das? Jede promi-
nentere Romanperson steht der sie umgebenden Welt handelnd oder zumindest strebend und planend gegenüber. Sie versucht die verwirrten Zusammenhänge aufgrund ihres Wissens (= *Ausschnitt*) zu bewältigen. Da
dieser *Ausschnitt* meist mit den wahren Sinnzusammenhängen nicht
identisch ist, wird zwangsläufig falsch motiviert. Aus der partiellen oder
totalen Unrichtigkeit solcher Motivationsgefüge erkennt der Leser die Begrenztheit menschlichen Handelns und menschlichen Strebens.

Die kausale Bündigkeit dieser menschlichen Motivation wird durch die Form der typisiert-kausalen Darstellung weitgehend bestimmt. Was heißt das? Die Menschendarstellung im höfischen Barockroman ist nicht psychologisch im heutigen Sinne. Der idealisierte höfische Held und sein weiblicher Partner sind Typen, deren Zustände, Verhaltensweisen und Reaktionen durch einen ethischen Kodex fixiert sind. Dieser Umstand bedingt notwendig die stilisierte Typisierung alles Menschlichen in solchen Romanen. Innerhalb solcher Schemata von Verhalten und Handeln kann sich eine pseudo-psychologische Kausalität entwickeln. Der Barockmensch stellt diese Schemata nicht in Frage[349]. Solange er ihre Geltung nicht bezweifelt, gelten diese menschlichen Konstruktionen und diese menschliche Modellhaftigkeit. Man kann vorher sagen, wie eine Person, die als höfischer Typ (oder Gegentyp) festgelegt ist, auf diese Nachricht oder jenen Vorfall reagieren wird; aus welchen Umständen sie eifersüchtig wird; wodurch sie betrübt wird usw. Die Kausalität dieser Motivation beruht als Voraussetzung auf der Typisierung des Menschlichen in bestimmten Idealbildern. Es gibt also sehr wohl die psychologische Motivation, aber nicht als individuelle, sondern als schematisch typische. Über diese kommt auch die Motivation der Solane-Geschichte noch nicht hinaus. Auch sie läuft noch nicht nach psychologischer Gesetzlichkeit ab, die sich aus der individuellen Eigenart der Charaktere ergibt, wie schon Herbert Singer betont. Was sie abhebt von den anderen Lebensgeschichten ist nicht so sehr die unterschiedliche Motivation, sondern ihre kompositorische Integration. Sie wird nicht kompositorisch in die Fiktion des Romans hereingenommen. Die Berufung auf die göttliche Gerechtigkeit und den Vorsehungsplan aber, womit der Erzähler die Geschichte beendet, läßt sie jedoch nicht im rein innerweltlichen Bereich des *Intrigenromans*. Die Integration in die Welt dieses *totalen Romans* vollzieht, anstelle der sonst üblichen kompositorischen Integration, die *aversio* des Erzählers auf Gott und die stoische Zufriedenheit der Betroffenen.

Nach dieser grundsätzlichen Erörterung betrachten wir die sprachstilistische Komponente dieses Darstellungsprinzips[351] Die kausalen Strukturen bestimmen augenfällig den syntaktischen Ablauf dieser erzählenden Prosa. Als Resultat ergibt sich eine Dominanz der Hypotaxe. Motivierung,

---

[349] Der von C. *Lugowski* und H. *Singer* intendierte Bezug auf die Wirklichkeit, kann für die Barockpoetik keinesfalls mit dem Realitätsproblem dieser Romandarstellung in Verbindung gebracht werden.

[350] Ihre Personen spielen in der Fiktion der ‚Octavia' sonst keine Rolle.

[351] Als Illustration des kompositorischen Aspekts der Motivation können alle Handlungs- und Spannungsstrukturen dienen (vgl. o. S. 64—80). Vgl. auch C. *Lugowskis* Darstellung der Kausalkette um Timna und Eliphas (Deutsche Barockforschung S. 387 f.).

ob als wesentliches oder „müßiges Detail" (C. Lugowski), bestimmt Anton Ulrichs Darstellungsweise bis ins sprachstilistische Detail. Drei simple Beispiele sollen einmal die Stellungsvariation veranschaulichen:

1. Weil sie etwas über die zeit ausgeblieben / war schon alles daselbst zu bette und in der ruhe. (O II 224)

2. Ariaramnes hielte die gesellschaft nicht mit / weil Coccejus Nerva dabei war / den er wegen des Tyridates scheuete / damit er nach diesem König sich bei ihm nicht erkundigen möchte. (O II 225)

3. Er muste aber mit dem Parrhaces / weil ihm nicht vergönnt war / die nacht über in der kruft zu verharren / einem bedienten des ratsherrn Pudens Ruffus folgen, ... (O II 223).

Diese drei möglichen Varianten illustrieren die verschiedene syntaktische Position von Geschehen und kausaler Motivation. Je dichter ein syntaktisches Gefüge ist, umso reichhaltiger sind die Kombinationen und Stellungsvarianten, die sich alle aus diesen drei Grundformen ableiten lassen. 1. Motivation — Zustand (Vordersatz), 2. Entscheidung — doppelte Motivation („wegen — damit") (Nachsatz). 3. Zwischenstellung der Motivation. Daß ein Tatbestand doppelt motiviert (auch übermotiviert) sein kann, zeigt schon Beispiel 2. Der Kontext des dritten Beispiels setzt sich so fort:

Derowegen bliebe nun die Medische Prinzessin Daria auch bei ihrem Prinzen, um ihn nicht allein zu lassen.

Ein winziges Handlungsmoment wird hier überstark motiviert. Ariamramnes Entscheidung („weil — wegen — damit") bildet den Bezugspunkt für Darias Entschluß (synsemantisch: kausal = „Derowegen") — („um"). Über diese syntaktischen Positionen hinaus kann das Motivationsgefüge sprachlich noch durch synsemantische Bezüge kausaler Natur („Derowegen") verstärkt werden. Daß wir es dabei mit einem fundamentalen Stilprinzip zu tun haben, braucht kaum weiterer Bestätigung.

5. Das Prinzip von Parallele und Kontrast

Wesentlich bei diesem Gestaltungsprinzip erscheint uns, daß ein rationales Schema A ist ähnlich B (rhetorisch: Parallele) und sein Gegenbild A ist gegenteilig B (rhetorisch: Antithese) sowohl kompositorisch-motivisch im weitetsen Sinne wie sprachstilistisch im engsten Sinne als eines der fundamentalen Grundprinzipien im Bau dieser Romane erscheint.

Den kompositorisch-motivischen Aspekt dieses Prinzips soll die Analyse einer Lebensgeschichte erweisen. Die ‚Geschichte des Julius Sabinus und der Eponilla' (O III 39—117) fügt sich in ihrem Themengefüge voll und ganz in die Problematik des Gesamtromans. Als Arbeitshypothese zerlegen wir die Thematik in vier Schichten, ohne die Trennung so absolut zu setzen, wie dies L. Cholevius zu tun scheint (S. 286 ff.). Folgende Schichten, die ständig ineinanderwirken, bilden das Themengefüge: 1. die politische (Ziel: Königs-Erbfolge bei den Gugernern), 2 die erotische (Liebe zwischen der Kronprinzessin der Gugerner Epponilla und dem Erzähler Julius Sabinus), 3. die menschlich-sittliche (Gehorsam der Liebenden gegen ihre Eltern) und 4. die religiöse (Heidentum-Christentum: Bekehrungstendenz). Aus der Angabe der verschiedenen Probleme wird schon die enge konflikt-artige Verstrickung der einzelnen Schichten augenfällig[352]. Die Grund-schemata von Handlung und Personenkonstellation werden durchlaufend von Parallele und Kontrast bestimmt. Die Handlungsstruktur und das Personengefüge stehen dabei in engster Wechselwirkung, wie die Analyse noch erweisen wird. Bevor wir diese Strukturen als Bündelungen dieses Prinzips aufzeigen, geben wir einen knappen Abriß der Handlung:

Marcomir, der König der Gugerner, hat seinem verheirateten Bruder Clodomir versprochen, er werde dessen Kinder als Thronnachfolger ein-setzen. Da verliebt er sich in seine Freigelassene Epponine, die ihm eine Tochter Epponilla schenkt. Er heiratet sie darauf heimlich. Die Freigelassene Epponine und die fürstliche Schwägerin Argotta hassen einander. Im Ein-vernehmen beider Eltern bewirbt sich des Erzählers Bruder Julius Tullius um die schöne Epponilla. Nach dessen Tode im Krieg kann der Erzähler Julius Sabinus an dessen Stelle treten. Beide Elternpaare stimmen dieser Hochzeit zu. Es gelingt ihm auch, die Liebe Epponillas zu erwerben. Clodo-mir sucht diese Heirat listig zu hintertreiben. Des Erzählers Vater Tullius Valentinus verliert all seine Habe beim Würfelspiel. Als er sich um Hilfe an Marcomir wendet, läßt ihn dieser im Stich. Julius Sabinus nimmt anstatt seiner das Los des Sklaven auf sich. Die aus Marcomirs Geiz entstandene Feindschaft der Eltern beeinträchtigt das Glück der Liebenden, als der Er-zähler wieder frei ist. Die erbosten Eltern suchen nun rasch andere Be-werber für ihre Kinder. Marcomir wählt seinen Neffen Antenor für Eppo-nilla, Tullius Valentinus dessen Schwester Ganna für Julius Sabinus. Vor dem Abschied schwören der Erzähler und Epponilla einander Treue bis zum Tod. Das Verbot der beiderseitigen Eltern erzwingt ihre Trennung auf längere Zeit.

---

[352] „Das gilt für beide Seiten der Handlung, das politisch-kriegerische Geschehen und die Liebeshandlung, die, der höfischen Konzeption entsprechend, iden-tisch sind" (M. *Wehrli*, Der historische Roman. In: Helicon 3 (Amsterdam-Leipzig 1940), S. 103.)

Aufgrund dieses Verbotes schleicht sich Julius Sabinus, als Maler verkleidet, zu Epponilla. Das parallele Vorgehen eines Rivalen droht die Situation arg zu verwirren[353]. Julius Vindex liebt ebenfalls Epponilla und versucht ebenfalls als Maler, sich ihr zu offenbaren.

Inzwischen weilt Antenor schon am Hofe der Gugerner. Obwohl ihn Marcomir für Epponilla vorgesehen hat, suchen seine Eltern heimlich nach einer passenden Braut für ihn. Die Heirat mit der Tochter einer Freigelassenen erachten sie nicht für legitim, sie soll Antenor nur den Thron der Gugerner sichern. Sie schlagen ihm drei Bewerberinnen vor. Eben diese drei Prinzessinnen bringen auch die Eltern des Erzählers für ihn in Vorschlag, weil er Ganna nicht lieben kann.

Julius Sabinus reist nun von Hof zu Hof. Er will sich bewußt bei jeder vorgesehenen Braut unbeliebt machen. Bei der ersten gibt er sich heimlich als Christ aus, weil sie den Druyden glaubt; bei der zweiten als frömmelnder Anhänger des Druydenglaubens, weil sie Christin ist. Der Vater der dritten aber ist durch kein konträres Vorgeben zu verstimmen, weil er am Brautwerber Gefallen findet. In höchster Not hilft ihm sein Rivale Antenor. Dieser hat nämlich vor einiger Zeit Rosalinde heimlich geheiratet, weil sie ihm einen Sohn geschenkt hat.

Inzwischen ist Marcomir gestorben. Clodomir wird König und verjagt Epponine und Epponilla. Julius Vindex versagt ihnen seine Hilfe, weil er nun die römische Prinzessin Salvia liebt. Als Julius Sabinus von der Not Epponillas hört, bringt er sie auf eines seiner Schlösser. Seine Eltern wünschen aber seine Verbindung mit Salvia, deshalb muß er nach Rom zurückkehren, um Salvia zu ehelichen. Als er jedoch erfährt, daß Epponilla auf Anstiften Antenors von den Druyden verbrannt werden soll, flieht er am Vorabend seiner Hochzeit mit Salvia. Er rettet die Geliebte im letzten Augenblick. Auf der Flucht stürzt sein Roß tot unter ihm zusammen. In einem geheiligten Hain fängt er einen geweihten weißen Hengst und jagt auf ihm fort. Sie werden aber gefangen und zum Tode verurteilt. Julius Vindex, sein doppelter Rivale, erzwingt als Römer seine Freilassung. Epponilla verkaufen die Druyden als Sklavin nach Rom. Darauf läßt sich Julius Savinus ebenfalls als Sklave verkaufen, um seine Geliebte zu suchen. Sie treffen einander in der Crispina Haus, werden irrtümlich für Neronia und Drusus gehalten und befreit.

Dieses turbulente Geschehen, seine Phasen, Beziehungen und Personenkonfiguration wird vom rationalen Schema von Parallele und Kontrast bestimmt. Wir verzichten auf die Nennung einfacher, stets wiederkehrender Formen wie die parallele Bruderkonstellation zwischen Marcomir-Clodomir (mit ihren Kontrasten) und zwischen Julius Sabinus — Julius Tullius, dem Haß zwischen Argotta (Fürstin) und Epponine (Freigelassene)

---

[353] Vgl. die Darstellung dieser Handlungsphase bei A. *Haslinger* in: Literaturwissenschaftliches Jahrbuch N. F. 9 (1968), S. 125—127.

und den daraus entstehenden Kontrasten und Gegenläufen und wenden
uns auffälligeren Entsprechungen zu. Auch die wechselnden Phasen von
zustimmender Liebe und ablehnendem Haß zwischen den Eltern der
Liebenden bleiben hier unerwähnt. Wichtig aber sind die Strukturen bei
der Maler-Episode oder die Beziehungen zwischen Julius Vindex und
Julius Sabinus. Parallel lieben sie Epponilla und treten ebenso als Bewerber
um Salvia auf. Die äußere Parallele täuscht aber, innerlich sind es nämlich
Kontraststrukturen: Julius Sabinus liebt und gewinnt Epponilla, Julius
Vindex die Römerin Salvia. Weiter ist die auffällige Parallele mit den drei
vorgeschlagenen Heiratskandidatinnen für den Erzähler und Antenor, die
schon bei Epponilla in äußerlich paralleler Rivalität stehen, wichtig. Als
dies bei Rosalinde wieder geschieht, erringt Antenor kontrastierend den
Sieg. Julius Sabinus verhält sich auf seiner Brautschau abwechselnd konträr
zur Einstellung seiner Bräute. Die Heiratspläne der Eltern der Hauptpersonen: Marcomir-Epponine wählen Antenor (Bruder), Tullius Valentinus
und seine Gemahlin Ganna (Schwester). Der soziale Rangunterschied zwischen Epponine und Argotta (Exsklavin und Fürstin) führt zu parallelen
Modellen: Julius Sabinus begibt sich für seinen Vater und für Epponilla
in die Sklaverei, obwohl er dem fürstlichen Rang entstammt. Die religiösen
Kontraststrukturen liegen auch auf der Hand: Clodomir ist Druyde. Epponilla soll von den Druyden geopfert werden. Julius Sabinus verletzt den
heiligen Bezirk des geweihten Hains. Die Druyden verkaufen seine Geliebte als Sklavin. Im unfreien Sklavenstande werden beide als Christen
vom Götzenglauben frei. Der knappe Handlungsabriß und die kurze Zusammenfassung kann selbstverständlich nicht alle Detailstrukturen dieses
Prinzips erfassen. Parallele und Kontrast sind aber daraus als struktur-
bestimmend erwiesen. Darüber hinaus prägen sie die Erzählform bis in
sprachstilistische Details hinein. Ein Dialog aus einer zentralen Handlungsphase mag dies bestätigen. Die beiden Liebenden versuchen zum letzten
Mal vor ihrem Abschied, die Feindschaft zwischen ihren Eltern zu verhindern (O III 70—71):

A ,Ach! Tullius Valentinus hat recht / (sagte Epponilla) daß er also verfähret.
   Wie übel ist ihme von den meinigen begegnet worden! daher ich ihn
   nicht verdenken kan / daß er mir seinen sohn nicht gönnen wil.'
B ,Marcomir hat recht (sagte ich hingegen) daß er seine tochter einem wür-
   digern gibet / als ich bin. Und wie konte er anders thun / da mein grau-
   sammer vatter ihm selbst gelegenheit darzu erwiesen.
A ,Eher will ich sterben / (rieffe Epponilla) ehe ich dem Antenor mich zu
   geben gedenke.'
B ,Und mich (setzete ich hinzu) sol kein mensche nötigen / der Ganna die
   eheliche hand zu geben.'
       ,Euer beider vorsatz ist zwar gut (sagte die betrübte Eppo-
       nine) ...
A ,Mein herrvatter (sagte Epponilla) hat jederzeit eine herzliche Liebe gegen
   mir geheget / und glaube ich darum nicht / daß er mich werde zwingen
   wollen / wider meinen willen zu heuraten. Ich wil demnach mein heil bei
   ihm versuchen / und sehen / ob ich ihn bewegen möge.'

B ‚Mein herrvatter (sagte ich hierzu) hat mich auch allemal spüren lassen /
   daß er mir sonderlich wol wolle. Wer weiß dann / ob er nicht wird zu
   andern gedanken zu bewegen seyn / wann ich ihn darum anflehe?'
                   Hiermit wurden wir beiderseits schlüßig / zu unsern vättern zu
                   gehen ...
A   Epponilla richtete bei dem Marcomir wenig aus ...
B   Mein glück bei meinem herrvattern war nicht bäßer ...

Dieses Beispiel spricht für sich. Die Gesprächspartien von A (= Epponilla) und B (= Julius Sabinus, der Erzähler) laufen bis in kleinste sprachliche Details hinein völlig parallel ab. Allerdings wirkt die Parallelität
durch die wechselnde Sprecherposition auch kontrastierend. Der kurze
Klagemonolog des Anfangs kreuzt sich inhaltlich, indem Epponilla das
Recht auf der Seite von Julius Sabinus' Vater sieht, dieser aber auf der
Seite Marcomirs. Ebenso wendet sich die Versicherung treuer Liebe
anschließend sprachlich dem Rivalen zu (Epponilla — Antenor; Julius
Sabinus — Ganna). Ohne Zweifel beruht die Parallelität dieser Dialogführung auf einem bewußten Formprinzip. Wir verstehen also bei Parallele
und Kontrast nicht einfach die Durchdringung der Prosa mit rhetorischen
Wort- oder Gedankenfiguren von Parallele und Antithese. Diese bilden
grundsätzlich das rhetorische Prinzip in Anton Ulrichs Prosa.

Aber auch große Strukturen innerhalb der zentralen Personenkonstellation können sogar auf weite Strecken des Erzählablaufes hin von diesem
Prinzip beherrscht werden. Ein besonderes Beispiel ist die verwirrende Hei-
ratskonstellation: Tyridates — Antonia und Octavia — *Drusus* (= Italus),
obwohl sich die vier Personen so lieben: Tyridates — Octavia und *Drusus*
(= Italus) — Antonia. Parallele und Kontrast bestimmen dieses personale
Gefüge, das aufgrund der raffinierten Täuschungsstruktur des Autors
lange Zeit auch den Leser verwirrt (vgl. o. S. 41—46). Das Moment der
falsch verbundenen Liebespaare ist zwar nicht nur eine wiederkehrende
Struktur im höfischen Barockroman, aber bei Anton Ulrich ist es durch
Häufigkeit und Variation eine der fundamentalen Formen, die sich von
der großen Konzeption bis zum winzigen sprachlichen Detail auswirkt.

Abschließend sei erwähnt, daß diesem Prinzip häufig in Koppelung mit
jenem der Fülle eine bedeutsame Funktion in Anton Ulrichs Bestreben
zukommt, erzählerische Breitendimension zu entfalten. Das bestätigt der
medias-in-res-Einsatz der ‚Aramena'. Das Schema ‚Entführung einer Prinzessin aus der Gewalt eines in sie verliebten Königs durch ihren Geliebten'
wird in wirksamer Parallele verdoppelt: Zwei Prinzen entführen zwei
geliebte Prinzessinnen aus gewaltsamer Gefangenschaft. Die effektvolle
Steigerung Anton Ulrichs beruht aber im Kontrast. Jeder Prinz entführt
irrtümlich die Prinzessin des andern. Dieses kontrastierende Resultat ihrer
Bemühungen bildet einen starken Verwirrungskeim. Der Erzählbeginn
erlangt damit erzählerische Dichte und starke Spannung. Diese epische
Komposition beruht aber prinzipiell auf einem rationalen Schema. Anton

Ulrich gestaltet den Anfang seines gesamten Romanschaffens durch ein Prinzip, das bis in sein Spätwerk hinein wirksame Gestaltungsstrukturen liefert.[354]

6. Das Darstellungsprinzip der Modellhaftigkeit

Die gemeinsame Grabinschrift für Claudia und Ariaramnes (O IV b 509—510) veranschaulicht dieses Prinzip in äußerster Verdichtung:

Stehe. still. Wanderer.

Und. beklage. mit. mir. das. klägliche. geschick. zweyer. so. durchlauchtigen. als. beklagenswürdigen. personen.
die. hier. unter. diesem. grabmahl. begraben. liegen.
Das. eine. war. ein. so. tugend = voller. als tapfferer. ausländischer. Prinz.
Die. andere. eine. sowohl. von. geburt. als. gemüth. hohe. und. edle. Römerin.
Beyde. haben. geliebet. doch. nicht. einander.
Beyde. sind. zwar. großmüthig. aber. auch. unglücklich. dabey. gewesen.
Beyde. sind. von. ihren. geliebten. werth. geschätzet. aber. doch. nicht. wieder. geliebet. worden. weil.
beyde. etwas. liebten. so. schon. anderwerts. liebte.
Wie. sie. nun. einander. im. leben. ähnlich. waren.
so. sind. sie. es. auch. im. tode. geworden.
indem.
beyde. so. elender. als. unschuldiger. weise. ermordet. worden.
Weil. sie. nun. also.
beyde. einerley. geschick. gehabt.
So. war. es. billich. ihnen. auch.
einerley. begräbnus. allhier. zuverschaffen.
Lebe. wohl.

Die rhetorische Durchformung dieser Inschrift mit den vielen paranomatischen Korrespondenzen und ihren syntaktischen Gleichläufen soll später zur Sprache kommen. Auffällig ist einmal die totale Aussparung der Namen der Betroffenen, was Octavia als besonders rühmenswert an dieser Inschrift betont (O IV b 510). Die Aussparung mag teils in der erzählerischen Situation begründet liegen. Grundsätzlich bildet sie aber

---

[354] Auch in der ‚Aramena' bestimmen Parallele und Kontrast nicht nur die zentrale Personenkonstellation (ein Fürst — zwei schwesterliche Prinzessinnen: Aramenes — Aramena d. Ältere, Aramena d. Jüngere / — / Marsius — Hercinde, Mirina) und die Handlungsstruktur, sondern den Sprachstil des Erzählers. Dafür begegnen Beispiele auf jeder Seite.

eine der wichtigsten Voraussetzungen für Anton Ulrichs modellhafte Fassung von Menschenschicksalen. Sie ist der erste Schritt auf dem Wege zu einer exemplarischen Sprachform, die in erhöhtem Maße die Vergleichbarkeit solcher Fiktionsmodelle ermöglicht. Diese Analogie von Menschen und ihren Schicksalen kann zum erzähltechnischen Kapital eines Dichters werden. In der Grabschrift hat Anton Ulrich zwei Menschenschicksale modellhaft gefaßt. Ihre Vergleichsbarkeit beruht auf einer besonderen Sprachform. Wie sieht diese im sprachlichen Detail nun aus?

Als erstes müssen wir als bedeutsam erachten, was dem Dichter des Sprachvollzugs überhaupt würdig erscheint. Beide Personen werden sozialständisch („Prinz, von hoher geburt, durchlauchtigen"), ethnologisch („Römerin, ausländisch") und wertend („tugendvoll, tapfer, von gemüth hoch") charakterisiert. Anstelle konkretisierender Namen stehen kategorisierende Antonomasien und wertende Adjektiva. Die generalisierende Modellform wird häufig durch Substantiva und unbestimmte Pronomina (6mal „beyde", „etwa", „anderwerts" usw.) getragen. Die mitbetroffenen Personen werden von Sprachformen des zwischenmenschlichen Bezugs geprägt. Durchgehend gipfelt die Struktur in der steigernden Antithese von Liebe und Tod.

Nach der mehraspektigen Modellierung der Personen abstrahiert der Dichter die wesentlichen Züge ihres Schicksals in analoger Form. Drei anaphorische Satzanfänge, die dreimal im Satzinneren wiederkehren, markieren die wesentlichen Punkte: 1. Beide liebten, aber beide liebten nicht einander. 2. Beide liebten unglücklich. 3. Beide fanden keine Gegenliebe. 4. Jene beiden liebten schon. 5. Beide wurden ermordet. 6. Beide liegen in diesem Grab. Die Schicksalsmodelle entstehen aus den Analogien ihrer typisierten zwischenmenschlichen Beziehungen. Die analytische Durchführung dieser Kombination (Liebeskonstellation und Ermordung) führt zur steigernden Synthese („einerley — einerley"), welche aus der Analogie des Schicksals die Begründung für die Analogie des Epitaphs ableitet.

Diese Grabinschrift müssen wir als bedeutsamen Schlüssel zu Anton Ulrichs sprachlicher Menschenauffassung werten. Keine personelle Subjektivität kommt dabei zur Sprache, sondern nur die exemplarische und dadurch vergleichbare Verdichtung des einzelnen Falles. Der Fall an sich besteht aus den Eigenschaften und dem Schicksal der Person. Die modellhafte Sprachgebung ermöglicht dem Dichter erst den Vergleich von Schicksalen im kombinatorischen Riesengewebe seiner Romanfiktion. Deshalb braucht Anton Ulrich bei der thesenhaften Erörterung von Problemen keinerlei historische Exempel, diese liefern ihm die Schicksale und Beziehungen seiner fiktiven Personen. Das ist eine der wesentlichen sprachlichen Voraussetzungen für die Dichte seiner Integration und seine konsequente Fiktionsbezogenheit. Die Modellierung beruht allerdings auf einer Form von Rationalisierung. Diese rationale Bewältigung menschlicher Zusammenhänge als besondere Seh- und Denkweise können Stellen aus

Anton Ulrichs Briefen an Leibniz bestätigen[355]. Die wirre Vielfalt des menschlichen Lebens wird dadurch erst faßbar, überschaubar und vergleichbar; in dem labyrinthischen Dasein läßt sich dadurch nicht zuletzt das Ordnungsgesetz göttlicher Providenz entdecken. Ruht dieses Darstellungsprinzip damit auch bedeutsam verankert in der Weltsicht des Dichters, so eignet ihm noch eine handwerklich-erzähltechnische Bedeutung. Dieses Prinzip ist nämlich eine der Stilisierungsformen seiner gesellschaftlichen Romanfiktion. In der Grabinschrift konnten wir es als epigrammatische Deutung analoger Menschenschicksale in einem rationalen Sprachmodell erkennen. Im folgenden Beispiel erweist es sich als Grundprinzip einer weiträumigen Spannungsstruktur. Damit wenden wir uns von der sprachstilistischen Seite zur kompositorischen dieses Prinzips der Modellhaftigkeit. Es bestimmt als Darstellungsform die Handlungsstruktur und, wie wir gleich sehen werden, auch das Spannungsgefüge. Gleiche Umstände und gleiche Beziehungen eines Modellfalles führen zu täuschenden Analogien verschiedener Romanpersonen. Diese gründen in ihren verschiedenen Informations-*Ausschnitten* und führen zu, von dieser Deutung abhängigen, Plänen und Aktionen. Wieder bietet die Aussparung der Namen erhöhte Verlockung zur täuschenden Analogiebildung. Darin erkennen wir eine weitere Form der bei Anton Ulrich oft aufgezeigten *Täuschung*.

Zur Veranschaulichung wählen wir einen spannungsmäßigen Teilbogen der Handlung, der sich von der Entführung der beiden canaanitischen Bräute Ahalibama und Aramena (A I 323—328) bis zu Coelidianes klärendem Bericht davon (A II 330 ff.) erstreckt. Demas entführte Ahalibama und Aramena aus ihrer zwangsweisen Brautgefangenschaft. Beide Entführte erwarten dann in Casbianes Haus heimlich eine günstige Gelegenheit, um aus dem Königreich zu entfliehen. Eines Tages erblickt Ahalibama aus dem Fenster das Grabmahl ihres geliebten Eliesers und beschließt, ihm nachts ein Totenopfer zu bringen. Aramena begleitet sie als ihr verkleideter Ritter *Dison* (A I 458 ff.). Da diese außerhalb des Grabes wartet, kann sie zufällig den elamitischen Prinzen Armizar und den Priester Sephar belauschen. Sie erkennt im letzteren den Begleiter einer fremden Dame, die sie vor kurzem im Schloßgarten beobachtet hat. Die Sinnstruktur dieser geheimnisvollen Zusammenhänge liegt in drei Lebensgeschichten verstreut, nämlich in jener ‚Ahalibamas' (A I 82—140), ‚Aramenas' (A I 334—383) und ‚Armizars und Amesses' (A I 403—454). Armizar berichtet in dem von *Dison* belauschten Gespräch dem Priester, daß er beinahe von Hemor entdeckt worden sei. Dieser habe ihn für seinen Rivalen Tharsis von Sepharvaim gehalten. Tharsis ist dem Leser vom Romananfang her als der verliebte Entführer Aramenas bekannt. Als die Gesprächspartner wegen Hemors Ankunft rasch scheiden müssen, läßt Sephar den Brief Armizars an dessen Geliebte fallen, ohne den Verlust

[355] E. *Bodemann* (Hrsg.) S. 178, 219 u. ö.

zu bemerken. *Dison* liest ihn, was bei der stereotypen Neugierde von Anton Ulrichs Romanpersonen nicht überrascht. Dieser Brief wird auch dem Leser vollinhaltlich mitgeteilt; er enthält außer Coelidianes Namen keinen und bildet als Modellsituation einen wichtigen Impuls für die weitere Handlungsstruktur:

> Ob ich zwar unaussprechliche marter entfinde / von hinnen zu scheiden: so tröstet mich doch die versicherung eurer beständigen liebe / und daß ich euch bei der unvergleichlichen Coelidiane in so sicherm schutze weiß; weil ich auch der fästen hoffnung lebe / der gerechte himmel werde mit unseren bisher-ausgestandenen verfolgungen vergnügt seyn / und mich die Kron für euch / liebste Prinzessin! erwerben lassen / welche ihr allein zu tragen würdig seit. Bis dahin befästet euer herz in gedult / und erinnert euch stäts / bei der gegenwart meiner schwester / ihres abwesenden bruders. Dieselbe wird euch allemal versichern / daß ich unaufhörlich bin
> (A I 463 f.)   Euer ergebenster Diener

Die Informationen dieses Briefes formen folgende modellhafte Konstellation: Ein Prinz (X) läßt seine geliebte Prinzessin (Y) in der Obhut Coelidianes in Salem zurück, während er auszieht, um ihr eine Krone zu erwerben. Seine Schwester (Z) befindet sich mit seiner Geliebten bei Coelidiane. Das ist ein Modell mit drei Unsicherheitsfaktoren (X, Y, Z). (Die richtige Lösung des Modells ist dem Leser bereits klar: X = Armizar, Y = Amesses, Z = Indaride). Wir wollen nun die Handlung weiterverfolgen. *Dison* kann die ägyptische Schrift nicht lesen und schläft mit dem Brief in der Hand ein. Plötzlich taucht Hemor auf der Suche nach dem vermeintlichen Tharsis auf. Er erkennt seine Angebetete in ihrer männlichen Verkleidung nicht, nimmt ihr aber behutsam den Brief aus der Hand. Später hört er aus dem Innern des Grabmahls eine Stimme (= Ahalibama) den Namen „Dison" rufen. Aufgrund dieser Vorkommnisse versucht nun Hemor, die Modellsituation aus seinem *Ausschnitt* heraus zu lösen. Daß er dabei methodisch nach dem Prinzip modellhafter Analogie verfährt, mag folgender Abschnitt zeigen:

> Sehet ihr wol / mein vatter! (sagte er zu dem Thebah) / daß dieser schreiber verliebt gewesen / daß er gegenliebe genossen / daß seine Prinzessin in der Coelidiane verwahrung sei / daß er ihr ein reich / so ihr zugehöret / einnemen wil / und daß er eine schwester in ihrer gesellschaft habe / die einen großen verlust erlitten. (A I 475)

Der Parallellauf der anaphorischen Objektsätze („daß") unterstreicht eindringlich das modellhafte Denken beim Lösen eines solchen Falles. Allerdings unterläuft dem erzählenden Dichter ein kleiner Fehler in einer winzigen Übermotivation: daß die Schwester einen großen Verlust erlitten habe (Tod ihres geliebten Amraphel), steht nicht im Brief, Hemor kann es demnach nicht wissen. Aufgrund dieser modellhaften Prämissen kommt Hemor zu folgender Lösung:

Wie nun der Prinz alles genäuer bei sich überlegte / geriete er in den *wahn*:
ob auch wol Coelidiane die Aramena und Ahalibama verborgen in Salem
heimlich aufbehalten / und Aramena der Ahalibama brudern lieben möchte?
Wie dann der gefundene zedel ihme zu diesen gedanken anlaß gabe / welchen
er bei einem frömden jüngling gefunden / deme man mit dem namen Dison
geruffen. Er zoge demnach den zedel wieder herfür / und überlase ihn nochmals mit bedacht: wordurch er dann in seiner *einbildung* gestärket wurde.
(A I 475)

Diese Modell-Interpretation einer Romanperson mit ihren Rückver-
weisen muß als gewollte Kompositionsstelle verstanden werden, obwohl
die Ausdrücke („wahn, einbildung": als Rahmen) signalartig die Unrichtigkeit dieser Schlüsse andeuten. Es ist wichtig für die Struktur, daß der Leser
diese Lösung sofort als falsch verwerfen kann, aufgrund seines *Ausschnittes*. Trotzdem wird die von uns inizierte Methode des modellhaften
Denkens und Vergleichens hier konsequent durchgeführt; und der Leser
muß zugeben, daß aus dem Wissen Hemors dieser Deutung eine gewisse
Wahrscheinlichkeit zukomme. Hemor und Beor betreiben nun die Haus-
durchsuchung bei Coelidiane, sie finden aber ihre geraubten Bräute nicht.
Amesses identifiziert den an sie gerichteten ägyptischen Brief und damit
scheint die Modelldeutung in Verwirrung geraten und völlig erschöpft
zu sein.
Unbeirrt davon verfällt aber, zum Erstaunen des Lesers, Hemor auf neue
gedankliche Kombinationen um Tharsis, den er vor einigen Tagen verfolgt zu haben glaubt (= Armizar). Er gelangt dabei zu einer neuen Deutung: Tharsis habe Aramena entführt. Die Entschuldigung für den abge-
wiesenen Kampf, den Armizar aus Vorsicht, entdeckt zu werden, vermied,
läßt ihm die neuerliche Vermutung zur Gewißheit werden. Hemors Täuschungen sind damit aber noch nicht erschöpft. Als er den Fürsten Sobal
von Seir bis an den Jordan begleitet, hält er an einem stereotypen *locus
amoenus* Rast und widmet sich in der Einsamkeit seinen trüben Gedanken.
Plötzlich hört er das Gespräch zweier ihm unbekannter Männer. Als sich
diese entfernen, treten zwei weitere aus den Büschen, welche die beiden
ersten ebenfalls belauscht haben. Ihre kommentierende Unterredung hört
nun Hemor wieder mit an. Diese potenzierte Belauschungssituation stürzt
ihn in tiefste Verzweiflung. Bei Anton Ulrichs erzählerische Ökonomie
nimmt es nicht wunder, daß die Gespräche genau auf seinen *Ausschnitt*
und sein Täuschungsmodell bezogen sind. Sie handeln nur von entführten
Prinzessinnen, welche einer der Sprecher liebt. In tragikomischer Weise
muß nun Hemor beide Gespräche auf sein Modell beziehen. Sein Klagemonolog enthüllt mit seiner Verzweiflung gleichzeitig, daß er sich nicht zur
Klarheit durchringen kann, solange er keine Evidenz der Anschauung hat:

O himmel (rieffe er /) wievil mitbuler lässest du mich erfahren! Ich weiß nicht
allein von dem Dison und Tharsis / sondern ich habe nun noch zwei unbekante bekommen: deren einer so glücklich seyn soll / daß er die Aramena
entführet. Ach unglückseliger Hemor! dieses ist deine straffe / daß du diejenige

verlassen / welche du eher als diese Prinzessin geliebet: und gleich wie jener Aramenen willfärigkeit dir einen eckel machete / also verursachet dir nun dieser Aramena halsstarrigkeit / die gröste marter / und must du erleben / daß sie dir von einem unbekannten entfüret worden / der seine dapferkeit und großmut gnugsam spüren lassen / und der ihr das reich wieder erlangen wil / dessen sie eine Erbkönigin geboren ist. (A I 482 f.)

Der aufmerksame Leser weiß dagegen Bescheid. Die ersten Gesprächspartner, die Hemor belauscht, sind Sadrach von Elam und der Elamite Mesan. Sadrach hat sich in Amesses (Y) verliebt; der Prinz (X) von dem er spricht, ist Armizar. Alle Namen bleiben ausgespart, so wird Hemors falscher Lösung nicht vorgegriffen. Die zweite Gesprächsrunde bilden Tharsis und Hadat, die wir zu Beginn des Romans in einem ähnlich modellartigen Gespräch belauschten. Dort wurden Elieser und der Leser irregeführt, hier besteht ein grundsätzlicher Unterschied zwischen dem *Ausschnitt* des Lesers und dem Hemors. Tharsis unterliegt ebenfalls einer Täuschung. Er setzt anstelle des Entführers Demas den Prinzen Armizar, weil für ihn *(Ausschnitt)* nur das Modell *Entführung durch einen Verliebten* existiert. Durch Summierung von Briefmodell und Kampfmodell gelangt Hemor zur stattlichen Anzahl von vier Mitbuhlern[356]. Faktisch ordnen sich von diesen vier Herren (Hemor, Tharsis, Armizar, Sadrach) zwei Aramena und zwei Amesses zu. Der Entführer Demas ist auch für Hemor nicht faßbar, weil er wie Tharsis nur einen Verliebten als Entführer annimmt. Die ganze Verwirrung entsteht aus sprachlich modellierten und namentlich nicht konkretisierten menschlichen Konstellationen. Dem primär Deutenden gleiten hierbei zwei ähnliche Schemata ineinander. Der erzählende Dichter scheint dem Leser nicht ganz zu trauen. Dieser kann aus den sorgfältig dosierten Informationen und Andeutungen den wahren Tatbestand von Anfang an erkennen; trotzdem liefert Coelidiane, wohl wesentlich später, in einem knappen zusammenfassenden Bericht (A II 330 ff.) die Lösung der gesamten Verwirrung. Erst damit findet dieser Teilbogen der großen Spannungsstruktur seinen endgültigen Abschluß. Der Impuls zur Verwirrung liegt eindeutig auf den verschiedenen Deutungsmöglichkeiten einer modellhaften Situation. Die Sprach- und Strukturformen von Typisierung, Vervielfältigung und Verwirrung bauen diese Täuschungsstruktur auf, die nicht zuletzt gleichermaßen auf dem reduzierten Menschenbild einer solchen Gestaltung beruht. Der Einzelne hält solange an seiner falschen Deutung fest, bis er Evidenz gewinnt. Da die subjektive Deutung aber seine Pläne und Handlungen bestimmt, verfügt

---

[356] Die beiden Modelle sind allerdings durch die Person des Armizar (= Briefschreiber = der junge Ritter, der Hemor den Kampf verweigert) tatsächlich miteinander verbunden.

der Autor in ihr über eine große erzähltechnisch-kompositorische Möglichkeit. Wir haben damit eine weitere sprachliche Form von Verwirrung und Täuschung in diesen Romanen kennengelernt: sie bildet eines ihrer darstellerischen Grundprinzipien[357].

7. Das rhetorische Prinzip

Ein beliebiges Stück Erzählprosa aus Anton Ulrichs ‚Aramena' soll uns in die Charakterisierung dieses Darstellungsprinzips einführen:

I Die betrübnüs der edelen gefangenen des Fürsten Beri / war nicht geringer / als dessen vergnügung.

II Er machte ihm grosse einbildung / von dem König seinem bruder / für diesen dienst / ansehnliche belonungen zu entfangen.

III Hingegen ware seiner söhne befahrung nicht klein / sie würden allerhand widerwärtigkeiten zu Salem ausstehen müssen.

IV Allermeist stellete Ahalibama ihren verlassenen zustand ihr für augen / den sie nun soviel beschwerlicher fühlte / so hoch erfreut sie fürhin wegen ihrer befreyung gewesen: und erweckte diese plötzlich änderung in ihrem gemüte alles / was liebe / furcht / schrecken und ungedult kan zu wege bringen. (A I 165)

Beri, als antihöfischer Typ, hat seine beiden Söhne Elieser und Ephron sowie Eliesers Verlobte Ahalibama gefangen genommen und will sie, mit Aussicht auf reiche Belohnung, ihrem Feind und seinem Bruder Beor ausliefern. Vier Sätze kennzeichnen den psychischen Zustand Beris und seiner Gefangenen: I: Synthetische Antithese der Gefühle von Überwinder und Gefangenen. II: Erwartung Beris (reiche Belohnung). III: Erwartung seiner Söhne (antithetisch zu II: „widerwärtigkeiten"). IV: Erwartung Ahalibamas (Steigerung zu III und ebenfalls antithetisch zu II). Die syntaktischen und inhaltlich-sprachlichen Bauprinzipien dieses knappen Abschnittes sind unbestreitbar rhetorisch. Dies aber nicht so sehr im metaphorischen Bereich, als vielmehr in der rationalen Strukturierung durch rhetorische Gedankenfiguren. Die inhaltliche Antithese von I wird formalrhetorisch durch die Figur des Chiasmus in ihrer Aussagekraft effektvoll unterstützt: a1 „betrübnis" b1 „gefangenen" (des Fürsten Beri) — b2 („dessen") = Beris a2 „vergnügung". Die Achse des vergleichenden „nicht

---

[357] A I 249: Ahalibama als Richterin über zwei zwischenmenschliche Modelle, die sie selbst erlebt hat; A I 30, A I 67, A I 475, A II 46, A II 75 usw.

geringer" scheint ironisch getönt zu sein. II erläutert Beris Erwartungen, die zwischenmenschlich auf seinen Bruder Beor gerichtet sind, der Ahalibama liebt. Dieser Satz muß als formale Parallelkonstruktion zu III gesehen werden: „Er machte ihm grosse einbildung" — „Hingegen ware seiner söhne befahrung nicht klein[358] / „ansehnliche belohnungen zu entfangen": „allerhand widerwärtigkeiten — ausstehen müssen". IV steht auch in Antithese zu II und bildet eine Steigerung zu III. Auch IV ist chiastisch gebildet („zustand-beschwerlicher fühlte: so hoch erfreut — befreyung"); die Steigerung gipfelt in eindringlicher Häufung („liebe-furcht-schrecken-ungedult"). Als Grundstruktur dieses ganzen Abschnittes, der übrigens ein Buchbeginn ist, läßt sich unschwer eine Gedankenfigur der antiken Rhetorik erkennen, nämlich die detaillierende Diärese des Gedankens (I) in mehrere koordinierte Teilgedanken (II, III, IV), die aus ganzen Sätzen bestehen[359]. Ähnliche Beispiele finden sich überall in Anton Ulrichs Romanwerk und ließen sich leicht anhäufen. Das Wesentliche dieses Befundes aber ist, daß es sich um eine eindeutig vom Rhetorischen bestimmte *Erzählprosa* handelt, also nicht etwa um Traktatprosa, Lyrik, Briefprosa oder Gesprächsformen. Auch die episch darstellende Erzählprosa Anton Ulrichs formt ein rhetorischer Grundzug. Günther Müller hat sich bereits in seiner ‚Geschichte des deutschen Liedes', in ‚Deutsche Dichtung von der Renaissance bis zum Ausgang des Barock' und in seiner ‚Höfischen Kultur der Barockzeit' mit dem Problem des Rhetorischen befaßt und dessen Bedeutung in immer eindringlicherer Form erkannt. In der ‚Literaturgeschichte' leitet er das Rhetorische aus den „Zeittendenzen" ab, nämlich aus der Tradition des humanistischen Schrifttums, dem repräsentativen Zug der Barockkultur und aus der „voluntaristisch-rationalistischen Erlebnisweise" (S. 205). „Damit war immerhin die *rhetorische Grundlage* als Stilwille begründet und verständlich gemacht"[360]. In seinem Werk ‚Höfische Kultur der Barockzeit' ging Günther Müller noch weiter und erkannte die Rhetorik als Eigenstruktur, welche weitgehend die Literatur im 17. Jahrhundert bestimmte. Wolfgang Kayser untersuchte in seinem Buch ‚Die Klangmalerei bei Harsdörffer' vor allem die gattungsgebundene Haltung als eine Sonderform der rhetorischen Eigenstruktur. Im Bereich von Lyrik, Drama, Predigt, Rede, Dialog, Brief usw. war die Bedeutsamkeit der Rhetorik als struktur- und stilbildend eigentlich nie umstritten. Wichtig ist das Faktum, daß man die rhetorischen Tendenzen auch im Bereich des Romans (vor allem bei Lohenstein und Anton Ulrich), also der eigentlichen Erzählprosa erkennen lernt. Mag auch die geisteswissenschaftliche Forschung manche Anregung dazu in Nebensätzen oder Fußnoten verstreut

---

[358] Litotes.
[359] Vgl. H. *Lausberg*, Elemente § 369.
[360] W. *Kayser*, Deutsche Barockforschung S. 330.

haben, zur Beschreibung solcher Formen hat man sich nie durchgerungen. Diese aber kann uns lehren, daß die rhetorische Grundhaltung der barocken Romanprosa ein bestimmendes Grundprinzip der Gestaltung ist.

Sigmund von Birken, der literarische Mentor und Mitarbeiter des Herzogs, verfaßte eine zeitgenössische Poetik ‚Teutsche Redebind- und Dicht-Kunst oder kurtze Anweisung zur Teutschen Poesy mit geistlichen Exempeln' (Nürnberg 1679). Ihre Grundgedanken gelten, trotz des Erscheinungsdatums, auch für die ‚Aramena' (1669—1673). Birken ließ diese Arbeit nachweislich im Manuskript seit 20 Jahren im Freundeskreis kursieren[361]. Es liegt der Gedanke nahe, gewisse grundsätzliche Einstellungen des Herzogs aus den poetologischen Meinungen Sigmunds von Birken herauszulesen. Renate Hildebrandt-Günther reiht Birken in ihrer Untersuchung ‚Antike Rhetorik und deutsche literarische Theorie im 17. Jahrhundert' (1966) unter das Kapitel ‚Poetik und Rhetorik unterscheiden sich wiederum nicht wesentlich' (S. 53 f.) ein. Diese Annäherung berührt einen wichtigen Punkt, nämlich die Beachtung der Literatur vom Standpunkt der Rhetorik aus. Die Bedeutsamkeit der Rhetorik läßt sich für Birken vielfach belegen; wir erkennen sie besonders in seinem Anteil der stilistischen Bearbeitung der ‚Aramena'[362]. Zwei Punkte von Birkens Poetik scheinen uns für den epischen Stil Anton Ulrichs bedeutsam. Wir sehen dabei von seiner grundsätzlichen Hochschätzung der Prosa und des Romans im Rahmen seiner Dichtungslehre ab.

1. Birken unterscheidet sich von anderen Barockpoetikern dadurch, daß er Dichtkunst und Malerei nicht mehr wesenhaft gleichsetzt. „Seine [des Dichters] Kunst und das Dichten hat den Namen vom Denken und fließet aus den Gedanken in die Worte" (II, S. 170). Anton Ulrichs unverkennbare Eigenart, rational-gedankliche Prosa zu schreiben, ist evident und wird durch diesen Satz Birkens poetologisch gestützt. Die Korrekturen seines Mentors zwischen Handschrift und Druckfassung betonen diesen rational-ordnenden Stilzug als auffällige Stiltendenz. Im Vergleich zu Lohenstein etwa fällt sofort das Fehlen der metaphorisch-wuchernden Sprachschicht in dieser eigentlich einfachen gedanklichen Prosa auf.

2. Birken vertritt ein Ideal des „kurz und nachdrücklich" Schreibens[363]. Er warnt davor, die „schönen kurzen nachdrücklichen Erfindungen... weitläufig und mit unform" wiederzugeben. So heißt auch das anerkannte Stilideal der „Zierlichkeit" bei Birken „kurz und kernhaft"[364]. Alle diese

---

[361] Vgl. W. *Lockemann* S. 60. — Vgl. B. *Markwardt*, Poetik I, S. 116.
[362] Vgl. hiezu B. L. *Spahr*, Aramena S. 52—79. Vgl. auch die Rezension dieses Buches: A. *Haslinger* in: Literaturwissenschaftliches Jahrbuch N. F. 8 (1967), S. 331—342. Wir verwenden dort für diesen sprachlichen Akt den Begriff *Rhetorisierung* (S. 337).
[363] W. *Lockemann* S. 66.
[364] Zitiert nach W. *Lockemann* S. 63.

Tendenzen dürften sich in dem verdichten, was Birken die „Stein-Schreib-art" oder den „Stilus Lapidarius" nennt. Man darf dies nicht so mißver-stehen, als ob Anton Ulrichs Stilideal in der Ausarbeitung seiner Romane diesem „Stilus Lapidarius" gleichkäme. Es verweist aber darauf, in welcher Stilrichtung Birkens Absichten und sein Einfluß auf den Herzog verlief. Birkens Stilideal entspricht in etwa dem kurzen Seneca-Stil. Diese Richtung stimmt mit Birkens Voraussetzungen für das Dichten überein: „Scharfsinn (= Intellekt), Hurtigkeit (= geistige Spannkraft und Beweglichkeit) und Redegewandtheit (= rhetorische Technik)"[365]. Wir fassen diesen Exkurs zusammen: Birkens praktische Arbeit an den Romanmanuskripten des Herzogs spiegelt seine Theorie eines knappen und rational durchformten Stiles wieder[366]. Der Textvergleich einer Dialogstelle soll den stilistischen Vorgang von MS 2 zur Druckfassung illustrieren. Obwohl Dialogprosa im 17. Jahrhundert prinzipiell rhetorisch durchformt ist, läßt sich das Phäno-men der Rhetorisierung hier deutlich veranschaulichen:

MS 2 (S. 48—50)	A I 119—120
...	...
hierauf erzehlte er mir	Hierauf erzelte er ihr /
daß er in diesen dreyen wochen	daß er in diesen dreien wochen /
da wir an unser heyl	da sie an ihrem heil
angefangen zu verzagen,	angefangen zuverzagen /
5 sich mit seinen freunden	sich mit seinen freunden
bey hofe und in der stadt	heimlich beredet:
beredet,	
welche sich mit ihm	welche sich mit ihme
verschworen,	verschworen /
10 nachdeme er ihnen seine liebe	nachdem er ihnen der Fürstin
gegen mir entdecket,	gefärlichen zustand entdecket /
des Beors unthat zu verhüten,	des Beors leichtfärtigkeit
und einer unschüldigen	zu hintertreiben /
Printzeßinn	
15 ihre ehre zu retten,	zu errettung der ehre einer
daß er ein gutes vertrauen in	so unschuldigen Fürstin /
ihnen weil es alles junge beherzte	
leute, die keine gefahr	ihr leben zu wagen /
achteten, und eine so rühm-	
20 liche that,	und diesen abend das haus /
mich aus des Königs armen zu-	darin sie aufgehalten würde /
reißen, vor ihre höchste	zustürmen.
schüldigkeit hielten.	
Da aber ihr vornehmen	Würde ihr vornemen /
25 nicht nach wunsch gelingen wolte,	wie sie doch nicht hoffeten /
konte ich doch unmittelst	mislingen /
wenn ich zum Könige hinein-	und sie zum König kommen /
kommen,	

---

[365] Vgl. dazu B. *Markwardt*, Poetik I, S. 119.
[366] Dies hat vor allem B. L. *Spahr*, Aramena S. 73 ff., 102 ff. an mehreren ein-drucksvollen Beispielen gezeigt.

ihn meinen stand offenbaren,
und dadurch mich frey zu machen
30 versuchen,
wolte es denn doch nicht angehen
möchte ich meinen vorsatz
werkstellig machen,
mich aber ia in acht nehmen,
35 daß ichs nicht ehr thäte,
bis alle hülfe aus were,
da er mich dann in die andere welt
folgen würde,
wo er nicht meiner alsdann
40 bereits allda erwartete.
In den ersten so er mir geboten
willigte ich ein,
ich konte ihn aber nicht vergön-
nen daß er sein leben also ver-
45 lieren solte;
denn liebster Elieser,
sagte ich ferner,
eure hitzige entschließung
                    entspringet
aus einen tapfern edlen gemüht,
50 ich sehe aber unmöglich
daß ihr euren zweg erreichen
                    könnet,
die Götter zwar vermögen alles,
solten sie aber mich nicht durch
                    euch,
sondern vielmehr durch den todt
55 von aller schmach befreyen wollen,
so nehmet eurer leben in acht,
weil es nun mehr ehe mein als euer
leben zu nennen
und laßet mich durch euch noch
60 eine zeitlang auf der welt bleiben,
weil ich keine schönere
gedächtnus von mir,
als euch meinen wehrtesten treu-
esten Elieser zurück laßen kan,
65 so lange ihr lebet werde ich
nimmer vergeßen seyn,
denn wer euch siehet,
wird gleich sagen,
dieser ist es umb welchen willen
70 Ahalibama ihr leben aufgeopfert
damit sie ihm getreue bliebe,
und ihre ehre errettete.
Drümb liebster Elieser,
gönnet mir diese ehre,
75 und gebt mir einige hofnung,
dies mein begehren zu erfüllen,
so kan ich mit freudigen hertzen
den tod entgegen gehen.

stünde ihr ja noch allemal frey /
ihre ehre durch den tod zuretten:

da er ihr dann gewiß in die andere
welt folgen wolte.

Ich bewillige alles /
was ihr begehret /
(versetzte ihm meine Fürstin)
ohne allein euren tod nicht.

Lasset mich / liebster Elieser /
in euch noch ein zeitlang auf
der welt bleiben; weil ich keine
schönere gedächtnüs / als euch /
zu rücke lassen kan.

So lang ihr lebet /
werde ich nicht vergessen seyn;
dann / wer euch sehen wird /
wird gleich sagen:
Dieser ist es / üm welches willen
Ahalibama ihr leben aufgeopfert /
damit sie ihrer ehre und seiner
liebe getreu verbliebe.

80 O unter allen unbarmhertzigen die
unbarmhertzigste,
schrye Elieser,

......

worinn mein leben bestehet,
das soll dem todt übergeben
86   werden
und der schatten deßselben
sollt auf der welt bleiben,
es ist wieder die natur,
90 und also ein begehren,

daß unmöglich kan erfüllet werden,
drümb schönste Ahalibama

95 laßet eure strenge nach,
und fordert nichts von meiner
                            liebe,
als was sie thun kan,
solte es nun ach dahin kommen
daß ihr ein dodt
100 euer einiges labsal suchtet
so erlaubet es mir auch,
oder ich müste zu ende meines
                            lebens
euch ungehorsam seyn.
derer wille sonsten in meinem
105 leben
mein einiger leitstern gewesen.

......

Endlich wie die große betrübnis
110 unsere zungen also beständig gebunden hielt, und Corycide wol
sahe, daß es endlich doch sein
muste, weil die zeit so ihnen der
Kämmerer beysammen zu seyn, zu
115 erlauben pflegte,
bereits vorbey,
sagte sie zu den Elieser
ob er denn abscheid nehmen wolte.
Diese worte dürchgiengen unsere
120 hertzen,
und weil wir uns das letzte mal
zu sehen vermeinten,
konten wir uns der sonst
                            gewohnten
ehrbarkeit, nicht gebrauchen,
125 sondern fielen einander ümb den
hals, da wir uns zwar viel sagten,
aber wenig verstanden,

O unbarmherzige freundin!

(rieffe Elieser)

......

Worinn mein leben bestehet /
das soll dem tode übergeben
werden /
und der schatten des lebens
sol auf der welt bleiben:
dieß ist wider die natur.
Ach nein! ich will mit euch
sterben /
liebste Fürstin!
ob mir schon der himmel ver-
wehret /
mit euch zu leben.
Darum / schönste Ahalibama!
forderet nichtes von meiner
liebe / als was sie thun kan.
Kan ich euch nicht retten /
und müsset ihr beim tode eure
einige zuflucht suchen /
so erlaubet mir dergleichen:
oder ich muß am ende meines
lebens euch ungehorsam werden /
da sonst euer wollen in meinem
leben mein einiger leitstern
allemal gewesen ist.

......

Ihrer keines wolte den anfang
machen /
abschied zu nehmen:
bis endlich Isbothsar mir rieffe /
und / das sie mögten von
einander gehen / anmahnete.

Ich würde mich vergeblich bemühen / diesen kläglichen abschied zu beschreiben:
weil der mich selbsten also bewegte /

daß ich für threnen und wehe-
mut nichtes sahe noch hörete.

weil es gantz undeutlich
aufeinander folgte,
130 und unsere hertzen mehr sprechen
wolten
als der mund herausbringen konte.
Ich fühlete die heiße thränen
des Eliesers an meinen gesicht
herunter laufen,
135 die er bis dahin so gut er konte
aufgehalten,
und bat er mich noch zuletzt,   Das lezte ware /
ich möchte mir ehe keine gewalt   daß er sie ermahnete / ihr kei-
anthun,   nen gewalt anzuthun / bis alle
140 bis ich alle menschliche hülfe   menschliche hülfe aus seyn
aus zu seyn, spürete,   würde:
und ich hingegen begehrte von ihn,   und sie hingegen begehrete von
sein leben sich nicht ehe zu   ihm / er solte sein leben so
rauben,   lang erhalten /
145 bis er meinen gewißen todt er-   bis er ihren gewißen tod erfahren,   fahren hätte.
mit welcher abrede   Und hiemit schieden sie /
wir mehr todt als lebendig,   mehr todt als lebendig /
von einander schieden,   voneinander.
150 ......

Viele Beobachtungen, die nach Blake Lee Spahr diesen sprachlichen Ver-
änderungsprozeß charakterisieren, gelten selbstverständlich auch hier; vor
allem Spahrs *tension* als Verknappung, Ökonomisierung des syntaktischen
Gefüges usw. Wir wollen in dieser stilistischen Entwicklung vor allem
einzelne Fälle der Rhetorisierung besonders betonen. Dabei verzichten
wir auf die Nennung jener Veränderungen, die sich notwendig aus dem
Übertritt von der Ich-Form zur Er-Form ergeben.

Z. 1–23: Das in MS 2 durch syntaktische Unklarheit wenig wirksame
Bilden der Verschwörung, wird in P durch die rhetorische Figur des Zeug-
mas in drei parallelen Sätzen effektvoll verändert. Z. 24–59: Das in MS 2
sehr umständliche Gespräch wird gekürzt, was an sich keinen primär
rhetorischen Vorgang darstellt. Die Stellen in P greifen nur die wesentlichen Aussagen heraus; dadurch sind die hervorspringenden Kernbegriffe
„tod", „andere welt" und nochmals „tod" rhetorisch aufeinander bezogen.

Z. 59–78: Durch minimale Umstellungen („liebster Elieser") wird ge-
strafft; rhetorische Figuren treten durch winzige Änderungen hervor:
etwa Z. 67–68: „-wird / wird-" (Anadiplose vgl. H. Lausberg, Elemente
S. 250) oder die Koordinierung von „ehre" und „liebe" auf ein Verbum.

Z. 80: Die Reduktion scheint eine Eindämmung rhetorischer Figuren;
das erstrebte Stilprinzip der Einfachheit widerspricht einer solchen Pathos-
formel. In Korrespondenz dazu steht die Abschwächung des verbum
dicendi in Z. 82.

Z. 84–107: Dieser Abschnitt wird im Wandel zur Druckfassung besonders stark rhetorisiert. Z. 87 „schatten des lebens" läßt die antithetische Formulierung in der Wiederholung erst hervorspringen. Die demonstrative *conclusio* (Z. 89: „dieß") faßt die Antithese prägnanter zusammen. Die *exclamatio* (Z. 90) unterstreicht die folgende Aussage. Diese (Z. 90–95) ist eine treffende Antithese innerhalb des angeschlagenen Themas. Denn das extreme Liebesgespräch handelt eigentlich nur von Verzweiflung und Tod.

Z. 119–137: Eindrucksvoll ersetzt der Druck die Beschreibung des Abschieds der Liebenden in der Handschrift durch einen Unfähigkeitstopos[367]. Damit tritt eine rhetorische Form für die Breite der handschriftlichen Urfassung ein, und zwar in bewußtem Gestaltungswollen.

Die Druckfassung zeigt neben anderen Änderungen augenfällig den rhetorischen Grundzug. Er tritt manchmal durch bewußte Stilisierung neu hinzu und wird manchmal durch Strukturänderung schärfer hervorgetrieben. Anton Ulrichs Erzählprosa ist jedenfalls eine von rhetorischer Gesetzlichkeit mitbestimmte Sprachform.

a. Wort- und Gedankenfiguren in Anton Ulrichs Prosa

Nach diesem prinzipiellen Nachweis des rhetorischen Grundzuges beachten wir vorherrschende Wort- und Gedankenfiguren seiner Prosa. Es sind vor allem drei, denen wir als sprachliche Medien von Gestaltungsprinzipien schon begegnet sind:

1. die Reihung mit ihrem Widerspiel zwischen Synthese und Analyse[369]. Ihr liegt als rhetorisches Grundprinzip die Variation von *Summe — Detail* zugrunde[368], die wieder auf den Abfolge-Typen von *propositio-narratio* und *propositio-argumentatio* basiert.

2. die Stilfigur der Antithese[370] in all ihren sprachlichen Möglichkeiten und

3. jene der Parallele[371] (die auch chiastisch auftreten kann). Beiden kommt beim Gestaltungsprinzip von Parallele und Kontrast sprachlich

---

[367] Vgl. E. R. *Curtius* ELLM S. 412 ff.
[368] H. *Lausberg*, Elemente § 368.
[369] Beispiele finden sich allenthalben. Wir greifen einige besonders augenfällige heraus: A I 34, A I 97, A I 264, A II 47, A II 77, **A II 174** f., A II 388, A II 480, A II 731 etc. O II 161, O II 345 f., O II 885, **O III 155**, O III 204 f., O III 261, O III 295, O III 349, O III 503 f., O III 703, **O III 939**, O III 1001, O IVa 21, O IVa 262, O IVa 674 f., O IVa 701, O IVa 765 f., etc.
[370] Sprachliche Antithesen bedürfen keiner Belege im Rahmen des höfischen Barockromans.
[371] Den sprachstilistischen Parallelismus findet man überall. Beispiele etwa O III 381 (mehrmals), 384, 391, 392, 393 usw.

besondere Bedeutung zu. Nach diesen *colores rhetorici* betrachten wir die bildhafte Sprachschicht (besonders Metapher und Vergleich). Sie ist in Anton Ulrichs Romanwerk, gegenüber Lohenstein und Zigler etwa, weniger stilbestimmend.

Die Reihung kann als rhetorische Grundstruktur die Darstellung einer Menschenansammlung während eines Festes formen. Heinrich Lausberg erwähnt unter den Gegenständen der *Evidentia* (= detaillierende Häufung) auch die Beschreibung von Festen[372] womit unser Beleg inhaltlich wie formal in der klassischen Tradition steht:

> So freigebig nun und zufrieden der wirt sich zeigete / so wol waren auch seine gäste mit ihm vergnüget: wiewol / die ruhe des gemütes / bei den wenigsten sich befande.
> Dann / Milcaride sase die ganze malzeit über / in traurigen gedanken.
> Der Prinz Baleus / seufzete mehr / als das er redete.
> Die Königin von Tyro erinnerte sich / bei der vergnügung / die nun Mamellus und Tharasile entfunden / ihrer widerwärtigkeit mit ihrem sohne.
> So machte auch Milcaride / die schöne Königin von Ninive an ihren zustand gedenken / daß sie in ihrem herzen wünschete / auch so ein glük wie sie zu haben / und ihre rechte eltern zu erkennen.
> Indaride wünschte sich in eine angenemere gesellschaft / nämlich zu ihrem verstorbenen.
> Die Königin Lantine war auch unvergnügt / wann sie bedachte / was hinternise ihr noch im weg stünden / in völlige ruhe zu gelangen.
> Jaelinde belegte / ihr ohndas-beladenes gemüte / mit neuer qual über des Cimbers abwesenheit: als die da immer unlustiger wurde / iemehr mitbulerinnen sich einfanden.
> Die anwesende Fürsten von Syrien stelleten sich äuserlich vergnügter an / als sie innerlich sich befanden: auser dem einigen Elihu / der unter allen das ruhigste gemüt hatte / weil er nicht allein / indem er der Milcaride das leben gefristet / dieses freudenfestes ein urheber ware / sondern auch seine schöne Königin vor sich sahe / von der er in seiner ehrerbietigen verständigen liebe nichts anders verlangte / als daß er ihrer gegenwart geniesen möchte.
> (A III 43)

Mamellus und Tharasile geben anläßlich des Wiederfindens ihrer Tochter Milcaride ein Freudenfest. Milcaride hat sich selbst für die syrische Aramena gehalten.

Die Synthese steht als doppelter Kollektiv-Begriff am Beginn; einmal personal („gäste"), dann als psychisches Signal („ruhe des gemüts"). Die Antithese der psychischen Einstellung zwischen Wirt und Gästen negiert den Kollektivbegriff („ruhe des gemüts") für die letzteren. Die Detaillierung (oder Analyse) erfolgt nach einem inneren Parallelismus; der Gefahr der Monotonie begegnen stilistische Variationen. Eine solche bildet etwa das Erfassen einer Menschengruppe („Fürsten von Syrien") in der Abfolge von Einzelpersonen. Zum Abschluß hebt der erzählende Dichter

---

[372] H. *Lausberg*, Elemente § 369.

den einzig Vergnügten, nämlich Elihu von Ram, besonders heraus. Antithesen und Parallelismen entstehen aus dem Ziehen von Beziehungsfäden zwischen den Romanpersonen (Prinzip). Antithesen wären etwa: „Baleus seufzete mehr als er redete, Königin von Tyro: vergnügung — widerwärtigkeit; Indaride: angenemere gesellschaft — verstorben; Syrische Fürsten: äusserlich vergnügter — innerlich befanden"; Parallelismen etwa: „Delbois: so ein glück wie sie ...; Elihu: weil er nicht allein, sondern auch ..."

Die ganze Festgesellschaft wird mit Hilfe der rhetorischen Figur von *Summe — Detail* vor den Augen des Lesers in ihrem psychischen Zustand entfaltet. Ein episches Darstellungsproblem wird also prinzipiell rhetorisch gelöst. Rhetorische Stil- und Strukturformen bestimmen Anton Ulrichs erzählerische Gestaltung. Ein Beispiel aus dem funktionalen Bereich der *Erzählperson* soll dies weiter bestätigen. Der erzählende Dichter wählt sich in wechselnder Monaden-Beleuchtung stets wieder einen neuen Perspektiven-Träger in die erzählerische Szene. Der Übergang von einer solchen *Erzählperson* zur anderen ist ein erzähltechnisches Problem. Häufig bevorzugt Anton Ulrich dabei die rhetorischen Figuren von Parallele und Antithese:

> Genosse aber dieser verliebter König der ruhe / so ware hingegen der Fürst Elieser um so viel unruhiger (A I 33).

König Beor und Fürst Elieser sind Nebenbuhler bei Ahalibama. Als Elieser seine Geliebte aus den Händen Beors befreien will, gerät er auch in dessen Gefangenschaft. Der Abschnitt vor diesem Zitat schildert des Königs hoffnungsvolle Liebesgedanken, der nachfolgende die eifersüchtigen Zustände des gefangenen Elieser. Beide befinden sich an verschiedenen Orten. Der sprachliche Übergang von einem zum anderen ist weder räumlich noch zeitlich gestaltet, sondern rhetorisch. Die rhetorische Sprachform bringt in der Wortantithese („ruhe — unruhiger") allerdings eine erzählerisch wichtige *modale* Opposition zwischen beiden zum Ausdruck. Ein erzähltechnischer Gestaltungsvorgang vollzieht sich somit als rhetorische Figur. Beispiele hiezu ließen sich unschwer ergänzen. Auch den erzählerischen Abschluß einer Szene oder einer Situation kann eine zusammenfassende Antithese bilden:

> Es schiede hierauf der König / welcher zuvor unwillig / verwirrt und übel zufrieden anzusehen gewesen / freudig / ruhig und vergnügt von dem Prinzen / und kunte kein mensch die ursach dieser plötzlichen veränderung ergründen. (A I 77).

Der Umschlag der psychischen Verfassung König Beors während dieser Unterredung wird durch die Sprachform von sechs Adjektiven in antithetischer Dreierfigur gestaltet. Der rhetorische Grundzug ist offensichtlich. Auch Parallelismen lassen sich bei solchen gestalterischen Formen vielfach belegen:

Gleich wie nun ihre [Ahalibamas] klägliche gebärden jedermann zu herzen gingen / also entfunde solches auch nicht wenig / ...
die schöne Prinzessin Amorite ... (A I 165).

Die Wirkung von Ahalibamas gestischer Traurigkeit wird parallel auf ein menschliches Kollektiv („jedermann") und verengend auf eine Einzelperson („Amorite") bezogen. Durch diesen rhetorischen Kniff der Parallele sondert der erzählende Dichter die kommende *Erzählperson* kontinuierlich aus einer Gesellschaft aus. Der Vorgang wird nicht konkret erzählerisch bewältigt, sondern rhetorisch rational. Epische Gestaltungsprobleme werden von Anton Ulrich also nach rhetorischen Grundmustern gelöst.

b. Das Problem von Metapher und Vergleich in Anton Ulrichs Prosa

Man hat vielfach erkannt, daß der braunschweigische Herzog in diesem Belang sich wesentlich von den zeitgenössischen Romanschriftstellern abhebt. Seine Prosa ist wohl nicht völlig frei von bildlich-metaphorischen Mitteln, diese treten aber gegenüber anderen Gestaltungsformen in den Hintergrund. Die bildhafte Sprachschicht ist bei ihm nicht so reichhaltig ausgebildet wie bei anderen Romanciers seiner Zeit. Lohenstein gilt als Künstler und Sprachartist auf diesem Gebiet.

Wir beziehen uns auf zwei zitierte Textstellen: Dialoge von Lohenstein und Anton Ulrich über das Problem der Staatsheirat contra Liebesheirat (vgl. o. S. 140 ff. und o. S. 135 ff.). Dabei finden wir mit dem Vergleich der Dialoganfänge unser Auskommen: Lohensteins Sprache ist auffallend bildhaft-metaphorisch: „Zuneigung müste nicht zu der anderen Unvergnügen ausschlagen" (Abstraktionen); „Joch ihrer Unterthänigkeit" (Genitivmetapher); „verzuckern" metaphorisch); „nach dieser Süßigkeit nicht lüstern werden, sondern sich diesen Kützel vergehen lassen" (metonymische Ausdrucksweise); „Helena, Penelope" (Vossianische Antonomasien); „Staats-Klugheit" (Personifikation), „dieses heilige Band" (Metapher für Ehe).

Die Belegvielfalt zeigt, daß Lohensteins Ausdrucksweise primär metaphorisch und figürlich ist. Bei Anton Ulrich finden sich auf gleichem Textumfang wenige Metaphern und Vergleiche: „Die grosmut der Königin ... kan die traurigkeit überwinden" (Personifikation), „unser freier sinn kann gering erachten" (ebenfalls), „Assyrischer thron, Assyrisches Haus" (metaphorisch für *Reich* und *Geschlecht*) „mutterherzen" (Synekdoche).

Anton Ulrichs Prosa bevorzugt formalrhetorisch rational aufgebaute klare Gedankengänge. Seine Metaphorik geht selten über Klischees hinaus, sie erinnert eher an Redewendnugen als an originelle figürliche Schöpfungen.

8. Das Darstellungsprinzip von Verwirrung und Entwirrung

Ich hätte zwar wünschen mögen, daß der Roman dieser Zeiten eine beßere entknötung gehabt; aber vielleicht ist er noch nicht zum ende. Und gleichwie E. D. mit Ihrer Octavia noch nicht fertig, so kan Unser Herr Gott auch noch ein paar tomos zu seinem Roman machen, welche zulezt beßer lauten möchten. Es ist ohne dem eine von der Roman-Macher besten künsten, alles in verwirrung fallen zu laßen, und dann unverhofft herauß zu wickeln. Und niemand ahmet unsern Herrn beßer nach als ein Erfinder von einem schöhnen Roman.

Wien   Leibniz an Anton Ulrich am 26. April 1713
                                   (E. Bodemann S. 233 f.)

Das kompositorisch umgreifendste Gestaltungsprinzip ist die relevante Gegenläufigkeit von Verwirrung und Entwirrung. An dieser Stelle unserer Arbeit bedarf es dazu keines weiteren detaillierten Belegmaterials und keiner weiteren Strukturbeschreibung[373]. Alle Erzählformen größter und kleinster Provenienz haben daran wesentlichen Anteil. Handlungs- und Spannungsstrukturen werden ebenso davon geprägt wie die Lebensgeschichten, und zwar bis ins sprachstilistische Detail. Der mehrdeutige Ausdruck „Fürstin von Seir", der sowohl auf Ahalibama wie auf Timna bezogen werden kann, läßt etwa, als winziges genealogisches Sprachphänomen, eine gewaltige Verwirrungsstruktur in der ‚Aramena' entstehen, in die sogar Unbeteiligte mithineingerissen werden (vgl. A II 00). Die Darstellungsprinzipien von Fülle, menschlichen Beziehungen, Parallele und Kontrast, kausale Motivation und Modellhaftigkeit dienen der entschiedenen Absicht Anton Ulrichs, die Umstände seiner fiktiven Welt in Verwirrung fallen zu lassen. Je intensiver diese als strukturelles Phänomen wird, desto großartiger wirken dann die überraschenden Entwirrungen des Autors.

Die Verwirrung beraubt sich aber ihrer künstlerischen Wirkung, wenn sie nur innerfiktional bleibt. Nach der voluntas autoris muß der Leser mit den Romanpersonen über weite Strecken des Romans mitverwirrt werden. Das erscheint uns ein wesentlicher Befund der Beschreibung von

---

[373] W. *Bender*, Diss. beschreibt diese Struktur in der ‚Octavia' Anton Ulrichs als „höheres Darstellungsprinzip". Er greift in seiner Arbeit aus dem Arsenal von Motiven einige heraus, die er aufgrund ihrer Funktion „wesentliche Züge", „Formelelemente", „konstitutive Elemente", „Bausteine der Handlung" usw. nennt. Die tastende Terminologie verrät die methodische Annäherung ans Thema. Ob Verkleidung, Umtausch von Personen, *betriegliches* Verhalten und Verschwiegenheit Motive oder Formelemente sind, bleibe offen. Benders Fragestellung ist betont erzähltechnisch und deshalb unserer verwandt. So können auch seine Beispiele diesem Kapitel als Belege dienen. Ergänzungsbedürftig erscheint uns nur, daß Bender nicht bewußt die Position des Lesers in den funktionalen Wirkungsbereich dieses Prinzips einbaut.

Anton Ulrichs Erzählkunst zu sein. Alle seine erzähltechnischen Formen sind funktional auf den Leser gerichtet. Erschöpft sich demnach eine Behandlung dieser Formen in ihrer innerfiktionalen Phänomenologie, so wird der entscheidende Punkt ihrer Wirkung verfehlt. Die Verwirrung zeigt sich meist als Erscheinungsform der Täuschung. Mehrmals wurde in der Anton-Ulrich-Forschung von der Täuschung gesprochen, aber stets hat man ihre Beziehung zum Leser unbeachtet gelassen. Der Leser kann in die Täuschungsstruktur miteinbezogen werden, er muß aber nicht. Das ist von besonderer Relevanz für die Wirkung des Romans, der als Kunstwerk doch erst vom Leser geschaffen wird (siehe die Spannungsstrukturen o. S. 64—80). Die genaue Beachtung des Lesers kann nur mit Hilfe der Beachtung seines *Ausschnittes* erfolgen. Deshalb kommt diesem Phänomen unserer Untersuchung besondere Bedeutung zu. Es ist eines der konstitutiven Elemente im entscheidenden Wirkungsbereich zwischen Autor, fiktiver Welt und Leser.

F. DIE INNERE STIMMIGKEIT VON GESTALTUNGSWEISE, ERZÄHLTECHNIK UND VOLUNTAS AUTORIS IN ANTON ULRICHS ROMANEN

Die Romane Anton Ulrichs sind komplexe hochkünstlerische Gebilde, große Paradigmen romanhafter Polyphonie. Um ihre Eigenart schärfer hervortreten zu lassen, muß man sich einfacher Formen der Erzählkunst erinnern: der strukturellen Einsinnigkeit des Schelmenromans etwa, oder um innerhalb der Gattung zu bleiben, der Romane Heliodors und Barclays. Wohl basieren diese schon auf der gleichen erzählerischen Konzeption, der Vergleich macht Anton Ulrichs Form aber erst deutlich. Er hat die traditionelle Grundstruktur belassen, Personen und Handlungszüge aber vervielfacht (Fülle). Catharina Regina von Greiffenberg sagt in ihrem Widmungsgedicht:

> „... die Seltenheiten sie
> einführt in grosser mäng: die doch verlieren nie /
> durch vielheit ihren Preis ...." (A III)

Da diese Vervielfältigung nicht in wuchernde Regellosigkeit ausschlägt, kehren gewisse Struktur-Schemata wieder (Parallele und Kontrast, Verdoppelung, Verdreifachung usw.). Das Resultat dieses erzählerischen Verfahrens ist nicht Summe, sondern Komplexität; seine künstlerische Methode jene der epischen Integration. Das Einzelne wird nicht nur vervielfacht, sondern vor allem in seinen Beziehungen verdichtet. Das Einzelne ist in Anton Ulrichs Romanfiktion grundsätzlich der Mensch, seine Beziehungen sind demnach die menschlichen. Der Mensch wird aus seiner Isolierung herausgeführt und in das soziale Beziehungsgeflecht verwoben. Das Ziel epischer Gestaltung bei Anton Ulrich ist nun, wie schon bemerkt, nicht der Held, sondern das kombinatorische Beziehungsgewebe einer Gesellschaft von Helden und Anti-Helden. Dieses Beziehungsgeflecht ist in all seinen Formen und Strukturen kausal bestimmt, es präsentiert sich als geschlossenes Motivationsgefüge.

Die anfängliche Bewegung zwischen Leser und Romanfiktion scheint dem kraß zu widersprechen. Der traditionelle medias-in-res-Einsatz steigert sich, als selbst aufklärungsbedürftiger Zusammenhang, in ärgste Verwir-

rung. Der Leser findet sich in der gleichen Situation wie Vasaces am Anfang der ‚Octavia‘: „Ich weiß nicht / . . . was ich hiervon gedenken sol: und
wir werden allemal soviel unwissender / jemehr wir neues erfahren"
(O I 25). Der Autor zielt mit Hilfe aller Formzüge seines Werkes auf die
Verwirrung des Lesers, die Romanpersonen tappen im dunkeln und stehen
der labyrinthischen Welt völlig ratlos gegenüber. Erzählerische Fülle und
Vervielfältigung der menschlichen Beziehung scheinen primär der Verwirrung zu dienen:

> „ . . . Wie schön pflegt sie zu füren /
> die Fälle / zufalls-weis! wie richtig zu verwirren
> die Lebens-Labyrinth! . . ."
> (Catharina Regina von Greiffenberg A III)

In dieser Äußerlichkeit spiegelt sich die trügerische Erscheinungsform der
irdischen Welt. Als einziges Phänomen der Komposition wurde die Verwirrung oft als Aufbauform dieser Dichtungen mißverstanden, was notwendig zum Vorwurf der Kompositionslosigkeit führen mußte. Die Verwirrung bildet als Zustand gewissermaßen die chaotische *Oberflächenstruktur*. Sie ist nur sinnvoll im Bezug auf die *Tiefenstruktur*. Erzähltechnisch beruht dieser Bezug auf dem raffinierten Zusammenspiel von
Verwirrung und Entwirrung. Die Enthüllung dieser scheinbar regellosen
Fiktion ergibt sich als sinnvoll geordnete, sie ist der vom Dichter gewollte
Weg durch die Komposition. Diese Erkenntnis zwingt zur genauen
Positionsbestimmung des Lesers in diesem Wirkungsbereich. Von daher
ist die Erkenntnis zu gewinnen, daß der Autor den Leser bewußt in seine
Strukturen miteinbezieht. Auf ihn richten sich alle formalen Mittel, und
deshalb muß er mit in die Verwirrung der Romanpersonen hineingerissen
werden. Das ist aber nur eine Seite des subtilen Spiels, das der Autor mit
dem Leser treibt. Meist weiß er nämlich mehr als die Romanpersonen: er
hat einen größeren *Ausschnitt*. Diese Distanz ermöglicht ihm Beobachtungen innerhalb der Fiktion, welche die Romanpersonen nicht machen können. Hier nähert sich Anton Ulrichs Technik des *Ausschnitts* sinnvoll einer
Art Philosophie des *Ausschnitts*. Der Leser gerät in den Zustand frucht-
barer Skepsis: Der labyrinthisch-chaotischen und ordnungslosen Welt nur
vorübergehend ausgeliefert, erkennt er plötzlich Zusammenhänge, die sich
in sinnvoller Ordnung zusammenfügen. Der Mensch irrt also, dämmert
ihm, weil er die tiefere Ordnung der Weltphänomene und Weltbeziehun-
gen im Zeitpunkt des Handelns nicht erkennen kann. Was ihm in solcher
Situation als sittliche Aufgabe bleibt, ist tugendhaft sich zu bewähren.
Die Tugend, welche er der verwirrenden Beweglichkeit dieser sich immer-
fort ändernden Welt entgegensetzen kann, ist die Kardinaltugend des
Barock: die Constantia. In diesem Bewährungsraum der Fiktion entfaltet
nun der Prüfungsroman seinen ganzen Bedeutungsgehalt als Lebens-
deutung und Lebenshilfe im höchsten Sinne.

> „Es gibet auch zu sehen /
> den Stand und Lauf der Welt / wie es pflegt her zu gehen /
> nicht allzeit wie es sol / oft wunderbar und bunt;
> daß unschuld unterligt / und gehet / manche stund /
> Gewalt und List vor Recht . . ."
>
> (Catharina Regina von Greiffenberg: A III)

Diese zwei möglichen Perspektiven in das Strukturgefüge regen den
Leser in ganz besonderer Weise zur Kombination an. Die Funktion der
überraschenden Wendung beruht für den Dichter oft nicht zuletzt darin,
durch sinnreichen Einfall die Kombination des Lesers zu verwerfen. Die
Kombination aber ist ein intellektuelles Vergnügen, welches der Leser aus
den Strukturen eines solchen Werkes empfängt. Denn rational ist auch
die Bauweise, wonach der Dichter sie schafft: Modellhaftigkeit als Abstraktion, das sprachliche Beziehen des Erzählten durch rhetorische Formen,
Typisierung und Wiederkehr von Vergleichbarem[374]. Alle diese Vorgänge
machen die prinzipielle Erzählform des Dichters aus und sind in der
speziellen Sprachform bereits vorgebildet. Letzte Voraussetzung eines
solchen Unterfangens aber bleibt immer das Bewußtsein, daß ein immanentes Ordnungsprinzip diese Welt bestimmt. Catharina Regina von
Greiffenberg weist in ihrem Widmungsgedicht mehrfach darauf hin. Sie
tat dies aber zu einem Zeitpunkt, als der Roman noch nicht abgeschlossen
vorlag, auch in den Manuskripten noch nicht vollständig einzusehen war.
Diesen Umstand belegt ihre Bitte an Anton Ulrich, doch Elieser wieder
erstehen zu lassen, weil sie mit dem Schicksale dieses Paares in besonderer
Form sympathisiere:

> „ . . . wer siht die Vorsicht nicht
> nachkünstlen ihren trieb / mit reiffem Rath-gewicht
> und juster Ordnungsart . . . ."
>
> „Das künstliche zerrütten /
> voll schönster ordnung ist. Es gehet aus der mitten /
> des klugen absehns Punct: wan man die Striche zieht
> zum kunstbemerkten Dupf / das Fügungs-Bild man siht
> vollkommen klärlich stehn . . ." (A III)

Diese zeitgenössische Interpretation des kompositorischen Aufbaus ist
bedeutungsvoll. Komposition, Motivationsgefüge und Spannungsstruktur
beruhen in ihrer zentralen Aussagekraft auf einer Konzeption, die als Abbild der göttlichen Ordnung gedacht ist. Ihr kommt Diesseitigkeit insofern
zu, als innerhalb der Fiktion die Guten vom Ende her belohnt und die
Bösen bestraft werden.[375] Dadurch verfügt sie auch über ethische Aussage-

---

[374] Daß alle diese sprachlichen Prozesse zu einer gewissen Reduktion des
Menschlichen bei Anton Ulrich führen, leuchtet ein.

[375] In diesem Phänomen und dem der geschlossenen Fiktion liegt tatsächlich eine
Übereinstimmung mit C. *Lugowskis* Märchenkonzeption.

kraft. Wie uns das Widmungsgedicht mit seiner moralisch-sittlichen Interpretation Cimbers, Aramenas und Ahalibamas zeigt, gilt dieser Aspekt für den zeitgenössischen Leser stärker als für den heutigen; oder sollte es sich dabei nur um eine verständliche Akzentuierung Catharina Reginas handeln?

Das zweite Moment der Diesseitigkeit beruht auf der Harmonie des Romanschlusses. Das traditionelle Motiv der im happy ending ineinander mündenden Abenteuerreihen steigert Anton Ulrich zu einem gewaltigen Hymnus auf die göttliche Ordnungs-Harmonie. Das scheinbare Chaos der Komposition ist ihr notwendiger Kontrast, eine unerläßliche Voraussetzung für die Wirksamkeit dieses auch ethisch fundierten Abschlusses. In ihm vollendet sich das Werk recht eigentlich zum Abbild der göttlichen Vorsehung. Im letzten Sinn seiner Aussage, was auch der Ernst der motivischen Behandlung ausweist, ist Anton Ulrichs Romanwerk große religiöse Dichtung des Jahrhunderts.

> „Du Wunder aller Zier / und Schönheit aller Wunder!
> Du Himmel-volles Bild! des Höchsten Ehre-zunder /
> ein Spiegel seines Spiels! ein klarer Demant-Bach /
> in dem man schicklich siht die Himmels-Schickungs Sach"
> (Catharina Regina von Greiffenberg: A III)

Dem widerspricht die spürbare Rationalität der Durchführung keinesfalls. Im Grunde ist sie die Voraussetzung dafür, und zwar zeitphilosophische und erzähltechnische in einem. Leibnizens Philosophie gründet auf einer rationalen Ordnung von Welt und Kosmos, demgemäß auch die ihr zeitgenössische geistige Abbildung der Welt in der literarischen Kunst. Rational ist weiter Anton Ulrichs Erzähltechnik und Kompositionskunst. Welch eines gewaltigen Intellekts bedarf es, um das selbst entworfene Gewirre all dieser Beziehungen überhaupt wieder in eine Ordnung zu bändigen!

> „ ... O Geistes-Meisterprob!
> O Kunst-stück des Verstands / Magnet von allem Lob /
> Erfindungs wunderwerk! ..."

Motivgestaltung und Handlungsführung sind nach wiederkehrenden rationalen Schemata geformt (Parallele und Kontrast, Modellhaftigkeit, Duplizität, Triplizität usw.). Allerdings durchströmt das Werk ein Reichtum dichterischer Einfälle, phantastischer Buntheit des Details und gewaltiger Lebensfülle. Allen formalen Prinzipien liegt gewissermaßen als stilisierte Substanz die höfische Konzeption zugrunde. Anton Ulrichs epische Weltgestaltung hat ihren sozialen Raum, dem sie entstammt, den sie spiegelt und auf den sie bezogen ist. Diese Welt wirkt abgeschlossen; der Reduktion des Menschlichen entspricht somit eine Reduktion des Gesellschaftlichen ins Aristokratische.[376] Nach innen wird dieser soziale Raum durch das Prinzip der Hierarchie gegliedert. Der Geschlossenheit dieser hochrangigen Gesellschaftsschicht entspricht die lückenlose Geschlossenheit der gesamten Romanfiktion. So kann sich die soziale Hierarchie dieser Welt in eine ethische verwandeln. Das erfolgt nicht ausnahmslos, denn die antihöfischen Typen sitzen oft ziemlich hoch in der sozialen Hierarchie (etwa Belochus von Assyrien und Nero); das bedingt aber ihre Handlungsfunktion mit. Die ethische Hierarchie setzt sich weiter fort in eine ethisch-religiöse. Man hat gezeigt, daß das religiöse Denken im Zeitalter des Absolutismus hierarchisch war. Gott ist der Schöpfer der Welt und zugleich ihr Regent. Auch das menschliche Regieren kann in höchster Vollendung sinnbildhaft diesem göttlichen Walten gleichen.

Rationalität, höfische Konzeption und Ordo: das sind wesentliche Grundpfeiler der fiktiven Romanwelt Anton Ulrichs. Der epische Enthüllungsprozeß gibt im allmählichen Begreifen der Zusammenhänge dem Leser die scheinbar chaotische Komposition als prästabilierte Ordnung frei: Im strahlenden Romanfinale kann sie, als vorher grundgelegte Ordnungsharmonie, zum Abbild der göttlichen Vorsehung werden; und darin liegt der religiöse Sinn eines so welthaften Kunstwerkes:

> „O Cherumbim-Rubin! Die schönste Kunst im Schreiben
> ist / unvermerkt der Erd den Himmel einverleiben.
> Die Sonne der Vernunft / kunst-zärtlich hier vertreibt
> der Schnödigkeit gewölk / daß nichts als Himmel bleibt
> im innern aug-gemerk . . ."
>
> (Catharina Regina von Greiffenberg: A III)

---

[376] Das Volk bleibt darstellerisch amorph und bildet nur einen Kontrast und Reflex des Aristokratischen und seiner Repräsentation.

G. FORSCHUNGSAUFGABEN DER GERMANISTIK AUF DEM GEBIETE DES HÖFISCHEN BAROCKROMANS

Die höfischen Barockromane wurden von ihren Zeitgenossen viel gelesen und hoch gerühmt, mit dem Einsetzen der neuen geistigen Strömungen des 18. Jahrhunderts (vor allem der Aufklärung) aber empfindlich unterbewertet. Obwohl Goethe die ‚Octavia' und den ‚Herkules' noch rühmt,[377] bildet gerade er ein wichtiges Argument gegen sie. Goethes Wechselwirkung zwischen Leben und Dichten erlangte im 19. Jahrhundert normative Geltung für jegliche Beschäftigung mit Literatur. Projiziert man die *gemachten* Sprachwerke des Barock auf ein entsprechendes Erlebnis, so muß man sie notwendig verkennen. So bringen im 19. Jahrhundert weder die Leser noch die Forscher diesen Werken Interesse entgegen. Sie gelten allgemein als schwülstig, kompositionslos und unverdaulich.

Die Revision solcher negativer Urteile[378] über das deutsche Barock nahm, auf Anregung der Kunstgeschichte, die geisteswissenschaftliche Strömung der Germanistik nach Beginn unseres Jahrhunderts vor. Die Forscher bemühten sich fast ausschließlich um die Gattungen der Lyrik, der Dramatik und des Schelmenromans. Geisteswissenschaftliche Bezüge wurden gesucht und gefunden; Hand in Hand damit begannen brauchbare Textausgaben zu erscheinen, soweit sie (Gryphius, Grimmelshausen) nicht schon von den Positivisten her vorlagen. Inzwischen aber dämmerten die höfischen Barockromane, weiter Staub ansetzend, in den Regalen der Bibliotheken dahin. Aus verständlichen Gründen trat damals nur Lohensteins ‚Arminius' in den

---

[377] In seinen ‚Bekenntnissen einer schönen Seele' schreibt er (‚Wilhelm Meisters Lehrjahre' 6. Buch):
„Unterdessen tröstete ich mich, indem ich solche Bücher las, in denen wunderbare Begebenheiten beschrieben wurden. Unter allen war mir der Christliche deutsche Herkules der liebste; die andächtige Liebesgeschichte war ganz nach meinem Sinne. Begegnete seiner Valiska irgend etwas, und es begegneten ihr grausame Dinge, so betete er erst, eh er ihr zu Hülfe eilte, und die Gebete standen ausführlich im Buche. Wie wohl gefiel mir das! Mein Hang zum Unsichtbaren, den ich immer auf eine dunkle Weise fühlte, ward dadurch nur vermehrt, denn ein für allemal sollte Gott auch mein Vertrauter sein.

376

Blickpunkt sporadischen Interesses. Im übrigen schien schon viel erreicht, als die höfischen Romane zum beliebten Dissertanten-Acker geworden waren. Die Texte waren nach wie vor nur in den Originalen oder in Cholevius' Zitaten erreichbar. Den Grund für die schlechte Quellenlage sehen wir vorwiegend im Fehlen des positivistischen Forschungsinteresses an diesen Werken.

Inzwischen widmeten sich Günther Müller und seine Schüler erstmals systematisch den Erzählproblemen im höfischen Barockroman. Diese Fragestellung führte zu einer besonderen Aufwertung von Anton Ulrichs Romanwerk, was in der Eigenart dieser Schöpfungen als erzählerische Wortkunstwerke begründet liegt. In den letzten Jahren wendet sich vor allem Günther Weydt mit seinen Schülern der barocken Erzählkunst und dem auch literatursoziologisch interessanten Problem des lebhaften Austausches internationaler Erzählstoffe zu.

Bis zum heutigen Tage hat sich aber in der leidigen Quellenfrage wenig geändert. Wohl hat Albrecht Schöne[379] umfangreiche Proben aus höfischen Romanen seiner Anthologie eingefügt, wohl sind kurze Romane dieses Genres in älteren (etwa Zesens ‚Adriatische Rosemund') oder in neueren Ausgaben (Ziglers ‚Asiatische Banise' und Zesens ‚Assenat') erreichbar; die gewaltigen Werke Anton Ulrichs, Lohensteins und Bucholtzens stehen aber weiter unerreichbar ferne in wenigen Exemplaren in verstreuten Bibliotheken. Eine solche Großdichtung ist jedoch unmöglich in einmaliger Lektüre mit zeitlicher Beschränkung zu meistern. Aus dieser tristen Quellenlage ergibt sich folgendes Fazit: Notwendige Neudrucke müssen diese Misere ändern. Sie allein können zur Beschäftigung der Forscher mit diesen Werken führen. Vielleicht ergibt sich sogar die periphere Berührung mit einem interessierten Publikum.

Die Bedeutung der Quellenfrage beginnt sich erstaunlicherweise erst rund 300 Jahre nach dem Erscheinen dieser Werke dringlich zu stellen. Sie zwingt zur grundsätzlichen Erwägung des Editions-Problems als eines vordringlichen Forschungsziels für den höfischen Barockroman. Wie bei allen literarischen Werken konzentriert es sich auch hier auf das Fernziel der historisch-kritischen Ausgabe. Die verdienstvolle Untersuchung Blake Lee Spahrs zur ‚Aramena' hat die Voraussetzungen dafür wieder bewußt ge-

---

Als ich weiter heranwuchs, las ich, der Himmel weiß was, alles durcheinander; aber die Römische Oktavia behielt vor allen den Preis. Die Verfolgungen der ersten Christen, in einen Roman gekleidet, erregten bei mir das lebhafte Interesse." — Weit entfernt, Goethes Bemerkungen einer Romanperson mit seinem, auch hier nicht ohne Ironie vorgetragenen und funktional gebundenen, eigenen Urteil gleichzusetzen, gilt das Zitat immerhin für die Kenntnis und eventuell Jugendlektüre des Dichters.

[378] Es gab als Ausnahme selbstverständlich auch positive Urteile über Gryphius und Grimmelshausen.

[379] Das Zeitalter des Barock (1963).

macht: die Suche und Erforschung allen handschriftlichen Materials. Solche Arbeiten[380] in größerem Umfange lassen erst an die Verwirklichung dieses Fernziels denken. Die moderne Entwicklung der Wissenschaft zum Arbeitsteam, das die Technik in seiner Tätigkeit unterstützt, erlaubt hier eine hoffnungsvolle Prognose. Inzwischen aber drängt das nicht minder wichtige Nahziel: die Neuausgabe dieser höfischen Barockromane. Als entsprechendste Form bietet sich die photomechanische Wiedergabe des Originals an. Sie allein vermag brauchbare Texte, ohne enorm verteuernden Arbeitsaufwand, zu liefern. Das größte Problem besteht hier in der möglichen Unbrauchbarkeit der Originale für dieses Verfahren. Die Zeit hat eben ihre Spuren an diesen Büchern hinterlassen. Den wichtigen Schritt zu diesen Texten trachten der Kösel-Verlag mit einem Reprint der ‚Octavia' von 1712 und der Wilhelm Fink-Verlag mit einem der ‚Aramena' (1669—1673) zu verwirklichen. Als Desiderata bleiben ähnliche Unternehmungen zugunsten der Romane Lohensteins und Bucholtzens. Eine Reprint-Ausgabe der Barclay-Opitzschen ‚Argenis' scheint uns unentbehrlich, wenn man den Wert dieses Romans für die weitere deutsche Entwicklung bedenkt. Auch die zeitgenössischen kritischen Äußerungen zur Gattung (etwa Gotthard Heideggers ‚Mythoscopia Romantica')[381] müssen neu aufgelegt werden, sie sind wichtige Dokumente zur Entwicklung der Romantheorie.

In der germanistischen Erforschung des höfischen Barockromans sehen wir weiters zwei vordringliche Aufgaben:

1. Die künstlerische Beschreibung seiner Formen und Strukturen, möglichst im Vergleich zu anderen Werken dieser Gattung.

2. Modellinterpretationen der einzelnen Romane.

Zwei Dinge lassen diese Werke dem wissenschaftlichen Zugriff als besonders spröd erscheinen: ihre stoffliche Monumentalität und das Darstellungsproblem; beide greifen vielfach ineinander. Dem ersten kann man begegnen, indem Einzelstudien beschreibend-deutender Natur Detailprobleme erforschen. Das zweite beeinträchtigt die Entstehung geschlossener Einzel- oder Modellinterpretationen. Hier bietet sich in den Einleitungen zu eventuellen Reprintausgaben eine Art Übergangsstufe an. Diese könnte, Hand in Hand mit prinzipiell beschreibenden Arbeiten, die Materialien für die Modellinterpretation liefern. Die Einleitungen sollen den wissenschaftlichen Zugang zu diesen epischen Großdichtungen erleichtern, indem sie Hilfen des Verständnisses und des stofflichen Überblicks sowie die geistigen Voraussetzungen für die Interpretation liefern. Ausführliche Register

---

[380] Maria *Munding* bereitet als Münchner Dissertation eine ähnliche Bearbeitung des handschriftlichen Materials für die ‚Octavia' des Anton Ulrich vor, die demnächst abgeschlossen sein wird.

[381] Dieses Werk scheint im Programm der Reihe ‚Ars Poetica' nun auf.

müßten die rasche Koordinierung verstreuter Stellen ermöglichen, Personenregister, genealogische Tabellen[382] usw. sollten den Stoff erfassen, so daß der Benützer nicht zu jeder Fragestellung weite Strecken der gesamten Lektüre wiederholen muß. Auf diesem wissenschaftlichen Ertrag könnten dann in verantwortlicher Weise die geistige Einordnung dieser Werke ins gesamte Literaturbarock, Querverbindungen, Wirkungsgeschichte, die soziologische, religiöse und politische Deutung und Zuordnung aufbauen.

---

[382] Eine Forderung, die übrigens schon Leibniz in einem Brief an Anton Ulrich vom 25. Juni 1711 für die ‚Octavia' anregte: „Ich wiederhole meine unterthänigste erwehnung, so E. D. in bedencken zu ziehen geschienen, daß der Octavia dreyerley dienlich zu seyn scheine: 1. Genealogische Tabellen, 2. Landcarten, 3. ein General-Register, damit man was von einer Person an verschiedenen Orthen zerstreuet beßer gegen einander halten könne." (vgl. E. *Bodemann* S. 203) — Diese Forderung — natürlich mit Ausnahme der Landkarten — müßte eine gewissenhafte und wirksame Einleitung unbedingt erfüllen.

EXKURS

Anton Ulrichs Romane und Gottfried Wilhelm Leibnizens Philosophie

Es ist in der Germanistik legitim, wenn auch methodisch nicht ungefährlich, dichterische Werke und philosophische Schriften zueinander in Beziehung zu setzen. Diese Einschränkung gilt im Falle unseres Exkurses umsomehr, als die Romane Anton Ulrichs (1669—1673; 1675 / 1685—1707) vor den bedeutenden Schriften von Leibniz (‚Metaphysische Abhandlung' 1685, ‚Theodizee' 1710, ‚Monadologie' 1714) erschienen sind. Die zeitliche Differenz wird abgeschwächt durch die persönliche Bekanntschaft zwischen Herzog und Philosoph (vgl. Briefwechsel hrsg. von Eduard Bodemann) und den dadurch möglichen Einfluß früher konzipierter Ideen Leibnizens auf Anton Ulrich. An das Problem direkter Einflußnahme wollen und können wir hier nicht rühren; wir stellen nur auffällige Übereinstimmungen zwischen dichterischer Gestaltung und philosophischer Erkenntnis fest. Diese Entsprechungen aufzuzeigen, sei das alleinige Ziel dieses Exkurses.

Wir skizzieren den Weg, auf dem wir zu diesem Punkte gelangt sind: Die Beschreibung epischer Phänomene in Anton Ulrichs Romanen erschloß uns Eigenheiten seines epischen Stils: den *Ausschnitt* bei Leser und Romanperson, das beherrschende Prinzip der menschlichen Beziehungen, die ethisch-religiöse Relevanz des hierarchischen Systems der Romanpersonen, die schrittweise Enthüllung der göttlichen Ordnung in der menschlichen Welt usw. Ein Hinweis Günther Müllers auf die Ähnlichkeit von Anton Ulrichs fiktiver Romanwelt mit dem philosophischen System von Leibniz regte uns zur Lektüre der ‚Theodizee' und der ‚Monadologie' an. Zu diesem Zeitpunkt hatten wir die epischen Phänomene bereits deskriptiv und unbeeinflußt erkannt. Im Laufe der Lektüre vermehrten sich dann die Entsprechungen.

Die Darstellungsweise Anton Ulrichs erfaßt den Einzelmenschen als ein Wesen, dessen Planen und Handeln ständig in einer Sphäre zwischenmenschlichen Bezugs gesehen und gestaltet wird. Unsere Untersuchung hat dieses Phänomen als fundamentales Prinzip seiner epischen Gestaltung erwiesen. Es entspricht augenfällig einem Grundgedanken von Leibniz: „Jenes In-Verknüpfung-Stehen nun, bzw. jene Abgestimmtheit aller erschaffenen Dinge auf jedes einzelne und jedes einzelnen auf alle anderen hat zur Folge, daß jede einfache Substanz Beziehungen enthält, die alle anderen zum Ausdruck bringen, und daß sie folglich ein unaufhörlicher lebendiger Spiegel des Universums ist." (Monadologie § 56)

Die Suche nach dem erzählerischen Modus zur Realisierung eines solchen Darstellungsziels führte uns zu einem weiteren epischen Phänomen, nämlich zur Erzählhaltung. Diese kennzeichnet in Anton Ulrichs Romanwerk eine gewisse Distanz des Erzählstandpunktes und die wechselnde Perspektive. Im Phänomen der *Erzählperson* konzentriert der erzählende Dichter seinen Blickpunkt innerhalb der fiktiven Welt, er wählt aber meist nach kurzer Zeit wieder eine neue *Erzählperson* mit einer neuen Perspektive. Die epischen Konsequenzen eines solchen Verfahrens mögen hier unerwähnt bleiben, mit Ausnahme der einen, die wir *aspekthaftes Erzählen* nennen. Darunter verstehen wir die Erzählung eines Vorfalles vom Blickpunkt verschiedener daran beteiligter Personen. Diese Erzählungen können sich weitverstreut in der Struktur eines Romans befinden. *Erzählperson,* wechselnde Perspektive und *aspekthaftes Erzählen* erinnern wieder an Leibniz: „Und wie eine und dieselbe Stadt, von verschiedenen Seiten betrachtet, jeweils ganz anders erscheint, wie sie gleichsam perspektivisch vervielfältigt ist, so kommt es entsprechend durch die unendliche Menge der einfachen Substanzen, daß es gleichsam ebenso viele verschiedene Universa gibt, die jedoch nur die Perspektiven eines einzigen Universums unter den verschiedenen Gesichtspunkten jeder Monade sind." (Monadologie § 57, vgl. Theodizee § 147) Eine Ähnlichkeit zwischen dem Aspekt der Romanpersonen und dem perspektiven Gesichtspunkt der Monade führt uns auf ein weiteres episches Phänomen, welches wir erstmals in der Struktur dieser Romane erkannt haben, nämlich den *Ausschnitt.* Der *Ausschnitt,* den auch der immanente Leser besitzt, bildet das verschieden strukturierte und verschieden große Wissen der Romanpersonen um die Beziehungen ihrer fiktiven Welt. Dieser *Ausschnitt* vergrößert sich in der Richtung des Erzählablaufes, d. h. er bewegt sich von einem verworrenen Zustand zu einem klaren, den er mit dem Romanschluß erreicht. „ . . . da Gott bei der Regelung des ganzen auf jeden einzelnen Teil und insbesondere auf jede einzelne Monade Rücksicht genommen hat, und da es zur Natur der Monade gehört, zu repräsentieren, gibt es nichts, was sie darauf beschränken könnte, nur einen Teil der Dinge zu repräsentieren; obwohl allerdings diese Repräsentation im einzelnen des Universums verworren bleibt und deutlich nur bei einem kleinen Teil der Dinge sein kann, d. h. bei denen, die einer Monade jeweils entweder am nächsten liegen oder am größten sind; sonst wäre jede Monade eine Gottheit. Nicht im Gegenstande sind die Monaden beschränkt, sondern in der abgestuften Erkenntnis des Gegenstandes. Verworren reichen sie alle bis ins Unendliche, bis zum Ganzen; sie sind aber begrenzt und unterschieden durch die Stufen der Deutlichkeit der Perzeption." (Monadologie § 60)

Diese *abgestufte Erkenntnis* entspricht unserer Verschiedenheit der *Ausschnitte*, die grundsätzlich alle bis zur Wahrheit des Romanschlusses reichen („bis zum Ganzen").

Das Zusammenspiel zwischen *Verwirrung* und *Entwirrung* wurde bereits als wesentliches Formprinzip von Leibniz (vgl. Brief an Anton Ulrich v. 26. April 1713) erkannt und von Wolfgang Bender beschrieben. Auch wir sehen darin, wenn auch differenzierter, ein wichtiges Gestaltungsprinzip. Die Verwirrung ist ein Prinzip der *Oberflächenstruktur*, sie beruht grundsätzlich auf einem minderen Wissen um die Zusammenhänge. Je intensiver sich der erzählende Dichter den Romanpersonen zuwendet, umso klarer zeigt sich die *Tiefenstruktur*. „So gibt es nichts Ödes, nichts Unfruchtbares, nichts Totes im Universum, kein Chaos, keine Verwirrung außer dem Anschein nach; etwa in demselben Sinne, wie es bei einem Teiche scheinen kann, den man in einer gewissen Entfernung betrachtet, in der man sozusagen nur eine verworrene Bewegung und ein Gewimmel von Fischen sieht, ohne die Fische selbst zu unterscheiden." (Monadologie § 69, Theodizee Vorrede) Diese Erkenntnis des Philosophen wirkt wie eine Beschreibung jener Ratlosigkeit, die den Leser befällt, wenn er in die Lektüre von Anton Ulrichs Romanen taucht. Hinter den beiden Entsprechungen *Verwirrung — Entwirrung* steht aber das weitere Prinzip des scheinbaren Chaos und der grundgelegten göttlichen Ordnung. Hierin liegt die tiefere Bedeutung der ganzen umsichtigen Komposition bei Anton Ulrich. Der Romanschluß führt wohl alle tugendhaften Paare in die harmonische Vermählung. Diese aber ist mehr als ein episches Requisit, sie spiegelt als endlich erreichte Harmonie zugleich die gottgewollte und von Gott verfügte Ordnung der Dinge.

Man hat manchen Vorwurf gegen die unveränderliche Langweiligkeit der tugendhaften Romanpersonen in Anton Ulrichs Romanwerk erhoben. Es fehle an psychologischer Kunst, und es fehle an Wahrheit, wenn die Bösen sofort oder bald innerhalb des fiktiven Ablaufes bestraft, die Guten spät jedoch sicher belohnt würden. Auch dieses epische Verfahren scheint Leibniz philosophisch zu rechtfertigen. „Man kann ferner sagen, daß Gott als Baumeister Gott als Gesetzgeber in allem zufriedenstellt, daß so die Sünden ihre Strafe vermöge der Naturordnung nach sich ziehen, und zwar gerade kraft des mechanischen Baues der Dinge; ebenso kann man sagen, daß sich die guten Taten ihren Lohn hinsichtlich der Körper auf mechanischem Wege zuziehen, obwohl das nicht immer sofort geschehen kann und darf." (Monadologie § 89)

Die Guten erleiden sich demnach ihr Glück durchfast endlose Verfolgungen und Schicksalsschläge. Die Kritik an der mangelnden seelischen Veränderung ist ein Anachronismus, denn Anton Ulrich verfährt eigentlich völlig nach dem System seiner epischen Weltgestaltung. Seine Romanpersonen verhalten sich ebenso, wie es Leibniz dem Weisen zuschreibt: „So wird schließlich unter dieser vollkommenen Regierung keine gute Tat unbelohnt, keine böse unbestraft bleiben (vgl. Birkens Aramena-Vorrede), und alles muß den Guten zum besten dienen; denen, heißt das, die in diesem großen Staate nicht unzufrieden sind, die, nachdem sie ihre Schuldigkeit getan haben, auf die Vorsehung vertrauen, die den Urheber alles Guten gebührend lieben und nachahmen; die ihre Freude an der Betrachtung seiner Vollkommenheiten haben, wie es die Natur der wahren *reinen Liebe* ist, die uns an der Glückseligkeit dessen, den wir lieben, unsere Freude haben läßt. Das ist der Grund dafür, daß weise und tugendhafte Personen an alledem arbeiten, was mit dem mutmaßlichen bzw. vorgängigen göttlichen Willen übereinzustimmen scheint, daß sie sich indessen mit dem zufrieden geben, was Gott faktisch kraft seines geheimen, schließlichen und endgültigen Willens geschehen läßt; denn sie erkennen an, daß wir bei genügender Einsicht in die Ordnung des Universums entdecken würden, daß sie alle Wünsche der Weisesten übertrifft, und daß es unmöglich ist, sie besser zu machen, als sie ist, und zwar nicht nur im allgemeinen für das Ganze, sondern überdies auch im einzelnen für uns selbst, wenn wir dem Urheber des Ganzen nur gebührend ergeben sind, nicht nur als dem Baumeister und der wirkenden Ursache unseres Seins, sondern überdies auch als unserem Herrn und der Zweckursache, die das ganze Ziel unseres Willens ausmachen muß und die allein unser Glück sein kann." (Monadologie Schlußparagraph § 90, Theodizee § 134, § 278) Es gibt kaum eine treffendere Charakteristik des vielgeschmähten stereotypen Tugendhelden im Romanwerk Anton Ulrichs als diesen Passus, der seinen Verhaltenskodex prinzipiell absteckt. Diese Entsprechungen bezeugen eine parallele Perspektive. Die Erzählperspektive Anton Ulrichs deckt sich mit der Perspektive der Erkenntnis bei Leibniz. Unabhängig von der kausalen Frage nach einer Beeinflussung, sei diese Entsprechung in mehreren Strukturen phänomenologisch konstatiert.

LITERATURVERZEICHNIS

1. Primärliteratur

Die Durchleuchtige Syrerinn Aramena. Der Erste Theil: Der Erwehlten Freund-schaft gewidmet. Nürnberg / In Verlegung Johann Hofmann / Kunsthändl. Gedruckt daselbst / durch Christof Gerhard. Anno 1669.
Exemplar:
NB Wien 66065-A

Die Durchleuchtige Syrerinn Aramena. Der zweyte Theil: Der Beschwiegerten Freundschaft gewidmet. Nürnberg / In Verlegung Johann Hofmann / Kunst-händl. Gedruckt daselbst / durch Johann Philipp Miltenberger / Anno 1670.
Exemplar:
NB Wien 66065-A

Die Durchleuchtige Syrerin Aramena. Der Dritte Theil: Der Bluts-Freundschaft gewidmet. Nürnberg / In Verlegung Johann Hofmann / Kunsthändl. Gedruckt daselbst / durch Christof Gerhard. Anno 1671.
Exemplare:
NB Wien 66065-A

Die Durchleuchtige Syrerin Aramena. Der Vierte Theil: Der Vermählten Freund-schaft gewidmet. Nürnberg / In Verlegung Johann Hofmann / Kunsthändl. Gedruckt daselbst / durch Christof Gerhard. Anno 1672.
Exemplare:
NB Wien 66065-A
UB Salzburg I 78.814

Mesopotamische Schäferei / Oder Die Durchleuchtige Syrerin Aramena. Der Fünfte und lezte Theil: Der Unbekanten Freundschaft gewidmet. Nürnberg / In Verlegung Johann Hofmann / Kunsthändl. Druckts Christof Gerhard. Anno 1673.
Exemplar:
NB Wien 66065-A
UB Salzburg I 78.814

Octavia Roemische Geschichte: Der Hochlöblichen Nymfen-Gesellschaft an der Donau gewidmet. Nürnberg / In Verlegung Johann Hoffmann / Buch = und Kunsthändlers. Gedruckt bey Johann-Philipp Miltenberger. Anno M DC LXXVII
Exemplar:
UB Salzburg I 78.091

Octavia Roemische Geschichte. Zugabe des Ersten Theils. Der Hochlöblichen
Nymfen-Gesellschaft an der Donau / gewidmet. Nürnberg / In Verlegung
Johann Hofmanns / Buch= und Kunsthändlers. Gedruckt daselbst bey Andrea
Knortzen. Anno M. DC. LXXVIII.
Exemplar:
UB Salzburg I 78.091

Octavia Roemische Geschichte: Zweiter Theil. Der Hochlöblichen Nymfen-Ge-
sellschaft an der Donau gewidmet. Nürnberg / In Verlegung Johann Hof-
mann / Kunst= und Buchhändlers. Gedruckt durch Christof Gerhard daselbst.
Anno Christi LXXIX.
Exemplar:
UB Salzburg I 78.091

Octavia Roemische Geschichte. Zugabe des Andern Theils. Der Hochlöblichen
Nymfen-Gesellschaft an der Donau gewidmet. Nürnberg / In Verlegung Joh.
Hoffmanns S. Wittib und Engelbert Streck. Anno M DCC III.
Octavia Roemischer Geschichte Der Zugabe Des Andern Theils Sechstes Buch.
Nürnberg / Verlegts Johann Hofmanns Seel. Wittib / und Engelbert Streck.
1704.
Exemplar:
UB Salzburg I 78.091

Beschluß Der Römischen Octavia / Der Durchleuchtigsten Herzogin gewidmet /
Die diese Römerin von ihrem mehr als zwanzigjährigem Schlaff aufferwecket.
Nürnberg / In Verlegung Joh. Hoffmanns S. Wittib / und Engelbert Streck.
Anno M DCC IV. Christian-Erlang / Druckts Johann Fridrich Regelein.
Exemplar:
UB Salzburg I 78.091

Zugabe zum Beschluß Der Römischen Octavia. Nürnberg / In Verlegung Joh.
Hoffmanns sel. Wittib / und Engelbert Streck. Anno MDCCVII.
Exemplar:
UB Salzburg I 78.091

Daniel Caspers von Lohenstein Großmüthiger Feldherr Arminius oder Herrmann, Als Ein tapfferer Beschirmer der deutschen Freyheit / Nebst seiner
Durchlauchtigen Thußnelda In einer sinnreichen Staats= Liebes= und Hel-
den=Geschichte Dem Vaterlande zu Liebe Dem deutschen Adel aber zu
Ehren und rühmlichen Nachfolge In Zwey Theilen vorgestellet / Und mit
annehmlichen Kupffern gezieret.
Leipzig / Verlegt von Johann Friedrich Bleditschen Buchhändlern / und gedruckt durch Christoph Fleischern / Im Jahre 1689. Unter ihrer Röm. Käyserl.
Majestät sonderbaren Begnadigung.

Daniel Caspers von Lohenstein Arminius. Anderer Theil. Mit annehmlichen
Kupffern gezieret. Leipzig / Verlegt von Johann Friedrich Bleditsch / 1690.
Exemplar:
NB Wien: B. E. 10. P. 9

Daniel Caspers von Lohenstein Weiland Ihro Römischen Kayserlichen Majestät
Raths und der Kayser= und Königlichen Stadt Breßlau Ober= Syndici
Großmüthiger Feld=Herr Arminius oder Herrmann, Nebst seiner Durch-

lauchtigsten Thusnelda in einer sinn = reichen Staats = Liebes = und Helden =
Geschichte dem Vaterlande zu Liebe dem Deutschen Adel aber zu Ehren und
rühmlicher Nachfolge in Vier Theilen vorgestellet und mit saubern Kupfern
ausgezieret. Andere und durch und durch verbesserte und vermehrte Auflage.
Leipzig, bey Johann Friedrich Gleditschens sel. Sohn, 1731.
Exemplar:
UB Innsbruck 255.367 (erster Band)

Johann Barclayens Argenis Deutsch gemacht durch Martin Opitzen. Breßlaw.
Inn verlegung Dauid Müllers, Buchhändlers in Breßlaw. 1626.
Exemplar:
UB Salzburg I 73.846 (Titelblatt fehlt)

Des Christlichen Teutschen Groß-Fürsten Herkules Und Der Böhmischen Königlichen Fräulein Valiska Wunder-Geschichte. In acht Bücher und zween Teile
abgefasset Und allen Gott- und Tugendliebenden Seelen zur Christ- und ehrlichen Ergezligkeit ans Licht gestellet. Braunschweig, Gedruckt durch Christoff-
Friederich Zilliger, Buchhändlern allda. Anno 1659.
Exemplar: Es war leider nicht möglich, ein Exemplar dieser Ausgabe aufzu-
treiben.

Der Christlichen Königlichen Fürsten Herkuliskus Und Herkuladisla Auch Ihrer
Hochfürstlichen Gesellschaft anmuhtige Wunder = Geschichte. In sechs Bücher
abgefasset und allen Gott = und Tugendergebenen Seelen zur anfrischung
der Gottesfurcht / und ehrliebenden Ergezligkeit aufgesetzet. Herausgegeben
und verleget Von Christoff = Friedrich Zilliger und Caspar Gruber / Buchhändlern. Braunschweig / Im Jahr M DC LXV.
Exemplar:
UB Salzburg I 73.712

Herrn Heinrich Anshelm von Zigler und Kliphausen Asiatische Banise, Oder
blutiges doch muthiges Pegu, In Historischer und mit dem Mantel einer
Helden = und Liebes = Geschicht bedeckten Wahrheit beruhende.
Diesem füget sich bey eine aus dem Italiänischen übersetzte Theatralische
Handlung, benennet: Der tapfere Heraclius. Leipzig, verlegts Christoph Gott-
fried Eckart, Buchhändlern in Königsberg. 1738.
Exemplar:
UB Salzburg I 73.336

Heinrich Anshelm von Zigler und Kliphausen: Asiatische Banise. Vollständiger
Text nach der Ausgabe von 1707 unter Berücksichtigung des Erstdrucks von
1689. Mit einem Nachwort von Wolfgang Pfeiffer-Belli. Darmstadt 1965.

Amadis. Erstes Buch. Nach der ältesten deutschen Bearbeitung herausgegeben
von Adelbert von Keller. Darmstadt 1963. Unveränderter photomechanischer
Nachdruck der Ausgabe Stuttgart 1857 (= Bibliothek des Literarischen Vereins in Stuttgart Band XL).

2. Sekundärliteratur

Adel, Kurt: Die Novellen des Herzogs Anton Ulrich von Braunschweig. In: ZfdPh 78 (1959), S. 349—369.

Alanne, Eero: Das Eindringen der romanischen Sprachen in den Wortschatz des Frühbarock. In: Zeitschrift für deutsche Sprache 21 (1965), S. 84—91.

Alewyn, Richard: Johann Beer. Studien zum Roman des 17. Jahrhunderts. Leipzig 1932 (= Palaestra Band 181).

Alewyn, Richard: Aus der Welt des Barock, dargestellt von Richard Alewyn u. a. Stuttgart 1957.

Alewyn, Richard — Karl Sälzle: Das große Welttheater. Die Epoche der höfischen Feste in Dokument und Deutung. Hamburg 1959 (= rowohlts deutsche enzyklopädie 92).

Alewyn, Richard: Der Roman des Barock. In: Formkräfte der deutschen Dichtung. Vorträge gehalten im Deutschen Haus, Paris 1961/62. Göttingen 1963, S. 21—34 (= Kleine Vandenhoeck — Reihe. — Sonderband 1).

Alewyn, Richard (Hrsg.): Deutsche Barockforschung. Dokumentation einer Epoche. Köln — Berlin 1965 (= Neue Wissenschaftliche Bibliothek, Literaturwissenschaft 7).

Angyal, Endre: Theatrum Mundi. Budapest 1938.

Anton, H.: Gesellschaftsmoral und Gesellschaftsideal im ausgehenden 17. Jahrhundert. Diss. Breslau 1935.

Arbusow, Leonid: Colores Rhetorici. Hrsg. von H. Peter. 2. Auflage. Göttingen 1963.

Arens, Hans: Verborgene Ordnung. Die Beziehungen zwischen Satzlänge und Wortlänge in deutscher Erzählprosa vom Barock bis heute. Düsseldorf 1965 (= Beihefte zur Zeitschrift ‚Wirkendes Wort‘ 12).

Aschner, S.: Die Göttin der Gelegenheit. In: Euphorion 17 (1910), S. 347—349.

Auerbach, Ernst: Mimesis. Dargestellte Wirklichkeit in der abendländischen Literatur. Bern 3. Auflage 1964.

Babilas, Wolfgang: Tradition und Interpretation. München 1961 (= Langue et Parole, Heft 1).

Babinger, F.: Orient und deutsche Literatur. In: Deutsche Philologie im Aufriß. Hrsg. von W. Stammler. Band III (Berlin 1957), Sp. 321—344. — 2. überarbeitete Auflage. Band III (Berlin 1960), Sp. 565—588.

Barth, Hans: Das Zeitalter des Barocks und die Philosophie von Leibniz. In: Die Kunstformen des Barockzeitalters. Hrsg. von Rudolf Stamm. Bern 1956, S. 413—434 (= Sammlung Dalp. Band 82).

Baumgartner, Paul: Die Gestaltung des Seelischen in Zesens Romanen. Frauenfeld 1942 (= Wege zur Dichtung. Heft 39).

Becker, Eva D.: Der deutsche Roman um 1780. Stuttgart 1964 (= Germanistische Abhandlungen 5).

Behrmann, Alfred: Einführung in die Analyse von Prosatexten. Stuttgart 1967 (= Sammlung Metzler M 59).

Bender, Wolfgang: Verwirrung und Entwirrung in der ‚Octavia / Roemische Geschichte‘ Herzog Anton Ulrichs von Braunschweig. Diss. Köln 1964.

Bender, Wolfgang: Herzog Anton Ulrich von Braunschweig-Wolfenbüttel. Biographie und Bibliographie. In: Philobiblon 8 (1964), S. 166—187.

Bethe, E.: Die griechische Dichtung. Potsdam 1924 (= Handbuch der Literaturwissenschaft).

Birke, Joachim: Gottscheds Neuorientierung der deutschen Poetik an der Philosophie Wolffs. In: ZfdPh 85 (1966), S. 560—575.

Blankenburg, Friedrich von: Versuch über den Roman. Faksimiledruck der Originalausgabe von 1774. Mit einem Nachwort von Eberhard Lämmert. Stuttgart 1965.

Bobertag, Felix: Geschichte des Romans und der ihm verwandten Dichtungsgattungen in Deutschland. Band II, 1. Berlin 1881.

Bodemann, Eduard (Hrsg.): Leibnizens Briefwechsel mit Herzog Anton Ulrich von Braunschweig-Wolfenbüttel. In: Zeitschrift des historischen Vereins für Niedersachsen (1888), S. 73—244.

Böckmann, Paul: Formgeschichte der deutschen Dichtung. Erster Band: Von der Sinnbildsprache zur Ausdrucckssprache. Der Wandel der literarischen Formensprache vom Mittelalter zur Neuzeit. Hamburg 1949.

Borcherdt, Hans Heinrich: Geschichte des Romans und der Novelle in Deutschland. I. Teil: Vom frühen Mittelalter bis zu Wieland. Leipzig 1926.

Braun, M.: Griechischer Roman und hellenistische Geschichtsschreibung. Frankfurt 1934 (= Frankfurter Studien zur Religion und Kultur der Antike. Heft 6).

Brinkmann, Hennig: Zu Wesen und Form mittelalterlicher Dichtung. München 1928.

Brögelmann, Liselotte: Studien zum Erzählstil im ‚idealistischen‘ Roman von 1643—1733 (mit besonderer Berücksichtigung von August Bohse). Diss. Göttingen 1953.

Brunner, Otto: Adeliges Leben und europäischer Geist. Salzburg 1949.

Carnap, E. G.: Das Schäferwesen in der deutschen Literatur und die Hirtendichtung Europas. Diss. Frankfurt am Main 1939.

Cholevius, Leo: Die bedeutendsten deutschen Romane des 17. Jahrhunderts. Ein Beitrag zur Geschichte der deutschen Literatur. Leipzig 1866. — Photomechanischer Nachdruck Darmstadt 1965.

Cohn, Egon: Gesellschaftsideale und Gesellschaftsromane des 17. Jahrhunderts. Berlin 1921 (= Germanistische Studien 13).

Conrady, Karl Otto: Lateinische Dichtungstradition und deutsche Lyrik des 17. Jahrhunderts. Bonn 1962 (= Bonner Arbeiten zur deutschen Literatur. Band 4).

Curtius, Ernst Robert: Mittelalterlicher und barocker Dichtungsstil. In: Modern Philology 38 (1941), S. 325—333.

Curtius, Ernst Robert: Europäische Literatur und lateinisches Mittelalter. Bern 1948. 4. Auflage Bern—München 1963.

Curtius, Ernst Robert: Die Lehre von den drei Stilen in Altertum und Mittelalter. In: Romanische Forschungen 64 (1952), S. 57—70.

Cysarz, Herbert: Deutsche Barockdichtung. Renaissance. Barock. Rokoko. Leipzig 1924.

Deuschle, M. J.: Die Verarbeitung biblischer Stoffe im deutschen Roman des Barock. Diss. Amsterdam 1927.

Diem, C.: Ein antiker Sportroman, Heliodors Aethiopica. Berlin 1941 (= Olympische Rundschau. Heft 13).

Dilthey, Wilhelm: Die Funktion der Anthropologie in der Kultur des 16. und 17. Jahrhunderts. In: W. D. Gesammelte Schriften. Band II, Stuttgart-Göttingen 6. Auflage 1960.

Dyck, Joachim: Ornatus und Decorum im protestantischen Predigtstil des 17. Jahrhunderts. In: ZfdA 94 (1965), S. 225—236.

Dyck, Joachim: Ticht-Kunst. Deutsche Barockpoetik und rhetorische Tradition. Bad Homburg vor der Höhe — Berlin — Zürich 1966 (= Ars Poetica. Texte und Beiträge zur Dichtungslehre und Dichtkunst. Hrsg. von August Buck, Heinrich Lausberg und Wolfram Mauser. Band 1).

Erbeling, Elisabeth: Frauengestalten in der ‚Octavia' des Anton Ulrich von Braunschweig. Berlin 1939 (= Germanische Studien. Hrsg. von Walther Hofstaetter. Heft 218).

Faber du Faur, Curt von: Monarch, Patron, and Poet. In: The Germanic Review 24 (1949), S. 249—264.

Faber du Faur, Curt von: German Baroque Literature. A catalogue of the collection in the Yale University Library. New Haven 1958.

Farwick, Leo: Die Auseinandersetzung mit der Fortuna im höfischen Roman. Diss. Münster 1940. Gedruckt: Lengerich 1941.

Fechner, Jörg-Ulrich: Der Antipetrarkismus. Studien zur Liebessatire in barocker Lyrik. Stuttgart 1966 (= Beiträge zur Neueren Literaturgeschichte. Dritte Folge. Band 2).

Fink, Reinhard: Die Staatsromane des Herzogs Anton Ulrich von Braunschweig. In: Zeitschrift für Deutsche Geisteswissenschaft 4 (Jena 1941), S. 44—61.

Fischer, Ludwig: Gebundene Rede. Dichtung und Rhetorik in der literarischen Theorie des Barock in Deutschland. Tübingen 1968 (= Studien zur deutschen Literatur 10).

Flemming, Willi: Die Auffassung des Menschen im 17. Jahrhundert. In: DVJ 6 (1928), S. 403—446.

Flemming, Willi: Der Wandel des deutschen Naturgefühls vom 15. zum 18. Jahrhundert. Halle 1931 (= Deutsche Vierteljahresschrift für Literaturwissenschaft und Geistesgeschichte. Buchreihe Band 18).

Flemming, Willi: Heroisch-galanter Roman. In: Reallexikon der deutschen Literaturgeschichte. 2. Auflage Band I 1957, S. 647—650.

Flemming, Willi: Die Fuge als epochales Kompositionsprinzip des deutschen Barock. In: DVJ 32 (1958), S. 483—515.

Flemming, Willi: Barock. In: Deutsche Wortgeschichte. Hrsg. von Friedrich Maurer und Friedrich Stroh. Band II. 2. Auflage (Berlin 1959), S. 1—21 (= Grundriß der germanischen Philologie 17/II).

Flemming, Willi: Deutsche Kultur im Zeitalter des Barocks. Zweite, neu bearbeitete Auflage. Konstanz 1960 (= Handbuch der Kulturgeschichte. Neu hrsg. von Eugen Thurnher. Erste Abteilung: Zeitalter deutscher Kultur).

Forstreuter, K.: Die deutsche Ich-Erzählung. Berlin 1924 (= Germanische Studien. Heft 23).

Frank, Horst: Catharina Regina von Greiffenberg. Untersuchung zu ihrer Persönlichkeit und Sonettdichtung. Diss. Hamburg 1957 (Maschinenschriftlich).

Frank, Horst-Joachim: Catharina Regina von Greiffenberg. Leben und Welt der barocken Dichterin. Göttingen 1967 (= Schriften zur Literatur. Band 8).

Frenzen, W.: Germanienbild und Patriotismus im Zeitalter des deutschen Barock. In: DVJ 15 (1937), S. 203—219.

Frenzel, Elisabeth: H. A. v. Zigler als Opernlibrettist ‚Die lybische Talestris' — Stoff, Textgeschichte, literarische Varianten. In: Euphorion 62 (1968), S. 278—300.

Friedrich, Carl J.: Das Zeitalter des Barock. Kultur und Staaten Europas im 17. Jahrhundert. Stuttgart 1954.

Geers, G. J.: Towards the solution of the Baroque problem. In: Neophilologus 44 (1960), S. 299—307.

Geschichte der deutschen Literatur. 1600—1700. Von J. G. Boeckh, G. Albrecht, K. Böttcher, K. Gysi, P. G. Krohn, H. Strobach. Berlin 1963 (= Geschichte der deutschen Literatur von den Anfängen bis zur Gegenwart. 5. Band).

Hafen, H.: Studien zur Geschichte der deutschen Prosa im 18. Jahrhundert. St. Gallen 1952.

Haile, H. G.: The Technique of Dissimulation in Anton Ulrich's ,Octavia. Roemische Geschichte'. Diss. Univ. Illinois 1957. — Dissertation Abstracts 17 (1957), S. 2609—2610.

Haile, H. G.: Octavia. Römische Geschichte. Anton Ulrich's Use of the Episode. In: JEGP 57 (1958), S. 611—632.

Hankamer, Paul: Die Sprache. Ihr Begriff und ihre Deutung im sechzehnten und siebzehnten Jahrhundert. Ein Beitrag zur Frage der literarhistorischen Gliederung des Zeitraums. Bonn 1927. — Reprografischer Nachdruck: Hildesheim 1965.

Hankamer, Paul: Deutsche Gegenreformation und deutsches Barock. Die deutsche Literatur im Zeitraum des 17. Jahrhunderts. Stuttgart 1935 (= Epochen der deutschen Literatur). 2., unveränderte Auflage 1947. 3. Auflage 1964.

Haslinger, Adolf: Dies Bildnisz ist bezaubernd schön. Zum Thema ,Motiv und epische Struktur' im höfischen Barockroman. In: Literaturwissenschaftliches Jahrbuch N. F. 9 (1968), S. 83—140.

Hazard, Paul: Die Krise des europäischen Geistes. 1680-1715. Hamburg 1939.

Heetfeld, G.: Vergleichende Studien zum deutschen und französischen Schäferroman. Diss. München 1954.

Heidegger, Gotthard: Mythoscopia Romantica oder Discours Von den so benanten Romans . . . Zürich 1698.

Henne, Helmut: Zum deutschen Wortschatz des Frühbarock. Ein schlesisches Schulwörterbuch von 1620. In: Zeitschrift für Mundartforschung 33 (1966), S. 23—36.

Heselhaus, Clemens: Anton Ulrichs ,Aramena'. Studien zur dichterischen Struktur des deutsch-barocken ,Geschichtgedicht'. Würzburg-Aumühle 1939 (= Bonner Beiträge zur deutschen Philologie. Heft 9).

Hildebrandt-Günther, Renate: Antike Rhetorik und deutsche literarische Theorie im 17. Jahrhundert. Marburg 1966 (= Marburger Beiträge zur Germanistik Band 13).

Hirsch, Arnold: Bürgertum und Barock im deutschen Roman. Ein Beitrag zur Entstehungsgeschichte des bürgerlichen Weltbildes. 2. Auflage besorgt von Herbert Singer. Köln — Graz 1957 (= Literatur und Leben. Hrsg. von Richard Alewyn. N. F. Band 1).

Hirsch, Arnold: Barockroman und Aufklärungsroman. In: Études Germaniques 9 (1954), S. 97—111.

Hitzig, Ulrich: Gotthard Heidegger (1666—1711). Winterthur 1954.

Hocke, G. R.: Manierismus in der Literatur. Sprach-Alchemie und Esoterische Kombinationskunst. Hamburg 1959 (= rowohlts deutsche enzyklopädie 82/83).

Hoeck, Wilhelm: Anton Ulrich und Elisabeth Christine von Braunschweig-Lüneburg-Wolfenbüttel. Eine durch archivalische Dokumente begründete Darstellung ihres Übertritts zur römischen Kirche. Wolfenbüttel 1845.

Hoerner, Margarete: Gegenwart und Augenblick. Ein Beitrag zur Geistesgeschichte des 17. und 18. Jahrhunderts. In: DVJ 10 (1932), S. 457—477.

Hofter, Karin: Vereinzelung und Verflechtung in Anton Ulrichs ,Octavia. Römische Geschichte'. Diss. Bonn 1954 (Maschinenschriftlich).

Hübscher, Arthur: Barock als Gestaltung antithetischen Lebensgefühls. In: Euphorion 24 (1922), S. 515—562.

Huet, P. D.: Traité de l'origine des romans. Faksimiledruck nach der Erstausgabe von 1670 und der Happelschen Übersetzung von 1682. Mit einer Einleitung von H. Hinterhäuser. Stuttgart 1966 (= Sammlung Metzler M 54).

Ingarden, Roman: Das literarische Kunstwerk. 2. Auflage Tübingen 1960.

Ising, Gerhard: Die Erfassung der deutschen Sprache des ausgehenden 17. Jahrhunderts in den Wörterbüchern Matthias Kramers und Kaspar Stielers. Berlin 1956 (= Deutsche Akademie der Wissenschaften zu Berlin. Veröffentlichungen des Instituts für deutsche Sprache und Literatur 7).

Jacob, P.: Die novellistische Einlage im deutschen Prosaroman und ihre ausländischen Vorbilder. Diss. Berlin 1921 (Maschinenschriftlich).

Jolles, André: Die literarischen Travestien. Ritter — Hirt — Schelm. In: Blätter für deutsche Philosophie 6 (1932), S. 282 ff.

Jungkunz, Antonie Claire: Die Menschendarstellung im höfischen Roman des Barock. Berlin 1937 (= Germanische Studien. Heft 190).

Just, Karl Günther: Die Trauerspiele Lohensteins. Versuch einer Interpretation. Berlin 1961 (= Philologische Studien und Quellen. Heft 9).

Kayser, Wolfgang: Die Klangmalerei bei Harsdörffer. Ein Beitrag zur Geschichte der Literatur, Poetik und Sprachtheorie der Barockzeit. 1. Auflage Göttingen 1932. 2., unveränderte Auflage Göttingen 1962 (= Palaestra Band 179).

Kayser, Wolfgang: Entstehung und Krise des modernen Romans. 2. Auflage. Stuttgart 1955.

Kayser, Wolfgang: Wer erzählt den Roman. In: Die Vortragsreise. Studien zur Literatur. Bern 1958, S. 82—101.

Kettelhoit, Paula: Formanalyse der Barclay-Opitzschen ,Argenis'. Diss. Münster 1934.

Kimpel, Dieter: Der Roman der Aufklärung. Stuttgart 1967 (= Sammlung Metzler M 68).

Kleinwächter, F.: Die Staatsromane. Ein Beitrag zur Lehre vom Communismus und Socialismus. Wien 1891. Unveränderter photomechanischer Nachdruck Amsterdam 1967.

Körnchen, Hans: Zesens Romane. Ein Beitrag zur Geschichte des Romans im 17. Jahrhundert. Berlin 1912 (= Palaestra. Band 115).

Koppitz, Hans-Joachim: ,Schriftsteller' im 17. Jahrhundert. In: Zeitschrift für deutsche Wortforschung 19. Band, Band 4 der Neuen Folge (1963), S. 175—177.

Koskimies, Rafael: Theorie des Romans. Helsinki 1935 (= Annales Academiae Scientiarum Fennicae. Band 35).

Krogmann, Willy: Das Arminiusmotiv in der deutschen Dichtung. Wismar 1933.

Lämmert, Eberhard: Bauformen des Erzählens. Stuttgart 1955. Unveränderter Nachdruck 1967.

Lange, Victor: Erzählformen im Roman des achtzehnten Jahrhunderts. In: Anglia 76 (1958), S. 129—144.

Laporte, Luise: Lohensteins ,Arminius'. Ein Dokument des deutschen Literaturbarock. Berlin 1927 (= Germanische Studien. Heft 48).

Lausberg, Heinrich: Handbuch der literarischen Rhetorik. 2 Bände. München 1960.

Lausberg, Heinrich: Elemente der literarischen Rhetorik. 3. Auflage. München 1967.

Lindhorst, Eberhard: Philipp von Zesen und der Roman der Spätantike. Ein Beitrag zu Theorie und Technik des barocken Romans. Diss. Göttingen 1955 (Maschinenschriftlich).

Lockemann, Fritz: Grundhaltungen des Stils. In: Wirkendes Wort 2 (1951/52), S. 80—93.

Lockemann, Wolfgang: Die Entstehung des Erzählproblems. Untersuchungen zur deutschen Dichtungstheorie im 17. und 18. Jahrhundert. Meisenheim am Glan 1963 (= Deutsche Studien. Band 3).

Lugowski, Clemens: Die Form der Individualität im Roman. Studien zur inneren Struktur der frühen deutschen Prosaerzählung. Berlin 1932 (= Neue Forschung. Arbeiten zur Geistesgeschichte der germanischen und romanischen Völker 14).

Lugowski, Clemens: Wirklichkeit und Dichtung. Untersuchungen zur Wirklichkeitsauffassung Heinrich von Kleists. Frankfurt am Main 1936. Darin das 1. Kapitel: ‚Die märchenhafte Enträtselung der Wirklichkeit im heroischgalanten Roman (La Calprenède — Anton Ulrich von Braunschweig).

Lunding, Erik: Das schlesische Kunstdrama. Eine Darstellung und Deutung. Kopenhagen 1940.

Lunding, Erik: German Baroque Literature. A Synthetical View. In: German Life and Letters. N. S. III (October 1949), S. 1—12.

Lunding, Erik: Stand und Aufgaben der deutschen Barockforschung. In: Orbis Litterarum 8 (1950), S. 27—91.

Lunding, Erik: Die deutsche Barockforschung. Ergebnisse und Probleme. In: Wirkendes Wort 2 (1951/52), S. 298—306.

Maché, Ulrich: Die Überwindung des Amadisromans durch Andreas Heinrich Bucholtz. In: ZfdPh 85 (1966), S. 542—559.

Magendie, M.: Le roman français au 17e siècle. Paris 1932.

Mahlerwein, Fritz: Die Romane Anton Ulrichs von Braunschweig-Wolfenbüttel. Diss. Frankfurt am Main 1922 (Maschinenschriftlich).

Mainusch, Herbert: Dichtung als Nachahmung. Ein Beitrag zum Verständnis der Renaissancepoetik. In: GRM N. F. 10 (1960), S. 122—138.

Mandelkow, Karl Robert: Der deutsche Briefroman. In: Neophilologus 44 (1960), S. 200—208.

Markwardt, Bruno: Geschichte der deutschen Poetik. Band I: Barock und Frühaufklärung. Berlin 2. Auflage 1958 (= Grundriß der germanischen Philologie 13/I).

Martini, Fritz: Poetik. In: Deutsche Philologie im Aufriß. Hrsg. von Wolfgang Stammler. Band I (Berlin 1957), Sp. 223—280.

Matthecka, Gerd: Die Romantheorie Wielands und seiner Vorläufer. Diss. Tübingen 1956 (Maschinenschriftlich).

Meid, Volker: Barocknovellen? Zu Harsdörffers moralischen Geschichten. In: Euphorion 62 (1968), S. 72—76.

Meyer, Heinrich: Der deutsche Schäferroman des 17. Jahrhunderts. Dorpat 1928.

Meyer, Heinrich: Schäferdichtung. In: Zeitschrift für Deutsche Bildung 5 (1929), S. 129—134.

Meyer, Herman: Zum Problem der epischen Integration. In Trivium VII (1948), S. 299—318. — Wiederabdruck in: H. M.: Zarte Empirie. Studien zur Literaturgeschichte. Stuttgart 1963, S. 12—32.

Müller, Conrad: Beiträge zum Leben und Dichten D. Caspers von Lohenstein. Breslau 1882 (= Germanische Abhandlungen hrsg. von Karl Weinhold I).

Müller, Günther: Deutsche Dichtung von der Renaissance bis zum Ausgang des Barock. 1. Auflage. Potsdam 1927. 2., unveränderte Auflage Darmstadt 1957 (= Handbuch der Literaturwissenschaft. Hrsg. von Oskar Walzl).

Müller, Günther: Barockromane und Barockroman. In: Literaturwissenschaftliches Jahrbuch der Görres-Gesellschaft 4 (1929), S. 1—29.

Müller, Günther: Höfische Kultur der Barockzeit. In: Hans Naumann und Günther Müller: Höfische Kultur. Berlin 1929 (= Buchreihe der Deutschen Vierteljahrsschrift für Literaturwissenschaft und Geistesgeschichte Band 17).

Müller, Günther — Helene Kromer: Der deutsche Mensch und die Fortuna. In: DVJ 12 (1934), S. 329—351.

Müller, Günther: Über die Seinsweise von Dichtung. In: DVJ 17 (1939), S. 137—152.

Müller, Günther: Erzählzeit und erzählte Zeit. Bonn 1946.

Müller, Günther: Über das Zeitgerüst des Erzählens. In: DVJ 24 (1950), S.   .

Müller, Günther: Aufbauformen des Romans. In: Neophilologus 37 (1952),
S. 1—14.

Müller, Hans von: Bibliographie der Schriften Daniel Caspers von Lohenstein,
1652—1784. In: Werden und Wirken. Ein Festgruß Karl W. Hiersemann zuge-
eignet am 3. September 1924. Hrsg. von Martin Breslauer und Kurt Koekler.
Leipzig — Berlin 1924, S. 184—261.

Müller, Jörg-Jochen: Studien zu den Willenhag-Romanen Johann Beers. Marburg 1965 (= Marburger Beiträge zur Germanistik. Band 9).

Narciss, Georg Adolf: Studien zu den Frauenzimmergesprächsspielen G. Ph.
Harsdörffers (1607—1658). Ein Beitrag zur deutschen Literaturgeschichte des
17. Jahrhunderts. Leipzig 1928 (= Form und Geist. Heft 5).

Neustädter, Erwin: Versuch einer Entwicklungsgeschichte der epischen Theorie
in Deutschland von den Anfängen bis zum Klassizismus. Diss. Freiburg 1927.

Newald, Richard: Die deutsche Literatur vom Späthumanismus zur Empfind-
samkeit 1570-1750. Vierte, verbesserte Auflage mit einem bibliographischen
Anhang. München 1963 (= Geschichte der deutschen Literatur von den Anfängen bis zur Gegenwart von Helmut de Boor und Richard Newald. 5. Band).

Ninow, Otto: Die Komposition des französischen Romans im 17. Jahrhundert
nach seinen Hauptvertretern. Leipzig 1935.

Obermann, Hans: Studien über Philipp Zesens Romane. Die Adriatische Rosemund. Assenat. Simson. Diss. Göttingen 1934.

Oeftering, M.: Heliodor und seine Bedeutung für die Literatur. Berlin 1901
(= Literarhistorische Forschungen hrsg. von H. Schick und Max von Wald-
berg. Heft 18).

Ott, Karl August: Über eine ‚logische‘ Interpretation der Dichtung. In: GRM.
N. F. 11 (1961), S. 210—218.

Pabst, Walter: Literatur zur Theorie des Romans. In: DVJ 34 (1960), S. 264—
289.

Paulsen, Carola: Die Durchleuchtigste Syrerin Aramena des Herzogs Anton
Ulrich von Braunschweig und ‚La Cléopâtre‘ des Gautier Coste de la Calprenède. Ein Vergleich. Diss. Bonn 1956 (Maschinenschriftlich).

Pfeiffer-Belli; Wolfgang: Die Asiatische Banise. Studien zur Geschichte des
höfisch-historischen Romans in Deutschland. Berlin 1940 (= Germanische
Studien. Heft 220).

Philipp, Wolfgang: Das Bild des Menschen im 17. Jahrhundert des Barock. Entstehung, Erscheinung, Verwandlung. In: Studium Generale 14 (1961), S. 721—
742.

Pöggeler, O.: Dichtungstheorie und Toposforschung. In: Jahrbuch für Ästhetik
und allgemeine Kunstwissenschaft 5 (1960), S. 89—201.

Praun, Georg S. de: Bibliotheca Brunsvico-Luneburgensis. Wolfenbüttel-Meisner
1744.

Prys, J.: Der Staatsroman des 16. und 17. Jahrhunderts und sein Erziehungs-
ideal. Würzburg 1913.

Pyritz, Hans: Paul Flemings Liebeslyrik. Zur Geschichte des Petrarkismus.
Göttingen 1963 (= Palaestra Band 234).

Pyritz, Hans: Bibliographie zur deutschen Barockliteratur. In: Paul Hankamer:
Deutsche Gegenreformation und deutsches Barock. Stuttgart 1935, S. 478—512.

Quadlbauer, Franz: Die antike Theorie der genera dicendi im lateinischen Mittelalter. Wien 1962 (= Österreichische Akademie der Wissenschaften, phil.-
histor. Klasse, Sitzungsberichte, Band 241, 2).

Rehm, Walther: Geschichte des deutschen Romans. Band I.: Vom Mittelalter
bis zum Realismus. Berlin und Leipzig 1927 (= Sammlung Göschen 229).

Rehm, Walther: Staatsroman, In: Reallexikon der deutschen Literaturgeschichte. Band III (Berlin 1928/29), S. 293—296.

Rehm, Walther: Römisch-französischer Barockheroismus und seine Umgestaltung in Deutschland. In: GRM 22 (1934), S. 81—106 und 213—239.

Rehtmeier, Philipp Julius: Braunschweig-Lüneburgische Chronica... Braunschweig 1722.

Reichert, Karl: Das Gastmahl der Crispina in Anton Ulrichs ‚Römischer Octavia‘ — der erste deutsche novellistische Rahmenzyklus. In: Euphorion 59 (1965), S. 135—149.

Reichert, Karl: Utopie und Staatsroman. Ein Forschungsbericht. In: DVJ 39 (1965), S. 259—287.

Röder, R.: Barocker Realismus in der Asiatischen Banise. Diss. Erlangen 1948 (Maschinenschriftlich).

Rohde, E.: Der griechische Roman und seine Vorläufer. 2. Auflage. Leipzig 1900.

Rosendahl, Erich: Geschichte Niedersachsens im Spiegel der Reichsgeschichte. Hannover 1927.

Rutt, Theodor: Gottfried Wilhelm Leibniz und die deutsche Sprache. In: Muttersprache 76 (1966), S. 321—325.

Schäfer, Walter Ernst: Hinweg nun Amadis und deinesgleichen Grillen! Die Polemik gegen den Roman im 17. Jahrhundert. In: GRM N. F. 15 (1965), S. 366—384.

Schäfer, Walter Ernst: Tugendlohn und Sündenstrafe in Roman und Simpliciade. In: ZfdPh 85 (1966), S. 481—500.

Schmidt, Erich: Daniel Casper von Lohenstein. In: Allgemeine Deutsche Biographie. 19. Band (Leipzig 1884), S. 120—124.

Schneider, Georg: Die Schlüsselliteratur. 3 Bände. Stuttgart 1951—1953.

Schnelle, Anna M.: Die Staatsauffassung in Anton Ulrichs ‚Aramena‘ im Hinblick auf La Calprenèdes ‚Cléopâtre‘. Diss. Berlin 1939.

Schön, Erika: Der Stil von Zieglers „Asiatischer Banise". Berlin 1933. (Diss. Greifswald).

Schöne, Albrecht: Emblemata. Versuch einer Einführung. In: DVJ 37 (1963), S. 197—231.

Schöne Albrecht (Hrsg.): Das Zeitalter des Barock. 2. durchgesehene Auflage. München 1963 (= Die deutsche Literatur. Texte und Zeugnisse).

Scholte, Jan Hendrik: Barockliteratur. In: Reallexikon der deutschen Literaturgeschichte. Band I. 2. Auflage (Berlin 1957), S. 135—139.

Scholte, Jan Hendrik: Zesens ‚Adriatische Rosemund‘ als symbolischer Roman. In: Neophilologus 30 (1946), S. 20—30.

Schramm, E.: Die Einwirkung der spanischen Literatur auf die deutsche. In: Deutsche Philologie im Aufriß. Band III. 2. überarbeitete Auflage (Berlin — Bielefeld — München 1960), Sp. 147—200.

Schwarz, Elisabeth: Der schauspielerische Stil des deutschen Hochbarock beleuchtet durch Heinrich Anselm von Ziglers ‚Asiatischer Banise‘. Diss. Mainz (1955). (Maschinenschriftlich).

Schwartz, E.: Fünf Vorträge über den griechischen Roman. Mit einer Einleitung von A. Rehm. 2. Auflage. Berlin 1943.

Schulz-Behrend, George: Opitz‘ Übersetzung von Barclays Argenis. In: PMLA 70 (1955), S. 455—473.

Sedlmayer, Hans: Österreichische Barockarchitektur. 1690—1740. Wien 1930.

Seidler, Herbert: Allgemeine Stilistik. 2., neubearbeitete Auflage. Göttingen 1963.

Seidler, Herbert: Die Dichtung. Wesen — Form — Dasein. 2., überarbeitete Auflage. Stuttgart 1965 (= Kröners Taschenausgabe Band 283).

Singer, Herbert: Joseph in Ägypten. In: Euphorion 48 (1954), S. 249—279.

Singer, Herbert: Die Prinzessin von Ahlden. In: Euphorion 49 (1955), S. 305—334.

Singer, Herbert: Der galante Roman. Stuttgart 1961 (= Sammlung Metzler M 10).

Singer, Herbert: Der deutsche Roman zwischen Barock und Rokoko. Köln 1963.

Soldan, Wilhelm G.: Dreißig Jahre des Proselytismus in Sachsen und Braunschweig. Leipzig 1845.

Sommerfeld, Martin: Romantheorie und Romantypus der deutschen Aufklärung. In: DVJ 4 (1926), S. 459—490.

Sonnenburg, Ferdinand: Herzog Anton Ulrich von Braunschweig als Dichter. Berlin 1896.

Spahr, Blake Lee: The Archives of the Pegnesischer Blumenorden. Berkeley and Los Angeles 1960 (= University of California Publications in Modern Philology. Vol. 57).

Spahr, Blake Lee: Protean Stability in the Baroque Novel. In: The Germanic Review 40 (1965), S. 253—260.

Spahr, Blake Lee: Anton Ulrich and Aramena. The Genesis and Development of a Baroque Novel. Berkeley and Los Angeles 1966 (= University of California Publications in Modern Philology. Volume 76).

Spahr, Blake Lee: Baroque and Mannerism: Epoch and Style. In: Colloquia Germanica 1 (1967), S. 78—100.

Spehr, L. F.: Anton Ulrich von Braunschweig. In: Allgemeine Deutsche Biographie 1. Band (Leipzig 1875), S. 487—491.

Stachel, Paul: Seneca und das deutsche Renaissancedrama. Studien zur Literatur- und Stilgeschichte des 16. und 17. Jahrhunderts. Berlin 1907 (= Palaestra. Band 46).

Staiger, Emil: Vom Pathos. In: Trivium 2 (Zürich 1944), S. 77—92.

Stamm, Rudolf (Hrsg.): Die Kunstformen des Barockzeitalters. Bern 1956 (= Sammlung Dalp. Band 82).

Stern, G. W.: Die Liebe im deutschen Roman des 17. Jahrhunderts Berlin 1932.

Stöffler, Friedrich: Die Romane des Andreas Heinrich Bucholtz (1607—1671). ‚Ein Beitrag zur Literaturgeschichte des 17. Jahrhunderts'. Diss. Marburg 1918.

Stötzer, Ursula: Deutsche Redekunst im 17. und 18. Jahrhundert. Halle/Saale 1962.

Strich, Fritz: Der lyrische Stil des 17. Jahrhunderts. In: Abhandlungen zur deutschen Literaturgeschichte. Franz Muncker dargebracht von Mitgliedern der Gesellschaft Münchener Germanisten. München 1916, S. 21—53.

Strich, Fritz: Der europäische Barock. In: Der Dichter und die Zeit. Bern 1947, S. 71—131.

Strich, Fritz: Die Übertragung des Barockbegriffs von der bildenden Kunst auf die Dichtung. In: Die Kunstformen des Barockzeitalters. Hrsg. von R. Stamm. Bern 1956, S. 243—265.

Strich, Fritz: Der literarische Barock. In: Kunst und Leben. Vorträge und Abhandlungen zur deutschen Literatur. Bern und München 1960, S. 42—58.

Szarota, Elida Maria: Lohenstein und die Habsburger. In: Colloquia Germanica 1 (1967), S. 263—309.

Szarota, Elida Maria: Künstler, Grübler und Rebellen. Bern 1967.

Theiner, August: Geschichte der Zurückkehr der regierenden Häuser von Braunschweig und Lüneburg in den Schoß der katholischen Kirche. Einsiedeln 1843.

Thürer, Georg: Vom Wortkunstwerk im deutschen Barock. In: Die Kunstformen des Barockzeitalters. 14 Vorträge hrsg. von Rudolf Stamm. München 1956, S. 354—382.

Thurnher, Eugen: Die Romane des Laurentius von Schnifis. Zur Frage des barocken Romans. In: Festschrift Moriz Enzinger zum 60. Geburtstag. Geleitet von Herbert Seidler. Innsbruck 1953, S. 185—199 (= Schlern Schriften 104).

Thurnher, Eugen: Das Formgesetz des barocken Romans. In: Germanistische Abhandlungen. Hrsg. von Karl Kurt Klein und Eugen Thurnher. Innsbruck 1960, S. 147—154 (= Innsbrucker Beiträge zur Kulturwissenschaft. Band 6).

Thurnher, Eugen: Geist und Form des barocken Romans. In: Wissenschaft und Weltbild 14 (1961), S. 147—149.

Trunz, Erich: Weltbild und Dichtung im deutschen Barock. In: Zeitschrift für Deutschkunde 51 (1937), S. 14—29.

Trunz, Erich: Die Erforschung der deutschen Barockdichtung. Ein Bericht über Ergebnisse und Aufgaben. (= DVJs. Referatenheft. Halle 1940, S. 1—100).

Verhofstadt, Edward: Daniel Casper von Lohenstein. Untergehende Wertwelt und ästhetischer Illusionismus. Brugge (Belgien) 1964.

Haslinger, Ulrich: Literaturverzeichnis   7

Viëtor, Karl: Vom Stil und Geist der deutschen Barockdichtung. In: GRM 14 (1926), S. 145—184.

Viëtor, Karl: Probleme der deutschen Barockliteratur. Leipzig 1928 (= Von deutscher Poeterey. Heft 3).

Viëtor, Karl: Das Zeitalter des Barock. In: Zeitschrift für Deutschkunde 42 (1928), S. 383—405.

Veit, W.: Toposforschung. Ein Forschungsbericht. In: DVJ 37 (1963), S. 120—163.

Villiger, Leo: Catharina Regina von Greiffenberg (1633—1694): Zu Sprache und Welt der barocken Dichterin. Zürich 1952.

Vogt, Erika: Die gegenhöfischen Strömungen in der deutschen Barockliteratur. Leipzig 1932 (= Von deutscher Poeterey. Heft 11).

Vollmary, Maria: Natur in Anton Ulrichs ,Aramena' und Grimmelshausens ,Simplicissimus'. Diss. Münster 1941. (Maschinenschriftlich).

Wehrli, Max: Das barocke Geschichtsbild in Lohensteins Arminius. Frauenfeld und Leipzig 1938 (= Wege zur Dichtung. Heft 31).

Wehrli, Max: Der historische Roman. In: Helicon 3 (1940), S. 89—109.

Weier, Winfried: Duldender Glaube und tätige Vernunft in der Barocktragödie. In: ZfdPh 85 (1966), S. 501—542.

Weinreich, Otto: Der griechische Liebesroman. Zürich 1962 (= Lebendige Antike).

Weiss, Walter: Die Negation in der Rede und im Bannkreis des satzkonstituierenden Verbs. Die Negation im deutschen Satz I. — Die Negation zwischen Satzbezug und Verselbständigung. Die Negation im deutschen Satz II. In: Wirkendes Wort 11 (1961), S. 65—74, S. 129—140.

Weissker, Franz: Der heroisch-galante Roman und die Märtyrerlegende. Diss. Leipzig 1940. (Maschinenschriftlich).

Welzig, Werner: Ordo und verkehrte Welt bei Grimmelshausen. In: ZfdPh 78 (1959), S. 424—430.

Weydt, Günther: Der deutsche Roman von der Renaissance und der Reformation bis zu Goethes Tod. In: Deutsche Philologie im Aufriß. 2. Auflage. Band II. 1957, Sp. 1265—1269.

Will, H.: Die ästhetischen Elemente in der Beschreibung bei Zesen. Gießen 1922 (= Gießener Beiträge zur deutschen Philologie. Heft 6).

Windfuhr, Manfred: Die barocke Bildlichkeit und ihre Kritiker. Stilhaltungen in der deutschen Literatur des 17. und 18. Jahrhunderts. Stuttgart 1966.

Wippermann, Hanna: Herzog Anton Ulrich von Braunschweig: ,Octavia'. Zeitumfang und Zeitrhythmus. Diss. Bonn 1948 (Maschinenschriftlich).

396

Woodtli, Otto: Die Staatsräson im Roman des deutschen Barocks. Frauenfeld/
Leipzig 1943. (= Wege zur Dichtung 40).

Zimmermann, Paul: Zu Herzog Anton Ulrichs ‚Römischer Octavia'. In: Braun-
schweigisches Magazin Nr. 12 (16. Juni 1901), S. 89—93; Nr. 13 (30. Juni
1901), S. 100—104; Nr. 14 (14. Juli 1901), S. 105—110; Nr. 16 (11. August
1901), S. 121—126.

3. Abkürzungsverzeichnis

A.	Anmerkung
Diss.	Dissertation
DVJ	Deutsche Vierteljahresschrift für Geistesgeschichte und Literatur-wissenschaft
ELLM	Europäische Literatur und lateinisches Mittelalter
EZ	Erzähler
GRM	Germanisch-Romanische Monatsschrift
JEGP	Journal of English and Germanic Philology
MS 2	Handschriftliche Urfassung der ‚Aramena'
P	editio princeps der ‚Aramena'
s. o. S.	siehe oben Seite
s. u. S.	siehe unten Seite
u. E.	unseres Erachtens
u. W.	unseres Wissens
Z.	Zeile
ZfdA	Zeitschrift für deutsches Altertum
ZfdPh	Zeitschrift für deutsche Philologie
ZH	Zuhörer
A I 27	‚Aramena', I. Band, Seite 27
O III 201	‚Octavia', III. Band, Seite 201
Ar II 12 l	‚Arminius' (1689/90), II. Band, Seite 12, linke Spalte
AR I 14 r	‚Arminius' (1731), I. Band, Seite 14, rechte Spalte

4. Textstellennachweis

Hier sind alle Textstellen aus den Originalromanen (s. S. 384—386) verzeichnet,
die mindestens eine syntaktische Einheit bilden. Den mit * markierten Stellen
steht zudem ein handschriftlicher Entwurf zur Seite.

‚Die Durchleuchtige Syrerinn Aramena'

A I 1—6	19—21	A I 83*	332 A. 340
A I 6	28	A I 97	330
A I 10 f.	124	A I 119 f.*	361—364
A I 33	85	A I 140	317
A I 33	367	A I 163*	331
A I 59	296	A I 165	358
A I 77	367	A I 165	368

,Assenat'

26   222

,Asiatische Banise'

16 f.	125 f.
27 f.	175
107	222
133 f.	180 f.
135 f.	177 f.

,Herkuliskus und Herkuladisla'

9 l — 11 l	116 f.
244	206
419 r — 421 l	146—148

421 l	149
1242	328 f.
1287	276
1391	276
1421	276

Handschriftliche Zitate:

Cod. Guelf. Extrav. (Herzog-August-
Bibliothek Wolfenbüttel) Nr. 198:

Bl. 18	81 A. 116
Bl. 31	98 f.
Bll. 50 b, 51,	
51 b, 52	100 A. 135
Bll. 34 b, 35, 35 b	100 A. 135

REGISTER

1. Sachregister

2. Autoren- und Werkregister

NACHWORT

Diese Arbeit wurde im Sommer 1969 von der Philosophischen Fakultät der Universität Salzburg als Habilitationsschrift angenommen.

Für die ständige Bereitschaft, über das Thema zu diskutieren, und für Rat und Tat bei der Abfassung des Manuskriptes danke ich Herrn Professor Dr. Walter Weiss. Ohne seine großzügige Förderung hätte ich die materialreiche Arbeit nicht in dieser Zeit vollenden können.

Herrn Dr. Karl Forstner, dem Direktor der Salzburger Universitätsbibliothek, danke ich für die entgegenkommende Dauerleihe der betreffenden Originalbände, die eine unerläßliche Voraussetzung meiner Studien war. Weiteren Dank schulde ich allen österreichischen und deutschen Bibliotheken, die mich hilfsbereit unterstützt haben; besonders der Wiener Nationalbibliothek und der Herzog-August-Bibliothek in Wolfenbüttel.

Dem Theodor-Körner-Stiftungsfonds danke ich für die Verleihung des wissenschaftlichen Preises im Jahre 1966, der mir die Mittel bot, reichhaltig Kopien von Handschriften und Drucken anzuschaffen; dem Bundesministerium für Unterricht für die Verleihung eines Auslandsstipendiums, das ich zu einer Reise nach Wolfenbüttel benützte.

Dieses Buch wurde mit dem Kardinal-Innitzer-Preis 1969 ausgezeichnet.

Herr Dr. Franz Viktor Spechtler hat mir in aufopfernder Weise bei den Korrekturen geholfen.

Nicht zuletzt war es die ‚barocke' Atmosphäre der schönen Stadt Salzburg, die mich immer wieder zur Vollendung des Werkes anspornte.

Salzburg, im Dezember 1969   A H